Hermann Kurzke (Hrsg.) — Stationen der Thomas-Mann-Forschung

Hermann Kurzke (Hrsg.)

Stationen der Thomas-Mann-Forschung

Aufsätze seit 1970

Königshausen + Neumann
1985

Umschlagentwurf: Guido Ludes (Mainz)

CIP-Kurztitelaufnahme der Deutschen Bibliothek

Stationen der Thomas-Mann-Forschung : Aufsätze seit 1970 / Hermann Kurzke (Hrsg.). — Würzburg : Königshausen und Neumann, 1985.
ISBN 3-88479-180-X

NE: Kurzke, Hermann [Hrsg.]

Satz: Fotosatz Königshausen + Neumann
Druck und Bindung: difo-druck, Bamberg
Printed in Germany
ISBN 3-88479-180-X

INHALT

Hermann Kurzke

Tendenzen der Forschung seit 1976

Über die Forschung bis 1968 unterrichtet der Forschungsbericht von Herbert Lehnert (Stuttgart 1969), über die Jahre von 1969 bis 1976 ein Bericht von mir (Frankfurt 1977). Der dort beschriebene Paradigmawechsel hat sich in den letzten Jahren weiter stabilisiert. Die erheblich verbesserte Quellenlage zeitigte ihre Konsequenzen. Im Mittelpunkt steht nun nicht mehr, wie in den Sechziger Jahren, das optimistische Bild des repräsentativen Republikaners und Humanisten Thomas Mann, wie es der antifaschistische Kampf der Exiljahre einst geprägt hatte, sondern eine skeptischere Betrachtungsweise, die Ästhetizismus, Konservatismus, Pessimismus und Narzißmus akzentuiert und in der republikanischen Wende nur einen Oberflächenvorgang erkennt.

1. Editionen

Die *Gesammelten Werke in dreizehn Bänden*, die bisher die Zitiergrundlage der westlichen Forschung bildeten, sind vergriffen. Seit 1980 erscheinen im S. Fischer Verlag *Gesammelte Werke in Einzelbänden*, herausgegeben von Peter de Mendelssohn (†). Die Edition, vom Verlag als „Frankfurter Ausgabe" etikettiert, schließt sich in ihrer Anlage an die „Stockholmer Ausgabe" an. Jeder Roman erhält also, anders als in der dreizehnbändigen, einen eigenen Band. Die Essaybände verwenden zwar zum Teil von Thomas Mann geprägte Titel (z.B. *Rede und Antwort* oder *Die Forderung des Tages*,) enthalten aber weit mehr als die ursprünglich unter diesen Titeln publizierten Bücher. Eine Reihe kleinerer Texte, die seit dem *Nachträge*-Band der dreizehnbändigen Ausgabe aufgetaucht sind, sind aufgenommen; es bleiben trotzdem „gesammelte", nicht „sämtliche" Werke. Die Texte sind in der Regel nach der Chronologie ihrer Entstehung angeordnet. Alle Bände haben ein ausführliches Nachwort zur Entstehungs- und Wirkungsgeschichte. Durch den Tod Peter de Mendelssohns ist das weitere Erscheinen der Ausgabe geringfügig verzögert worden. Sie soll 1985 fertig vorliegen.

Auch in der DDR gibt es eine neue Ausgabe. Die zehn Bände *Romane und Erzählungen* (1974/75) werden durch eine achtbändige Edition *Aufsätze. Reden. Essays* ergänzt (Berlin/Weimar 1983 ff), die endlich auch die Kriegsschriften von 1914-1918 zugänglich macht. Sie ist chronologisch angeordnet und knapp, aber sorgfältig kommentiert. Sie ist insofern als Studienausgabe sehr geeignet, während die Frankfurter Ausgabe trotz der informativen Nachworte mehr den Charakter einer Leseausgabe hat.

Auf eine historisch-kritische Ausgabe wird man wohl noch sehr lange warten müssen. Da es auf längere Sicht keine einheitliche Zitiergrundlage geben wird, empfiehlt es sich, in allen Arbeiten nicht nur Band und Seite, sondern zusätzlich auch Kapitel- bzw. Aufsatztitel anzuführen.

2. Tagebücher

Das große Ereignis des letzten Forschungsjahrzehnts war die Publikation der Tagebücher Thomas Manns. Bisher liegen die Bände von 1918-1921, von 1933-1934, 1935-1936, 1937-1939 und 1940-1943 vor, betreut und mit detaillierten Erläuterungen versehen von Peter de Mendelssohn. Die Fortsetzung der Edition hat Inge Jens übernommen. Nach der ersten Feuilleton-Erregung über die in den Tagebüchern relativ offen zutagetretende bisexuelle Anlage Thomas Manns, seine narzißtische Körperkultur und diverse Häßlichkeiten gegenüber Mitmenschen beginnt allmählich eine differenziertere Betrachtung.

3. Briefwechsel

Die Erschließung des Briefwechsels durch die von Hans Bürgin (†) und Hans-Otto Mayer betreute Ausgabe *Die Briefe Thomas Manns. Regesten und Register* (Frankfurt 1977 ff) ist bis 1950 erschienen. Das Werk ist ein bedeutendes Hilfsmittel der Forschung, macht es doch rund 15.000 Briefe zugänglich (Fundort, Namen, Werke, Inhalt). Die Ausgabe trägt neben den Tagebüchern und Peter de Mendelssohns Biographie erheblich dazu bei, daß die Forschung heute im Chronologischen sehr genau sein kann. Einflüsse, Quellen, Begegnungen, Ansichten Thomas Manns und ihre Wandlungen lassen sich heute in der Regel exakt datieren. Sehr viele Vermutungen der älteren Forschung lassen sich ins Reich der Legende verweisen.

Unter den neueren Einzelpublikationen von Briefwechseln sind erwähnenswert *Thomas Mann — Alfred Neumann: Briefwechsel*, herausgegeben von Peter de Mendelssohn (Heidelberg 1977), und die von Hans Rudolf Vaget vorbereitete Edition des Briefwechsels mit Agnes E. Meyer (Schriftstellerin, Gemahlin des Verlegers der „Washington Post"). Agnes Meyer hat Thomas Mann in USA viele Wege geebnet. Von diesem Briefwechsel lassen sich wichtige Aufschlüsse über die Verhältnisse im amerikanischen Exil erwarten.

4. Interviews

Unter dem Titel *Frage und Antwort* haben Volkmar Hansen und Gert Heine *Interviews mit Thomas Mann* publiziert und kommentiert (Hamburg 1983). Die Ausgabe ist lesenswert nicht so sehr wegen der Texte Thomas Manns, man erfährt in dieser Hinsicht relativ wenig Neues, als vielmehr als Zeugnis der Rolle der Vermittlungsinstanzen für die Wirkungsgeschichte. Das Bild, das die nicht immer gründlich informierten Journalisten von Thomas Mann vermitteln, ist stark vergröbernd. Es erklärt manche Mißverständnisse. Höflich, wie Thomas Mann ja immer war, ließ er sich auf das Spiel ein und bot in den Interviews auch seinerseits Einseitigkeiten, die das vielseitige Spiel der Dichtungen gerade zu vermeiden wußte. Eine ausführliche Auswertung des Materials steht noch aus.

5. Dokumentationen

Das Thomas-Mann-Werk der Reihe *Dichter über ihre Dichtungen* wurde 1981 mit dem dritten Band abgeschlossen. Die von Hans Wysling und Marianne Fischer hervorragend betreute Edition (besonders verdienstlich und entsagungsvoll: die Zitatnachweise) gibt einen prägnanten Einblick in die Entwicklung der Werkpläne und der Selbstdeutungen Thomas Manns. Sie enthält auch eine Menge bisher ungedruckter Äußerungen, vor allem aus Briefen. Sie sollte es eigentlich unmöglich machen, daß man künftig, wie bisher oft geschehen, auf irgendeine isolierte Selbstdeutung Thomas Manns waghalsige Interpretationen stützt. Sie befördert hoffentlich einen differenzierten Umgang mit diesen Äußerungen. Man hat zu unterscheiden, ob eine Äußerung vor dem Werk, gleichzeitig oder danach liegt, ferner wem gegenüber und mit welchem Interesse sie erfolgt. Wenn man diese Prämissen beachtet, bieten die Selbstdeutungen durchaus wieder wesentliche Interpretationshinweise.

6. Bibliographien

1980 erschien der zweite Band der Bibliographie *Die Thomas-Mann-Literatur* von Klaus W. Jonas. Er erschließt detailliert und gründlich die Sekundärliteratur von 1956 bis 1975. Für den Zeitraum danach steht eine knapp kommentierte Auswahlbibliographie von mir zur Verfügung (in: Text und Kritik. Sonderband Thomas Mann. Herausgegeben von Heinz Ludwig Arnold. 2., erweiterte Auflage 1982, S. 238-262).

7. Einführungen

Die durch die Publikationen der letzten anderthalb Jahrzehnte so grundlegend verbesserte Quellenlage erlaubt Gesamtdarstellungen von bis dahin unerreichbarer Genauigkeit. Die neu gesicherte Faktenbasis ist für Forschung und Unterricht zugänglich zu machen. Drei Verlage haben hier unabhängig voneinander Projekte in Angriff genommen. Im Winkler Verlag erscheint ein *Thomas-Mann-Kommentar* von Hans Rudolf Vaget, im Metzler Verlag ein Realienbuch *Thomas Mann* von Volkmar Hansen, und im Beck Verlag ein *Arbeitsbuch Thomas Mann* von mir (1985), alle den jeweils bewährten Reihenkonzepten folgend.

8. Monographien und Aufsätze

Aus den sehr zahlreichen Arbeiten der letzten Jahre kann hier nur eine ganz kleine Auswahl vorgestellt werden, die für den erwähnten Paradigmawechsel besonders charakteristisch ist. Ich beginne mit einer Debatte über *Mario und der Zauberer.* Die bis in die Schulpraxis hinein noch immer klassische Deutung hatte Georg Lukács inauguriert, als er in dem „Herrn aus Rom", der dem Hypnotiseur Cipolla trotz angespanntester Willenskraft unterliegt, den nur abstrakten Widerstand des perspektivlosen Bürgertums gegen den Faschismus verkörpert sah. Auch in der neueren Literatur geht es immer noch um die Frage, ob die Novelle politisch, also als Faschismusstudie zu begreifen ist oder rein literarisch und psychologisch. Hartmut Böhme hatte 1975 die Faschismusthese bereits in den Horizont einer sozialpsychologisch fundierten Strukturanalyse gestellt (*Position des Erzählers und Psychologie der Herrschaft*, hier abgedruckt). Er analysiert den Status des Erzählers als den einer handlungsgehemmten Reflexionsinstanz. Marios Schüsse, eine strukturell widersinnige Negation des Vorhergegangenen (denn woher hat er plötzlich die Kraft zum Widerstand?), dienen zur Wiederherstellung der bedrohten Legitimation dieser Erzählerinstanz, deren „freischwebende Intelligenz" sich als widerstandsunfähige Position erwiesen hatte. Das Thema der Novelle ist insofern der bürgerliche Intellektuelle im Angesicht der faschistisch-autoritären Herrschaft. Wolfgang Freese ermittelt 1977, wie sehr die Rezeption vom Erwartungshorizont des Publikums gesteuert ist, und daß die Frührezeption einen Erwartungshorizont „Faschismus" kaum kannte (*Zum Verhältnis von Antifaschismus und Leseerwartung in „Mario und der Zauberer*, in: DVS 51, 1977, S. 659-675). Gegen Böhme stellte Manfred Dierks 1978 in einer methodisch wegweisenden Interpretation fest, daß die Novelle ganz aus den bis dahin bekannten Konstellationen des Werks (vor allem von Schopenhauer her) erklärt werden kann und daß deshalb jede sozialpsychologische Deutung den Text um eine entscheidende Dimension verkürzt: „Was Thomas Mann später als „Psychologie des Faschismus" (XI, 672) ausgeben kann, ist erst einmal weiterhin Kritik und Erklärung der Künstlerexistenz mit den Mitteln Schopenhauers, Nietzsches (und Wagners)." (*Die Aktualität der positivistischen Methode*, hier abgedruckt). Gert Sautermeisters großangelegte Analyse und Dokumentation *Thomas Mann: „Mario und der Zauberer* (München 1981) will gegen Dierks die politische Deutung der Novelle auf differenzierte Weise rehabilitieren. Daß einige Rezensionen das Politische wahrgenommen haben, zeigt neuerdings Vagets *Thomas Mann-Kommentar* (München 1984, S. 229-249).

In der Tat geht eine schopenhauerisierende Deutung der Novelle erstaunlich genau auf. Der Text stellt sich danach ein ethisches Problem: es geht um die Frage nach der Widerstandskraft des bürgerlichen Individuums. Sie lautet in den Termini der Philosophie Schopenhauers: Welche Chancen hat die Welt der Vorstellung, sich gegen die Welt als Wille zu behaupten? Das Urteil über die Welt als Vorstellung leitet in der Erzählung eine Reihe von Gestalten, die sich kraft ihrer Vernunft gegen die Verführung des Hypnotiseurs behaupten wollen. Es sind dies vor allem der Giovanotto, der dem Publikum gegen seinen Willen die Zunge zeigen muß, der trotzige Herr aus Rom, der seine Willensfreiheit vergeblich erprobt und am Ende doch tanzen muß, und der Colonello, der den Arm nicht mehr heben kann. Cipolla beweist, daß die „Willens"-Natur der Welt (im Sinne Schopenhauers) stärker ist. Er ist der Verführer zur tieferen Wahrheit des Seins. Denn eigentlich vergewaltigt er seine Opfer nicht, sondern erfüllt ihren tiefen Wunsch, sich gehen zu lassen und die anstrengende Haltung der Vernunft, der Form, der Gesittung preis zu geben wie Hans Castorp bei Frau Chauchat. Wie sie wird er verglichen mit Kirke, die die Freunde des Odysseus in Schweine verwandelt. Seine Wirkung gibt sich als befreiende, nicht als zwingende. Als der Herr aus Rom endlich zu tanzen beginnt, ist ihm wohler als zur Zeit seines Stolzes. Die eigentliche „Vergewaltigung", wie Cipolla sagt, ist vielmehr die „mündige Freiheit des Individuums". Sie ist wie bei Schopenhauer nur eine Illusion. Sie aufzugeben bedeutet Vergnügen und orgiastische Lust. „Mächte", „stärker als Vernunft und Tugend", bewirken eine „trunkene Auflösung der kritischen Widerstände" (GW VIII,700). Das Entehrende und Entwürdigende, die Preisgabe der Individuation, ist zugleich die höchste Lust. Insofern ist *Mario* dem *Tod in Venedig* und dem *Zauberberg* verwandt. Die Beziehung zum Faschismus hingegen ist sekundär und relativ äußerlich.

Paradigmatisch für die neuere Forschung ist auch die Entwicklung der *Zauberberg*-Deutung. Von grundsätzlichem Rang ist insbesondere die Debatte zwischen Børge Kristiansen und Helmut Koopmann. Kristiansen hatte in seinem Buch *Unform – Form – Überform. Thomas Manns Zauberberg und Schopenhauers Metaphysik* (Kopenhagen 1978) die Leitmotivstruktur des Romans auf die Metaphysik Schopenhauers bezogen. Den Sog zur Entindividuation („Unform") verkörpern die Leitmotive des Bereichs „Asien" (Hippe, Chauchat, horizontale Lage, russisch Sprechen, Duzen, Finsternis etc.), den Willen zur bürgerlichen Individualität („Form") die Motive des Bereichs „Westen" (Settembrini, Arbeit, Fortschritt, Aufklärung, Licht anmachen, Siezen etc.). „Überform" ist Kristiansens Begriff für den Motivbereich „Spanien" (Naphta, Loyola, Inquisition, Tod, Tellerkrause, Schneekristalle etc.). Im Krieg siegt endgültig die Unform: Die Welt zeigt ihr wahres Gesicht als „Wille". Die Welt der Vernunft und der bürgerlichen Gesittung wird als eine gegenüber diesem ihrem wahren, chaotisch-triebhaften Sein ohnmächtige bloße Vorstellung zurückgelassen. Damit hat Kristiansen das bisher oft recht selbstgenügsame philologische Glasperlenspiel der Leitmotivanalyse philosophisch fundiert. Die Leitmotivstruktur erschließt das wahre Sein des Romans. Die Inhalte, zum Beispiel die Botschaft des Schneetraums, sind demgegenüber bloße Meinungen. Die Tiefenstruktur des Romans ist infolgedessen pessimistisch. Es ist ein Entbildungs-, ein Verfallsroman. Thomas Manns spätere, optimistische Selbstdeutungen, die den *Zauberberg* als positiven Bildungsroman verstehen, sind nur den politischen Absichten des Republikaners zuzuschreiben, nicht einer Analyse der wirklich vorliegenden ästhetischen Struktur.

Gegen Kristiansen hat Helmut Koopmann in seinem Buch *Der klassisch-moderne Roman in Deutschland* (Stuttgart 1983) die optimistische Deutung als Bildungsroman noch einmal zur Debatte gestellt. Er sieht in Hans Castorps Schneetraum und in seinem Aufwachen am Ende einen Entschluß zum Ich. *Der Zauberberg* sei eine pädagogische Distanzierung vom Todesrausch, eine Schopenhauerkritik und ein Bekenntnis zur Aufklärung. Thomas Mann habe sich der Schopenhauerschen Metaphysik bedient, um vor ihr zu warnen, nicht, um sie zu verteidigen. In einer Nachschrift zur zweiten Auflage seines Buches (Bonn 1985) antwortet Kristiansen auf diese Kritik mit einer prägnanten Metakritik, die zugleich als Einführung in den Zauberberg gelesen werden kann (hier abgedruckt). Die Bildungsergebnisse, für die auf der humanen Sinnebene plädiert wird, stellen danach lediglich illusorische Wünschbarkeiten dar, die der Leser stets vor dem Horizont der in den gestalteten Ereignissen zum Ausdruck kommenden Gültigkeit der Schopenhauerschen Willensphilosophie erlebe.

Ein neues Gesamtbild Thomas Mann gibt Hans Wyslings Opus magnum *Narzißmus und illusionäre Existenzform. Zu den Bekenntnissen des Hochstaplers Felix Krull* (Bern/München 1982). Die Tatsache, daß die Entstehungsgeschichte des *Felix Krull* vom Frühwerk bis ins Spätwerk reicht (geschrieben von 1910-1913 und von 1951-1954), erkennt Wysling als Chance für eine umfassende Deutung, die Kontinuität und Wandel vom Frühwerk bis zum Spätwerk sichtbar macht. Zum Frühwerk: Das Eingangskapitel zur Psychologie des Künstlers ermittelt die Basis (Nietzsche, Lombroso, Schopenhauer, Fin de siècle). Krull ist das „Künstlerkind". Die Welt als Wille manifestiert sich in Wyslings Analyse anhand der Stichworte „Felix", „Morpheus", „Eros", „Narziß" und „Prospero", die Welt der Vorstellung anhand von „Maja", „Histrio", „Proteus", „Heros" und „Theatrum mundi". Zum Spätwerk: Neu ist die mythische Fundierung (Krull als Hermes, die Bekenntnisse als Pantheon, Professor Kuckucks Philosophie der Allsympathie). Neu ist die Rezeption der Psychoanalyse. Geblieben aber ist die Grundstruktur des Werks, die Wysling vom Narzißmusbegriff ableitet. Diesem gewinnt er philologisch Erstaunliches ab — vom Dogmatismus älterer literaturpsychoanalytischer Arbeiten gibt es keine Spur mehr. Er erklärt Manns Werk aus der Spannung zwischen narzißtischer Ohnmacht und Allmacht. Es dient in Ohnmachtsmomenten als gigantischer Abwehrmechanismus gegen die Welt. Es bietet in Allmachtsmomenten ein ungeheures Glücksgefühl. Im *Krull* fügt sich die Welt auf märchenhafte Weise den Omnipotenzträumen des narzißtischen Künstler-Ichs. Jeder Widerstand der Welt ist aufgehoben; es gibt keine Objektwelt mehr, nur noch ein wirklichkeitsreines Traumreich. Das narzißtische Versagen gegenüber dem Nächsten und der Gesellschaft führt andererseits zu einem ständigen Schuldgefühl, das Thomas Mann vergeblich mit Arbeit und appellatorischer Moralität zu übertäuben versucht.

Ausgehend von Wysling und Kristiansen bietet auch Manfred Dierks in seinem Aufsatz *Zur Bedeutung philosophischer Konzepte für einen Autor und für die Beschaffenheit seiner Texte* (in: Literatur und Philosophie, herausgegeben von Bjørn Ekmann, Børge Kristiansen und Friedrich Schmöe, Kopenhagen 1983, S. 9-39) eine psychoanalytische Begründung der Textstruktur bei Thomas Mann. Besonders überzeugend an seiner Analyse scheint mir der Nachweis zu sein, daß die leitmotivische Verknüpfungstechnik nicht auf rationalem Kalkül beruht, sondern auf „Dunkelschöpfung": gerade das Finden und In-Beziehung-Setzen der Leitmotive geht auf eine narzißtische Weltauffassung zurück, sofern Narziß die Welt als selbständig gegenüberstehende nicht ertragen kann und sie deshalb zu einer künstlerisch brauchbaren Welt zurichtet. Der Schreibprozeß besteht insofern in einer „kontrollierten Regression".

Die Tagebücher haben eine Vielzahl von Rezensionen in Zeitungen und Kulturzeitschriften erfahren, die aufzuführen kein Ende wäre. Eine Monographie fehlt noch, und sie sollte auch erst dann in Angriff genommen werden, wenn alle Bände vorliegen. Das narzißtische Zugleich von Selbstliebe und Selbsthaß beschreibt Ronald Speirs als Motivation des Tagebuchschreibers (*Aus dem Leben eines Taugenichts*, in: Text und Kritik. Sonderband Thomas Mann. 2., erweiterte Auflage 1982, S. 148-163). Hans Mayer hat der Neuedition seiner Monographie von 1950 Analysen der seither erschienenen Werke hinzufügt, darunter auch ein ausführliches, aus Rezensionen und Vorträgen zusammengesetztes Kapitel über die Tagebücher (*Thomas Mann*, Frankfurt 1980, S. 449-501), das auch einen reizvollen Vergleich mit den Tagebüchern Robert Musils enthält. Eckhard Heftrichs gründliche Analyse der Tagebücher von 1918-1921 erklärt das Alltägliche, die Verwirrungen des Eros, den Bruderkonflikt und die politische Ratlosigkeit (*Vom Verfall zur Apokalypse*, Frankfurt 1982, S. 103-156). Eine Gesamtcharakteristik Thomas Manns bieten die eingehenden Rezensionen von Marcel Reich-Ranicki (*Nachprüfung*, Stuttgart 1980, S. 110-128).

Eine mittelbare Folge der Tagebuchpublikation ist auch die Konjunktur für das Thema Erotik bei Thomas Mann. Claus Sommerhage fahndet in *Eros und Poesis. Über das Erotische bei Thomas Mann* (Bonn 1982) nach Beziehungen zwischen Erotologie und Poesie. Seine Basistheorie: das Erotische ist affektives Substrat des Poetischen. Eine *Zauberberg*-Analyse hat Sommerhage sich entgehen lassen. Sie findet sich in dem (unten abgedruckten) Aufsatz von Karl Werner Böhm, der die Folgen der sexuellen Konstitution Thomas Manns für die Struktur des Romans überzeugend aufzuzeigen weiß. Ein Buch von Mechthild Curtius untersucht *Erotische Utopien bei Thomas Mann* (Königstein 1984).

Allerlei Vermischtes bleibt zu erwähnen. Helmut Koopmanns klassische Studie *Die Entwicklung des „intellektualen Romans" bei Thomas Mann* erschien, erweitert um einen Forschungsbericht, in der dritten Auflage (Bonn 1980). Eckhard Heftrich hat seiner *Zauberbergmusik* einen zweiten Band mit Thomas-Mann-Studien folgen lassen (*Vom Verfall zur Apokalypse*, Frankfurt 1982, vor allem über *Friedemann, Buddenbrooks*, Tagebücher und *Faustus*). Käte Hamburgers Buch über den *Joseph* erscheint in erneut veränderter Form zum dritten Mal (*Thomas Manns biblisches Werk*, München 1981). Judith Marcus-Tar schrieb eine Studie über *Thomas Mann und Georg Lukács* (Köln/Wien 1982), die vor allem auf das Problem Lukács-Naphta eingeht. T. J. Reed verdanken wir eine sehr brauchbare kommentierte Ausgabe des *Tod in Venedig* (München/Wien 1983). James F. White ist der Herausgeber des Manuskripts der Erstfassung des *Zauberbergs: The Yale „Zauberberg"-Manuscript. Rejected Sheets* (Bern 1980, als vierter Band der *Thomas-Mann-Studien*). Werner Frizen schreibt Kompliziertes über das Thema *Zaubertrank der Metaphysik. Quellenkritische Überlegungen im Umkreis der Schopenhauer-Rezeption*

Thomas Manns (Frankfurt 1980). *Joseph* interessiert weiterhin die Theologen. Dietmar Mieth verdanken wir ein Buch über *Epik und Ethik* (Tübingen 1976), Klaus Borchers eines über *Mythos und Gnosis im Werk Thomas Manns* (Freiburg 1980). Helmut Jendreiek hat unter dem Titel *Thomas Mann. Der demokratische Roman* eine ausführliche, gründliche und zuverlässige Interpretation aller Romane, sowie der größeren Erzählungen vergelegt (Düsseldorf 1977). Über die Beziehungen zu Goethe berichtet philologisch erschöpfend Hinrich Siefken *(Thomas Mann. Goethe – „Ideal der Deutschheit". Wiederholte Spiegelungen 1893-1949*. München 1981). Das gleiche Thema nimmt Hans R. Vaget im Anhang seiner Studie *Goethe. Der Mann von sechzig Jahren* auf (Königstein 1982). Einige Thomas-Mann-Verfilmungen untersucht Gabriele Seitz (*Film als Rezeptionsform von Literatur*, München 1979).

9. Zu den Aufsätzen dieses Bandes

Der Band soll eine Reihe von Aufsätzen, die für die neuere Forschungsentwicklung repräsentativ sind, zusammenfassen und leichter zugänglich machen. Fünfzehn Jahre nach dem Erscheinen des jüngsten in Helmut Koopmanns Thomas-Mann-Band der Reihe „Wege der Forschung" veröffentlichten Beitrags scheint die Zeit zum Sammeln und Sichten wieder gekommen. Die hier vorgelegten Aufsätze sollen in ihrer Summe chronologisch die wichtigsten Werke und Problemfelder erschließen. Die Werke: *Buddenbrooks* (Pütz), *Königliche Hoheit* (Trapp), *Der Tod in Venedig* (Vaget), Kriegsschriften und Wendung zur Republik (Pikulik, Reed, Sandberg), *Der Zauberberg* (Reed, Kristiansen, Böhm), *Mario und der Zauberer* (Böhme, Dierks), *Joseph und seine Brüder* (Kurzke), antifaschistische Schriften (Lehnert, Koppen), *Felix Krull* (Wysling). Die Problemfelder: Schopenhauer (Pütz, Kristiansen, Dierks, Wysling), Wagner (Koppen), Neuklassik (Vaget), Romantik (Sandberg), Ästhetizismus (Pikulik, Kurzke), Politik (Pikulik, Sandberg, Lehnert), Erotik und Psychologie (Böhm), Rezeption (Trapp), Methodenfragen (Böhme, Dierks, Kristiansen), Exil (Lehnert). Man sieht gleich, daß ein Beitrag über *Doktor Faustus* fehlt. Das hat seinen Grund darin, daß zum *Faustus* kürzlich ein eigener Sammelband erschienen ist: *Thomas Manns Dr. Faustus und die Wirkung*, herausgegeben von Rudolf Wolff (Bonn 1983). Er enthält außer den schon etwas bejahrten Aufsätzen von Kurt Sontheimer, Georg Lukács, Anni Carlsson, Hans Mayer und Käte Hamburger auch einige neuere Arbeiten von Helmut Koopmann (über Zeitblom), Rudi Kost (über die Faustus-Verfilmung von Franz Seitz), Hansjörg Dörr (die wichtige Analyse *Thomas Mann und Adorno*), Paul Gerhard Klussmann (Faustus als Zeitroman), Victor Lange (Tradition und Experiment) und Heinz Gockel (Kierkegaard). Damit, sowie mit einer abschließenden Spezialbibliographie, die bis 1983 reicht, ist der *Doktor Faustus* so gut erschlossen, daß ich auf den Abdruck eines Beitrags zu diesem Roman verzichtet habe.

Zu danken habe ich den Herausgebern der Zeitschriften und Sammelbände sowie ihren Verlagen für die in allen Fällen bereitwillig und kostenlos erteilte Erlaubnis zum Wiederabdruck der Beiträge dieses Bandes.

Peter Pütz

Die Stufen des Bewußtseins bei Schopenhauer und den Buddenbrooks

Daß in den *Buddenbrooks* Verfall und Verfeinerung zusammenhängen, ja daß sie zwei Seiten ein und desselben Vorgangs sind, konnte bisher niemandem entgehen. Mit chronologischen Angaben wohlversorgt, überblickt der Leser einen Zeitraum von etwa vierzig Jahren und sieht Vertreter aus vier Generationen nicht nur fortschreitend kränker, sondern auch komplizierter und feiner werden. Er verfolgt vom Urgroßvater bis zum Urenkel die Zunahme an Phantasie, Differenziertheit und psychologischer Hellsichtigkeit, aber auch die Verringerung von Vitalität und Lebensalter. Der alte Johann Buddenbrook hatte noch als betagter Mann das Zeitliche gesegnet, Hanno stirbt im Knabenalter.

Nicht unbemerkt blieb weiterhin, daß zusammen mit Firma und Familie Buddenbrook ein Typ — oder soll man sagen: eine Art oder Klasse? — bürgerlicher Kaufmannsfamilien verfällt.[1] Gilt diese Gemeinsamkeit aber auch für die Verfeinerung? Was den Verfall betrifft, so degenerieren die Buddenbrooks offenbar nicht allein, sondern mit ihnen die Krögers, Döhlmanns, Kistenmakers und wie sie alle heißen. Diese verkommen sogar auf eine viel kläglichere Weise als die Buddenbrooks, da sie im Unterschied zu denen aus der Meng-und Breitestraße keinen Zusammenhang von Vitalitätsverfall und intellektuell-musischer Verfeinerung erkennen lassen. Daß es mit den Buddenbrooks trotz mancher Parallelen zu anderen Familien eine besondere Bewandtnis hat und daß sie nicht nur beliebige Repräsentanten einer ganzen untergehenden Klasse sind, geht aus ihrer exzeptionellen Verbindung von Verfall und Aufstieg, von Krankheit und Kultur hervor. Die Degeneration der Buddenbrooks ist — was sich von den übrigen Familien nicht eindeutig sagen läßt — zugleich fortschreitende Sublimierung ihres Empfindungs- und Denkvermögens.

Mit dieser Besonderheit hängen weitere Eigentümlichkeiten zusammen. Während der Niedergang der Krögers und Döhlmanns eindeutig materiell begründet ist (die Gattin Krögers muß ihr letztes Silberzeug verkaufen, und Konsul Peter Döhlmann hat *sein ganzes Vermögen verfrühstückt*[2], sind bei den Buddenbrooks andere Kräfte am Werk. Ein lebender Thomas Buddenbrook hätte sein Geschäft vermutlich noch lange nicht liquidieren müssen. Zahlen belegen das: Sein Großvater besaß neunhunderttausend Mark,[3] Thomas übernahm von dessen Sohn 750.000[4], und er hinterläßt *sechsmalhundert-*

1 Vgl. Georg Lukács: *Thomas Mann*, Berlin 1950 [zit.: Lukács: *Mann*]

2 Thomas Mann: *Ges. W. in zwölf Bdn.*, Frankfurt 1960, I 694 [zit.: Mann: W.].

3 Ebd. 256.

4 Ebd.

undfünfzigtausend.[5] Das sind nur 100.000 weniger als er geerbt hat, und wenn man bedenkt, daß für diese Summe das neue Haus erworben wurde, so besitzt er am Ende ebensoviel wie sein Vater. Als Senator und rechte Hand des Bürgermeisters hat er sich außerdem eine politische Stellung erkämpft, die keiner seiner Vorfahren je erreicht hat. Die ökonomische und soziale Lage der Buddenbrooks ist also keineswegs schlecht. Die Geschäfte florieren nicht eben, doch trotz empfindlicher Verluste hat Thomas sein Vermögen erhalten können. Die Ursachen des Verfalls liegen daher offensichtlich tiefer.

Georg Lukács sieht die Gründe in der Entwicklung vom deutschen Bürger zum Bourgeois, eine Wandlung, die Thomas Mann zwar eigenen Äußerungen nach verschlafen haben will, die sich aber für Lukács trotzdem im Roman objektiv niederschlägt. Die Untergehenden könnten und wollten sich an neue Wirtschafts- und Handelsformen nicht anpassen, wollten Bürger bleiben und müßten den Hagenströms, den Bourgeois, das Feld räumen.[6] Dagegen ist folgendes einzuwenden: Nicht alle, die im Roman Bankerott machen, sind Bürger, sondern viele unter ihnen sind selber Bourgeois und fallieren aus verschiedensten Ursachen. Nur die Buddenbrooks, die aus oben genannten Gründen nicht repräsentativ für eine ganze Klasse sind, grenzen sich entschieden von der Skrupellosigkeit des Bourgeois ab, und sie fahren dabei finanziell nicht einmal schlecht, denn wenn sich Thomas ausnahmsweise einmal in die neue Entwicklung einschaltet, dann verhagelt die Ernte. Die ökonomischen Gegebenheiten erklären daher den Verfall der Familie nur zu einem Teil.

Noch unbefriedigender bleibt eine biologische Begründung der Degeneration. Diese resultiert keineswegs aus einer fortgesetzten Blutmischung innerhalb eines begrenzten Personenkreises, in dem alle mit allen verwandt wären. Der Verfall schreitet vielmehr um so unaufhaltsamer fort, je weiter sich die Familienmitglieder von ihrer Heimatstadt entfernen, um draußen ihre Partner zu finden, während die Alten ihre Frauen noch unter den Patriziern Lübecks gesucht hatten; bei den Hagenströms heiraten jetzt noch Vettern und Cousinen untereinander.[7] Wenn die Buddenbrooks dagegen versuchen, sich auszuweiten, scheitern sie jedesmal: Christian treibt sich in der halben Welt herum und kehrt erfolglos zurück. Tony bemüht sich in zwei Ehen vergeblich, auswärts Fuß zu fassen. Clara stirbt beizeiten im fernen Ostpreußen, und ihr Erbe geht der Familie verloren. Alles fällt buchstäblich auf die Familie zurück, und die Weggehenden und erfolglos Zurückbleibenden helfen den Untergang beschleunigen. Es ist, als ob die äußeren Glieder zuerst abstürben, um die Krankheit nach innen fortzupflanzen. Auch Thomas sucht sein Glück in der Ferne, ohne daß es ihm beschert wird. Gerdas Fremdheit und Kälte, die er in Gesprächen mit Tony andeutet, sowie der lebensuntüchtige Sohn, den sie ihm gebiert, zerstören sein Selbstbewußtsein und seine Hoffnung. All das zeigt, daß der fortschreitende Verfall der Buddenbrooks nicht aufzuhalten ist, weder durch Verlassen der Heimat noch durch Hereinnahme fremder belebender Elemente.

Eine dritte Erklärung des Verfalls bietet Arthur Laudien an. Er stützt sich auf ein

5 Ebd. 696.

6 Vgl. Lukács: *Mann* 18 f.

7 Vgl. Mann: *W.* I 603.

Buch des Irrenarztes Fr. Lange und meint, die Buddenbrooks hätten sich durch allzu üppiges Essen ruiniert: „Manns Roman ist eine Geschichte der urinsauren Diathese durch vier Generationen. Das als Eingangsszene so ausführlich beschriebene Festessen und die auch sonst erwähnte überreiche schwere Kost bei sitzender Lebensweise bedeutet den Beginn und das treibende Moment des ganzen Verfalls“[8]. Wollte man sich mit dieser These überhaupt ernsthaft auseinandersetzen und könnte sie tatsächlich einen Hinweis auf den physiologischen Verfall geben, wie erklärte sie dann die Sensibilisierung und den intellektuellen Aufstieg der Buddenbrooks? Auch in dieser Beziehung nehmen sie eine Sonderstellung ein, denn vornehmlich in anderen Familien geschieht es, daß einer sich zu Tode trinkt oder daß ein Diabetiker an Kuchen erstickt. Andererseits bleibt die unermüdlich essende Klothilde bis zum Ende gesund und dumm.

Weder ökonomische noch erbbiologische noch physiologische Vorgänge sind alleinige Ursachen des Niedergangs, viel weniger noch der Sublimierung.[9] Die Verfallserscheinungen sind selbst nur Symptome einer Krankheit, deren Erreger nicht erkennbar ist. Wer hier von Fatum, Geschick oder dergleichen spricht, zeigt ebenfalls nur seine Hilflosigkeit, das Ganze durch ein Einzelnes fixieren zu wollen. Es scheint, als walte ein irreduzibler geheimer Wille, der die vielfältigen Erscheinungen mit fast organischer Notwendigkeit aus sich entläßt, ohne selbst voll in Erscheinung zu treten und Objekt zu werden. Die Erscheinungen sind die sichtbaren Gegebenheiten: ökonomische, biologische, physiologische usw. Der Wille dagegen ist die organisierende Kraft, die aus dem vielen Einzelnen das Ganze macht und den Gesamtzusammenhang herstellt. Ohne den Willen würden die Erscheinungen diffus bleiben, sich überdecken, widerstreben, aufheben und einen indifferenten Zustand zurücklassen. Daß sie sich aber vereinen und insgesamt Verfall und Verfeinerung verursachen, das macht der Wille. Er ist nicht bloß im additiven Sinne die Summe alles Einzelnen, sondern wirkt als Organisator wie ein Magnet auf ein Feld von Kraftlinien.

Mit der grundsätzlichen Trennung von Wille und Erscheinung stehen wir fast unvermerkt mitten im spekulativen System Schopenhauers. Dessen Bedeutung für Thomas Buddenbrooks Lektüre im Gartenhaus ist offenkundig und wird in den meisten Interpretationen ausgiebig erörtert. Über das Schopenhauer-Kapitel hinausgehend, haben Erich Heller[10] und andere auf Zusammenhänge zwischen dem Philosophen und der

8 Arthur Laudien: *Ein Schlüssel zu Manns ‚Buddenbrooks‘*, in: *Euphorion* 23 (1921), 100.

9 Über Thomas Manns konsequente Verweigerung von Einsinnigkeit vgl.: Eberhard Lämmert: *Thomas Mann — Buddenbrooks*, in: *Der dt. Roman* II, hg. v. B. von Wiese, Düsseldorf 1963, 190—233 [zit.: Lämmert: *Buddenbrooks*].

10 Vgl. Erich Heller: *Thomas Mann — Der ironische Deutsche*, Frankfurt 1959, 9—60. Auf massiven Schopenhauer-Einfluß hatte vorher bereits im Titel seines Buches angespielt: Fritz Kaufmann: *Thomas Mann — The World as Will and Representation*, Boston 1957. Kritik an Hellers These war unvermeidlich (vgl. Lämmert: *Buddenbrooks*, 438, Anm. 9), zumal Thomas Mann nach eigenen Äußerungen erst gegen Ende der Niederschrift des Romans auf Schopenhauer gestoßen sein will. Lehnert setzt eine Bekanntschaft mit dem Philosophen trotzdem früher an. Sie resultiere aus sekundären Quellen, so daß Grundgedanken Schopenhauers ihm bereits vertraut gewesen seien, ehe er den Text selbst gelesen habe. Lehnert sieht die spätere

Gesamtkomposition des Romans hingewiesen. Die bisherigen Arbeiten darüber behandeln den Tod, den Pessimismus, den Zusammenhang von Dekadenz und Sublimierung und — wie bei Kaufmann, Heller u.a. — die Übertragung des Gegensatzes von Wille und Vorstellung auf die verschiedenen Generationen der Kaufmannsfamilie. Wir wollen unsererseits die Aufmerksamkeit lenken auf die besondere Entwicklung oder — besser gesagt — Entfaltung des Willens zur Krankheit und Kultur. Wir werden dabei auf den Gang des Geistes in seinen einzelnen Phasen zu achten haben, da er nicht in Bahnen verläuft, wie sie etwa Hegel vorgezeichnet und vorgeschrieben hat. Dessen Ziel ist der *absolute Begriff*[11], in dem die *Phänomenologie des Geistes* gipfelt und zugleich neu beginnt. Gegenüber der *Wissenschaft des erscheinenden Wissens*[12], d.h. der Philosphie, haben andere menschliche Vermögen und Leistungen eine untergeordnete Stellung. In der Geschichte der Bewußtwerdung rangiert auch die Kunst nicht an bevorzugtem Platz. Sie muß der Philosophie die Vorrangstellung einräumen und sogar hinter der christlich offenbarten Auffassung von Wahrheit zurückstehen.[13] Ganz anders ist die Stufenordnung fortschreitender Erkenntnis bei Schopenhauer; hier bilden die Künste, und unter ihnen die Musik, den krönenden Abschluß. Damit diese These begründet wird, muß Schopenhauers Ansatz, zumindest grob und verkürzt, skizziert werden.

Ausgehend von der Platonischen Zweiweltenlehre sowie von der Kantischen Dichotomie von Ding an sich und Erscheinung, betrachtet Schopenhauer die Welt in zwei Hinsichten: einmal als Vorstellung, d.h. als Vielheit empirischer, individueller Erscheinungen, die alle raum-zeitlich bedingt und dem Satz vom Grunde unterworfen sind, — zum anderen als Wille, als Ding an sich, das rationaler Erkenntnis nicht zugänglich ist. Da der Wille außerhalb von Raum und Zeit existiert und nicht der Kategorie der Kausalität unterliegt, kann er selbst niemals Objekt, also nicht erkannt werden. Selbst eins und ungeteilt, bringt er sich jedoch in den Erscheinungen zur Darstellung; er objektiviert sich in ihnen. Bei diesem Übergang in die empirisch-reale Welt der Vorstellungen begibt er sich unter die Herrschaft des raum-zeitlichen Individuationsprinzips[14]: *Denn*

Schopenhauer-Lektüre eher einen „bestätigenden und erweiternden", nicht aber einen „begründenden" Einfluß ausüben. (Herbert Lehnert: *Thomas Mann — Fiktion, Mythos, Religion*, Stuttgart/Berlin/Köln/Mainz 1965, 36) Dergleichen deckt sich auch mit Thomas Manns eigenen Vorstellungen von Rezeption und Wirkung, wenn er der Kontemporaneität und geistigen Affinität im allgemeinen mehr Bedeutung beimißt als philologisch nachprüfbaren Lesefrüchten. Über Schopenhauers anhaltende untergründige Wirkung, vor allem auf Thomas Manns Spätwerk, aber auch schon auf *Zauberberg* und *Buddenbrooks, vgl. Helmut Koopmann: Thomas Mann und Schopenhauer*, in: *Thomas Mann und die Tradition*, hg. v. P. Pütz, Frankfurt 1971, 180—200, vor allem 199 [zit.: Koopmann: *Mann und Schopenhauer*].

11 Georg Wilhelm Friedrich Hegel: *Phänomenologie des Geistes: SW V*, hg. v. J. Hoffmeister, Hamburg [6]1952, 564.

12 Ebd.

13 Vgl. Georg Wilhelm Friedrich Hegel: *Ästhetik*, hg. v. F. Bassenge, Berlin und Weimar 1965, I 21.

14 Arthur Schopenhauer: *Die Welt als Wille und Vorstellung: Schopenhauers SW*, hg. v. M. Frischeisen-Köhler, Berlin o.J., II 143 f.

Zeit und Raum allein sind es, mittelst welcher das dem Wesen und dem Begriff nach Gleiche und Eine doch als verschieden, als Vielheit neben-und nacheinander erscheint: sie sind folglich das principium individuationis. Der ursprünglich ungeteilte Wille verkörpert sich mit seinem Eintritt in die Realsphäre in verschiedenen Formen, auf verschiedenen Stufen und bestimmt deren unterschiedliche Bewußtseinsgrade. Er artikuliert sich im Stein undeutlicher als in der Pflanze oder im Tier. Jeder dieser gradmäßig abgestuften Objektivationen steht im Dienst des Willens, den Schopenhauer als Willen zum Leben begreift. Unterliegt auch der Mensch diesem Willen ganz und gar, so muß sich seine Vernunft für immer am Gängelband der Triebe und Begierden führen lassen. Nun aber geschieht es, daß sich im Menschen, und zwar abgestuft nach seinen Bewußtseinsgraden, die Erkenntnis vom Dienst des Willens loszureißen vermag und eigene Wege geht. Das kann aber nur dadurch geschehen, daß der Erkennende aufhört, ein bloß individuelles Subjekt zu sein. Er hat seinen Willen zu verneinen und muß in begierdeloser Anschauung Spiegel des Objektes werden. Das gelingt auf verschiedenen Stufen in ungleich hohem Maße. Im Zustand der Naivität herrscht weitgehend der pure Wille, in der Religion projiziert der Mensch die Erfüllung seiner Bedürfnisse in einen, wie auch immer verstandenen, höheren Zustand, in Wissenschaft und Philosophie operiert er bereits mit dem Satz vom Grunde, doch damit erfaßt er vorerst nur Einzelobjekte. Erst in der Kunst geht er über singuläre Erscheinungen hinaus und betrachtet die zugrundeliegenden Ideen, d.h. das jeweilige Wesen bestimmter Objektivationsstufen. So erfaßt die Baukunst die Idee des Anorganischen, die Gartenkunst die der Pflanzengattungen, das Drama die Idee des Menschen in Aktion und Geschichte und so fort. Während alle diese Kunstarten die Ideen des Willens auf zunehmend höheren Stufen erfassen, erkennt die Musik als die höchste der Künste den Willen unmittelbar selbst.

Aus dieser Kunstmetaphysik resultiert eine zwiespältige Auffassung vom Künstler; denn je höher die Vorstellungen von der Kunst sind, um so gefährdeter ist die Künstlerexistenz. Einerseits ist sie erhaben über die gewöhnlichen Menschen, die für Schopenhauer bloße *Fabrikware der Natur*[15] sind und die alle Einzeldinge nur in ihren internen Relationen und in ihrer Beziehung zum eigenen Willen sehen können, während das Auge des Genies auf die Idee gerichtet ist. Andererseits führen Interesselosigkeit und Preisgabe des individuellen Willens beim Künstler notwendig zur Vernachlässigung vitaler Lebensbedürfnisse. Das Genie ist, selbst wenn es nicht fortwährend im Zustand der Ideenschau verharrt, weitaus bedrohter als der gewöhnliche Mensch[16]: *Danach möchte es scheinen, daß jede Steigerung des Intellekts über das gewöhnliche Maß hinaus, als eine Abnormität, schon zum Wahnsinn disponiert.* Mit dem Künstler-Genie ist eine äußerste Möglichkeit des erkennenden Menschen markiert, doch man braucht Fortschritt und Verfall gar nicht so weit zu treiben, um zu sehen, daß alle Menschen schon aufgrund ihres intelligiblen Anteils sowohl in ihrer Erkenntnis- als auch Leidensfähigkeit den niedrigeren Objektivationsformen des Willens voraus sind. Selbst innerhalb der Menschengattung erkennt Schopenhauer beträchtliche Abstufungen, so daß es nicht

15 Ebd. 222.
16 Ebd. 226.

nur Unterschiede zwischen Genie und Nicht-Genie gibt, sondern auch schon zwischen mehr oder weniger Erkenntnisfähigen. Der Grad der Bewußtheit schwankt sogar bei ein und derselben Person. Wie die Geschichte der Menschheit aus Dumpfheit, Aberglauben und Ahnung zur höchsten leidvollen Erkenntnis aufsteigt, so auch einzelne Menschen, wir fügen hinzu: einzelne Gruppen oder Familien.

Blicken wir von Schopenhauers metaphysischem System der *Welt als Wille und Vorstellung*, das Thomas Mann in seinem späteren Essay eine *viersätzige Symphonie*[17] nannte, auf die vier Generationen der Buddenbrooks, so zeichnet sich im Roman eine deutliche Entwicklung der Bewußtheit parallel zur zunehmenden Verneinung des Willens ab. Dabei ist weniger der Prozeß als solcher untersuchenswert, da er offen zu Tage liegt und von Erich Heller und anderen ausführlich behandelt worden ist, sondern interessant ist vielmehr, in welchen Abstufungen sich der Prozeß vollzieht und welche besonderen Formen von Geistigkeit und Niedergang er produziert. Es genügt nicht zu sehen, wie die Buddenbrooks in ihren vier Hauptvertretern immer kränker, sensibler und hellsichtiger werden, sondern wichtiger ist, welche geistigen Fähigkeiten sie dabei nacheinander entwickeln und in welcher Reihenfolge diese ausgebildet werden. Dabei wird sich zeigen, daß nicht etwa Hegels Gang des Geistes, sondern Schopenhauers Weg des Willens mit seinen spezifischen Abstufungen maßgebend ist.

Am Anfang des Romans lernen wir den alten Buddenbrook als einen weltmännisch-klugen, doch alles in allem unreflektierten und gesunden Kaufmann kennen. Er bleibt ganz im Banne der Vorstellungswelt und hat nur Sinn für Einzelerscheinungen, die dem Satz vom Grunde unterliegen. So haßt er seinen Sohn Gotthold, weil dessen Geburt den Tod seiner ersten Frau herbeiführte. Ereignisse stehen für ihn also in stets faßbaren kausalen Relationen, was er ebenfalls bei dem Gespräch über den Untergang der Familie Dietrich Ratenkamp erkennen läßt, wenn er nach einer konkreten Ursache sucht, die bei nötiger Umsicht hätte vermieden werden können. Stets nur beschäftigt mit singulären Vorstellungen, fehlt ihm der Sinn für größere, nicht berechenbare Zusammenhänge, für Ideen und Notwendigkeiten. Anders dagegen sein Sohn. Für ihn liegt die Ursache des Untergangs außerhalb der kausalbedingten Vorstellungswelt; er ahnt hier einen Ausdruck des Urwillens, der den Zusammenbruch lenkte, und so erwidert er seinem Vater[18]: *Aber ich glaube, daß Dietrich Ratenkamp sich notwendig und unvermeidlich mit Geelmaack verbinden mußte, damit das Schicksal erfüllt würde ... Er muß unter dem Druck einer unerbittlichen Notwendigkeit gehandelt haben.*

Die ausgedehnte Unterhaltung bei Tisch hat unter anderem die wichtige Funktion, Unterschiede, Abstufungen zwischen Vater und Sohn herauszuarbeiten. In der Sache Ratenkamp steht Pragmatiker gegen Fatalist; in der Politik verteidigt Johann Buddenbrook Napoleon, Jean dagegen Louis Philipp, der eine mehr für Ordnung, der andere mehr für Freiheit eintretend. Derselbe Unterschied zeigt sich auf anderer Ebene bei der Beurteilung des verwilderten Gartens. Der Vater beklagt die dort herrschende Unordnung und wünscht sich *das Gras gepflegt, die Bäume hübsch kegel- und würfelförmig be-*

17 Mann: *W.* IX 558.
18 Mann: *W.* I 25.

schnitten[19]. Seinem Geschmack entspricht demnach der französische Garten, wie ihm überhaupt das Französische behagt, auch dessen Sprache, deren er sich gerne bedient. Sein Sohn dagegen, der kurz zuvor aus christlichem Herzen und mit *schwärmerischem Ausdruck*[20] Napoleon verurteilt hat und der sich von seinem Vater hat sagen lassen müssen, daß er *schwärmt*[21], gerät geradezu in Verzückung, wenn er die frei wuchernde Natur des Gartens verteidigt. Wie ehemals ein anderer Schwärmer, nämlich Werther, den Garten pries, zu dem *nicht ein wissenschaftlicher Gärtner, sondern ein fühlendes Herz den Plan gezeichnet*[22] hat, so begeistert sich Jean Buddenbrook für den englischen Garten. Es ist wohl mehr als ein Zufall, daß er mit unüberhörbarem Anklang an Werthers Worte ausruft[23]: *wenn ich dort im hohen Grase unter dem wuchernden Gebüsch liege.* Werther schrieb am 10. Mai[24]: *Wenn...ich dann im hohen Grase am fallenden Bache liege.*

Wurzelt Johann Buddenbrooks Rationalismus noch ganz im Zeitalter des XVIII. Jh.s, so steht Jean mit seiner empfindsamen Schwärmerei an der Schwelle zur Romantik. Aber noch ist sein Glaube nicht ästhetischer, sondern christlicher Prägung, und er spricht, den Kopf ein wenig auf die Seite gelegt, mit derart religiöser Inbrunst, daß dem Erzähler scheint, als lächelten sich der Vater und Pastor Wunderlich leise zu[25]. Die religiösen Züge treten mit zunehmendem Alter des Konsuls immer deutlicher hervor, und in seinem seligen Angedenken wird sein Haus später zum Treffpunkt eines pietistischen Zirkels. Die Religion hat Bewußtsein und Phantasie des jüngeren Buddenbrook in Dimensionen ausgeweitet, die dem Alten verschlossen waren und denen er mißtraute, denn die pietistische Ergriffenheit des Sohnes signalisiert zugleich ein Bedürfnis, das, durch schwindende Naivität und Festigkeit entstanden, nach einer geistig-geistlichen Stütze sucht. Religion ist Bewußtseinssteigerung und zugleich Ursache, Indiz und Surrogat für Vitalitätszerfall.

Der Prozeß der Bewußtwerdung und des Vitalitätsschwundes geht über die Stufe der Religion hinaus, erfaßt die nächsten Generationen und treibt sie weitab von der großväterlichen Welt der Aufklärung tief in die Problematik des XIX. Jh.s. Thomas stößt auf Schopenhauer, und Hannos Musikrausch gipfelt im Erlebnis Wagners. Insofern ist die Entwicklung der Buddenbrooks kein nur vereinzeltes, privates Phänomen, sondern sie spiegelt den romantischen Bewußtseinsprozeß von Werther bis Wagner. Thomas, der Sohn des Pietisten, schreitet über den christlichen Glauben hinweg und sucht Trost in einer Metaphysik des Todes; an die Stelle der Religion tritt die Philosophie. Der letzte Sproß der Buddenbrooks schließlich geht den äußersten Schritt: In völliger Hingabe an die Musik versinkt er in totale Passivität, sein Wille ist gelähmt, und es ist gut schopenhauerisch gedacht, daß nicht der Freund Kai, der angehende Künstler

19 Ebd. 32.
20 Ebd. 30.
21 Ebd.
22 Johann Wolfgang Goethe: *Sämtliche Werke, JA* [= Jubiläumsausg., Stuttgart und Berlin o.J.], XVI 5 [zit.: Goethe: *JA*.].
23 Mann: *W.* I 32.
24 Goethe: *JA* XVI 5 f.
25 Vgl. Mann: *W.* I 30.

des Wortes, sondern ein der Musik Verfallener den Lebenswillen am meisten verleugnet.

Naivität — Religion — Philosophie — Kunst: das sind die vier Bewußtseinsstufen im Verfall und Aufstieg einer Familie, dargestellt an vier Repräsentanten der Buddenbrooks. Naivität — Religion — Philosophie — Kunst: das sind aber zugleich Bewußtseins- und Kulturstufen der Menschheit, so daß sich im Verlauf von vier Generationen ein geschichtlicher Urwille noch einmal abbildet und wiederholt. Der Niedergang der Buddenbrooks ist damit kein vereinzeltes Faktum, erklärbar aus ungünstiger Konstellation bestimmter Umstände, sondern er ist die notwendige Entfaltung eines Willens, und zwar in Stufen, wie sie nicht von Hegel, sondern von Schopenhauer gedacht worden sind. Die Emanation des Willens vollzieht sich im Roman wie eh und je, diesmal am Beispiel einer Bewußtseinsentwicklung im XIX. Jh. (Romantik — Wagner), dargestellt am Prozeß einer verfallenden und feiner werdenden Familie. Im Schicksal der Buddenbrooks feiert das Gesetz der *ewigen Wiederkunft des Gleichen* seine Bestätigung[26].

Daß sich das mythische Modell der Weltalter im Roman wiederholen könnte, ist gelegentlich angedeutet worden und wird durch Hannos Schullektüre nahegelegt, handelt es sich doch ausgerechnet um Ovids Verse über das Goldene Zeitalter.[27] Dessen glückhafter Zustand kontrastiert nicht nur offensichtlich zu dem gegenwärtigen des leidenden Schülers, sondern auch Thomas empfindet bereits Sehnsucht nach der großen Einfachheit, wenn er wünscht, sein Sohn möge werden wie der alte Buddenbrook.[28] Deutlicher aber als die Weltalter versinnbildlichen die im Roman vorkommenden Jahreszeiten den Zyklus des Aufblühens und Verwelkens. Paul Scherrer hat aus dem Zürcher Archivmaterial Vorarbeiten zu den *Buddenbrooks* ausgewertet und einen detaillierten Zeitplan für alle wichtigen Vorgänge innerhalb des Romans mitgeteilt. Daraus gehen die Jahreszahlen, nicht aber die jeweiligen Jahreszeiten hervor, in denen Entscheidendes geschieht.[29] Im Roman dagegen nehmen die Darstellungen jahreszeitlicher Erscheinungen (Temperaturen, Wetterlage, Vegetation, Gerüche, Atmosphäre usw.) breiten Raum ein. Abgesehen von einer ausführlichen Beschreibung des Meeres macht sich Natur im weitesten Sinne fast nur in ihrem Wechsel der Jahreszeiten bemerkbar. Laue Frühlingstage, warme Sommernachmittage, nasse Herbstabende und vor allem Weihnachten sind die eindringlich erzählten Phasen eines stetigen Kreislaufs. Dabei erhalten die Jahreszei-

26 Helmut Koopmann hat Schopenhauers fortwirkende Philosophie des nunc stans hauptsächlich in Thomas Manns Spätwerk, im *Joseph* und *Felix Krull*, herausgearbeitet (Koopmann: *Mann und Schopenhauer*, 188—198). Dasselbe mythische Modell der Wiederholung, das Nietzsche nach Schopenhauer *ewige Wiederkunft des Gleichen* nannte, prägt, wie wir gesehen haben, bereits den Geschehensablauf in den *Buddenbrooks*.

27 Vgl. Willy R. Berger: *Thomas Mann und die antike Lit.*, in: *Thomas Mann und die Tradition*, hg. v. P. Pütz, Frankfurt 1971, 52 f.

28 Vgl. Mann: *W.* I 522.

29 Vgl. Paul Scherrer: *Aus Thomas Manns Vorarbeiten zu den ‚Buddenbrooks' — Zur Chronologie des Romans*, in: *Quellenkrit. St. zum Werk Thomas Manns*, hg. v. P. Scherrer / H. Wysling, Bern und München 1967, 7—22.

ten immer dann eine besondere Bedeutung, wenn Mitglieder der Familie sterben: Den Konsul ereilt der Tod nach einem Gewitter, dessen vorausgehende Schwüle lange auf der Stadt gelastet hat. Thomas verläßt an einem Wintertag vorzeitig den Senat, bricht zusammen und bleibt im Schneewasser liegen. Nicht von ungefähr ist schließlich auch, daß Johann im Frühjahr, Jean im Spätsommer, Thomas im Winter und Hanno wieder in einem Frühjahr stirbt. Damit hat sich der Zyklus auch in jahreszeitlicher Hinsicht geschlossen.

Bei aller Affinität zur Schopenhauerschen Philosophie des nunc stans ist der Roman kein bloß erzählerisch umranktes spekulatives System. Er ist vielmehr weit entfernt von einer schematischen Rekonstruktion, in der *Die Welt als Wille und Vorstellung* mit Figuren unterlegt und wie in einem Puppenspiel aufgeführt werden soll. Davor bewahrt Thomas Mann nicht allein seine Kunstfertigkeit, sondern mehr noch seine Distanz zum Schopenhauerschen System. Dieses kennt zwar ebenso den notwendigen Zusammenhang von gesteigerter Erkenntnisfähigkeit und zunehmender Krankheit, doch beides wird nicht in gleicher Weise bewertet. Der Erkennende kann sich zwar — wie bei Thomas Mann — nur durch *quälende* Auszeichnung über die *Fabrikware der Natur* erheben, doch angesichts des hohen Wertes der Erkenntnis verblaßt die Bedeutung des negativen Korrelates; die Qual wird gerechtfertigt und gelindert. Während somit der Gegensatz von Verfall und Verfeinerung für Schopenhauer im System geschwächt wird, hält Thomas Mann der Antinomie mit größerem Ernst für beide Seiten stand. Daß die Buddenbrooks ihre Sublimierung mit ihrem Untergang erkaufen müssen, ist für Thomas Mann kein gern bezahlter Preis, sondern macht, daß er dem Geiste mißtraut, ohne diesen andererseits der Gesundheit zu opfern. Gesteigerte Erkenntnisfähigkeit erzeugt für ihn keine Heiligen, wie für Schopenhauer, sondern Menschen mit schmerzhaft kranken Körpern und Seelen, deren Zerfall ebenso entsetzlich wie ihre Verfeinerung wertvoll ist. Eine solche skeptisch-ironische Offenheit konnte der systematisierende Philosph nicht ertragen und darstellen, wohl aber der Erzähler. Daher ist die Philosophie im Roman selbst nur eine Stufe, über die der Romancier hinwegschreitet. Bezeichnenderweise legt Thomas Buddenbrook das aufwühlend-tröstliche Schopenhauer-Buch sehr bald beiseite. Wenige Tage später ist die Episode vergessen,[30] und Hanno kann sich erst recht nicht mehr an der metaphysischen Zuversicht erbauen, den Tod als Aufhebung der qualvollen Individuation begrüßen zu dürfen, um jenseits des Lebens in einem Allgemeinen schmerzlos fortzudauern. Das Angebot philosophischer Spekulation ist überholt, die Diskrepanz von Verfall und Verfeinerung kann nicht mehr erklärt, sondern nur noch erzählt werden.

Damit scheint sich der Roman weit von Schopenhauer entfernt zu haben. In Wirklichkeit jedoch trifft das nur auf einen seiner Inhalte, auf die kurzlebige Todesmetaphysik, nicht aber auf seine Erkenntnisleistung und seinen Stellenwert im Stufengang der

30 Auf den episodenhaften und bloß affektiven Charakter des Schopenhauererlebnisses haben hingewiesen: R.A. Nicholls: *Nietzsche in the Early Works of Thomas Mann,* Berkeley and Los Angeles 1955, 18 f. Henry Walter Brann: *Thomas Mann und Schopenhauer,* in: *Schopenhauer-Jb. XLIII, hg. v. A. Hübscher (1962), 119.*

Frithjof Trapp

Artistische Verklärung der Wirklichkeit

Thomas Manns Roman „Königliche Hoheit" vor dem Hintergrund der zeitgenössischen Presserezeption

1. Wenn Thomas Manns zweiter, 1909 erschienener Roman „Königliche Hoheit" heute bei weiten Teilen des Publikums zum Jugend- und Unterhaltungsroman herabgesunken ist, kann das angesichts der Eingängigkeit von Thematik und Darbietungsform kaum überraschen. Der Vorgang stellt auch in Hinblick auf die Tatsache, daß die Wirkungsgeschichte des Werkes im wesentlichen wohl abgeschlossen ist, nicht das endgültige Werturteil dar, das er bei Romanen der gleichen Art unter normalen Umständen bedeuten würde. Spätestens seit den Arbeiten von Helmut Koopmann und Eberhard Lämmert zur „doppelten Optik" von Thomas Manns Werken ist in der Forschung der Nachweis erbracht, daß die Absicht einer populären Wirkung den Werken als ein besonderes konstruktives Prinzip inhäriert[1], so daß das „Schielen nach dem Erfolg", wie es oft genannt worden ist[2], keineswegs als Vorwurf gelten kann, sondern nur als Grundlage einer angemessenen Betrachtung.

Mit „doppelter Optik" (oder auch „wechselnder Optik") wird eine kompositorische Technik bezeichnet, die Thomas Mann durch Vermittlung Nietzsches dem Werk Wagners entlehnt hat und die darauf abzielt, im Kunstwerk sowohl die geschmacklichen Ansprüche des sogenannten „breiten Publikums" zu erfüllen als auch die Ansprüche der „literarischen Kenner". Folgt man Eberhard Lämmert[3], erschafft Thomas Mann zu diesem Zweck zwei tendenziell völlig voneinander unabhängige Rezeptionsebenen innerhalb des Werkes: ein auf populäre Wirkung abgestimmtes, (scheinbar) ganz und gar realistisches „Erzählsystem" und, darin eingelagert und nur für den Kenner erschließbar, ein von Lämmert „artistisches System" genanntes Gefüge von Anspielun-

1 Helmut Koopmann: *Die Entwicklung des „intellektualen Romans" bei Thomas Mann. Untersuchungen zur Struktur von „Buddenbrooks", „Königliche Hoheit" und „Zauberberg"*. 2. Aufl. — Bonn 1971.
Eberhard Lämmert: Doppelte Optik. Über die Erzählkunst des frühen Thomas Mann. — In: *Dialog Schule—Wissenschaft. Deutsche Sprache und Literatur Bd. III. Literatur, Sprache, Gesellschaft.* — (München) 1970, 50—72.

2 Vgl. Josef Hofmiller: *Thomas Mann.* — In: *Süddeutsche Monatshefte.* München. Januar 1910, Jg. 7, H. 1, 137—149, insbesondere 148. — Vgl. als Antwort Thomas Manns auf diesen Vorwurf den Brief an Hermann Hesse vom 1.4.1910 (in: Thomas Mann: Briefe 1948—1955 und Nachlese. Hrsg. von Erika Mann. — Berlin/Weimar 1968, 483 f.).

3 A.a.O., 58 ff.

gen und Motivvariationen. Beide Systeme sind so aufeinander bezogen, daß sie im Idealfall als spannungsreiches Verhältnis tatsächlicher oder vermeintlicher Widersprüche in Erscheinung treten und so aufgrund des damit geschaffenen Anspruchsniveaus in Hinblick auf ein „angemessenes Verständnis" den Leser daran hindern, das Werk durch eine „einseitige" Lösung erschließen zu wollen. Letztlich bedeutet das eine kompositorische Ableitung der Mannschen „Ironie"[4].

Man erkennt also, daß „Ironie" und „populäre Wirkung" miteinander in Beziehung stehen. Freilich ist diese Beziehung in verschiedener Weise fragwürdig. Offenbar zielt die Mannsche Technik auf einen Leser ab, der als historisches Subjekt kaum zu bestimmen wäre. In völlig abstrakter Weise vereint er in sich die Eigenschaften des „literarischen Kenners" und des „breiten Publikums", ohne daß aber der „Kenner" und das „breite Publikum" von Thomas Mann als dem Werk adäquate Leser verstanden würden. Der dem „ironischen Standpunkt" adäquate Leser ist vielmehr der „Leser-Artist", eine Person, die Thomas Mann sicherlich als historisch-gesellschaftliche Gestalt verstanden wissen wollte, die nach der obigen Ausführung als Leser wohl doch unabhängig von bestimmten gesellschaftlichen Bindungen oder politischen Überzeugungen gedacht war. Eine solche Gestalt stellt jedoch eine Fiktion dar. — Aus der soeben vorgetragenen Ableitung muß man weiterhin folgern, daß auch das Mannsche Werk seinem eigenen Verständnis nach nicht auf eine bestimmte weltanschauliche Position hin ausgerichtet ist oder auf ein besonderes politisch-gesellschaftliches Erkenntnisvermögen, sondern daß es — in Berufung auf den „ironischen" Standpunkt — sich „unpolitisch", also frei und unabhängig von solchen Positionen wähnt. Auch ein solcher Standpunkt stellt eine Fiktion dar.

Wenn es richtig ist, daß das Mannsche Werk auf einen „Leser-Artisten" als Adressaten[5] abzielt, dann folgt daraus, daß das Werk, ohne daß Thomas Mann sich über diesen Tatbestand bewußt wäre, für unterschiedlichste politsche Deutungen offen ist: im konkreten Fall wohl vor allem für die Deutungen, denen Thomas Mann selber nahesteht — für konservative. Das aber gibt dem Mannschen Streben nach „populärer Wirkung", aber auch der Wirkung für „Kenner" eine völlig neue, politisch höchst gefährliche Nuance. Es zeichnet sich die Möglichkeit ab, daß das Kunstwerk *entgegen* der Absicht seines Autors, das eigene „literarische" Verständnis ignorierend und dem Autor unbewußt, voll und ganz aus der Sicht der im Publikum herrschenden politisch-gesellschaftlichen Vorurteile verstanden wird. Diese Möglichkeit geht auf den offensichtlichen Irrtum Thomas Manns zurück, den Leser nur in seiner Rezipientenrolle zu sehen — und daher zu meinen, man könne als Autor den Rezeptionsprozeß in allen denkbaren Phasen steuern —, aber nicht zu erkennen, daß Autor wie Leser darüber hinaus gleichberechtigte Glieder innerhalb desselben historischen Prozesses sind, so daß von dieser Erfahrung her der Leser sein eigenes Verständnis dem Werk entgegenbringt. Die

4 Vgl. Helmut Koopmann, a.a.O., S. 180.

5 Ich bediene mich hier einer Terminologie, deren kommunikationstheoretische Begründung in: Manfred Naumann u.a.: *Gesellschaft — Literatur — Lesen. Literaturrezeption in theoretischer Sicht.* — Berlin/Weimar 1973, vor allem 52 ff., vorgetragen wird.

Gefahren dieser Möglichkeit zeichnen sich bei „Königliche Hoheit" allerdings noch nicht ab, weil das Werk in dieser Beziehung viel zu unbedeutend ist. In bezug auf die „Betrachtungen eines Unpolitischen" sind diese Gefahren jedoch bereits wirksam geworden[6].

Es ist das Ziel der nachfolgenden Analysen, die verdeckten politischen Gefahren einer solchen „Literarisierung", wie ich die Beziehung des Textes auf einen „Leser-Artisten" bezeichnen möchte, anhand des Textes selber aufzuweisen. Das Ziel ist dabei, den Nachweis zu führen, daß die Mannsche „Ironie" keineswegs politisch neutral ist, sondern daß sie eine unauflösliche Verbindung mit dem besonderen politisch-weltanschaulichen Standort des Autors eingegangen ist.

2. Einen Einstieg in die soeben skizzierte Fragestellung liefert ein Blick auf die Presserezeption von „Königliche Hoheit"[7]. Nach dem bislang Gesagten ist es erklärlich, daß sich keine einheitliche Linie abzeichnet, es sei denn, man sähe sie darin, daß die Rezensionen selbst dort, wo entschiedene Kritik am Roman geäußert wird, trotzdem auf eine mehr oder weniger uneingeschränkte Empfehlung an das Publikum hinauslaufen. Ausnahmen bilden nur eine Kritik von Karl Korn in der sozialdemokratischen „Neuen Zeit"[8] wie zwei von ultrarechts kommende Besprechungen, deren Sonderstellung durch den von ihnen erhobenen Vorwurf, Thomas Mann begünstige mit seinem Werk „jüdische Rassenpolitik", hinlänglich charakterisiert ist[9].

Für unsere Überlegungen können die Rezensionen außer acht gelassen werden, die mehr oder weniger immanent verfahren und den äußeren Handlungsablauf teils kommentieren, teils paraphrasieren, ebenso eine so sublim „literarische" Besprechung wie die von Ernst Bertram[10]. Die verbleibenden Rezensionen gliedern sich in zwei Gruppen: eine kleinere, der das Erscheinen von „Königliche Hoheit" offensichtlich nur ein geeigneter Anlaß ist, an eine kurze Besprechung allgemeinere, nicht-literarische Betrachtungen über die Stellung der Monarchie in der modernen Gesellschaft, die Aufga-

6 Auch ohne daß die Wirkungsgeschichte der „Betrachtungen eines Unpolitischen" expliziert wird, kann diese Behauptung aufgestellt werden.

7 Die zeitgenössische Presserezeption (und die in Frage kommenden literaturwissenschaftlichen Rezensionen) sind verzeichnet bei: Harry Matter: *Die Literatur über Thomas Mann. Eine Bibliographie 1898–1969.* 2 Bde. — Berlin/Weimar 1972, und bei: Klaus W. Jonas: *Die Thomas-Mann-Literatur.* Bd. 1. *Bibliographie der Kritik 1896 bis 1955.* — Berlin 1972. — Bis auf wenige Rezensionen, deren Beschaffung nicht gelang, wurden sämtliche in den beiden Bibliographien erwähnten deutschsprachigen Rezensionen ausgewertet.

8 Karl Korn: *Thomas Mann, Königliche Hoheit.* — In: *Die Neue Zeit. Wochenschrift der Deutschen Sozialdemokratie.* 28. Jg., I. Bd. (1910), 445 f. — Die Rezension ist ebenso spöttisch wie scharfsinnig. Ihr Tenor lautet: „Wir sind sogar Pöbel genug, auf solche Sachen zu pfeifen."

9 (Adolf Bartels:) *Thomas Mann und sein neuer Roman „Königliche Hoheit".* — In: *Deutsches Schrifttum* (= Reichswart. Beilage). Weimar. April 1910, Bogen 6, 90–95, u. Otto Schmidt-Gibichenfels: *Ein Vorkämpfer für jüdische Rassenpolitik.* — In: *Deutsche Tageszeitung.* Berlin. 13. November 1909, Jg. 16, Nr. 524; (Beilage:) Zeitfragen, 14. November 1909, Nr. 46, 2–3.

10 Ernst Bertram: *Thomas Mann. Zum Roman „Königliche Hoheit".* — In: *Mitteilungen der Literarhistorischen Gesellschaft Bonn.* Dortmund. 16. November 1909, Jg. 4, H. 8, 195–217.

ben des Monarchen oder über „Fürstenerziehung“ anzustellen, und in eine andere, die erst das zu leisten versucht, was man im positiven Sinne unter „literarischer Kritik“ versteht: eine pragmatisch orientierte Charakterisierung und Beurteilung des Werkes. Beide Gruppen sind für die Beurteilung der Aufnahme beim Publikum gleich interessant, wobei die Existenz der ersten Gruppe darauf hinweist, daß der Roman einen aktuellen Fragen- und Problemkreis angesprochen hat. — Der Eindruck der Uneinheitlichkeit der Presserezeption entsteht dadurch, daß die Urteile dieser letzten und sicherlich wichtigsten Gruppe in bemerkenswert extremer Weise voneinander divergieren: Es gibt einen gewichtigen Teil von Urteilen, die den Roman als Satire im Simplizissimus-Stil verstehen, zumindest als sarkastische Kritik an der zeitgenössischen Monarchie, wobei allerdings unterschiedliche Argumente angeführt werden[11]; dann eine Gruppe, die den Roman als „modernes Märchen“ versteht, und schließlich eine letzte, die „Königliche Hoheit“ als mehr oder weniger ausgeprägten „Familienblattroman“ ansieht[12]. Im Vordergrund der Satire-Interpretation steht die Würdigung der vermeintlich desillusionierenden Darstellung von Klaus Heinrichs „fürstlichem Beruf“. Das Fürstentum wird als ein imaginäres Gerolstein verstanden und Klaus Heinrich als die entsprechende Serenissimus-Gestalt.

Unter den Stellungnahmen, die aus Anlaß des Erscheinens von „Königliche Hoheit“ abgegeben werden, ist die Zuschrift einer Anonyma, die mit „Ein deutscher Fürst“ unterzeichnet (i. e. Prinzessin Feodora von Schleswig-Holstein), an den liberalen „Kunstwart“ von besonderem Interesse. Dieser Brief, die Replik Thomas Manns sowie das Echo, das diese Auseinandersetzung findet, werden vom Herausgeber Ferdinand Avenarius mit mehreren ausführlichen Kommentaren versehen[13]. Die Argumentation der Fürstin ist literaturtheoretisch unzulänglich, jedoch als Darlegung einer Beobachtung nichtsdestoweniger durchschlagend. Indem die Schreiberin die im Roman in Erscheinung tretende Wirklichkeit fürstlich-monarchischer Lebensführung mit der tatsächlichen Wirklichkeit vergleicht, kommt sie zu dem Schluß, daß zeitgenössische Verhältnisse *auf keinen Fall* dargestellt sein können, da die Lebensführung von Mitgliedern aus fürstlichen Häusern aus vielen Gründen grundlegend anders sei als im Roman dargestellt. Es handle sich dort vielmehr teils um völlig antiquierte Formen monarchischen

11 Als charakteristisch für diese Gruppe kann die Besprechung von Franz Servaes im „Literarischen Echo“ stehen (F.S.: *Königliche Hoheit.* Roman. Von Thomas Mann. — In: *Das literarische Echo.* Berlin. 1. Dezember 1909, Jg. 12, H. 5, Sp. 356—358, Druckfehlerberichtigung in Sp. 459), deren Tenor offensichtlich in einer Anzahl anderer Besprechungen aufgenommen worden ist.

12 Diese beiden Gruppen unterscheiden sich nur durch den Schwerpunkt ihrer Argumentation — die Argumente selber lassen sich kaum voneinander isolieren. Sie sind auch sachgerecht, wie Selbstäußerungen Thomas Manns belegen, wenn sie auch oftmals Einzelaspekte allzu absolut setzen.

13 Ein deutscher Fürst (i.e. Prinzessin Feodora von Schleswig-Holstein): *Unsere Fürsten und wir.* — In: *Der Kunstwart.* München. 1. Aprilheft 1910, Jg. 23, H. 13, 1—3.
Thomas Mann: (Replik). — Ebd., 4—6.
A(venarius): (Vorwort und Nachwort). — Ebd., 1, 7—11.
A(venarius): *Die Fürsten und Thomas Mann.* — Ebd., H. 16, 275—277.

Selbstverständnisses, wie sie in Deutschland seit langem nicht mehr anzutreffen seien, teils um die spielerische Ausmalung *möglicher* Verhaltensformen. Diese Aussagen sind zwar zumindest teilweise widersprüchlich, doch sie geben recht klar der Beobachtung Ausdruck, daß Thomas Mann offenbar gegen bestimmte wesentliche Merkmale modernen monarchischen Selbstverständnisses verstoßen hat. Der weiterführende Schluß der Schreiberin, Thomas Manns stelle diese Verhältnisse falsch dar, generalisiert jedoch unzulässig, da er nicht berücksichtigt, ob eine realitätsgerechte Darstellung überhaupt in Thomas Manns Absichten gelegen hat. Dieser Fehler gibt nun Thomas Mann Gelegenheit zu einer effektvollen Antwort. Dabei beruft er sich einmal auf das Recht des Autors auf künstlerische Freiheit, zum anderen auf die durch weitgehende Detailtreue gesicherte „innere Wahrscheinlichkeit" des Dargestellten. Diese Argumentation ist jedoch in umgekehrter Weise ebenso unzulänglich wie die der Fürstin, da Thomas Mann auf den eigentlichen Vorwurf, es werde nicht „die Gegenwart" dargestellt, nicht eingeht. — Es darf nicht verschwiegen werden, daß es auch andere Zuschriften gibt, die emphatisch den Wahrheitsgehalt des in „Königliche Hoheit" Dargestellten herausstellen, hier jedoch meist nicht im Sinne einer empirischen Wahrheit, sondern eines empfehlenswerten Vorbildes. Sie können in diesem Zusammenhang unberücksichtigt bleiben.

Die Zuschrift der Fürstin ist innerhalb des Spektrums divergierender Ansichten über „Königliche Hoheit" von besonderem Wert. Sie beweist, daß das an sich erstaunliche Phänomen, daß nämlich von den Rezensenten in übergroßem Maße der mögliche Realitätsbezug des Romans in den Vordergrund ihrer Aussage gestellt wird, keineswegs reiner Zufall und noch weniger die Folge von „falschem Scharfsinn" ist, wie Thomas Mann einmal sagt[14], sondern daß es von der Sache her durchaus begründet zu sein scheint, wobei es beim Stand unserer momentanen Überlegungen noch nicht geklärt ist, was diese „Sache" ist: ob die Ursachen dazu im Werk liegen oder außerhalb, in der geschichtlichen Situation, aus der heraus die Rezensenten urteilen, und weiter: wieso es zu so außerordentlich stark divergierenden Urteilen über die Art dieses (möglichen) Realitätsbezuges kommt.

3. Wo in der Darstellung der Ursprung von divergierenden Ansichten über den Roman liegt, wird deutlicher, wenn man einen Blick auf das Anfangskapitel wirft, dessen Absicht, den Leser auf das Nachfolgende einzustimmen, durch die Titelangabe „Vorspiel" auf der Hand liegt. Es wird ein Geschehen präsentiert, das so konzipiert ist, daß es dem Betrachter als ein die Zeit und Umgebung charakterisierendes Ereignis vor Augen tritt wie zugleich als Besonderheit, die mit allen Anzeichen des „Wunderbaren" versehen ist, ohne von der Sache her im eigentlichen Sinne „wunderbar" zu sein. Es handelt sich um die Darstellung der Begegnung zwischen einem jungen Leutnant und einem altgedienten General, die auf offener Straße im Zentrum der „Residenz" zwischen dem „Alten Schloß" und der „Kaserne der Garde-Füseliere" (S. 9)[15] stattfindet und demnach eine

14 Brief an Ernst Bertram vom 28. Januar 1910. — In: *Thomas Mann an Ernst Bertram. Briefe aus den Jahren 1910–1950.* Hrsg. von Inge Jens. — Pfullingen 1960, 7.

15 Alle im Text angeführten Seitenangaben sind dem Bd. II der Ausgabe der „*Gesammelten Werke in zwölf Bänden*", (Frankfurt M.) 1960, entnommen.

Begrüßung notwendig macht, also um einen Vorgang, der in einer Umgebung, die sichtlich an Potsdam oder an eine ähnliche Residenz im wilhelminischen Deutschland erinnert, ohne daß der Name Potsdam fällt[16], nichts Ungewöhnliches wäre. Unbekannt ist dem Leser zunächst — aber das macht den Vorgang in einer Residenz des wilhelminischen Deutschlands auch nicht ungewöhnlicher —, daß der rangmäßig so erheblich tiefer stehende Leutnant Mitglied des regierenden Fürstenhauses, sogar der wahrscheinliche Thronfolger ist und daher dem General in der Hofrangordnung vorgeordnet ist. Diesen Vorgang, daß ein General einen Leutnant, der Mitglied des regierenden Fürstenhauses ist, zuerst grüßt, sobald die Begegnung außerhalb der militärischen Befehlsordnung stattfindet, verwandelt der auktoriale Erzähler in etwas völlig Exzeptionelles, in ein unverhofft eintretendes „Wunder" (S. 10), durch das der „naturgemäße Verlauf dieses Zusammentreffens" (S. 9), gemeint ist die Erwartung, daß der Leutnant selbstverständlich zuerst grüßt, auf den Kopf gestellt wird. So jedenfalls könnte man dem dargestellten Geschehen samt den in der Darstellung suggerierten Befürchtungen und Erwartungen eine prosaische Deutung geben — womit dann deutlich wird, daß Thomas Mann in diesem Vorspiel den Leser trotz der Namenlosigkeit der geschilderten räumlich-zeitlichen Umgebung eindeutig und mit Nachdruck *in das wilhelminische Deutschland* versetzt, aber zugleich auch in eine fiktive Kunst-Welt, eben in die Welt, die die Heimat des „Besonderen" ist[17]. Das Bindeglied zwischen der Kunst-Welt und der spezifischen Lokalatmosphäre bilden dabei vom Autor in der Darstellung gleichsam „zitierend" mitreflektierte Publikumsattitüden: Verehrung für Militär und Monarchie und die Befürchtung, ob der Vorgang auch „ordnungsgemäß" ablaufe, also Haltungen, die für das wilhelminische Deutschland und die von ihm geförderten Subalternitätsgefühle der zivilen Bevölkerung charakteristisch sind. Das deutet darauf hin, daß Thomas Mann sein Werk absichtsvoll in die Nähe der Kolportageliteratur rückt[18].

Die im „Vorspiel" skizzierten Varianten unterschiedlicher Bedeutungszuweisung fixieren jedoch nicht ein für allemal die Grenzen, in denen sich der Roman entfaltet. Die virtuose Ausnutzung des Spielraums, den die dem Erzählten prinzipiell anhaftende Fiktionalität erschließt, eröffnet eine Vielzahl weiterer Möglichkeiten. Die „Residenz" ist nicht nur eine zeittypische kleine bis mittlere Großstadt des ausgehenden 19. und be-

16 Thomas Mann behauptet zwar in der Auseinandersetzung mit dem „Fürsten", daß das „Wort ‚Berlin', ein einziges Mal in einer einzigen Zeile aufklingend" seine „ganze Imagination über den Haufen geworfen" hätte (a.a.O., 5), jedoch bedeutet das sicherlich nicht, daß mit der dargestellten Umgebung nicht trotzdem ein „Berlin" gemeint ist.

17 In dem „Wunder", das die Begegnung darstellt, klingt ebenfalls bereits der von Thomas Mann selber so bezeichnete „Märchenton" des Romans an (vgl. Begriffe wie „vernünftiges Märchen", „Märchenliebe", „Geschichte, wie Hans seine Grete (...) bekommt" — in: Thomas Mann: *Werke. Das essayistische Werk*. Taschenbuchausgabe in acht Bänden. Hrsg. von Hans Bürgin. — Frankfurt M. 1968 (= Moderne Klassiker. Fischer Bücherei), Bd. 119, S. 235 u. 313; Bd. 120, S. 244).

18 Thomas Mann: „Denn nicht nur ein gewöhnlicher Roman mit happy end war das, sondern auch noch ein Hofroman zum andächtigen Amüsement des Spießers, — mit einem Wort: Familienblattware (...)" (ebd.).

ginnenden 20. Jahrhunderts vom Typ Potsdams, die sie der Ausstattung mit öffentlichen Einrichtungen: Straßenbahnlinien, Krankenhäusern usw., nach ist, sondern sie ist zugleich auch durch Idyllik, Verträumtheit, Zurückgebliebenheit wie auch eben durch *Namenlosigkeit* eine Wiederholung des literarisch geprägten Bildes der kleinstaatlichen deutschen Residenz, wie sie z.B. aus Raabes „Abu Telfan" her bekannt ist (oder von Mörikes „Maler Nolten"). Andererseits ist zu beobachten, wie in Teile des Romans, deren Fiktionscharakter so offen zutage liegt, daß er unveränderbar zu sein scheint, zunehmend Elemente eindringen, die den Anschein von Realitätsgerechtheit vermitteln. Das trifft insbesondere auf die Schlußphase der Märchenhandlung vom Glück, das Klaus Heinrich und Imma finden, zu, wo zuerst ausführlich auf die finanziell aussichtslose Lage des Großherzogtums hingewiesen wird, dann Knobelsdorffs Aktivitäten erwähnt werden, die dazu dienen sollen, der Zustimmung der Bevölkerung gewiß zu sein, schließlich beim Großherzog Vortrag gehalten und ein förmlicher Kabinettsbeschluß über die Heirat herbeigeführt wird, wo weiter eine offizielle Werbung durch Beauftragte stattfindet und letztlich doch eine einstweilen morganatische Ehe geschlossen wird, so daß durch das nahtlose Ineinandergreifen dieser verschiedenen, sehr komplizierten Verfahrensweisen und -vorschriften beim Leser der Eindruck entsteht, das Geschehen vollziehe sich in absoluter Übereinstimmung mit der Realität nach Gesetzen der„inneren Notwendigkeit". Dabei war sich Thomas Mann sicherlich völlig bewußt, daß das Thema der morganatischen Ehe, sieht man einmal von der „Familienblattsphäre" ab, eines der umstrittensten und daher auch mit stärksten Tabus belegten Themen der wilhelminischen Gesellschaft darstellte[19], und daß Chancen für die tatsächliche Verwirklichung einer solchen „unstandesgemäßen" Ehe, insbesondere wenn im Volke tatsächlich so strenge Auffassungen über die Verpflichtungen des „fürstlichen Berufes" vorgeherrscht hätten, wie es im Roman dargestellt wird, nicht bestanden hätten. Von daher wird dann auch der *doppelte* Kunstgriff Thomas Manns deutlich: Einmal ist es der ganz und gar illusionäre *Wunsch* (des Publikums), der das real Unmögliche in die Bahn leitet, und zum anderen die *Prozedur*, die, hat der Leser sich erst einmal von der inneren Notwendigkeit einer tatsächlichen Verwirklichung überzeugen lassen, weil sie durchaus realitätsgerecht ist, auch den Anschein der tatsächlichen Möglichkeit suggeriert.

Wie geschickt Thomas Mann bestimmte von ihm vorausgesehene und daher auch absichtsvoll geförderte Publikumserwartungen in die Darstellung mit einbezieht, erkennt man im übrigen auch an den wegen ihrer Ausführlichkeit und scheinbar minutiösen Genauigkeit beeindruckenden Darlegungen über die volkswirtschaftliche Ertragslage des Großherzogtums, die, auf physiokratischen Theorien basierend, in keiner Weise dem damaligen Stand der Volkswirtschaftslehre entsprechen, noch, wie Klaus Heinrichs Studien beweisen, dem Stand von Thomas Manns eigenem Wissen, sondern die offenbar ganz und gar darauf abgestellt sind, den *Anschein* besonders genauer Bilanzrechnungen zu erwecken, und im übrigen offensichtlich dazu dienen, die Fähigkeiten

19 Residuen dieses Themenbereiches (die „Fürstengeliebte") findet man z.B. allenthalben in den Werken Fontanes.

des Autors zu zeigen, auch eine allgemein als spröde verschrieene Materie so darzubieten, daß sie unterhaltsam erscheint.

Ein weiterer Kunstgriff, um innerhalb der Darstellung die Spannung zwischen Fiktion und Realität fruchtbar zu machen, ist es, wenn der Autor bestimmte Teile des Geschehens aus der Perspektive einer im Roman auftretenden Partei darstellt. Der betont altväterliche Ton, in dem z. B. die Bemerkungen über die „Krittler" (S. 39, 131) und über den „Zwiespalt der Parteien" (S. 170) gemacht werden oder in dem von „unserem" Kredit (S. 291), „unseren" Staatspapieren, „unserer Presse" (S. 343) und „unseren" Sachwaltern in Angelegenheit der Heirat (S. 344) gesprochen wird, entspricht ganz der borniert-bevormundenden Ausdrucksweise einer sogenannten „gutbürgerlichen" Zeitung, deren Stil hier augenscheinlich parodiert wird[20]. Noch deutlicher wird die Absicht, wenn im Hofberichterstattungsstil eben einer solchen bürgerlichen Zeitung über die Ankunft der Familie Spoelmann in der Residenz berichtet wird oder wenn in spießiger Umständlichkeit, wobei man noch die Zäsuren der „Fortsetzungen" zu erkennen glaubt, mit Stereotypen vollgespickt[21], die Geschichte der Spoelmanns und ihres Reichtums erzählt wird. Ein anderes Mittel, das darauf abgestimmt ist, den „Märchenton" des Romans zu treffen, ist es, wenn vor Erscheinen Spoelmanns von ihm als einem „Leviathan" und „Vogel Roch" (S. 151) gesprochen wird. An solchen „Einzeltönen" — um andere Beispiele zu nennen: den Prophezeiungen über einen „Prinzen mit einem Arm" (S. 34) oder über den Rosenstrauch, dessen Blüten einmal duften werden (S. 281) —, die bis in die Wortwahl hineinreichen[22], entfaltet sich dann der Eindruck vom „modernen Märchen", ohne daß es für den Autor notwendig wäre, Elemente einzuführen, die den Anschein der Wahrscheinlichkeit sprengen würden[23].

20 Thomas Mann spricht von einem kleinen Prinzen, „der im gravitätischsten Zeitungsstil zum Ehemann und Volksbeglücker gemacht wird" (in: Werke, Bd. 116, 72).

21 Vgl. 186: „Und tags darauf hatte er anderthalb Handbreit unter der Oberfläche einen Klumpen Reingold, den zehntgrößten Klumpen der Welt (...) zutage gefördert...".

22 Z.B. wird Klaus Heinrichs Hebamme „die weise Frau" genannt (S. 24).

23 Man kann den kompositorischen Aufbau von *Königliche Hoheit* — der hier nicht das Thema ist — folgendermaßen umreißen:
Königliche Hoheit ist in seinem Kern ein Künstlerroman, der ein vergleichsweise invariantes Thema, nämlich das der „repräsentativen Existenz", die nach Thomas Mann der Fürst und der Künstler gemeinsam haben, abhandelt. Dieses Thema entfaltet sich einmal innerhalb eines psychologischen Entwicklungsromanes, der den kleinen, einsamen, prinzlichen Dilettanten Klaus Heinrich zum Gegenstand hat, zum anderen in der Geschichte seiner „lebensbejahenden", den Dilettantismus überwindenden Liebe zu seiner „kleinen Prinzessin" Imma Spoelmann, der Milliardärstochter aus Amerika. Diese ursprüngliche, von stark autobiographischen Zügen geprägte Kompositionslinie konvergiert in einem weiteren Schritt mit dem traditionellen Erscheinungsbild eines in der Gegenwart spielenden, stark kolportagehaften und mit entsprechenden Publikumsbezügen durchsetzten „Hofromans", was, darüber hinausgehend, noch einmal übersteigert wird, indem die Darstellung aufgeht in den Formen und Motiven eines modernen (Kunst-)Märchens.
Der auf Bourget ausgerichtete Dilettantismus-Bezug ist zuerst von Klaus Schröter entdeckt worden (in: *Thomas Mann in Selbstzeugnissen und Bilddokumenten.* Dargestellt von Klaus

4. Die Würdigung der virtuosen Artistik des Romans ist ein Aspekt des hier zu diskutierenden Problems — die Notwendigkeit, der Art und der Vielfalt der sich in der Darstellung aufdrängenden Bezüge zur zeitgenössischen Realität nachzugehen, ein anderer. Wir haben darauf hingewiesen, daß schon mit dem „Vorspiel" feststeht, daß man sich in einem preußisch-militaristischen Staat befindet. Das Gewicht, mit dem die Begegnung „(Z)wei(er) Offiziere" (S. 9) in den Vordergrund gerückt und die zivile Bevölkerung zu Statisten dieser Begegnung degradiert wird, ist in seiner diesbezüglichen symbolischen Aussagekraft eindeutig[24].

So ist der Intendant der großherzoglichen Schauspiele ein „fußleidender General" (S. 107). Der Finanzminister heißt „*von* Schröder" (S. 17). Raoul Überbein spricht von einer „Größe", die „Kanonenstiefel" trägt (S. 87). Von der Repräsentationspflicht des Fürsten wird als einem „darstellerischen Kult" (S. 110) gesprochen. Über das Volk wird gesagt, daß es von der „Erhabenheit der monarchischen Idee" durchdrungen sei und einen „Gottesgedanken" (S. 41) darin sähe. Die Ansprache, die Klaus Heinrich bei der Einweihung eines Standbildes seines Vaters zu „Knüppelsdorf" hält, zeigt als Vorbild die Ansprachen, die Wilhelm II. bei solchen Gelegenheiten gehalten hat[25]. Die Dankesansprache, die Klaus Heinrich anläßlich seiner Verlobung mit Imma Spoelmann in offizieller Funktion an den Bruder richtet, orientiert sich an den gleichen, von Byzantinismen durchsetzten Ansprachen von Verwandten an Wilhelm II. Die Wandmalereien des Professors „von Lindemann" auf der Grimmburg, die „in einer leuchtenden und glatten Manier" „fernab und ohne Ahnung von den unruhigen Bedürfnissen jüngerer Schulen" (S. 13 f.) gehalten sind und Szenen „aus der Geschichte des landesherrlichen Hauses" darstellen, rufen die charakteristischen wilhelminischen Historienmalereien ins Bewußtsein. Der weltmännische Minister „von Knobelsdorff", der hierüber einige schonungsvolle und ironische Bemerkungen fallen läßt: „Ja, mein Gott, die Romantik ist ein Luxus, ein kostspieliger ! (...)" (S. 19), soll nach Thomas Manns eigenen

Schröter. — Reinbek 1964); zur Genese der autobiographischen (Künstler-)Konzeption vgl. Hans Wysling: Die Fragmente zu Thomas Manns *Fürsten-Novelle*. Zur Urhandschrift der *Königlichen Hoheit*. — In: Paul Scherrer/Hans Wysling: *Quellenkritische Studien zum Werk Thomas Manns*. — Bern/München 1967 (= Thomas-Mann-Studien. Bd. I), 64—105.

24 Vgl. die Bemerkung Heinrich Manns in dem — nicht abgesandten — Brief an Thomas: „Um Dich her sind belanglose Statisten, die ‚Volk' vorstellen, wie in Deinem Hohenlied von der ‚K(öni)gl(ichen) Hoheit'" (in: *Thomas Mann — Heinrich Mann:* Briefwechsel 1900—1949. Hrsg. von der Deutschen Akademie der Künste zu Berlin. — Berlin/Weimar 1969, 158). — Hans-Ulrich Wehler spricht im Hinblick auf diese dem wilhelminischen Deutschland völlig selbstverständliche Prädominanz des Militärs gegenüber der Zivilbevölkerung vom „Sozialmilitarismus" des Kaiserreichs und weist auf den bemerkenswerten Einzelzug hin, daß an der Hoftafel der Reichskanzler v. Bethmann Hollweg *als Major* unterhalb der Obersten und Generäle den Platz hatte (in: H.-U. W.: *Das Deutsche Kaiserreich. 1871—1918*. — Göttingen 1973, 158 f.).

25 Es ist nicht nötig, die angeführten Beispiele in besonderer Weise zu „entschlüsseln", obwohl man es hier kann. Ihre Funktion erfüllen sie auch, wenn man sie als spielerisch-parodistische Imagination zeittypischer Phänomene versteht.

Worten[26] an den 1909 abgelösten Reichskanzler von Bülow erinnern. Am spektakulärsten ist natürlich, daß Klaus Heinrich ein verkrüppelter Arm zugeschrieben wird: Diese Anspielung auf Wilhelm II. war jedem Zeitgenossen geläufig[27]!

Blickt man auf den historischen Kontext, aus dem das Werk entstanden ist, dann wird es nur zu verständlich, daß eine bedeutende Anzahl der zeitgenössischen Rezensenten nicht umhin konnte, diese Einzelzüge als gezielte Anspielungen zu verstehen und infolgedessen dem Werk mit ambivalenten Gefühlen gegenüberstand. Die Vorstellung von „Gottesgnadentum" der Monarchie war zur Zeit Wilhelms II. eben längst nicht mehr eine traditionale, selbstverständliche Wertvorstellung, sondern eine Neuschöpfung Wilhelms II., die in Kreisen des aufgeklärten Bürgertums ungläubiges Erstaunen hervorrief[28] und auch im traditionsbewußten Adel mit Befremden aufgenommen wurde[29]. Auftreten, Redestil und das offen an den Tag gelegte Selbstverständnis Wilhelms II. waren bei diesem Bürgertum längst nicht mehr Gegenstand milden Spottes, sondern wurden teilweise bereits als sich selbst entlarvende Eigenparodien empfunden. Die völlig anachronistischen Hofetiketten und die anmaßende Bevorzugung von Militär und Adel schließlich bestimmen z. B. den Herausgeber des „Kunstwarts" Avenarius, in einem Kommentar zu der Auseinandersetzung zwischen dem „Fürsten" und Thomas Mann zu sagen, daß ein Bürger, der Selbstachtung besitze, eher auf eine Ehrung bei Hofe verzichte, als sich den damit verbundenen Zumutungen zu unterwerfen[30]. Ein Roman, der in so liebevoller, wenn auch teilweise in spielerischer oder parodistisch-ironischer Weise das Hofleben, die höfischen Etiketten und die fürstlichen Verpflichtungen zu repräsentieren ausmalt und offenbar doch ein sublimes Interesse für die damit verbundenen Anachronismen aufbringt, mußte also gerade dann, wenn man ihm literarischen Rang zugestand, Befremden auslösen.

Dieses Urteil erstreckt sich in besonders starkem Maße auf die Darstellung, die der Roman vom Monarchen, also Klaus Heinrich, und den verfassungsrechtlichen Verhältnissen gibt. Klaus Heinrich wird als eine absolut durchschnittlich begabte, zudem bemerkenswert phantasiearme Person geschildert, die sich geduldig und widerspruchslos

26 *Werke*, Bd. 119, 313.

27 Die Tatsache, daß Thomas Mann den verkrüppelten Arm ganz im Gegensatz zu der Bedeutung, die er für die zeitgenössische Öffentlichkeit hatte, nicht als „‚psychologisches' Motiv", sondern als „moralisches Symbol" (ebd.) verstanden wissen wollte, weist besonders deutlich auf die Schwächen des Romans in der Verwendung von Anspielungen hin.

28 Ein solches Dokument des Erstaunens der Zeitgenossen über das anachronistische Selbstverständnis Wilhelms II. ist die als wissenschaftliche Arbeit getarnte Porträtstudie Ludwig Quiddes: *Caligula. Eine Studie über römischen Cäsarenwahnsinn.* – Leipzig o.J. – Die Schrift erregte bei Erscheinen 1894 allgemeines Aufsehen.

29 Vgl. Graf Ernst zu Reventlow: *Kaiser Wilhelm II. und die Byzantiner.* – München (1906).

30 In: *Der Kunstwart.* München. 1. Aprilheft 1910, Jg. 23, H. 13, 10. – Der gesamte Kommentar von Avenarius ist auf eine Kritik an Wilhelm II, dem Glauben an sein Gottesgnadentum und an seiner Überzeugung, in allen Sachfragen zum obersten Schiedsrichter befähigt zu sein, abgestellt.

in die ihr auferlegten Pflichten einpaßt[31]. Er beschränkt sich auf rein repräsentative Funktionen und ist im übrigen Mandatar der Beschlüsse des Ministerrates, also in einer Weise konstitutionell gebunden, wie es nicht einmal in England der Fall war und wie es Verhältnissen entspricht, von denen man in Deutschland kaum zu träumen wagte. Andererseits — und im Widerspruch zu dem soeben Gesagten — scheint die Staats- und Regierungsform von stark traditionalen, patriarchalischen Grundsätzen bestimmt zu sein, insbesondere von einem ungetrübten Vertrauensverhältnis zwischen dem Ministerpräsidenten und dem Monarchen sowie zwischen dem Monarchen und den Untertanen. Selbst wenn man dieses überaus harmonisierende Porträt der im Großherzogtum herrschenden gesellschaftlichen Zustände als humoristische Verspottung der entsprechenden Wunschbilder des bürgerlichen Publikums zu verstehen hätte — eine Interpretation, die bei Thomas Mann niemals völlig auszuschließen ist —, wäre eine solche Darstellung ein Jahr nach der Daily-Telegraph-Affäre, die Wilhelm II. wegen des aufgebrochenen Unwillens gegen das „persönliche Regiment" bis nahe an die Abdankung getrieben hat, noch immer ein erstaunliches Faktum[32].

Weiterhin ist zu beachten, daß Thomas Mann im Grunde drei unterschiedliche Repräsentanten monarchisch-feudalen Selbstverständnisses vorstellt, die er zwar auf literarisch-ästhetischer Ebene, nicht jedoch, wie zu erwarten wäre, auf politischer Ebene zueinander in Beziehung setzt. Da ist einmal der Großherzog-Vater, dessen rigide, zu völliger Abstraktheit geronnenen Auffassungen von der „Pflicht zu repräsentieren" in der Sterbeszene einen ebenso beeindruckenden wie erschreckenden, letztlich sogar dekuvrierenden Ausdruck finden, dann Albrecht II., der, obschon als „geborener" Aristokrat gezeichnet, aufgrund eines übersensiblen, „dekadenten" Schamgefühls mehr oder weniger offen als ungeeignet für den „fürstlichen Beruf" dargestellt wird[33], und schließlich Klaus Heinrich, die wenig reflektierte, aber daher „gesunde" Mitte[34] zwischen einem zwar „starken", jedoch anachronistischen Alten und einem überreflektierten und daher „schwachen" Neuen. Das ist die Trias einer impliziten ästhetisch-moralistischen Wertung. Zwar deutet sich in dem Teegespräch zwischen Dietlinde, Klaus Heinrich und Albrecht an, daß zumindest die Brüder unterschiedliche Auffassun-

31 Um das Unbehagen nachzuvollziehen, das ein solches Porträt eines regierenden Fürsten, zumal wenn er einen verkümmerten Arm besaß, bei den Zeitgenossen auslöste, muß man sich vor Augen führen, daß Wilhelm II. weder phantasiearm war noch in irgendeiner Weise bereit war, sich unauffällig in auferlegte Pflichten zu schicken.

32 Es darf allerdings auch nicht übersehen werden, daß Thomas Mann mit auffälligem Nachdruck die dem Land eigentümliche „Zurückgebliebenheit" erwähnt (insbesondere in dem Kapitel „Das Land"), so daß zumindest bei immanenter Betrachtung das harmonische Bild der politischen Zustände unter anderen, kritischeren Vorzeichen erscheint.

33 Entkleidet man nämlich die Stellvertreter-Konstruktion der ihr eigentümlichen Dezenz, dann ergibt sich, daß Albrecht zugunsten seines zum Monarchen besser geeigneten Bruders „aus gesundheitlichen Gründen" — so würden die Sprachregelungen lauten — „auf die Ausübung seines Amtes verzichtet".

34 „Gesundheit" ist hier im Sinne der Dekadenz-Theorien des Fin-de-siècle, etwa Paul Bourgets oder Maurice Barrès', verstanden.

gen über die Legitimation des Monarchen haben (S. 142 ff.) — Albrecht ist Vertreter eines demokratischen, jedoch elitären Individualismus, der den Ideen von 1789 nahesteht, darin den Vorstellungen und auch der sprachlichen Diktion nach ein recht getreues Bild von Thomas Manns Bruder Heinrich, während Klaus Heinrich sich in einer Thomas Mann selber charakterisierenden Weise auf die „Auserwähltheit" als Legitimation beruft[35] —, doch verbleibt dieses Gespräch rein im Bereich der „literarischen", auf Beschreibung der personalen Individualität ausgerichteten Charakterisierung. Politische Folgerungen, was angesichts von Albrechts spektakulärem Vergleich seines Tuns mit dem „Fimmelgottliebs" und angesichts der (relativen) Fortschrittlichkeit seiner Ideen naheläge, werden nicht gezogen. Nicht zuletzt hat gerade dieser Zug eine gewisse Ratlosigkeit bei den Rezensenten hervorgerufen.

Aus der Art des Realitätsbezuges ergibt sich daher die — scheinbare — Paradoxie, daß es zwar zwingend notwendig ist, die Romanhandlung als Gegenwartshandlung zu verstehen, nicht jedoch den Roman insgesamt als Gegenwarts- oder Zeitroman. Thomas Mann hat das in Anlehnung an ein von ihm Hofmannsthal zugeschriebenes Urteil eine „allegorische Konstruktion" genannt[36]. Er hat die Realitätspartikel offensichtlich völlig unbedenklich, als ein *weiteres,* artistisches Element im Vexierspiel mit der Illusion verwandt, ohne auch nur in Erwägung zu ziehen, daß sie bei einem kritischen Leser problemgeladene Verknüpfungen mit der Realität nach sich ziehen müßten. Das setzt voraus, daß Thomas Manns politisches Denken zu dieser Zeit bemerkenswert wenig entfaltet war oder, was wahrscheinlicher ist, *in völlig konservativen, konventionellen Bahnen* verlief. Wir müssen daher annehmen, daß Thomas Mann seinen Roman in heute kaum noch nachfühlbarer Weise als „Nur-Literatur" verstanden hat. Ästhetizismus und Konservativismus scheinen in dieser Position zusammenzufallen.

5. Wie fragwürdig die dem Roman inhärierende politische Position ist, erkennt man vollends an der Person Spoelmanns. Stellen bereits die Heirat zwischen Klaus Heinrich und Imma, die Erhebung einer Bürgerlichen in den Adelsstand sowie die Verleihung der Ebenbürtigkeit durch den Großherzog an Imma in den Augen der nicht hoffähigen bürgerlichen Leserschaft Themen dar, die träumerische Wunschbilder heraufbeschwören, so trifft das auf noch viel bedeutungsvollere Weise auf Auftreten und Wirken Samuel Spoelmanns zu. Die Finanzkraft des Landes ist erschöpft, der Staat ist bankrott. Da genügt es, daß Samuel Spoelmann einige Transaktionen vornimmt, seine Kapitalien ein wenig anders plaziert, und schon ist die schier ausweglose Situation behoben, ohne daß auch nur irgendwelche Nachteile zu erkennen wären[37]. Handel und Verkehr bele-

35 Über die Porträtähnlichkeit Albrechts mit Heinrich Mann vgl. Viktor Mann: *Wir waren Fünf. Bildnis der Familie Mann.* — Konstanz 1949, und Katia Mann: *Meine ungeschriebenen Memoiren.* — Frankfurt M. 1974. — Über die Beziehungen der Gestalt Klaus Heinrichs in Hinblick auf das individuelle und künstlerische Selbstverständnis Thomas Manns vgl. insbesondere die Briefe an Walter Opitz vom 5.12.1903, an Katja (vermutlich) von Anfang Juni 1904 und (vermutlich) Mitte September 1904 wie an Hilde Distel vom 14.11.1906 (in: Thomas Mann: *Briefe 1889—1936.* Hrsg. von Erika Mann. — [Frankfurt M.] 1961).

36 In dem bereits zitierten Brief an Ernst Bertram.

37 Der Vorwurf von Bartels und Schmidt-Gibichenfels, die Heirat mit der „fremdrassigen" Im-

ben sich, neuer Unternehmungsgeist erwacht, die Unternehmungen haben sogar Erfolg, und eine arbeitsame Bevölkerung gewinnt wieder Glück und verdienten Lohn. All dies ist eine Wirkung der lebensspendenden Kraft des Kapitals. — Ich will nicht behaupten, daß Thomas Mann völlig unbewußt dieses Idealbild der harmonischen Verknüpfung der Stände und der schöpferischen Kraft des Unternehmertums verwandt hätte, denn naheliegend ist, daß Thomas Mann auch hier absichtsvoll mit populären Illusionen spielt, wie sie eben dem „Familienblattroman" entstammen, und weiter ist der Gedanke richtig, daß Kapitalkraft und wirtschaftliche Prosperität miteinander in Verbindung stehen, doch ist es erstaunlich, daß Thomas Man sein „Märchen" — denn auch für diesen plötzlich aufbrechenden Geldsegen lassen sich analoge Märchenmotive finden — auf einen der unmittelbaren Erfahrung der Leser so nahestehenden Bereich ausdehnt. Für ein nicht-bürgerliches Lesepublikum ist ein solcher Roman sicherlich nicht geeignet[38].

Problematisch ist die Konzeption auch deshalb, weil Thomas Mann in Spoelmann nicht bloß den mythischen „Dollarmilliardär" darstellt, sondern zugleich auch „den Menschen wie du und ich", den einsamen, kränkelnden, mißlaunigen Rentier (als Pendant zum „melancholischen Prinzen" Klaus Heinrich). Daß dieser zweite Zug in der Darstellung Spoelmanns, der „eigentliche" Spoelmann, dazu dient, von den beklemmend gewaltigen Kapitalien, der Geschichte ihres Erwerbs sowie von ihrer heutigen Plazierung abzulenken — wie umgekehrt diese „Umstände" dazu dienen, Spoelmanns „Einsamkeit" und „Menschenscheu" zu erklären —, liegt auf der Hand. Keinem anderen Zweck, als auf diese private, verletzliche Seite der Person Spoelmanns aufmerksam zu machen, dient es, wenn Imma zur Erwähnung bringt, daß in Amerika eine humanitäre Organisation es einmal rundweg abgelehnt habe, von Spoelmann eine Spende entgegenzunehmen, und dann Klaus Heinrich in einem platten Wortspiel moralisierend repliziert, das sei „nicht menschenfreundlich" von der „menschenfreundlichen Anstalt" gewesen (S. 300). Somit erscheint im Roman nicht bloß das Großkapital als ein fernes, in Amerika angesiedeltes Faktum — auch der Großkapitalist selber ist eine durch und durch „menschliche", ganz nach bürgerlichen Maßstäben zu messende Gestalt. Ein solches Bild des Großkapitalisten bietet sich aber dazu an, daß es als Rechtfertigung des Kapitalismus verstanden wird.

Überhaupt herrschen in dem Roman durch und durch idyllische Zustände, wie sie nicht einmal in den (zu Unrecht) als idyllisch abgewerteten Raabe-Romanen anzutreffen sind. Schlechte Menschen gibt es in dem Roman kaum. Die einheimischen Kapitalisten halten sich in bescheidenen Grenzen, wie es der Name des einzig genannten finanz-

ma stelle hierfür den skandalösen Kaufpreis dar, ist zwar innerhalb des Romans völlig absurd, beweist aber viel deutlicher, als Argumente es können, wie weit der Roman von den tatsächlich in Deutschland herrschenden Verhältnissen entfernt ist.

38 Es klingt wie eine höhnische Bestätigung dieser Vermutung, wenn auch die Zeitung einer Volksbüchereiorganisation Bücher wie die *Buddenbrooks* und *Königliche Hoheit*, weil sie „für das einfache Volk nur Kaviar" wären, nur für „Bibliotheken mit gebildetem Publikum" geeignet hält (Laurenz Kiesgen: *Thomas Mann*. — In: *Die Bücherwelt*, Nr. 6, März 1910, 113—116).

kräftigen Mannes, des „Seifensieders Unschlitt", andeutet. Die armen Leute sind arm und unterernährt, weil das Land insgesamt arm und finanzschwach ist und weil zudem Mißernten und Unglücksfälle diese bereits vorhandene Grunddisposition noch verstärkt haben. Rassistische Agitation ist dem Land sogar dermaßen fremd, daß Klaus Heinrich sich erst erkundigen muß, weshalb eine Person als „infam" gilt, wenn sie fremdrassiges Blut besitzt (S. 266).

Spätestens an dieser Stelle müßte deutlich sein, mit welch ärgerlich einfachen Mitteln und wie stark politisch-gesellschaftlich unreflektiert Thomas Mann diese kleindimensionierte, friedliche, aber trotzdem zeitgenössisch-deutsche Welt gezeichnet hat. Der Roman kann deshalb auch nicht als spöttisch-ironischer, in einem guten Sinne „literarischer" Reflex der Wirklichkeit ernstgenommen werden — wie es uns sein darstellerischer Gestus nahelegt[39] —, weil er in der ästhetischen Verarbeitung der Wirklichkeit unzulässig einfach — oder: nur literarisch-technisch — vorgeht. Immer wieder spiegelt sich die Artifizialität des Werkes in sich selber und zieht die außerkünstlerischen, der unmittelbaren Realität entnommenen Elemente in sich hinein — nicht, um sie in einer veränderten Form als ein „neues" Bild der Wirklichkeit dem Betrachter ein zweites Mal vor Augen zu stellen[40], sondern um mit ihrer Hilfe das Spiel mit der Fiktion zu potenzieren. Was so entsteht, ist ein dem Auge angenehmes Arrangement schöner Bilder und Entwicklungsverläufe, das jedoch nicht mehr im entferntesten etwas mit der tatsächlichen Wirklichkeit zu tun hat, sondern im Rahmen der Fiktionalität des Kunstwerkes ausschließlich die *Illusion* tatsächlicher Wirklichkeit simuliert. Das Dargestellte wird zu einem Spiegel des Mannschen Artismus.

6. Es ist nicht einmal der Artismus als solcher, der an Thomas Mann zu kritisieren wäre, wenn nur das Werk sich bewußt und unmißverständlich dem Publikum als „Literatur" entgegenstellte, wie es etwa die Werke von Horváth und Handke, der modernen Artisten, tun. Völlig unsinnig erschiene es mir, einem Künstler „Artismus" vorzuwerfen, aber legitim, ihn daran zu erinnern — und zu messen —, daß sein Werk in einen bestimmten politisch-gesellschaftlichen Kontext aufgenommen wird und in ihm zu wirken beginnt. Ein Drama wie Handkes „Die Unvernünftigen sterben aus" unterscheidet sich von „Königliche Hoheit" dadurch, daß bei Handke kein Zweifel gelassen wird, daß das auf der Bühne sich darstellende Erscheinungsbild *nicht* die tatsächliche Wirklichkeit ist, während bei Thomas Mann die Konzeption darauf abzielt, den Leser immer wieder in den Glauben zu verstricken, daß die Welt tatsächlich so sein könnte, wie die Welt des Romans sich gibt[41]. Nimmt man noch die „schöne Form" hinzu, die genau

39 Thomas Mann spricht von der „parodi(sti)sch-konventionelle(r)n Fassade", hinter der „eine der Zeit durchaus nicht ganz gleichgültige, bis zum Politischen sich zuspitzende moralische Problematik ihr Wesen treibt" (in: *Werke*, Bd. 119, 312).

40 In dieser Weise macht das Heinrich Mann, vgl. Frithjof Trapp: *„Kunst" als Gesellschaftsanalyse und Gesellschaftskritik bei Heinrich Mann.* — Berlin/New York 1975.

41 Selbstverständlich müßte man an die modernen Artisten unter Umständen zusätzliche oder andere Forderungen stellen, und es wäre zu diskutieren, ob sie diese Anforderungen erfüllen. Aber dieses Problem liegt auf einer anderen Ebene.

dem Spielraum, den die herrschenden Geschmackskonventionen lassen, angepaßt ist[42], dann wird deutlich, daß Literatur hier der Gefahr anheimgefallen ist, durch den illusionären Schein, den sie den Dingen verleiht, der bestehenden sozialen Ordnung die Legitimation nachzuliefern, die diese Gesellschaftsordnung einem verbreiteten Bewußtsein nach bereits nicht mehr hat. Ein solches Werk braucht nicht mehr „mißverstanden" zu werden — es leistet dem Mißverständnis selber Vorschub. Literatur ist hier in den Dienst der herrschenden Gesellschaftsschichten getreten, indem sie, sich ganz in deren Konventionen bewegend, „literarische Unterhaltung" anbietet.

Thomas Mann ist zu dieser Zeit ohne Zweifel ein bürgerlich-konservativer Autor gewesen. Ich bin jedoch nicht der Ansicht, daß die Blindheit in Hinblick auf die zeitspezifischen Probleme, die dem Roman inhärieren, bloß ein Ausfluß konservativer Gesinnungen ist, denn es gab auch Kritik an der wilhelminischen Gesellschaft von konservativer Seite her, sondern vor allem Indiz für eine besonders starke Einbindung des Teils des Bürgertums, für das Thomas Mann steht, in die wilhelminische Gesellschaftsordnung. Der Konservatismus war allerdings hierfür eine unabdingbare Voraussetzung. Nur wenn zwischen dem Autor und der Gesellschaft, in der er sich bewegt und für die er seine Werke schreibt, eine absolut problemlose, selbstverständliche Harmonie besteht, ist es erklärlich, daß eine geistig und künstlerisch hochstehende Produktion sich *ohne jedes Gefühl* dafür entfaltet, daß Selbstverständnis und Erscheinungsbild der Gesellschaft, auf die der Autor sich als Rezipienten seiner Werke bezieht, doch problemreicher sein könnten, als beide meinen.

Nur eine solche Blindheit macht es erklärlich, daß Thomas Mann die „Betrachtungen eines Unpolitischen" als Klärung seines eigenen, geistig-literarischen Standpunktes hat schreiben können, ohne dabei zu bemerken, welche Ungeheuerlichkeiten er in Teilen des Werkes formulierte, und daß das Werk nach außen hin als Beitrag zur Verteidigung einer annexionistischen Kriegszielpolitik erscheinen mußte. Die Kautel des „unpolitischen" Urteils darf in diesem Zusammenhang nicht gelten, denn dazu hat das Werk zu viel Gewicht; Konservatismus allein reicht zu seiner Erklärung nicht aus. Es ist ein spezieller „wilhelminischer Artismus", der Thomas Mann in dieser Phase geprägt hat.

Beim heutigen Leserpublikum haben die wilhelminischen Züge von „Königliche Hoheit" ihre Besonderheit verloren und illustrativen Charakter erhalten. Schließlich ist der Wilhelminismus selber ein völlig anachronistisches Faktum geworden und in den toten Winkel gerade auch der historischen Betrachtung gefallen. Um so mehr treten die allgemeineren literaturgeschichtlichen Bezüge hervor, etwa die Querverbindungen zur Märchenliteratur des Fin-de-siècle wie auch die individualpsychologisch interessanten Elemente des Werkes. Der Artismus hat eine neue Dignität gewonnen. Das korrespon-

42 Z.B. stellt die Darstellung von Dorotheas Entbindung (14 f.) für das gutbürgerliche wilhelminische Publikum etwas Anstößiges dar, jedoch wird die Anstößigkeit — und man darf gewiß sein, daß sich Thomas Mann darüber bewußt war — durch die Eleganz der Erzähltechnik völlig entschärft.

diert auch mit der späteren Entwicklung der politischen Haltung Thomas Manns in der Weimarer Republik, im Exil und in der Nachkriegszeit.

Es ist unter den zahlreichen Pressestimmen zu „Königliche Hoheit" überraschender- und bezeichnenderweise nur eine einzige und zwar ausländische Stimme, die auf die spezifisch deutsch-harmonisierenden, betont antirevolutionären Züge des Romans aufmerksam macht und sie als einen Teil des „tatsächlichen deutschen Innenlebens" versteht. Diese italienische Rezension wird im „Literarischen Echo" zitiert[43]: „Anscheinend hat Thomas Mann auch die soziale Aufgabe der Milliardäre umschreiben wollen: sie sollen Blut und Reichtum der Fürsten auffrischen. Die Ehebündnisse zwischen Aristokratie und Plutokratie sind in seinen Augen nicht die zweideutigen Schachergeschäfte, gegen die sich die Ironie anderer Schriftsteller richtet; sie sind ein von der Vorsehung gewolltes, daher berechtigtes Bündnis zwischen den Kräften der Vergangenheit und der Gegenwart. Diese Auffassung ist wunderbar optimistisch und zwar von einem echt deutschen Optimismus, der antirevolutionär ist und an keine noch so veraltete und unzeitgemäße Form gerührt wissen will, weil er annimmt, daß sie dem Heraufkommen neuer Formen nicht im mindesten im Wege stehen, sondern mit diesen einen Verein zu wechselseitiger Stärkung bilden."

43 Reinhold Schoener: *Italienischer Brief.* — In: *Das literarische Echo.* Berlin. 1. Februar 1910, Jg. 12, H. 9, Sp. 652—655.

Hans Rudolf Vaget

Thomas Mann und die Neuklassik

„Der Tod in Venedig“ und Samuel Lublinskis Literaturauffassung

Aus den zahlreichen Zeugnissen Thomas Manns über sich selbst läßt sich mit einiger Sicherheit eine beherrschende und konsistente Tendenz herauslesen, die Neigung nämlich, seine eigene Laufbahn als Schriftsteller als die eines Einzelgängers darzustellen. Diese Einzelgängerschaft zeichnete er jedoch charakteristischerweise nicht mit den Zügen des Außenseiterischen, sondern des Repräsentativen. Einzelgängerische Repräsentanz — mit dieser paradoxen Formel läßt sich das Selbstverständnis Thomas Manns wohl am treffendsten bezeichnen. Sie gilt auf beiden Sektoren seiner öffentlichen Wirkung, sowohl der politischen als auch der literarischen.

Ganz ähnlich aber wie im Bereich der politischen Stellungnahme, wo er sich nicht selten über das wahre Verhältnis von Zeitgemäßheit und Unzeitgemäßheit, von Einzelgängerschaft und Repräsentanz seiner Position täuschte, können wir auch im engeren literarischen Bereich seines Selbstverständnisses eine auffallende Unstimmigkeit zwischen Wirklichkeit und Selbstdarstellung feststellen. Denn es ist alles andere als stimmig, wenn wir dazu überredet werden sollen, in seiner Laufbahn als Schriftsteller, die ihn durch die Schule Nietzsches auf den Weg zu einer neuhumanistischen Goethe-Nachfolge führte, einen Akt repräsentativer Traditionserfüllung und zugleich eine unzeitgemäße, von der Zeit quasi unberührte individuelle Leistung zu erblicken.

Die Thomas-Mann-Forschung, die sich nur schrittweise aus dem Bann der irisierenden und eloquenten Selbstdarstellungen lösen konnte, hat ihre Aufmerksamkeit bisher vornehmlich dem weitläufigen und vielfach komplizierten Aspekt der Traditionsverbundenheit gewidmet. *Thomas Mann und die Tradition*, die Orientierung an dem geistigen und literarischen Erbe von der Antike bis zur Spätromantik: das scheint noch immer einer der verläßlichsten Wege, die diachronische Vielschichtigkeit seines Gesamtwerks sowie die beanspruchte Repräsentanz seiner Schriftstellerschaft zu erhellen.[1] Auch der bisher konzentrierteste Versuch dieser Art, J. Scharfschwerdts Untersuchung *Thomas Mann und der deutsche Bildungsroman*, stellt sich bewußt in den Rahmen jener auf das „Traditionsbewußtsein“ Thomas Manns abzielenden Forschungsrichtung. Scharfschwerdt ist sich dabei jedoch bewußt, und zwar deutlicher als seine zahlreichen Vorgänger, daß ein solches Unterfangen einer komplementären Perspektivenerweiterung bedarf, nämlich der „Berücksichtigung der gleichzeitigen Abhängigkeit dieser Zu-

1 Siehe *Thomas Mann und die Tradition*, hrsg. v. Peter Pütz, Frankfurt a.M. 1971 (künftig: Thomas Mann und die Tradition).

sammenhänge von den Problemen einer bestimmten geschichtlichen Epoche".[2] Er meint damit in erster Linie die im geschichtlichen Wandel von der Wilhelminischen Ära zur Weimarer Republik und zum Faschismus veränderte Problematik des „romantisch-ästhetischen Individualismus",[3] deren Relevanz für das Gesamtwerk er in einer weitgesteckten und nicht unproblematischen Synthese zu erfassen versucht.

Was jedoch bei Scharfschwerdt m.E. zu kurz kommt, ist die vielfältige Prägung der schriftstellerischen Entwicklung Thomas Manns durch eine komplizierte rezeptionsgeschichtliche Konstellation im engeren literar-historischen Bereich. Thomas Manns Orientierung an der Tradition ist vielfach vermittelt und wurzelt nicht allein in einem mehr oder weniger direkten und offenen Bezugnehmen-Wollen auf ein bestimmtes literarisches Vorbild, wie etwa Goethes *Wilhelm Meister*, sondern auch in den Interessen und Entwicklungen des zeitgenössischen literarischen Lebens, die er in den verschiedenen Etappen seiner Laufbahn vorfand. T.J. Reeds temperamentvoller Kritik an gewissen Einseitigkeiten der vornehmlich um die Erhellung der Traditionsverbundenheit Thomas Manns bemühten Forschung[4] ist von daher grundsätzlich zuzustimmen. Ein historisch-kritisches Verständnis des Gesamtphänomens Thomas Mann wird den Komplex der Orientierung an der Tradition auf die „literary issues" (Reed) der eigenen Zeit hin relativieren müssen, nicht zuletzt um den indirekt und fälschlich erweckten Anschein, als erschöpfe sich Thomas Manns künstlerische Leistung in der Amplifikation und Modifizierung überkommener Muster, zu korrigieren. So wären etwa, um ein Beispiel zu nennen, die literarischen Anfänge Thomas Manns weniger aus seiner vielbeachteten und noch keineswegs ganz geklärten Abhängigkeit von Nietzsche zu erhellen als vielmehr aus seiner Zeitgenossenschaft mit der sogenannten literarischen Moderne, also mit Bahr, Hofmannsthal und vor allem Heinrich Mann. Eine ähnliche Perspektivenerweiterung über Thomas Manns Selbstdarstellung hinaus auf das zeitgenössische literarische Leben in einer entscheidenden Etappe seiner Entwicklung soll im folgenden versucht werden.

Thomas Manns ambivalentes Selbstverständnis im Sinne einer repräsentativen Einzelgängerschaft äußert sich u.a. in den vielfachen Versuchen, einerseits eine Abhängigkeit vom 19. Jahrhundert und dessen „Adel des Geistes" zu demonstrieren und andererseits seine Abseitsstellung, ja Unberührtheit, von Naturalismus, Symbolismus, Neuromantik oder Expressionismus hervorzukehren. In der Rede *Meine Zeit*, die er 1950 in Chicago hielt und in der er einen Rückblick auf seine Laufbahn und die literarischen und politischen Ereignisse seiner Zeit unternahm, sind diese beiden Tendenzen besonders deutlich ausgeprägt. Auf der einen Seite verweist er zum wiederholten Mal auf sei-

2 Siehe Jürgen Scharfschwerdt, *Thomas Mann und der deutsche Bildungsroman*, Stuttgart 1967, S. 8 (künftig: Scharfschwerdt).

3 Scharfschwerdt, S. 24 f., 264 f.

4 Siehe T. J. Reed, *Thomas Mann and Tradition. Some Clarifications*, in: The Discontinuous Tradition. Studies in German Literature in Honor of Ernst Ludwig Stahl, ed. by P. F. Ganz, Oxford 1971, S. 158-181. Zur Kritik an Scharfschwerdt vgl. auch Herbert Lehnert, *Thomas-Mann-Forschung. Ein Bericht*, Stuttgart 1969, S. 117 bis 119.

ne „rückwärtigen Bindungen" ans 19. Jahrhundert, an Wagners Musik, Nietzsches Kulturkritik, Schopenhauers Ethik, den russischen, französischen und skandinavischen Roman. Auf der anderen Seite insistiert er aber — auch keineswegs zum erstenmal — auf seiner Unabhängigkeit von den literarischen Bewegungen seiner Zeit. „Wenn ich zurückdenke", versichert Thomas Mann, „— ich war nie modisch, habe nie das makabre Narrenkleid des Fin de siècle getragen, nie den Ehrgeiz gekannt, literarisch à la tête und auf der Höhe des Tages zu sein, nie einer Schule und Koterie angehört, die gerade obenauf war, weder der naturalistischen, noch der neu-romantischen, neu-klassischen, symbolistischen, expressionistischen, oder wie sie nun hießen. Ich bin darum auch nie von einer Schule getragen, von Literaten selten gelobt worden".[5]

Wir lassen hier das komplizierte Problem der Beziehungen zu den anderen genannten literarischen Richtungen beiseite und konzentrieren uns allein auf die Neuklassik. Von ihr behauptet Thomas Mann ausdrücklich, daß er nichts mit ihr zu schaffen hatte. Die Thomas-Mann-Forschung, die nur zu oft in solcher „Sekundärliteratur der ersten Hand"[6] befangen blieb, hat ihm diese Versicherung abgenommen: In der unübersehbaren Schar seiner Bewunderer und Kritiker ließ sich bis jetzt nur eine vereinzelte Stimme vernehmen, nämlich die André von Gronickas, die auf die „sympathetic reaction" Thomas Manns auf die Neuklassik aufmerksam gemacht hat.[7]

Der so überzeugend klingenden Selbstdarstellung steht jedoch ein gewichtiges und augenfälliges Dokument entgegen: *Der Tod in Venedig*. Dieses Werk erschien 1912, also am Ende jener Episode, die unter der Firmierung „Neuklassik" in die Literaturgeschichten eingegangen ist.[8] *Der Tod in Venedig* im Lichte der Neuklassik — diese naheliegende aber gleichwohl neue Fragestellung soll hier in den Vordergrund gerückt werden, um die Verflechtung Thomas Manns mit den literarischen Bewegungen seiner Zeit — und damit das Verhältnis von Einzelgängerschaft und Repräsentanz — an einer entscheidenden Stelle zu erfassen.[9]

Sowohl die Thematik als auch das ganze Kunstgepräge des Mannschen Meisterwerks verraten die Zeitgenossenschaft mit der Neuklassik, und es läßt sich die These aufstellen, daß die *Venedig*-Novelle ohne die Berührung mit der Neuklassik so nicht geschrieben worden wäre.

Denn war es nicht die Neuklassik, und hier vor allem Paul Ernst mit seiner pro-

5 Thomas Mann, *Gesammelte Werke*, Frankfurt a. M. 1960 (künftig: GW), Bd. 11, S. 311.

6 Diese passende Formulierung entnehme ich dem Aufsatz von Hans Mayer, *Thomas Mann. Zur politischen Entwicklung eines Unpolitischen*, in: H. M., Der Repräsentant und der Märtyrer. Konstellationen der Literatur, Frankfurt a. M. 1971 (edition suhrkamp 463), S. 65.

7 André von Gronicka, *Thomas Mann: Profile and Perspectives*, New York 1970, S. 60.

8 Vgl. dazu: *Die neuklassische Bewegung um 1905. Paul Ernst in Düsseldorf*. Dargest. u. komment. durch Karl August Kutzbach, Emsdetten 1972 (künftig: Kutzbach).

9 T. J. Reed, dem wir den bisher aufschlußreichsten Kommentar zum „Tod in Venedig" verdanken, betont zu Recht den engen Zusammenhang zwischen der Novelle und den „literary issues" in jener Epoche von Thomas Manns Entwicklung. Auf die Rolle der Neuklassik in der Vorgeschichte des „Tod in Venedig" geht er jedoch nicht ein. Siehe Thomas Mann, *Der Tod in Venedig*, ed. by T. J. Reed, Oxford 1971, S. 9-51 (künftig: Reed).

grammatischen Aufsatzsammlung *Der Weg zur Form*,[10] die zur Abkehr von naturalistischem Mitleid und neuromantischer Psychologie aufgerufen und die mit dem Gestus des selbstsicheren Kulturkritikers von der deutschen Literatur und vom deutschen Volk die Rückkehr zur Tradition und vor allem zu formaler Strenge und asketischer Zucht gefordert hatte? Angesichts der historischen Lage und der herrschenden Verhältnisse mußte es jedoch selbst einem Dogmatiker wie Ernst klar sein, daß eine solche Umkehr und Selbsterziehung eine gewaltige, geradezu widernatürliche Willensanstrengung und „Absolutheit des ethischen Willens" erforderte. Ist es aber, so haben wir im Hinblick auf den *Tod in Venedig* zu fragen, nicht gerade diese Selbstdisziplin und Willensanstrengung um eine formorientierte Lebensführung, die im „Fall" des Klassizisten Aschenbach ad absurdum geführt wird? Ist es nicht der neuklassische Glaube an die „Volks- und Jugenderziehung durch die Kunst" und die Form als höchstem Wert, von der Aschenbach am Ende zu wissen meint, daß sie ein „gewagtes, zu verbietendes Unternehmen" (VIII, 522) sei? Und ist es schließlich nicht gerade jene neuklassische Opposition gegen den „unanständigen Psychologismus der Zeit", die „Absage" an den naturalistischen Mitleidsatz, „daß alles verstehen alles verzeihen heiße" (VIII, 455), die Aschenbachs zunächst so würdevollen „Weg zur Form" in der Katastrophe der Entwürdigung, der Ausschweifung und des dionysischen Rausches enden läßt?

Danach hat es den Anschein, als habe Thomas Mann im *Tod in Venedig* unter anderem auch die kunstpädagogischen Bestrebungen der Neuklassik Paul Ernstscher Provenienz ihrer Aussichtslosigkeit und Selbsttäuschung, ja ihrer „Lüge" und ihres „Narrentums" (VIII, 522) überführen wollen. Mochte Ernst im dunklen Tonfall eines Pseudo-Hebbelschen Schicksalsraunens immerhin behaupten, daß die Regeneration der deutschen Kunst und des deutschen Volkstums nur durch eine Rückkehr zur Form und zu formaler Strenge zu erzielen sei — einem an Nietzsches Psychologie und Kulturkritik Geschulten wie Thomas Mann konnte die Verfehltheit und innere Gebrechlichkeit eines solchen restaurativen Unterfangens nicht entgehen. Leo Greiner, der der Neuklassik nahestand und mit Paul Ernst befreundet war, hatte dessen ‚ethischen und religiösen Erneuerungswillen' in einer einprägsamen Formel zusammengefaßt: „Sittlichkeit erzeugt Form, Form wieder Sittlichkeit."[11] Thomas Mann, der seinerseits Greiner kannte,[12] hat die Konzeption des *Tod in Venedig* spezifisch auf solche Tendenz und Atmosphärilien abgestimmt. Aschenbachs späte Einsicht: „Aber Form und Unbefangenheit, Phaidros, führen zum Rausch und zur Begierde, führen die Edlen vielleicht zu grauenhaftem Gefühlsfrevel, den seine eigene schöne Strenge als infam verwirft, führen zum Abgrund, zum Abgrund auch sie" (VIII, 522) — diese programmatische Einsicht darf als Thomas Manns bewußt und pointiert so formulierte Antwort verstanden werden,

10 Vgl. Paul Ernst, *Der Weg zur Form*, Leipzig 1906, 3. Aufl. 1928, besond. den Aufsatz „Die Möglichkeit der klassischen Tragödie", S. 121 ff., sowie die Rede „Unsere Absichten", in: Kutzbach, S. 113 ff.

11 Siehe Kutzbach, S. 33.

12 Siehe den Brief an Heinrich Mann vom 8.I.1901, in: Thomas Mann, *Briefe*, hrsg. v. Erika Mann, Frankfurt a.M. 1965 ff., Bd. I, S. 23 (künftig: Briefe I-III).

nicht etwa auf ein quasi zeitloses platonisches Grundproblem, sondern auf ein Kunstdogma, das in seiner unmittelbaren zeitlichen und, wie wir sehen werden, persönlichen Umgebung gerade wieder nachdrücklich belebt worden war.

Zur Erhellung dieser oft mißachteten, aber sehr konkreten künstlerischen Reflexion auf zeitgenössische und zeittypische Tendenzen ist es aufschlußreich, an die mannigfache und gezielte Bezugnahme etwa des Goetheschen *Werther* auf die zeittypischen Tendenzen der frühen 70er Jahre des 18. Jahrhunderts zu erinnern. So wie dort Goethe seiner eigenen für die Empfindsamkeit und das Schwärmertum anfälligen Zeit die Diagnose stellte, so unterzieht auch Thomas Mann seine Zeit mit ihren Tendenzen zu einem falschen Klassizismus, den antipsychologischen und antisozialen Strömungen und mit der Ausrichtung auf ein als preußisch charakterisiertes Leistungsethos, einer scharfsichtigen Analyse, deren Impetus in nicht geringem Maß auch dem Bewußtsein des tua res agitur basiert. Die Einsicht, die Thomas Mann für den großen Rechenschaftsversuch seines Essays *Geist und Kunst* festhielt: „Zeitkritik im Grunde Selbstkritik. Viele der kritisierten Tendenzen auch in mir“[13] — sie gilt mit gleicher Dringlichkeit auch für die novellistische Darstellung des Falles Gustav von Aschenbach. Daß mit dem *Tod in Venedig* in der Zeit unmittelbar vor dem ersten Weltkrieg das Leistungsethos der Wilhelminischen Epoche in seiner unterbewußten Tendenz zu Ausschweifung, Rausch und Entgrenzung decouvriert wird — darauf war er noch im Alter stolz.[14]

Angesichts dieser thematischen Konstellation mag es naheliegen, den *Tod in Venedig* u.a. auch als kritische Distanzierung von der Neuklassik zu interpretieren. Damit wäre jedoch nur *ein* Aspekt erfaßt. Denn Thomas Manns Beziehungen zur Neuklassik waren komplizierter und ambivalenter Natur, und die neuklassischen Kunstbestrebungen der Zeit sind noch enger und auf eine intrikatere Weise mit der Konzeption und Genese des *Tod in Venedig* verquickt, als die in der Figur des Klassizisten Aschenbach beschlossene thematische Kritik verrät. Allein schon die mannigfachen autobiographischen Motive der Novelle[15] lassen vermuten, daß Thomas Mann in der Gestalt und Kunstauffassung Aschenbachs eine Art kritischer Rechenschaft seiner eigenen künstlerischen Entwicklung und ihrer potentiellen Gefahren und Abwege unternimmt. Der Distanzierung von der Neuklassik müßten demnach einläßlichere, weniger distanzierte Beziehungen, wenn nicht gar eine innere Annäherung, vorausgegangen sein.

Nähere Auskunft darüber ist jedoch nur von einer genetischen Untersuchung zu erwarten. So wenden wir uns der Zeit der Entstehung des *Tod in Venedig* zu und finden dort in der Tat aufschlußreiche Zeugnisse der Beziehungen zur Neuklassik. Diesen Beziehungen eignet weit mehr als ein bloß episodenhafter Charakter, und sie liefern mehr als nur ein Element unter anderen für die synkretistische Schaffensweise Thomas Manns: Sie zeitigen eine folgenreiche Umorientierung in seiner künstlerischen Ent-

13 Siehe das Fragment Nr. 142 zu „Geist und Kunst“, in: Paul Scherrer/Hans Wysling, *Quellenkritische Studien zum Werk Thomas Manns*, Bern 1967 (Thomas-Mann-Studien, Bd. 1), S. 219 (künftig: TMS I).

14 Siehe: *Die Entstehung des Doktor Faustus*, GW XI, 239 f.

15 Siehe *Lebensabriß*, XI, 124. Vgl. auch Reed, S. 26 f.

wicklung. Als Resultat dieses Umorientierungsprozesses sieht sich Thomas Mann auf das künstlerische Vorbild Goethes und, damit verbunden, auf das Problem des Mythos verwiesen.

Die ersten Spuren der Beschäftigung mit dem Thema, aus dem später *Der Tod in Venedig* hervorging, reichen, wie wir aus den Notizbüchern Thomas Manns wissen, mindestens bis ins Jahr 1905 zurück.[16] Seine aus den Jahren 1905-1912 vorliegenden kunsttheoretischen Äußerungen lassen erkennen, wie er aus der vorübergehenden künstlerischen Unsicherheit nach den *Buddenbrooks* u.a. dadurch einen Ausweg fand, daß er sich auf eine kritische und produktive Reflexion der Kunstabsichten der Neuklassik einließ. Die in diesem Zusammenhang wichtigsten Dokumente sind die von Hans Wysling veröffentlichten und kommentierten Fragmente zu dem geplanten Essay *Geist und Kunst*, an dem Thomas Mann seit 1908 arbeitete,[17] der Aufsatz *Über die Kunst Richard Wagners* (X, 840 ff.) von 1911 sowie vor allem die Briefe an Samuel Lublinski aus den Jahren 1904-1910, die als Nachtrag im 3. Band der *Briefe* teilweise vorliegen.[18] Diese Briefe, d.h. die Bekanntschaft mit Lublinski, konstituieren die wichtigste Verbindung Thomas Manns zur Neuklassik.

Lublinskis Position ist aus unseren neueren Landkarten der Literatur zwischen 1900 und 1910 praktisch verschwunden. Das mag zum Teil an seinem frühen Tod 1910 im Alter von 42 Jahren liegen, vor allem aber wohl an der künstlerischen Schwäche seiner 6 ungespielten historischen Dramen. So sind es allein die Namen Paul Ernst und Wilhelm von Scholz, die im Zusammenhang mit der Neuklassik im Gedächtnis geblieben sind, deren artikuliertester Anwalt aber gerade Lublinski war. Dies ist vor allem deswegen bedauerlich, weil dadurch das glänzende und immer noch sehr lesenswerte essayistische und literarhistorische Werk Lublinskis in den Hintergrund gedrängt wurde, also vor allem seine beiden theoretischen Hauptwerke *Bilanz der Moderne* (1904) und *Der Ausgang der Moderne* (1909).

Thomas Manns Beziehungen zu Lublinski begannen mit dessen sehr lobender Besprechung der *Buddenbrooks* im *Berliner Tagblatt* vom 13. September 1902.[19] Diesen nur kurzen Hinweis auf die epochale Bedeutung und überragende Kunstleistung des Familienromans hatte Lublinski in der *Bilanz der Moderne*[20] mit kritischer Brillanz und of-

16 Vgl. Herbert Lehnert, *Thomas Mann — Fiktion, Mythos, Religion*, Stuttgart 1965, S. 125 f. (künftig: Lehnert).

17 Siehe Hans Wysling, *Geist und Kunst. Thomas Manns Notizen zu einem „Literatur-Essay"*, TMS I, 123-233. Vgl. auch T. J. Reed, *Geist und Kunst. Thomas Mann's Abandoned Essay on Literature*, in: Oxford German Studies I, 1966, S. 53-101.

18 Im Zürcher Archiv sind im ganzen 14 Briefe und Karten Thomas Manns an Lublinski erhalten; davon sind 8 in Briefe III publiziert.

19 Diese wichtige und im ganzen Wortlaut bisher nicht bekannte Rezension wurde kürzlich von Hans Waldmüller in der Neuen Zürcher Zeitung vom 1. VIII. 1971, S. 37 f. wieder abgedruckt und kommentiert. (Die Kenntnis dieses Artikels verdanke ich Steven Paul Scher.)

20 Siehe Lublinski, *Bilanz der Moderne*, Berlin 1904, S. 224-228. Ferner: *Thomas Mann im Urteil seiner Zeit. Dokumente 1891-1955*, hrsg. mit einem Nachw. u. Erläut. v. Klaus Schröter, Hamburg 1969, S. 28 f.

fenbarem persönlichem Engagement noch weiter ausgeführt und das Buch mit einem Begleitschreiben an Thomas Mann geschickt. Dieser nahm es mit „erschrockener Freude“ zur Kenntnis und versicherte Lublinski, seine Interpretation sei „das Beste, das Wesentlichste“,[21] was über seinen Roman geäußert wurde.

Dieser erste Kontakt führte wahrscheinlich schon Ende 1904 in Berlin zu einer persönlichen Bekanntschaft und zu einem anregenden Briefwechsel. Beide hätten sicher noch weiter fortgedauert, wäre Lublinski nicht schon 1910 gestorben. Als erstes Dokument dieser Berührung mit Lublinski besitzen wir einen kurzen Aufsatz zum Thema Kunst und Kritik. Er erschien 1905 in der Lublinski nahestehenden Zeitschrift *Kritik der Kritik*. Merkwürdigerweise ist er in keiner Ausgabe der Werke Thomas Manns zu finden und daher praktisch unbekannt. In diesem Aufsatz bekennt sich Thomas Mann ausdrücklich zu der Nietzscheschen Gleichsetzung von Kunst und Erkenntnis, von Kunst und Kritik. Es heißt dort: „... ich glaube, daß kein moderner schaffender Künstler das Kritische als etwas seinem eigenen Wesen Entgegengesetzes empfinden kann.“[22] Lublinskis kritisches Werk, vor allem seine *Buddenbrooks*-Kritik, hat ihm dieses Bekenntnis sicher erleichtert; es kündigt sich darin aber auch schon das gemeinsame, tiefe Interesse an Nietzsche an.

Im weiteren zeugen drei eindrucksvolle Gesten von der Verbundenheit, die Thomas Mann Lublinski gegenüber empfand. Da ist einmal das öffentliche und sehr temperamentvolle Eintreten für Lublinski, als dieser 1910 von Theodor Lessing angegriffen wurde und sich daraus eine heftige und berüchtigte Literaturfehde entwickelte.[23] Zum anderen stellt Thomas Mann — in einer Stellungnahme zur *Jüdischen Frage* (1921) — fest und anerkennt dadurch das kritische Verdienst Lublinskis um sein Werk: „Juden haben mich entdeckt, Juden mich verlegt und propagiert, Juden haben mein unmögliches Theaterstück aufgeführt; ein Jude, der arme Samuel Lublinski, war es, der meinen ‚Buddenbrooks‘ ... die Verheißung gab: ‚Dieses Buch wird wachsen mit der Zeit und noch von Generationen gelesen werden.‘“[24] Die gewichtigste Geste der Verbundenheit fin-

21 Brief an S. Lublinski vom 23. V. 1905. Briefe III, 450.

22 Unbetitelte Antwort auf die Umfrage: Bedarf die Kritik einer Reform? In: *Kritik der Kritik. Monatsschr. für Künstler u. Kunstfreunde*, hrsg. v. A. Halbert u. Leo Horwitz, Breslau 1905 ff., Bd. 1, 1905-1906, S. 108-109. Auch in den von Thomas Mann selbst veranstalteten Sammlungen seiner kritischen Schriften ist der Aufsatz nicht enthalten. Jetzt in: Thomas Mann: *Aufsätze, Reden, Essays*, hrsg. und mit Anmerkungen versehen von Harry Matter. Bd. I, 1893-1913, Ost-Berlin 1983, S. 56-57.

23 Siehe: *Der Doktor Lessing*, XI, 719-730. Vgl. auch: *Samuel zieht die Bilanz und Tomi melkt die Moralkuh, oder zweier Könige Sturz. Eine Warnung für Deutsche Satiren zu schreiben.* Mit literarischen Beiträgen von Thomas Mann, Samuel Lublinski und den vierzig sittlichsten deutschen Dichtern und Denkern, hrsg. v. Theodor Lessing, Hannover 1910. Zu dem darauf zurückgehenden Novellenplan „Ein Elender“ vgl. Hans Wysling, TMS I, 106-122. Ferner: Hans Mayer, *Theodor Lessing, Bericht über ein politisches Trauma*, in: H. M., Der Repräsentant und der Märtyrer, S. 94-120.

24 Der Aufsatz wurde von Thomas Mann nicht veröffentlicht und erst 1966 gefunden; in den GW ist er nicht enthalten. Jetzt in: *Thomas Mann, Das essayistische Werk*, Taschenbuchausg. in 8 Bdn., hrsg. v. Hans Bürgin, Frankfurt a. M. 1968 (Moderne Klassiker, Bd. 119), S. 55.

det sich jedoch im Text des *Tod in Venedig* selbst. Dort verweist der Erzähler im 2. Kapitel auf einen „klugen Zergliederer", der „schon frühzeitig" auf Aschenbachs „Heldentyp" das Bild vom Heiligen Sebastian angewandt und von ihm geschrieben habe, „daß er die Konzeption einer ‚intellektuellen und jünglinghaften Männlichkeit' sei, ‚die in stolzer Scham die Zähne aufeinanderbeißt und ruhig dasteht, während ihr die Schwerter und Speere durch den Leib gehen'" (VIII, 453). Diese Stelle ist ein wörtliches Zitat aus Lublinskis *Buddenbrooks*-Interpretation und darf als ein kleines Monument für den geschätzten und eben verstorbenen Kritiker gelten.

Lassen schon diese literarhistorischen Streiflichter erkennen, daß in den Beziehungen Thomas Manns zu Lublinski eine mehr als bloß oberflächliche Berührung vorliegt, so erweist sich der eigentliche Gedankenaustausch mit Lublinski als ein wesentliches Moment in der künstlerischen und intellektuellen Entwicklung Thomas Manns zwischen den *Buddenbrooks* und dem *Tod in Venedig*.

Die entscheidende Phase dieser Entwicklung, die Jahre unmittelbar vor und während der Arbeit am *Tod in Venedig*, stellen sich in der neueren Thomas-Mann-Forschung immer deutlicher als eine kunsttheoretische Krise dar, und zwar als eine Wagner-Krise. Dieses Wort fällt ausdrücklich in einem Brief an Ernst Bertram aus dem Jahre 1911.[25] In Wagner, dessen Musik als bewundertes Vorbild über dem Frühwerk stand, beginnt Thomas Mann in jenen Jahren — und zwar in der Optik Nietzsches[26] — den Gegenpol zu Goethe zu erkennen. In einem Brief vom September 1911, also unmittelbar nach Abfassung des *Wagner*-Aufsatzes und nach Beginn der Arbeit am *Tod in Venedig*, heißt es: „Die Deutschen sollte man vor die Entscheidung stellen: Goethe oder Wagner. Beides zusammen geht nicht. Aber ich fürchte, sie würden ‚Wagner' sagen. Oder doch vielleicht nicht? Sollte nicht doch vielleicht jeder Deutsche im Grunde seines Herzens *wissen*, daß Goethe ein unvergleichlich verehrungs- und vertrauenswürdigerer Führer und Nationalheld ist, als dieser schnupfende Gnom aus Sachsen mit dem Bombentalent und dem schäbigen Charakter?"[27]

Diese neue Skepsis gegen Wagner resultiert in einer merklichen ästhetischen Umorientierung. Statt weiter den „abgefeimten Zauber" der Wagnerschen Musik im Medium der Sprache ämulieren zu wollen, faßt Thomas Mann nun ein anderes Kunstideal ins Auge, und dieses Ideal bezeichnet er als „neue Klassizität". Sie wendet sich ab von dem Schwulst und dem Gequälten des Wagnerianismus und sucht eine neue Kunst als Ausdruck einer „gesunderen Geistigkeit". Einem Stichwort Nietzsches folgend,[28] er-

25 Brief an Ernst Bertram vom 11. VIII.1911. In: *Thomas Mann an Ernst Bertram, Briefe aus den Jahren 1910-1955*, hrsg. v. Inge Jens, Pfullingen 1960, S. 10.

26 In „Richard Wagner in Bayreuth" hatte Nietzsche Goethe als das große „Gegenbild" zu Wagner apostrophiert. Siehe Werke in 3 Bdn., hrsg. v. Karl Schlechta, 5. Aufl. München 1966, Bd. 1, S. 377 (künftig: Werke in 3 Bdn.). Vgl. auch „Der Fall Wagner", Werke in 3 Bdn., Bd. 2, S. 909 f.

27 Brief an Julius Bab vom 14.IX.1911, Briefe I, 91.

28 „Menschliches. Allzumenschliches", Bd. 2, Nr. 144, Werke in 3 Bdn., 1, 791. Nietzsche erwähnt Wagner an dieser Stelle zwar nicht — er nennt allein Michelangelo —, doch sind die Anspielungen auf Wagners Musik so zahlreich und eindeutig, daß kein Zweifel bestehen

kennt er nun in Wagner das „Barock-Kolossalische“ seines Stils, und als solches kommt es als Vorbild für das eigene Werk nicht mehr in Frage.

Das bedeutsamste Dokument dieser Wagner-Krise, die sich bereits in dem *Versuch über das Theater* (1908) deutlich ankündigt, ist der Aufsatz von 1911, der zuerst unter dem Titel erschien: *Auseinandersetzung mit Richard Wagner*.[29] Geschrieben wurde er auf dem Lido in Venedig, als sich ihm die Konzeption des *Tod in Venedig* endlich zu kristallisieren begann. Das Bedeutsame an diesem Aufsatz ist nicht so sehr die Skepsis gegen die Ideologie Wagners, gegen die Thomas Mann zeitlebens immun war, sondern die ausdrückliche Distanzierung von den bisher so bewunderten Kunst- und Wirkungsmitteln seiner Musik. Galt ihm Wagners Musik bisher — wiederum in der Optik Nietzsches — als die charakteristische Kunst der Moderne schlechthin, so sieht er sie jetzt zwar als groß, aber unglückselig, als eine ungesunde und überlebte Kunst, von der er loskommen will, um einer eigenständigen Moderne des 20. Jahrhunderts den Weg zu bahnen:

„Denke ich aber an das Meisterwerk des zwanzigsten Jahrhunderts, so schwebt mir etwas vor, was sich von dem Wagnerschen sehr wesentlich und, wie ich glaube, vorteilhaft unterscheidet, — irgend etwas ausnehmend Logisches, Formvolles und Klares, etwas zugleich Strenges und Heiteres, von nicht geringerer Willensanspannung als jenes, aber von kühlerer, vornehmerer und selbst gesunderer Geistigkeit, etwas, das seine Größe nicht im Barock-Kolossalischen und seine Schönheit nicht im Rausche sucht, — eine neue Klassizität, dünkt mich, muß kommen.“ (X, 842)

Thomas Mann formuliert hier gleichsam die Arbeitsmaxime für die eigene Werkstatt, in der gerade der *Tod in Venedig* zu entstehen beginnt. Auf das Pult neben sein Manuskript legt er sich aber — vielleicht die bezeichnendste Geste seines neuen Klassizitätsstrebens — den aufgeschlagenen Text von Goethes *Wahlverwandtschaften*.[30]

Daß es die *Wahlverwandtschaften* waren, denen sich Thomas Mann als künstlerischem Vorbild zuwandte, hat eine längere Vorgeschichte. Er kannte Goethes Roman wahrscheinlich schon seit 1894 durch seinen Bruder Heinrich, der seinen ersten Roman *In einer Familie* an das Goethesche Vorbild angelehnt hatte. In der Folge lernte Thomas Mann die *Wahlverwandtschaften* neben Fontanes *Effi Briest* als den besten deutschen

konnte, wer eigentlich gemeint war. Als Gegenbeispiel verweist Nietzsche hier auf vorklassische und klassische Epochen.

29 Die Bedeutung dieses Aufsatzes als des gewichtigsten Zeugnisses der Wagner-Krise wird in der einschlägigen Literatur meist verkannt. Erwin Koppen hingegen kommt dem Kern der Sache näher, wenn er feststellt, daß damit ein „Schlußstrich“ und „Abschied“ markiert werde, der sich später jedoch als Übergang in ein neues Stadium der Wagner-Rezeption erweist. Siehe E. Koppen, *Vom Décadent zum Proto-Hitler*, in diesem Band S. 228-246.

30 Vgl. Otto Zarek, *Neben dem Werk*, in: Die Neue Rundschau 36, 1925, S. 621, wo Thomas Mann gesteht, während der Arbeit am „Tod in Venedig“ jeden Tag einige Seiten in den „Wahlverwandtschaften“ gelesen zu haben. Siehe auch den Brief an C. M. Weber vom 4.VII.1920: „Ein Gleichgewicht von Sinnlichkeit und Sittlichkeit wurde angestrebt, wie ich es in den ‚Wahlverwandtschaften‘ ideal vollendet fand, die ich während der Arbeit am T. i. V., wenn ich recht erinnere, fünf mal gelesen habe.“ Briefe I, 176.

Roman schätzen[31] — eine Wertschätzung, an der er Zeit seines Lebens festgehalten hat. Entscheidender war aber wohl der Umstand, daß die wichtigste Vorstufe des *Tod in Venedig* ein Goethe-Projekt war, nämlich der Plan zu einer Novelle über Goethes letzte Liebe in Marienbad. Thomas Mann stellt ausdrücklich und wiederholt fest, daß die *Venedig*-Novelle aus dem Marienbad-Projekt „hervorgegangen" sei, das somit im Hinblick auf ein tieferes Verständnis des *Tod in Venedig* keinesfalls ignoriert werden kann.[32] Bei der Einarbeitung in dieses Projekt und die Thematik der Überwältigung des Meisters durch die Macht der Leidenschaft, wie sie Thomas Mann in einem Goetheschen Brief vorfand,[33] mußte er sich zwangsläufig auf die prototypische Gestaltung dieses Themas in den *Wahlverwandtschaften* zurückverwiesen sehen. Als er dann das Projekt *Goethe in Marienbad* aufgab, daraus aber wesentliche Motive herausdestillierte und in den *Tod in Venedig* übernahm, lag es nahe, an den *Wahlverwandtschaften* als stilistischem und strukturellem Vorbild festzuhalten.[34]

Wie kam es zu dieser folgenreichen Umorientierung auf Goethe? Jeder Versuch, diesen Entwicklungsgang zu erhellen, sieht sich mit einer komplizierten rezeptionsgeschichtlichen Konstellation konfrontiert, in deren Mittelpunkt die Gestalt Samuel Lu-

31 Vgl. den Brief an Maximilian Harden vom 30. VIII. 1910, Briefe I, 85.

32 Siehe den Brief an Elisabeth Zimmer vom 6.IX.1910, Briefe I, 123.

33 Siehe Goethes Brief an Zelter vom 24.VIII.1823. *Goethes Briefe*, Hamburger Ausg., Bd. 4, S. 82 f.

34 Reed, S. 29 f., unterschätzt m. E. den Zusammenhang zwischen dem „Tod in Venedig", den „Wahlverwandtschaften" und dem Projekt „Goethe in Marienbad". Er versucht, die Thematik der Venedig-Novelle in erster Linie aus dem durch Georg Lukács vermittelten Interesse an Platon und Plutarch herzuleiten. Lukács jedoch, das belegt seine Essaysammlung „Die Seele und die Formen" (1911, 2. Aufl. 1971), gehört in seinen Anfängen in den Umkreis der Neuklassik. Nicht umsonst mündet seine Sammlung in einen huldigenden Essay über Paul Ernst. Dieser schlug 1913, nach dem Scheitern seiner Pläne, aus dem Düsseldorfer Schauspielhaus ein „Bayreuth des Dramas" zu machen, „den Dr. von Lukacs" als Mitarbeiter an einer neu projektierten, aber nicht zustande gekommenen Theaterakademie vor. Die Zusammenarbeit zwischen Ernst und Lukács scheiterte, so scheint es, an dessen Forderung nach einer regulären Dozentenstelle mit Professortitel. Siehe Kutzbach, S. 54, 216, 222. Aber noch 1916 beteiligt sich Lukács an einer Festschrift für Paul Ernst, in der er den Gefeierten als einen der beiden repräsentativen Dichter der Zeit neben George stellt. Siehe Georg von Lukács, *Ariadne auf Naxos*, in: Paul Ernst zu seinem 50. Geburtstag, hrsg. v. Werner Mahrholz, Berlin 1916, S. 11-28. — Thomas Mann lernte Lukács im Februar 1911 kennen, als Die Neue Rundschau den Essay „Sehnsucht und Form: Charles Louis Philipp" im Vorabdruck brachte. Er exzerpierte sich daraus die Stelle über den sokratischen Eros, eine Notiz, die in der Mappe mit den Vorarbeiten zum „Tod in Venedig" im Zürcher Archiv erhalten ist. Thomas Manns Bekanntschaft mit dem Werk von Lukács gehört demnach einem späten Stadium der Entstehungsgeschichte der Novelle an, jedenfalls nach der Konzeption von „Goethe in Marienbad" und nach der Bekanntschaft mit Lublinski und der Neuklassik. Reeds Betonung des Lukácsschen Einflusses muß daraufhin relativiert werden. Vgl. jetzt auch Judit Marcus-Tar *Thomas Mann und Georg Lukács. Beziehung, Einfluß und „repräsentative Gegensätzlichkeit"*, Köln und Wien 1982, S. 29 ff.

blinskis steht. Ein scheinbar unbedeutendes Indiz dafür findet sich in einem Fragment zu *Geist und Kunst*, jenem nicht zustande gekommenen und dann Aschenbach zugeschriebenen Essay, den Hans Wysling zutreffend „eine Art ‚Anti-Wagner'" genannt hat.[35] Als Alternative zu der mit Schauspielerei, Musik und Literaturfeindlichkeit identifizierten Kunst Wagners nennt Thomas Mann Goethe und dessen plastische, dem schönen Schein und dem Geist verpflichtete Dichtung. Er notiert sich dazu die bekannte Goethesche Maxime, „daß die Poesie auf ihrem höchsten Gipfel ‚ganz äußerlich' erscheine, daß sie aber, je mehr sie sich ins Innere zurückziehe, auf dem Weg sei zu sinken".[36] Dieser Notiz gibt Thomas Mann überraschenderweise das Stichwort „Moderne Tendenz" — modern, weil in diesem Ideal die „trübe Tiefe" der älteren Moderne Wagners überwunden werden soll. Diese „moderne Tendenz" spezifiziert er dann in dem *Wagner*-Aufsatz von 1911 als neue Klassizität von gesunderer Geistigkeit.

Mit den Stichworten „Moderne Tendenz" und „neue Klassizität" sind wir aber unzweifelhaft auf Lublinski verwiesen. Denn es war Lublinski, der sich in der *Bilanz der Moderne* und vor allem im *Ausgang der Moderne* schon vor Thomas Mann um eine Bestimmung der Moderne im Sinne einer neuen Klassizität bemüht hatte.

Das gemeinsame Interesse, das Thomas Mann und Lublinski verband, war ihre Auseinandersetzung mit Nietzsche. Es überwog ihre ansonsten gravierenden weltanschaulichen Differenzen: etwa Lublinskis glänzende Kritik an Schopenhauers Apolitie, seine Denunzierung der preußischen Kriege als Verquickung von Gewalt und Geschäft, die Kritik an Junkertum und Kapitalismus in der preußischen Geschichte, seine eklektische Orientierung an der Philosophie von Karl Marx und seine Verehrung für den Pantragismus Friedrich Hebbels.[37] All das tritt nun zurück vor dem gemeinsamen Interesse an Nietzsche.

Lublinski — und das ist das Besondere an seiner Interpretation — deutet Nietzsche als heimlichen Klassizisten und leitet daraus die durchaus pro domo gemeinte Folgerung ab, daß die wahre und moderne Nietzsche-Nachfolge weg von Musik, Mystik und Gesamtkunstwerk und hin zu einer strengen und reinen Kunstgestalt führen müsse. Nietzsche habe sich an der „Logik, Klarheit, Einfachheit in der griechischen Politik und der griechischen Tragödie" orientiert, und sein Kunstideal sei der „klare und ge-

35 TMS I, S. 128.

36 TMS I, 165. Vgl. Goethe, *Maximen und Reflexionen*, Schrimpf Nr. 1028, in: Goethes Werke, Hamburger Ausg., Bd. 12, S. 510 f.

37 Ein nicht unwichtiger Anlaß für Lublinskis spätere Abkehr von Marx war wohl die Kritik, die Paul Ernst in „Der Weg zur Form" (3. Aufl., 1928, S. 202 f.) an Lublinskis „Bilanz der Moderne" mit ihren literatursoziologischen und ‚marxistischen' Tendenzen vorgenommen hatte. Im „Ausgang der Moderne" (S. 225 f.) vollzieht Lublinski eine Selbstkritik und sagt sich nun von „jener Marxistischen Theorie vom Klassenkampf" los, um seine neuklassischen Bestrebungen jetzt ganz an Paul Ernst und Hebbel anzuschließen. Diese Abkehr ist praktisch schon in einem Brief Lublinskis an Paul Ernst von 1906 vollzogen. Siehe Kutzbach, S. 199. — Immerhin bleibt es bemerkenswert, daß Th. Mann schon hier, lange vor Lukács' Konversion zum Marxismus, durch die Literatur- und Kulturkritik Lublinskis mit marxistischen Gedanken, wenn auch in eigenwilliger Verbrämung, in Berührung kam.

schlossene Stil", die Ausgewogenheit in der Proportionierung eines Kunstwerks, überhaupt der „‚Sternentanz der großen Logik'" gewesen.[38]

Im *Ausgang der Moderne* präzisiert Lublinski seine Vorstellungen. Hier fällt auch das für Thomas Mann ästhetisch stimulierende Reizwort von der neuen Klassizität.[39] Wiederum ist von Nietzsche die Rede: „Der größte Philosoph der Neuromantik, der immer noch das Seelenleben der Moderne fast im Übermaß beherrscht, ist in Wahrheit nur ein Halbblutromantiker gewesen. Und zwar fast wider seinen Willen, und er hat mehrfach heroische Anläufe gewagt, um in die Welt einer neuen Klassizität hineinzugelangen."[40] Aus Nietzsches Andeutungen leitet Lublinski sein eigenes Kunstideal ab, die *Bedingungen einer klassischen Kunst* — so lautet eine Kapitelüberschrift — nämlich „eine neue synthetische Kunst ... In ihr lebt ein Streben nach Präzision, Einfachheit und geschlossener Einheit, während sie mit allen zivilisatorischen Hilfsmitteln über einen wunderlichen Dualismus dennoch nicht hinausgelangt." Präzision, Einfachheit, Dualismus, synthetische Kunst — es wird deutlich, daß Thomas Mann sich hier im Innersten angesprochen fühlen mußte, zumal Lublinski diese und ähnliche Passagen sehr wahrscheinlich mit dem Gedanken an Thomas Mann formuliert hat. Bereits in der *Buddenbrooks*-Interpretation in der *Bilanz der Moderne* war Thomas Mann als „schlechtweg der bedeutendste Romandichter der Moderne" apostrophiert worden, und die *Buddenbrooks* hatte Lublinski scharfsichtig einen „Abschluß" genannt,[41] der neue künstlerische Prinzipien erforderte.

Thomas Mann — daran kann es keinen Zweifel geben — ist auf Lublinskis kritische Anregungen eingegangen. Die intensivierte Nietzsche-Rezeption, die Wagner-Krise, die Hinwendung zu Goethe, der ganze Umkreis der Reflexionen zum Thema *Geist und Kunst* — also gleichsam das theoretische Quellgebiet des *Tod in Venedig* — verdanken Lublinski entscheidende Stichworte und Hinweise. Thomas Mann ist ihm aber nur bis zu einem gewissen Punkt gefolgt. Seine Kritik äußert sich am deutlichsten an Lublins-

38 Vgl. das Kapitel über Nietzsche in: Bilanz der Moderne, bes. S. 44-49. Nietzsches Klassizismus wird im übrigen auch von R. Wellek, *A History of Modern Criticism*, (New Haven/London 1965), Bd. 4, S. 346 f., herausgearbeitet.

39 Die theoretischen Erwägungen, die ihn zu einer Hinwendung zur Neuklassik bewogen, hat Lublinski zuerst in dem Aufsatz „Klassische Kunst" formuliert, der 1904 in: Die Zukunft, Januar 1904, S. 151-159, erschien. Dort heißt es im Schlußabsatz: „Die Frage, ob eine klassische Kunst heute möglich wäre, ist nun hoffentlich keine Frage mehr. In der heutigen Welt ist ungeheuer viel Sachlichkeit und Willens-Dämonie. Lange hat sie sich mit den leichteren Eroberungen des Naturalismus begnügt. Was aber soll nun kommen? Vielen dürfte die neue Romantik reichen Ersatz bieten. Objektivere und härtere Naturen würden aber in diesem Klima verkümmern. Ihnen bleibt nichts übrig als der Versuch, die verschlossenen Pforten der klassischen Kunst wieder aufzusprengen. Und wenn sie den Versuchungen der ‚Schönheit' widerstehen, können sie Großes erreichen." — Der Terminus „Neoklassizismus" fällt bei Lublinski m. W. nicht. Er spricht u.a. von „Neuklassik", „Neu-Klassizität" oder „unser neuklassisches Ideal — vielmehr klassisch schlechtweg". Siehe Kutzbach, S. 69, 186, 195.

40 *Der Ausgang der Moderne*, Dresden 1909, S. 65, 77.

41 *Bilanz der Moderne*, Berlin 1904, S. 224.

kis historischem Drama *Kaiser und Kanzler*, dem letzten seiner Stücke. Sie bezieht sich indirekt aber auch auf Lublinskis Konzeption der neuen Klassizität.

An Lublinskis Drama bemängelt Thomas Mann eine gewisse Glanzlosigkeit. In einem Brief schreibt er: „Was völlig fehlt, ist der Glanz, — und ich für meine Person werde immer unfähiger, diesen Begriff von dem der Kunst zu trennen. Ich meine jenen Schönheitsschimmer, jenen Kunstzauber, der über jedem Verse Schillers liegt, den ich auf schrulligere Weise auch bei Ibsen finde und dessen Hebbel so ganz entbehrt. Gott helfe mir, ich habe mich auch zur Zeit seiner höchsten Geltung niemals entschließen können, seinen grauen Gebilden eigentliche Kunstwirkung zuzusprechen."[42] Thomas Mann spricht hier weniger von Lublinskis Drama als von seiner Kunstanschauung, wobei der Einwand gegen Hebbel prinzipiellen Charakter hat. In der Orientierung auf Hebbel, die für die ganze Neuklassik grundlegend ist, mußte Thomas Mann einen besonders schwachen Punkt in den neoklassizistischen Bestrebungen erblicken. Hebbel war für ihn fragwürdigstes 19. Jahrhundert, eher zu Wagner gehörend als zu einer neuen Klassizität. Eine Erörterung Hebbels in *Geist und Kunst* war offenbar vorgesehen, mehrere Fragmente enthalten diesbezügliche Einträge.[43] In dem zitierten Brief scheint Thomas Mann Lublinski bedeuten zu wollen, daß er mit dem Ziel einer neuen Klassizität übereinstimme, diese aber nicht an Hebbel, sondern an Goethe und Schiller anschließen wolle. Wenn schon Klassizitätsstreben wieder an der Zeit sei, so will er zu verstehen geben, dann sollte es sich auf den eigentlichen Klassizismus der Goethezeit und nicht den des Pantragisten beziehen.

Das Kunstideal, das dem Lublinskis, Hebbels und dessen „grauen Gebilden" entgegengestellt werden kann, die eigentlich *Moderne Tendenz* — so die Überschrift jener Notiz zu *Geist und Kunst*, die diese Überlegungen reflektiert — ist demnach auf Goethe verwiesen, auf seine Maxime, daß die Poesie auf ihrem höchsten Gipfel ganz äußerlich erscheine, auf einen gewissen äußerlichen Glanz, einen gewissen „Kunstzauber". Thomas Mann bekennt sich somit letztlich nicht, wie Lublinski hoffen mochte, zu dessen Konzeption einer Neuklassik, und statt sich bei der Arbeit am *Tod in Venedig* an Paul Ernst oder Hebbel zu halten, wendet er sich Goethe zu.

Die Analyse der von Lublinski mitbestimmten ästhetischen Umorientierung wäre unvollständig ohne ein Eingehen auf eine wesentliche und wegweisende Neuerung des *Tod in Venedig*: die Integration des Mythos.[44] Durch welche Anregungen und mit wel-

42 Brief an S. Lublinski vom 13.VI.1910, Briefe III, 459. Die zitierte Briefstelle findet sich fast wörtlich auch in einem längeren Fragment zu „Geist und Kunst" (TMS I, 212) und bezeugt, wie sehr der Gedankenaustausch mit Lublinski zum Zentrum der literaturtheoretischen Überlegungen Thomas Manns in jenen Jahren gehört. Im übrigen zeichnet sich Thomas Manns Kritik an Lublinskis dichterischer Praxis schon sehr deutlich in einem unveröffentlichten Brief an Lublinski vom 11.V.1906 über dessen Tragödie „Peter von Rußland" ab.

43 TMS I, 180 f., 212 f., 221 f.

44 Zur literarhistorisch epochemachenden Bedeutung des Mythos im „Tod in Venedig" vgl. Hans-Bernhard Moeller, *Thomas Manns venezianische Götterkunde. Plastik und Zeitlosigkeit*: *DVjs* 40, 1966, S. 184-205.

chen künstlerischen Intentionen Thomas Mann dazu gekommen ist, den griechischen Mythos in ein modernes Erzählwerk zu integrieren, hat die Forschung schon lange beschäftigt. Solche Anregungen hat man in Friedrich Nösselts Mythologie-Lesebuch, auf das Thomas Mann selbst verweist, erblicken wollen oder in der Hermes-Statue auf der Lübecker Trave-Brücke, in Homer, Platon, Xenophon und Plutarch, in Wagners Musikdramen, in Rohdes *Psyche* oder besonders in Nietzsches, Schopenhauers und Bachofens Shriften. Diese vielfältigen detektivischen Quellenstudien, so aufschlußreich sie im einzelnen auch sein mögen, bergen jedoch die Gefahr, das eigentliche Problem zu verdecken. Sie vermögen nicht zu erklären, daß im *Tod in Venedig* die zeitgenössische Wirklichkeit mit der Erfahrung des Mythos aufs engste koordiniert ist. Mit anderen Worten: die Lektüre Nietzsches, Rohdes u.a. kann Thomas Mann wohl kaum dazu inspiriert haben, den griechischen Mythos zum Bestandteil eines modernen Erzählwerks von neuer Klassizität zu machen. Diese konnten stoffliche Motive liefern, aber keine Beispiel einer Verquickung eines modernen Erzählgehalts mit dem griechischen Mythos.

Bei solchen Quellennachweisen wird der auffallende Umstand vernachlässigt, daß Thomas Mann das erste Experiment mit dem Mythos gerade im *Tod von Venedig* glückte und nicht früher, also nach der Umorientierung auf das Postulat einer neuen Klassizität, wie sie aus der Reflexion auf Lublinskis Neuklassik hervorgegangen ist.[45] Denn auch in diesem Zusammenhang ist wiederum mit einem Einwirken Lublinskis zu rechnen. Es hat den Anschein, als habe Thomas Mann seine Vorstellungen von der Neubelebung des Mythos gegen die diesbezüglichen Thesen Lublinskis, gleichsam als Antwort auf seinen geschätzten Kritiker, entwickelt.

Lublinski hatte im *Ausgang der Moderne* eine „eigenartige Wiedergeburt" des Mythos, vor allem bei Hugo von Hofmannsthal, konstatiert und hinzugefügt: „Vorläufig jedoch hat dieser neue Mythos uns nichts als Verderben gebracht und eine vollkommene Verwirrung: er hat die Moderne schlechterdings in die Sackgasse geführt." Als ehemaliger Marxist beanstandet Lublinski den in der Hinwendung zum Mythos offenbaren Mangel an realen, sozialen Bezügen, die „unendliche Kluft zwischen Literatur und Leben", den „unheilbaren Zwiespalt zwischen Kultur und Zivilisation, den das literarische Spiel mit dem Mythos weiter vertieft" habe. Die rationalistische moderne Arbeitswelt erlaube kein mythisch gestimmtes Lebensgefühl. Die gleichwohl vorhandene Sehnsucht nach „Erlösung und nach Festlichkeit des Daseins" könne nicht durch den Mythos befriedigt werden, denn er führe zurück zu „Träumerei und Willenlosigkeit". Vielmehr soll in der modernen Literatur die „Erhöhung, die unserem Leben noch

45 Auch in dem jüngsten Versuch, Thomas Manns Hinwendung zum Mythos zu erhellen: Manfred Dierks, *Studien zu Mythos und Psychologie bei Thomas Mann*, Bern 1972, S. 13-59, wird dieser Zusammenhang übergangen. Zwar hebt Dierks die Bedeutung des Wagner-Aufsatzes von 1911 für den „Tod in Venedig" hervor, doch unterschlägt er das darin enthaltene Postulat einer neuen Klassizität. Sein eigener Versuch, die Mythosvorstellung des „Tod in Venedig" auf dem Umweg über ein hypothetisches und nicht identifiziertes Vorwort zu einer „Bakchen"-Ausgabe auf Euripides zurückzuverfolgen, erscheint mir wenig überzeugend.

winkt", „organisch aus unserem Leben selbst wachsen", als „unsere erhöhte, unsere gesteigerte Existenz."[46]

Lublinskis Position hinsichtlich des Mythos in der modernen Literatur ist klar und aufs engste mit seiner Vorstellung einer Neuklassik verbunden. Er wendet sich gegen Hofmannsthals Modell einer rückwärts orientierten Beschwörung eines toten Mythos, was er als literarische Spielerei empfindet, und fordert vom Mythos die Funktion einer organischen Erhöhung des zeitgenössischen modernen Lebens. Thomas Manns Entscheidung für eine neue Klassizität mußte somit auch eine Reflexion auf Lublinskis bemerkenswerte Mythosthesen beinhalten.[47] Sie führten ihn möglicherweise schon zu der Ahnung einer geheimen Verwandtschaft des Klassischen mit dem Mythischen, die seine spätere Mythoskonzeption entscheidend mitbestimmt[48] und die sich in der Formel vom „Mythos Goethe" niedergeschlagen hat.[49]

Lublinskis Thesen zum Mythos sind jedoch nicht nur negativer Natur und als Kritik an Hofmannsthal zu verstehen. In ihrer kritischen Schärfe erhellen sie auch das eigentliche Problem, das der Wiederbelebung des Mythos in der modernen Literatur im Wege steht: das Problem der Integration disparater Kategorien der Lebenserfahrung zu einer legitim zeitgenössischen, künstlerischen Einheit. Daß Thomas Mann, nachdem er sich auf eine Auseinandersetzung mit Lublinskis Neuklassik eingelassen und sie pro domo modifiziert hatte, sich auch zu dem Versuch gereizt fühlte, gerade jene von Lublinski in Abrede gestellte Erhöhung und Steigerung des Lebens durch das Medium des Mythos in einem eigenen Erzählwerk zu erzielen, ist immerhin wahrscheinlich und folgerichtig.

Der Mythos mußte jedoch anders nutzbar gemacht werden, als es Hofmannsthal in seinen beiden Griechen-Dramen getan hatte. Auch anders als es Paul Ernst vorschwebte, dem keineswegs an modern künstlerischen Reizen der Wiederbelebung des Mythos lag, sondern allein an der anti-modernistischen Schicksalsgläubigkeit, wie er sie im germanischen und antiken Mythos zu erblicken vermeinte. Thomas Mann mußte es aufgrund seiner bisherigen künstlerischen Entwicklung um anderes gehen. Sein Interesse richtete sich hier vor allem auf die künstlerischen, nicht weltanschaulichen und ethischen Möglichkeiten, die sich aus der Verquickung einer modernen Thematik mit dem Mythos entwickeln ließen. Hatte er sich früher vornehmlich auf gewisse Techniken der

46 *Der Ausgang der Moderne*, S. 64.

47 Hans Wysling bemerkt in diesem Zusammenhang: „Ein Interesse für den Mythos als solchen besteht zur Zeit des ‚Tod in Venedig' noch kaum" und verweist dazu auf die erhaltenen „beinahe schülerhaften" Exzerpte, die sich Thomas Mann aus einschlägigen Büchern gemacht hat. Die Suche nach stofflichen Details, so anfängerhaft sie im Rückblick erscheinen mag, besagt jedoch noch keineswegs, daß das theoretische Interesse an einer Wiederbelebung des Mythos nicht bereits vorhanden war; sie ist vielmehr auch ein Indiz dafür. Siehe H. Wysling, *Mythos und Psychologie bei Thomas Mann*, Zürich 1969 (Eidgen. Techn. Hochschule, Kultur- u. staatswiss. Schriften, Heft 130), S. 13.

48 Vgl. dazu den Anfang der „Rede über Lessing" von 1929, IX, 229.

49 Diese Formel verwendet Thomas Mann im Hinblick auf „Lotte in Weimar" in der Rede „On Myself", in: Blätter der Thomas-Mann-Gesellsch. Nr. 6, 1966, S. 30

Musik verlassen, um den perspektivenreichen Beziehungskomplex seiner Erzählprosa zu verwirklichen, so unternimmt er nun im *Tod in Venedig* zum erstenmal das Experiment, diese Multiperspektive durch den Mythos[50] um eine weitere, quasi überzeitliche und paradigmatische Dimension zu vertiefen.[51] Eine solche Behandlung des Mythos durfte dann beanspruchen, nicht bloß eine äußere, unzeitgemäße Zutat zu sein, sondern sie durfte, im Sinne Lublinskis, als eine „organische Erhöhung" einer durch und durch zeittypischen Thematik gelten.

Die in der Reflexion auf Lublinski und in der Wagner-Krise vollzogene Hinwendung zu Goethe mußte logischerweise auch zu einer Orientierung der Mannschen Mythoskonzeption an Goethe führen. Denn bei Goethe konnte er die eindrucksvollste Neubelebung des griechischen Mythos studieren, nämlich im zweiten Teil des *Faust*. Thomas Mann kannte *Faust II* seit 1895,[52] und er hat das Werk in der Ausgabe des Tempel-Verlags, die im Archiv erhalten ist, sehr genau mit dem Bleistift gelesen. Besonders der 2. und 3. Akt zeigen aufschlußreiche Anstreichungen, die mit großer Wahrscheinlichkeit schon während der Arbeit am *Tod in Venedig* gemacht wurden. Hier in der *Klassischen Walpurgisnacht* und in der Helena-Tragödie konnte er bedeutungsvolle Stichworte, die in seiner späteren Mythoskonzeption voll entfaltet werden, sowie bestimmte Muster der mythischen Beschwörung finden, die sich im Prinzip auch für die *Venedig*-Novelle verwenden ließen.

Die für Thomas Mann später gültige Formel für das Wesen des Mythischen ist vorgeprägt in den Worten, mit denen Goethes Erichtho das Wiederbegängnis der *Klassischen Walpurgisnacht* eröffnet; Thomas Mann hat sie sich in seinem Text markiert:

> „Zum Schauderfeste dieser Nacht, wie öfter schon,
> Tret ich einher...
> ...
> Wie oft schon wiederholt' sich's! Wird sich immerfort
> Ins Ewige wiederholen ..." (V. 7005 f.)

Diese Formel bildet das Fundament für Thomas Manns Mythoskonzeption, lange bevor er Freud, Bachofen oder Kerényi kennenlernte. Es ist deshalb nicht überraschend, daß Aschenbachs Todesfahrt ähnlich angelegt wurde wie die Wiedergewinnung und der Verlust Helenas durch Faust. Im *Tod in Venedig* können wir dieselben typischen Stufengänge erkennen, nach denen auch Fausts Begegnung mit dem griechischen Mythos entwickelt wird. Wie Faust in den Szenen *Hexenküche, Rittersaal* und *Laboratorium* wird auch Aschenbach zuerst durch eine Art Verzauberung und traumhafte Erfahrung,

50 Zum „artistisch-technischen Aspekt" des Mythos bei Thomas Mann, vgl. Hans Wysling, *Mythos und Psychologie bei Thomas Mann*, S. 30.

51 Zum Effekt der Zeitaufhebung, der mit dem Mythos in die Epik eindringt und der den „Tod in Venedig" als Vorstufe zu der vielfältigen Zeitproblematik des „Zauberberg" kennzeichnet, vgl. H.-B. Moeller, a.a.O., S. 195 f. sowie Helmut Koopmann, *Die Entwicklung des ‚intellektualen Romans' bei Thomas Mann*, Bonn 1962, S. 147 bis 168.

52 Dies geht aus einem bisher unveröffentlichten Brief an Otto Grautoff hervor, worauf mich Hans Bürgin freundlicherweise aufmerksam machte.

durch eine „seltsame Ausweitung seines Innern" (VIII, 446), für die Erfahrung der mythischen Wirklichkeit gleichsam präpariert. Aschenbachs sehnsüchtige Vision griechischer Gestalten entspricht der Vision von Leda und dem Schwan, durch die Faust für seine Begegnung mit Helena innerlich gesteigert wird. Und Fausts Gang zu den Müttern schließlich findet seine Entsprechung in Aschenbachs Unterweltfahrt in Venedig, die ihn zur Unterwelt seines Innern bringt. Die Gliederung der Wiedergewinnung des Mythos im *Faust* steht offenbar als entferntes Modell hinter der Struktur des *Tod in Venedig*.

Bei Goethe konnte Thomas Mann aber nicht nur das Modell für eine künstlerische Wiederbelebung des griechischen Mythos studieren, im *Faust* fand er darüber hinaus auch die Grundzüge jenes Götterbildes vorgeprägt, das vom *Tod in Venedig* an eine besondere Stelle in seinem Werk einnimmt und später seine Lieblingsgottheit wurde, nämlich Hermes.

Der Hermes-Mythos erscheint im *Faust* an zwei Stellen. Im schattigen Hain Arkadiens ist es der Chor, der den ahnungslos aufschneiderischen Bericht des Mephistopheles-Phorkyas von der Geburt Euphorions relativiert und in sein mythisches Grundmuster: die Geburt des göttlichen Kindes einordnet. Aus dem weiterverzweigten Hermes-Mythos vergegenwärtigt Goethe an dieser Stelle jedoch nur eine Rolle des Gottes, die des Diebs und listigen Liebhabers.

Hermes erscheint im *Faust* aber auch in der Rolle des Totenführers, und zwar in einer Formulierung und mit visuellen Details, die in der Schlußszene des *Tod in Venedig* wiederkehren. Es ist die Szene, in der der Chor der gefangenen Trojanerinnen von Mephistopheles-Phorkyas vom Palast des Menelas in Fausts Burg geführt wird. Der „Widerdämon" inszeniert diese Verwandlung hinter einem ihm gemäßen, nordischen Vorhang: „Nebel verbreiten sich, umhüllen den Hintergrund, auch die Nähe." Für die trojanischen Mädchen ist es ein banger Moment der Ungewißheit und Todesahnung:

> „Alles deckte sich schon
> Rings mit Nebel umher.
> Sehen wir doch einander nicht!
> Was geschieht? Gehen wir?
> Schweben wir nur
> Trippelnden Schrittes am Boden hin?
> Siehst du nichts? Schwebt nicht etwa gar
> Hermes voran? Blinkt nicht der goldne Stab
> Heischend, gebietend uns wieder zurück
> Zu dem unerfreulichen, grautagenden,
> Ungreifbarer Gebilde vollen,
> Überfüllten, ewig leeren Hades?" (V. 9110 f.)

Wesentliche Details im Schlußbild des *Tod in Venedig* konnte Thomas Mann aus dieser Szene übernehmen:[53] Hermes als Psychagog zum Hades, den Todgeweihten ‚voran-

53 Eine alleinige Abhängigkeit der weitverzweigten Mythosthematik im „Tod in Venedig" von Goethes „Faust" soll damit natürlich nicht behauptet werden. Schon hier ist mit einer sehr

schwebend', seine einladend auffordernde Geste, die Ahnung des Verheißungsvoll-Ungeheuren, im Hintergrund Nebel. Thomas Mann geht natürlich eigene Wege, variiert und paßt die Goethesche Vorlage der Motivstruktur seiner Erzählung an. Bei Goethe ist Hermes weder ein Knabe, noch lächelt er. Auch das traditionelle Attribut des goldenen Stabes, des caduceus, ist auf eine Handgeste reduziert, damit an das Motiv von Aschenbachs zentraler Handgeste aus dem 2. Kapitel anknüpfend. Der Rückzug in dieser Szene auf *Faust*, vielleicht gar die diskrete Huldigung, kann jdoch nicht übersehen werden.

Das große Vorbild von Goethes *Faust* den eigenen Intentionen angepaßt — mit dieser Orientierung konnte Thomas Mann Lublinskis Kritik an der unauthentischen Wiederbelebung des Mythos durch Hofmannsthal gleichsam überspielen und seiner neuen Klassizität einen äußerst fruchtbaren Aspekt hinzugewinnen. Für Thomas Manns erstes größeres Experiment mit dem Mythos waren somit drei an Goethes *Faust* beobachtete Elemente richtunggebend: die Rolle des Hermes als der den Sterbenden voranschwebende Psychagog, die festliche Wiederholung als Wesenszug der mythischen Erfahrung sowie bestimmte Formen der Beschwörung und Integration des Mythos.

Wenn wir ein Resümee zu ziehen versuchen, so läßt sich die Bedeutung von Thomas Manns Auseinandersetzung mit Lublinski und der Neuklassik wie folgt zusammenfassen: In der Periode der Wagner-Krise und der langen Entstehungszeit des *Tod in Venedig* war Lublinski der entscheidende und theoretisch stimulierendste Anreger zu der folgenreichen Umorientierung auf das Postulat einer neuen Klassizität. Durch ihn wurden vor allem Thomas Manns Nietzsche- und Goethe-Rezeption, die beide bereits 1894 einsetzen, intensiviert und um neue Gesichtspunkte bereichert.

Aus Lublinskis Kritik der Moderne empfing vor allem Thomas Manns Nietzsche-Rezeption neue Impulse.[54] Sie wurde in entscheidendem Maß durch Heinrich Mann vermittelt, und in ihrem Mittelpunkt steht das Dekadenzproblem sowie die Faszination durch das Phänomen Wagner. Der zweite „Schub" der Nietzsche-Rezeption wurde durch Lublinski vermittelt. Sie ist gekennzeichnet durch die Reflexion auf Nietzsche als heimlichen Klassizisten und die nun teilweise mitvollzogene Distanzierung von Wagner, die allerdings später wieder relativiert wird. Nach Lublinskis Tod — und damit ist die dritte Stufe der Nietzsche-Rezeption bezeichnet — wurde diese Vermittlerrolle von Ernst Bertram und seinem Nietzsche-Mythos übernommen.[56] Mit ihm kam wieder

synkretistischen Verfahrensweise Thomas Manns zu rechnen. Reed, S. 44, will in dem Schlußbild der Novelle eine Anlehnung an Platons „Symposion" ausmachen, kann dafür jedoch weder eine wörtliche noch eine bildliche Parallele vorweisen. Allenfalls der Umstand, daß Aschenbach am Meer stirbt, mag mit der von Reed angeführten Stelle in Verbindung zu bringen sein.

54 Vgl. dazu jetzt Peter Pütz, *Thomas Mann und Nietzsche*, in: Thomas Mann und die Tradition, S. 225-249.

55 Vgl. dazu Lehnert, S. 25 ff.

56 Vgl. dazu Inge und Walter Jens, *Betrachtungen eines Unpolitischen: Thomas Mann und Friedrich Nietzsche*, in: Das Altertum und jedes neue Gute. Für Wolfgang Schadewaldt zum 15. März 1970, hrsg. v. Konrad Gaiser, Stuttgart 1970, S. 237-256.

eine pessimistische, nationalistische und elitäre Note in Thomas Manns Nietzsche-Bild, die vor allem in den *Betrachtungen eines Unpolitischen* zum Tragen kam. Lublinski hatte, wie wir sahen, mit diesen Tendenzen nichts zu tun.

Lublinskis Rolle in der Goethe-Rezeption Thomas Manns ist weniger deutlich zu definieren. So viel ist jedoch klar, daß die Ausrichtung der neuen Klassizität auf Goethe der Kritik an Lublinskis Hebbel-Nachfolge einen entscheidenden Impuls verdankt. Zwei Dinge sind dabei bemerkenswert. Zum einen kann die Orientierung Thomas Manns auf Goethe nicht erst, wie es in der Forschung meist geschehen ist, mit der Rede *Goethe und Tolstoi* von 1921 angesetzt werden; der entscheidende Schritt der Annäherung erfolgte bereits in der Periode der Wagner-Krise und drückt sich am klarsten in der Entgegensetzung von Wagner und Goethe aus. Zum anderen erblickte Thomas Mann in Goethe zunächst nicht, wie es meist dargestellt wird,[57] das ethische und humanitätsphilosophische Vorbild. Seine Interessen waren hier konkret künstlerischer Natur und richteten sich auf das Werk, weniger auf die Weltanschauung und Psychologie Goethes.

Die darin begründeten künstlerischen und weltanschaulichen Konsquenzen für Thomas Manns weitere Entwicklung sind sehr weitreichend. Sie manifestieren sich am auffälligsten in der mit dem *Tod in Venedig* vollzogenen Hinwendung zum Mythos. Thomas Manns Interesse am Mythos, das bisher ausschließlich im Lichte seiner Auseinandersetzung mit der Spätromantik, also mit Nietzsche, Wagner, Rohde und Bachofen gesehen wurde, kann nun mit einiger Sicherheit auf seine Reflexion auf die Mythos-Thesen Lublinskis und die Orientierung am Werk Goethes zurückverfolgt werden.

Mit alledem ist jedoch kein Grund gegeben, Thomas Mann einen Neoklassizisten zu heißen. Zwar stimmen Thomas Manns und Lublinskis Vorstellungen von einer neuen Klassizität teilweise überein, in ihrer entscheidenden künstlerischen Konsequenz jedoch, der Hinwendung zu Goethe und zum Mythos, geht Thomas Mann über die Position Lublinskis hinaus. Die Auseinandersetzung mit Lublinskis Neuklassik zeitigt somit eine deutlichere Profilierung der eigenen künstlerischen Absichten und Möglichkeiten und eröffnet ihm den Weg zu einer neuen Dimension des Romans im 20. Jahrhundert. Im Hinblick auf den *Tod in Venedig* äußert sich dieses sowohl einläßliche als auch kritisch-distanzierende Verhältnis zur Neuklassik in einer eigenartigen thematisch-stilistischen Konstellation, die deutlich im Zeichen einer bewußten Ironie steht. Einerseits nimmt Thomas Mann in der Gestalt Aschenbachs eine Kritik, ja Decouvrierung des Klassizisten par excelllence vor, andererseits strebt er aber vermittels dieser Kritik zu einer neuen, weniger einseitigen und auf Vermittlung der Gegensätze appolinisch-dionysisch bedachten Klassizität, deren künstlerische Mittel die ‚gesundere Geistigkeit' seiner späteren Werke anzukündigen scheint. Thomas Manns Behauptung

57 So jedenfalls will es die communis opinio der Forschungsliteratur zum Thema Thomas Mann und Goethe. Vgl. z. B. Georg Lukács, *Thomas Mann über das literarische Erbe*, in: G. L., Schicksalswende, Berlin 1948, S. 253-272, sowie Bernhard Blume, *Thomas Mann und Goethe*, Bern 1949, S. 28 f. Noch für Scharfschwerdt, S. 13, sind „Kultur, Humanität, Bildung" die „Hauptbegriffe", die für Thomas Manns Orientierung an Goethe maß- und richtunggebend gewesen sind.

aber, daß er mit der Neuklassik nichts zu schaffen hatte, ist angesichts der hier erbrachten Evidenz auf keinen Fall haltbar. Seine ‚repräsentative Einzelgängerschaft' war so einzelgängerisch nicht.

Lothar Pikulik

Die Politisierung des Ästheten im Ersten Weltkrieg

Während es heute jedermann absurd finden würde, Thomas Manns Rang als Künstler in Frage zu stellen, wie es zu seinen Lebzeiten häufig versucht wurde, ist sein Ruf als politischer Autor nach wie vor umstritten. Daran haben auch die hinter uns liegenden zehn Jahre Politisierung der Literatur und der Geisteswissenschaften nichts geändert. Zwar trugen sie soviel bei, daß sie das Interesse an Thomas Manns politischen Äußerungen erneuerten. Erneuert haben sich aber auch die Kritik an seinen politischen Ansichten und die Zweifel an seiner politischen Kompetenz. So sind in den letzten Jahren wieder Stimmen laut geworden, die fragten, ob es denn dem Dichter jemals ernst gewesen sei mit der Politik[1], ob er nicht eigentlich immer ein Unpolitischer gewesen sei[2] oder ob sein politisches Denken, wenn es denn bei ihm so etwas gegeben haben sollte, nicht hoffnungslos anachronistisch anmute[3].

Freilich, an solchen Mutmaßungen ist Thomas Mann selber nicht ganz unschuldig. Jeder seiner Leser weiß von den Skrupeln und Vorbehalten, die er nicht nur zu einer bestimmten Zeit, sondern zeitlebens gegenüber dem Bereich der Politik hegte. Jeder kennt die ironischen Kommentare, mit denen er seine Rolle als „Wanderprediger der Demokratie“ bedachte. Es kommt hinzu — oder sollen wir sagen: es geht daraus hervor —, daß Thomas Mann von einem bestimmten Punkt seiner politischen Entwicklung an alle diejenigen enttäuschen muß, die sich politische Betriebsamkeit nicht ohne das Bekenntnis zu einem Dogma vorstellen können. So kann sich nicht jedermann an ihm gütlich tun. Wer ihn mit dem Maßstab eines ideologischen und radikalistischen Politikverständnisses mißt, kommt bei ihm ebensowenig auf seine Kosten wie derjenige, der von ihm handfeste politische Parolen oder gar Utopien erwartet. Weder die Neue Linke noch die Neue Rechte kann an ihm eine ungetrübte Freude haben — Grund genug, sich wieder einmal darauf zu besinnen, ob er uns nicht gerade deshalb als politischer Autor besonders schätzenswert sein sollte[4]. Schätzenswert nicht unbedingt unter jedem

1 Hans Mayer, *Zur politischen Entwicklung eines Unpolitischen,* in *Der Repräsentant und der Märtyrer. Konstellationen der Literatur,* Frankfurt am Main 1971 (= edition suhrkamp 463), S. 65-93. Siehe auch vom selben Verf. *Der Steppenwolf und der Unpolitische. Hesse und Thomas Mann im Briefwechsel,* in *Vereinzelte Niederschläge. Kritik — Polemik,* Pfullingen 1973, S. 51-60.

2 Walter G. Hesse, *Thomas Mann, der unpolitische Deutsche oder Leiden an der Soziologie,* in *Dichtung Sprache Gesellschaft. Akten des IV. Internationalen Germanisten-Kongresses 1970 in Princeton.* Herausgegeben von Victor Lange und Hans-Gert Roloff, Frankfurt am Main 1971, S. 189-196.

3 Hermann Kurzke, *Auf der Suche nach der verlorenen Irrationalität. Thomas Mann und der Konservativismus,* Diss. Würzburg 1972.

4 In dieser Wertschätzung treffe ich mich mit bekannten Arbeiten von Kurt Sontheimer, *Thomas Mann und die Deutschen,* München 1961; *Thomas Mann als politischer Schriftsteller,* in *Vierteljahreshefte für Zeitgeschichte,* 6, 1958, S. 1-44.

Aspekt und ohne Vorbehalt. Auch wenn man nur den späteren, den demokratischen Thomas Mann im Auge hat, muß man nicht alles für richtig halten, was er gesagt hat, muß man auch Anstoß nehmen dürfen an gewissen Unzulänglichkeiten wie etwa an seinem ungenauen und quasi künstlerisch verspielten Umgang mit politischen Begriffen. Aber wenn wir es denn schon mit einem Homo politicus zu tun haben, dessen Beruf nicht die Politik, sondern die Kunst war, so wäre es andererseits auch falsch, ihm mit Erwartungen zu begegnen, die er weder erfüllen konnte noch erfüllen wollte. Der Wert seiner politischen Äußerungen bemißt sich vielmehr nach der Natur seines Engagements, und dieses war nicht das eines professionellen Politikers oder das eines wissenschaftlichen Politologen, sondern bloß das eines „politisierten Ästheten". Daher sind seine einschlägigen Essays und Reden besonders dort kompetent, wo sie das schwierige Verhältnis zwischen Kunst und Politik, oder allgemeiner: zwischen Geist und Politik behandeln. Sie fordern insofern unsere Wertschätzung heraus, als Thomas Mann zwischen diesen Polen einen Standort gefunden hat, der ihm Ehre macht, Ehre nicht nur als Künstler, sondern im weiteren Sinne auch als Intellektuellem.

Seine Rolle als politischer Autor erschöpft sich aber nicht in seinen ausdrücklich politischen Äußerungen. Die Formel vom politisierten Ästheten will doppelseitig verstanden werden. Sie will einerseits sagen, daß Thomas Mann eine Bewegung von der Kunst in Richtung der Politik vollzog, zeitweise unter Vernachlässigung seines künstlerischen Schaffens und also auf Kosten seines angestammten Berufes, andererseits aber auch, daß umgekehrt das Element des Politischen in seine Kunst eindrang und diese um eine Dimension bereicherte. Politischer Autor war er also auch als Romancier, von einem bestimmten Punkt seiner Entwicklung an, und es ist demnach fragwürdig, wenn man den künstlerischen vom politischen Thomas Mann überhaupt trennt.

Thomas Mann entdeckt die Politik in den Jahren 1914-1922, und davon handelt dieser Vortrag. Dabei soll aber nicht noch einmal referiert werden, was der Dichter in Texten wie den ‚*Betrachtungen eines Unpolitischen*' oder den ‚*Gedanken im Kriege*' geschrieben hat. Es geht hier im wesentlichen darum, den Prozeß nachzuvollziehen, der sich damals in seinem Bewußtsein abspielte.

Wenn wir diesen Prozeß „Politisierung des Ästheten" nennen, so greifen wir damit zwei Begriffe auf, die in Thomas Manns Denken damals eine ebensolche Schlüsselrolle spielen wie etwa die mit ihnen gekoppelten Begriffe Zivilisation und Kultur und sich in seinem Bewußtsein in gleicher Weise gegenseitig ausschließen. Die ‚*Betrachtungen*' wurden ja ihrer ursprünglichen Intention nach ausdrücklich geschrieben, um zwischen Politik und Ästhetizismus eine Grenze zu ziehen, um das Reich des geistigen und künstlerischen Lebens als politikfreie Zone zu deklarieren. Dabei geht Thomas Mann u.a. von der Voraussetzung aus, daß die beiden Begriffe zwei grundverschiedene Haltungen kennzeichnen.

Was ist auf der einen Seite „Ästhetizismus"? An sich erscheint der Ausdruck nicht ganz glücklich gewählt. Wenn man ihn hört, denkt man sogleich an den rauschhaften oder ruchlosen Schönheitskult etwa d'Annunzios oder des frühen Heinrich Mann. Dergleichen ist aber in den ‚*Betrachtungen eines Unpolitischen*' nicht gemeint, es sei denn in kritisch-ablehnendem Sinne. Wenn deren Autor sich die Haltung des Ästheten zu eigen macht, so versteht er darunter eine nicht so sehr um der Schönheit, sondern eher um der Wahrheit und vor allem um der Freiheit willen bevorzugte Neutralität, nämlich die Unfestgelegtheit des Standpunktes und die Unentschiedenheit des Urteils, den Verzicht auf eine bestimmte Tendenz und das Geltenlassen verschiedener, ja widersprüchlicher Ansichten des Lebens. Der Künstler, so meint er, ist nicht dazu da, zu entscheiden, was gut und böse oder richtig und falsch ist. Seine Aufgabe besteht nur darin, Menschen und Dinge so darzustellen, wie sie in der Wirklichkeit vorkommen. Er ist zwar ein gewissenhafter Moralist, aber kein Rechthaber. Seine Sache ist es, „Dialektik zu treiben, den, der gerade spricht, immer recht haben zu lassen“[5]. Thomas Mann beruft sich in diesem Zusammenhang auf Schiller, Flaubert, Schopenhauer und Tolstoi[6]. Man weiß freilich, daß ihm das Vorbild für diese Haltung vor allem im frühen Nietzsche begegnet war. Die Fragwürdigkeit von Gut und Böse, der Zweifel gegenüber absoluten Wahrheiten, der Relativismus des Standpunktes, das alles waren Erfahrungen, die er schon in jungen Jahren zum Beispiel in Nietzsches Aphorismensammlung ‚*Menschliches, Allzumenschliches*‘ ausgedrückt fand und die ihm nur eigene Ansichten und Beobachtungen bestätigten.

Damit sei zugleich angedeutet, daß er in seinen ‚*Betrachtungen*‘ nicht nur ästhetischen Gerechtigkeitssinn, sondern vor allem auch eine psychologisch begründete Skepsis geltend macht und daß er die Haltung des Ästhetizismus nicht nur im Namen des Künstlers, sondern auch des Intellektuellen vertritt. Der Intellektuelle ist der Skeptiker par excellence. Er ist ein Typ, der historisch genau in dem Augenblick auf die Bühne tritt, als der Glaube an feste Normen zu wanken beginnt, im 18. Jahrhundert also, und in dessen Bewußtsein sich die seither wachsende Schwierigkeit spiegelt, sich neuer Gewißheiten zu versichern. Die Naivität, die Bedenkenlosigkeit, mit der frühere Generationen die fundamentalen Fragen des theoretischen Denkens und praktischen Handelns beantwortet hatten, ist in diesem von Skrupeln heimgesuchten Bewußtsein einer durchschauenden und relativierenden Erkenntnis gewichen, bei keinem radikaler als dem genannten Allesentlarver Friedrich Nietzsche. Man muß dies erwähnen, wenn man Thomas Mann, der durchaus in dieser Tradition beheimatet ist, auch als Künstler verstehen will; denn Künstlertum und Intellektualismus, das waren für ihn bekanntlich nicht getrennte, sondern miteinander verbundene Dinge.

Was bedeutet demgegenüber für Thomas Mann der Begriff „Politik“? Zunächst, was er auch sonst bedeutet: die Sphäre des Öffentlichen, die Organisation des gesamtgesellschaftlichen Zusammenlebens und ein Denken und Handeln im Sinne und Interesse dieser Organisation. Als geistige Haltung im Gegensatz zum Ästhetizismus aber auch mehr, nämlich nicht Unentschiedenheit, sondern Entschlossenheit, nicht Unfestgelegtheit, sondern Engagement, nicht Skepsis, sondern Glauben. Wenn er aber beabsichtigt hatte, sich gegen diese Haltung abzugrenzen, so hätte er nicht, wie ihm bald selber bewußt wurde, die ‚*Betrachtungen eines Unpolitischen*‘ schreiben dürfen; denn da dieses

5 Th. Mann, *Betrachtungen eines Unpolitischen,* in *Gesammelte Werke in dreizehn Bänden,* Frankfurt am Main 1974, Bd. XII, S. 228 (*Politik*).

6 *Ebenda,* Bd. XII, S. 223 ff.

Buch den Begriff des Ästhetizismus auch an den des Deutschtums bindet, läuft die Abgrenzung von der Politik zugleich auf eine nationalistische Parteinahme hinaus und ist somit unfreiwillig gerade das, was es seiner Intention nach gerade nicht sein will: ein Bekenntnis mit politischem Charakter.

Soviel zunächst zu den Begriffen. Was den Prozeß der Politisierung als solchen angeht, so gliedert er sich bei Thomas Mann in drei verschiedene Phasen: in eine erste der spontanen Kriegsbegeisterung im August 1914 und kurz danach in eine zweite der grüblerischen Selbstbefragung, wie sie sich in den ‚*Betrachtungen*' niedergeschlagen hat, und schließlich in eine dritte des politischen Umdenkens, deren Resultate erst viel später kenntlich werden, die zweifellos aber schon einsetzt, als er sich verbal noch auf der bisherigen Linie zu befinden scheint.

Von diesen Phasen ist die erste die merkwürdigste, weil sie uns einen Thomas Mann zeigt, der gewissermaßen „außer sich" ist und keineswegs authentisch wirkt. Tatsächlich verhält sich der Dichter zu Beginn des Krieges anders als später und anders, als es seiner Geistesart entspricht. Nicht als ob seine Verlautbarungen aus dieser Zeit ihrer politischen Aussage nach im Prinzip etwas anderes wären als die späteren ‚*Betrachtungen*'. Aber während er sich seine nationalistische Stellungnahme später in erster Linie intellektuell ergrübelt, ist sie 1914 ein Produkt emotionaler Hingabe, und während er nachher gegen den entschieden auftrumpfenden Politiker die Haltung des Ästheten ausspielt, proklamiert er jetzt selber den „Radikalismus der Entschlossenheit"[7]. Befremdlich, welch aggressive Sprache etwa die ‚*Gedanken im Kriege*' führen, wenn auch in gewohnt gesetzter Rede; frappierend, wie ein an sich disziplinierter und gesitteter Autor hier plötzlich seine Hemmungen ablegt und sich in die Nähe trüber Schwärmerei begibt, etwa wenn er sagt: „Es ist wahr: der deutschen Seele eignet etwas Tiefstes und Irrationales, was sie dem Gefühl und Urteil anderer, flacherer Völker störend, beunruhigend, fremd, ja widerwärtig und wild erscheinen läßt. Es ist ihr ‚Militarismus', ihr sittlicher Konservatismus, ihre soldatische Moralität, — ein Element des Dämonischen und Heroischen, das sich sträubt, den zivilen Geist als letztes und menschenwürdigstes Ideal anzuerkennen."[8]

Fragt man sich, wie es zu dieser Art von Politisierung kam, so muß man, so paradox das auf den ersten Augenblick anmutet, gerade auf Thomas Manns Ästhetizismus zurückkommen, auf jene Haltung also, die ihn vor einer derartigen Reaktion eigentlich hätte bewahren sollen. Daß sie es nicht tat, lag aber an ihr selbst, besser gesagt: an der Kehr- und Schattenseite, die jeder zweiflerisch-unentschiedenen Haltung anhaftet. Wenn hochgradige und rigorose Skepsis, auch und gerade eine solche, die auf psychologischer Hellsicht beruht, auf der einen Seite aufklärend und befreiend wirkt, so bedeutet sie auf der anderen eine Einbuße für den seelischen Haushalt, das Unvermögen nämlich, sich naiv und unbekümmert einem Gefühl, einer Handlung oder auch einer Meinung hinzugeben. Skrupel, Zweifel, Vorbehalte sind das zersetzende Element, das sich

7 Th. Mann, *Gedanken im Kriege*, in *Gesammelte Werke in dreizehn Bänden*, a.a.O., Bd. XIII, S. 533.

8 *Ebenda*, Bd. XIII, S. 545.

jedem Versuch einer spontanen Regung des Willens, Empfindens oder Denkens in den Weg legt. Dieses Unvermögen zur Hingabe läuft am Ende auf eine Lähmung des Erlebens hinaus, die daraus erwachsende seelische Sterilität aber schlägt gegen die skeptische Erkenntnis zurück und löst einen Widerwillen gegen sie aus. Einen solchen Widerwillen finden wir schon bei Aschenbach, der sich entschließt, „das Wissen zu leugnen, es abzulehnen, erhobenen Hauptes darüber hinwegzugehen, sofern es den Willen, die Tat, das Gefühl und selbst die Leidenschaften im geringsten zu lähmen, zu entmutigen, zu entwürdigen geeignet ist“[9]. Viel früher ist er indes in Tonio Krögers „Erkenntnisekel“ belegt, womit sich zeigt, daß die Motive, die Thomas Manns Politisierung 1914 bewirken, bis in seine früheste Zeit zurückreichen[10].

Warum aber kommt jener Erkenntnisekel als Motiv in Frage? Weil der Zustand der Frustration ein Kompensationsbedürfnis erzeugt und weil der Kriegsausbruch 1914 dem Dichter zweifellos die Chance gab, an sich selber das zu vollziehen, was er fiktional-experimentell schon den Prior in ‚*Fiorenza*‘ sowohl wie auch Aschenbach hatte vollziehen lassen: das „Wunder der wiedergeborenen Unbefangenheit“[11]. Man muß sich einmal vergegenwärtigen, welche seelischen Versuchungen das Erlebnis des Krieges einem ausgehungerten Zweifler und Ironiker bot. Da war die Möglichkeit, sich mit starken und primitiven Gefühlen zu berauschen. Da war die Gelegenheit, an einem Kreuzzug der „Kultur“ gegen die „Zivilisation“ teilzunehmen und aus dem ewigen skeptischen Vorbehalt in eine Haltung des Glaubens zu flüchten. Da bestand schließlich die Verlockung, sich mit einem Kollektiv, einem ganzen Volk, zu solidarisieren und einesteils zwar die Freiheit, andernteils aber auch die Vereinzelung des Nichtengagierten gegen ein Gemeinschaftserlebnis einzutauschen. Kein Wunder, so möchte man dann fast sagen, daß sich Thomas Mann von der allgemeinen Ekstase mitreißen ließ und daß er in den ‚*Gedanken im Kriege*‘ ausruft: „Krieg! Es war Reinigung, Befreiung, was wir empfanden, und eine ungeheure Hoffnung.“[12]

Allerdings wird damit auch deutlich, daß diese Art von Politisierung eher ein Zufalls- oder Gelegenheitsprodukt war, weil es hier nicht primär darauf ankam, sich für den Krieg und die Nation zu begeistern, sondern sich überhaupt zu begeistern, gleichgültig an welchem Gegenstand, war dieser nur würdig und geeignet genug. In anderer Hinsicht wiederum ist Thomas Manns damaliges Verhalten exemplarisch für die Anfälligkeit des Intellektuellen, zum fellow-traveller zu werden, sich politisch rechts oder links anzuhängen. Als durch Zweifel den traditionellen Gewißheiten entfremdeter und „heimatlos“ gewordener Typ zeigt der Intellektuelle von jeher die Disposition, zu ei-

9 Th. Mann, *Der Tod in Venedig, Zweites Kapitel,* in *Gesammelte Werke in dreizehn Bänden,* a.a.O., Bd. VIII, S. 454 f.

10 Vgl. T. J. Reed, *Thomas Mann. The Uses of Tradition,* Oxford 1974, S. 179 ff.

11 Th. Mann, *Der Tod in Venedig, Zweites Kapitel,* in *Gesammelte Werke in dreizehn Bänden,* a.a.O., S. 455; *Fiorenza, Dritter Akt, 7,* in *Gesammelte Werke in dreizehn Bänden,* a.a.O., Bd. VIII, S. 1064.

12 Th. Mann, *Gedanken im Kriege,* in *Gesammelte Werke in dreizehn Bänden,* a.a.O., Bd. XIII, S. 533.

nem „zweiten Glauben“ überzutreten[13], und das ist vielleicht eine ganz natürliche Neigung, denn niemand kann auf die Dauer nur vom Zweifel leben.

Wenn man den Ästhetizismus als Motiv für Thomas Manns Politisierung veranschlagt, so muß man das noch in einer anderen als der bisher beschriebenen Weise tun. Dieser Begriff bezeichnet nämlich nicht nur eine geistige Haltung mit gewissen psychologischen Auswirkungen, sondern auch eine Lebensform, die sich ebenfalls auf bestimmte Weise in der seelischen Verfassung niederschlägt. Ästhetizismus, das ist in dieser Hinsicht das passive Dahindämmern in einem wenn nicht erlebnis-, so doch ereignislosen Vakuum. Es ist das Wohnen auf dem Zauberberg, das Thomas Mann auch gelegentlich mit dem Liegen oder Spazierengehen am Meer vergleicht, oder es ist einfach — und doch wieder komplizierterweise — eine Art kurzweiliger Langeweile, ein Zustand, der an den Tod grenzt, weil eine Verkümmerung des Zeitsinns, wie sie für die Langeweile konstitutiv ist, auch einen Schwund des Lebensgefühls bedeutet. Es verhält sich nun so, daß auf die Dauer auch hieraus ein Kompensationsbedürfnis erwächst. In den letzten Kapiteln des ‚*Zauberberg*‘ beschreibt der Dichter, wie sich in der schlaffen und vom Untergang gezeichneten Wohlstandsgesellschaft des Wilhelminischen Zeitalters zuletzt nicht nur der „große Stumpfsinn“[14] ausbreitet, sondern wie der démon ennui auch eine „große Gereiztheit“[15], ja eine „allgemeine Lüsternheit“[16] nach Streit und Gewalttätigkeit hervorruft. Die Langeweile erweist sich hier nicht nur als Krankheit zum Tode, sondern auch als Krankheit zum Kriege, zumal bei den beiden Intellektuellen Naphta und Settembrini, die sich für die „aufpeitschenden Reize“[17] der Aggression besonders empfänglich zeigen und ihre Rededuelle mit einem Duell auf Leben und Tod beenden. Nicht als ob damit von Thomas Mann die eigentlichen Ursachen des Krieges erklärt wären. Erklärt ist aber, zumindest teilweise, das Vorhandensein eines Wunsches nach Krieg und einer weit verbreiteten seelischen Kriegsbereitschaft, übrigens auch innerhalb der expressionistischen Generation. Am 6. Juli 1910 trägt der frühverstorbene Georg Heym folgenden makabren Stoßseufzer in sein Tagebuch ein: „Ach, es ist furchtbar. [...] Es ist immer das gleiche, so langweilig, langweilig, langweilig. Es geschieht nichts, nichts, nichts. Wenn doch einmal etwas geschehen wollte, was nicht diesen faden Geschmack von Alltäglichkeit hinterläßt. [...] Würden einmal wieder Barrikaden gebaut. Ich wäre der erste, der sich darauf stellte, ich wollte noch mit der Kugel im Herzen den Rausch der Begeisterung spüren. Oder sei es auch nur, daß man einen Krieg begänne, er kann ungerecht sein. Dieser Frieden ist so faul ölig und schmierig wie eine

13 A. von Martin, *Intelligenzschicht*, in *Wörterbuch der Soziologie.* Herausgegeben von Wilhelm Bernsdorf, Taschenbuchausgabe in drei Bänden, Frankfurt am Main 1972 (= Fischer Taschenbuch Verlag 6131-33), Bd. 2, S. 377-380, bes. S. 379.

14 Th. Mann, *Der Zauberberg,* in *Gesammelte Werke in dreizehn Bänden,* a.a.O., Bd. III, S. 868 ff. (*Siebentes Kapitel. Der große Stumpfsinn*).

15 Th. Mann, *Der Zauberberg,* in *Gesammelte Werke in dreizehn Bänden,* a.a.O., Bd. III, S. 947 ff. (*Siebentes Kapitel. Die große Gereiztheit*).

16 *Ebenda,* Bd. III, S. 959.

17 *Ebenda,* Bd. III, S. 957.

Leimpolitur auf alten Möbeln."[18] Im nachhinein hat Thomas Mann — und darin hätte ihm Georg Heym, wenn er noch gelebt hätte, sicher zugestimmt — den Kriegsausbruch und seine Begleiterscheinungen als „romantische Gegen-Revolution", als „Revolution[en] gegen die Welterstarrung"[19] bezeichnet. Dann war die Politisierung aber auch von dieser Seite nur ein Gelegenheitsprodukt, eine Ersatzhandlung, wenn man so will, denn es ging im Grunde um die Erneuerung des Lebensgefühls.

Nun kann eine Handlung an sich zwar unpolitisch sein, sie kann aber zur Politik führen, und das sollte man bedenken, wenn man nicht übersehen will, daß das damalige Erlebnis bei Thomas Mann zugleich den Auftakt zu einer politischen Bewußtseinsbildung und damit den Beginn der zweiten Phase bedeutet. Wenn er sich auch damals nicht um der Politik willen engagierte, so hatte sein Engagement doch die Folge, daß dieser ihm völlig ferne und fremde Bereich überhaupt in den Blick rückte, und wenn er auch keineswegs gedachte, sich in ihm anzusiedeln, so spürte er doch den Drang, sich mit ihm auseinanderzusetzen. Worauf diese Auseinandersetzung verbal hinauslief, ist bekannt. Man sollte sich aber nicht damit begnügen festzustellen, wie sehr sich der Dichter von dem Gegenstand der Auseinandersetzung abgestoßen fühlte. Es verhält sich doch auch so, daß er die Sphäre der Politik, indem er sich wort- und gedankenreich von ihr distanzierte, damit zugleich in sein Denken aufnahm, daß die Ablehnung auch eine negative Form der Aneignung war und daß das Politische, indem er gründlich und gewissenhaft darüber nachdachte, für ihn überhaupt zum Begriff wurde. Hätte er sich völlig indifferent verhalten, d.h. hätte er sich sowenig gegen wie für das Politische ausgesprochen, so hätte er sich zwar vor dem Makel einer reaktionären Gesinnungsäußerung bewahrt, sich andererseits aber auch um eine Bewußtseinserweiterung gebracht, die später sowohl sein Denken als Mensch und Bürger wie sein Schaffen als Künstler bereichern sollte. Es ist darüber hinaus nicht zu übersehen, daß bei der langwierigen Fehde, auf die sich Thomas Mann einließ, beide Seiten für sich und voneinander profitierten. Mit den ‚*Betrachtungen eines Unpolitischen*' erlangt der Autor zunächst Klarheit über sich selbst als Künstler, wobei er diese Selbsterkenntnis aber gerade dem Vergleich mit dem ganz Fremden, Gegensätzlichen verdankt. Umgekehrt konnte es nicht ausbleiben, daß auch dieses Fremde ein Gegenstand des Verstehens wurde, wenn auch nicht im Nebensinne der Sympathie, so doch in dem hauptsächlichen des intellektuellen Durchschauens. Und so kommt bei aller, zum Teil haßerfüllten Polemik dennoch das paradoxe Resultat zustande, daß die ‚*Betrachtungen*' ebensosehr zur Erhellung des Politischen beitragen wie zu seiner Diffamierung, daß sie ebenso viele Einsichten in das Wesen dieses Elementes vermitteln, wie Abscheu und Widerstand dagegen hervorzurufen versuchen.

Auf dieser Basis nun setzt, noch während Thomas Mann an dem Buch arbeitet, die dritte Phase ein, die Phase des politischen Umdenkens. Es ist dabei allerdings nicht in

18 Georg Heym, *Dichtungen und Schriften.* Gesamtausgabe, herausgegeben von Karl Ludwig Schneider, Hamburg und München 1960 ff., Bd. 3, *Tagebücher Träume Briefe,* S. 138 f.

19 Th. Mann, [*Die geistigen Tendenzen des heutigen Deutschlands*], in *Gesammelte Werke in dreizehn Bänden,* a.a.O., Bd. XIII, S. 588.

erster Linie an Thomas Manns politische Konversion zu denken, seinen Wandel von einem Gegner zu einem Fürsprecher der Demokratie, so wichtig dieser Vorgang an sich ist und so sehr er sich auch bereits in einigen Passagen sowohl des Schlußkapitels wie der Vorrede ankündigt. Ein Umdenken vollzog sich beim Dichter primär und vor allem insofern, als in ihm wenn nicht eine klare Vorstellung, so doch zumindest eine Ahnung aufstieg von der Unhaltbarkeit der von ihm so scharf gezogenen Grenze zwischen politischem und geistigem Leben. Dazu trugen insbesondere zwei Erkenntnisse bei.

Zum einen erkannte Thomas Mann, daß Geistiges die Dimension des Politischen oder — sit venia verbo — politische „Relevanz" haben könne. Nicht als hätte er das nicht schon immer gewußt, als hätte er sein Buch nicht gerade gegen den politisierten Geist, wie er ihn beim Zivilisationsliteraten fand, geschrieben. Aber das war ein Geist, der sich ausdrücklich als politischer manifestiert und sich geradezu in den Dienst der Politik gestellt hatte. Was Thomas Mann jetzt sah, war etwas anderes: daß Geist auch dann politisch sein könne, wenn man es ihm nicht von vornherein ansieht, wenn er es selbst nicht weiß, ja sogar, wenn er es selbst nicht will. Politisch relevanter Geist in dieser neuen, viel umfassenderen, andererseits viel weniger aktionistischen Bedeutung kann sich denn auch im Gewande einer erklärtermaßen unpolitischen Gesinnung geltend machen. Ebenso aber auch dort, wo von Politik überhaupt nicht die Rede ist, weder in einem positiven noch in einem negativen Sinne. Es ist bemerkenswert, daß dem Dichter im Schlußteil der ‚*Betrachtungen*' als Beispiel hierfür eines seiner eigenen Jugendwerke, ‚*Tonio Kröger*', einfällt, ausgerechnet also eine sehr innerlich und apolitisch anmutende Erzählung. Der Einfall nimmt sich denn auch etwas kurios aus. In die Zeit der Entstehung dieser Novelle, die Jahre um 1900, fällt, wie Thomas Mann der Statistik entnimmt, ein plötzlicher, national bedenklicher Geburtenrückgang, den er als Signal einer schon damals einsetzenden „Zivilisierung" und Demokratisierung Deutschlands wertet: die Anpreisung und Kenntnis der empfängnisverhütenden Mittel sei zu jener Zeit bis ins letzte Dorf gedrungen.[20] Auf diesen „Fruchtbarkeitssturz" nun habe er, ohne sich noch politisch selbst zu verstehen, politisch reagiert, und zwar in einem konservativen, erhaltenden Sinne, indem er für die Konservierung des „Lebens" eingetreten sei. „Ich schrieb: ‚Das Reich der Kunst nimmt zu, und das der Gesundheit und Unschuld nimmt ab auf Erden. Man sollte, was noch davon übrig ist, aufs sorgfältigste *konservieren*, und man sollte nicht Leute, die viel lieber in Pferdebüchern mit Momentaufnahmen lesen, zur Poesie verführen wollen. [...]' Man sieht", meint Thomas Mann zu diesem Zitat aus ‚Tonio Kröger', „ich wandte jene Begriffe und Wörter auf rein moralisch-geistige Dinge an, aber unbewußt war ganz ohne Zweifel dabei politischer Wille in mir lebendig, und noch einmal zeigt sich, daß man nicht den politischen Aktivisten und Manifestanten zu machen braucht, daß man ein ‚Ästhet' sein und dennoch mit dem Politischen tiefe Fühlung besitzen kann."[21] Man mag über dieses Beispiel lächeln, in ihm auch zum Teil eine Trotzreaktion sehen, es deutet aber an, daß der Autor über

20 Th. Mann, *Betrachtungen eines Unpolitischen,* in *Gesammelte Werke in dreizehn Bänden,* a.a.O., Bd. XII, S. 586 (*Ironie und Radikalismus).*

21 *Ebenda,* Bd. XII, S. 587.

das Verhältnis zwischen geistigem und politischem Leben anders zu denken beginnt. Mehr noch: Die Einsicht in den vielfach politischen Charakter des Geistigen fließt auch in sein künstlerisches Schaffen ein. Ist schon der ‚*Zauberberg*' auf einer gewissen Schicht ein politischer Roman,[22] so ist dies später der ‚*Doktor Faustus*' durch und durch, und nicht etwa weil er direkt von der Politik, sondern vornehmlich von der Musik handelt, von der Musik aber als einem Politikum.

Die zweite Erkenntnis, die Thomas Mann zum Umdenken bewog, war eine historische. Durfte sich der Künstler in der Vergangenheit vom Politischen unbehelligt glauben, zumindest äußerlich, so verdankte er das, wie Thomas Mann nicht ganz unrichtig meinte, dem monarchischen Obrigkeitsstaat. Die Achtung vor der privaten Sphäre, die Achtung auch des Eigenrechtes geistigen und künstlerischen Schaffens war der Preis, den dieser Staat dafür zahlte, daß der Bürger sich aus der Politik heraushielt. Wenn nun aber, wie es keinem Einsichtigen entgehen konnte, mit dem Krieg und dem Ende einer ganzen Ära auch die alte Monarchie zum Untergang verurteilt war, so zerbröckelte damit auch die Schranke zwischen Geist und Politik. Die Erkenntnis, die sich dem Autor der ‚*Betrachtungen*' mehr und mehr aufdrängte, war, daß es in Zukunft schon auf Grund des Wandels der staatlichen Form keine scharfe Trennung zwischen beiden mehr geben könne und daß eine Politisierung, die sich allenthalben ausbreitete, auch den Bereich des Geistigen erfassen werde. Zunächst machte er dafür nur den kommenden Sieg der Demokratie verantwortlich, verstand er unter Politisierung überhaupt schlechthin „Demokratisierung". Bald nach dem Ersten Weltkrieg sah er aber, daß die Zeit nicht nur für die Settembrinis, sondern auch für die Naphtas arbeite, d. h. für den totalitären Staat, der in der Oktoberrevolution 1917 seine Geburt gefeiert hatte, und daß dieser den Geist keineswegs weniger, sondern noch viel radikaler in Dienst nehmen werde. So bot die künftige Entwicklung zwar eine Alternative zur Demokratie, aber keine Alternative zur Politisierung des Geistes. Man konnte allenfalls zwischen zwei verschiedenen Arten von Politisierung wählen, einer gemäßigten im Zeichen der Humanität und einer totalen im Zeichen des Terrors.[23]

Bei Thomas Mann trafen diese Erkenntnisse, so unabweisbar sie waren und so wenig er gewillt war, sie zu verleugnen, zunächst auf Widerwillen und die Versuchung, dem Zeitgeist zu trotzen. Zu tief war bei ihm die Abneigung gegen das Neue eingewurzelt, und zu wenig glaubte er daran, daß der Deutsche geboren sei, damit glücklich zu werden. Schließlich hat er aus seinen Einsichten aber die folgenden Konsequenzen gezogen, die sich in den frühen zwanziger Jahren abzeichnen. Zum einen veränderte er seinen Begriff von Humanität, indem er ihn auf die Sphäre der Politik ebenso wie auf die der Gesellschaft ausdehnte. Aus eben der Erkenntnis, daß der Mensch an diesen Sphären partizipiert, selbst wenn er sich nur geistig zu betätigen glaubt, gelangt er zu der Überzeugung, daß die vom Geist so selbstherrlich ausgeschlossenen Gebiete doch

22 Vgl. Max Rychner, *Thomas Mann und die Politik*, in *Aufsätze zur Literatur*, Zürich 1966, S. 251-304, S. 283.

23 In den *Betrachtungen eines Unpolitischen* war die totale Politisierung noch fälschlicherweise der Demokratie zugewiesen worden.

auch Teilgebiete des Humanen seien und daß eine „rein persönliche und geistige Humanität unvollständig und für die Kultur gefährlich" sei.[24] Zum anderen entschloß er sich, den Widerstand gegen die Demokratie aufzugeben und für sie vielmehr Partei zu ergreifen.

Es muß nun aber genau gesehen werden, daß dieser Entschluß sich zu einem guten Teil aus Überlegungen herleitet, die der soeben skizzierten Einsicht in das Schicksal des Geistes innerhalb der künftigen Staatsformen entspringen. Was Thomas Mann auf die Seite der Settembrinis trieb, war nicht nur ein neuer Humanitätsbegriff, sondern auch das drohende Auftauchen der Naphtas. Wenn er positive Worte für die Demokratie fand, so nicht nur weil er diese Staatsform zu schätzen, sondern auch weil er ihre Alternative, den totalitären Staat, zu fürchten begann. Die entscheidende Bedrohung sah er darin, daß dieser Staat die Freiheit, zumal die Freiheit des Geistes, aufhob, indem er das Politische verabsolutierte. Gewiß, das Politische war ein Teilgebiet des Humanen; es sollte andererseits aber nicht mehr sein, nicht das Ganze beherrschen und so an die Stelle der „Totalität des Humanen" die „totalitäre Politik" treten lassen.[25] Darum auch die Entscheidung Thomas Manns für die Demokratie. Denn in dieser Form des politischen Zusammenlebens sah er die alleinige Gewähr dafür, daß das Politische nicht alles andere überwuchere, sondern nur Teilbereich des Gesamtmenschlichen bleibe. Wie er im monarchischen Obrigkeitsstaat den Garanten einer rein geistig verstandenen Humanität fern von der Politik gesehen hatte, so sah er jetzt in der Demokratie die Gewähr für eine politisierte Humanität, die das Maß einer Teilpolitisierung nicht überschritt. In späteren Jahren hat er den Unterschied zwischen demokratischer und totalitärer Auffassung des Politischen einmal so formuliert: „Wenn Demokratie bedeutet, das Politische und Soziale als ein Zubehör der humanen Totalität anzuerkennen und die sittliche Freiheit zu wahren, indem man für die bürgerliche eintritt, so ist das Gegenteil davon [...] jene Theorie und gründlich widermenschliche Praxis, die ein Teilgebiet des Menschlichen, eben das Politische, selbst zur Totalität erhebt, nichts mehr kennt als den Staats- und Machtgedanken, ihm den Menschen und alles Menschliche opfert und jeder Freiheit ein Ende macht."[26]

Der Prozeß der politischen Bewußtseinsbildung in der Phase des Umdenkens war damit bei Thomas Mann weit gediehen. Abgeschlossen wurde er jedoch erst durch einen Gedanken, der dem Dichter in den zwanziger Jahren wohl noch nicht so gegenwärtig war wie später, dessen Richtigkeit auch erst durch den Verlauf der deutschen Geschichte seit 1933 bestätigt wurde, der aber in engem Zusammenhang mit dem eben Gesagten steht und nur dessen zwangsläufige Ergänzung bildet. Wenn der Dichter in zunehmendem Maße die Notwendigkeit einer Politisierung zugunsten der Demokratie einsah, so auch deshalb, weil ihm immer deutlicher bewußt wurde, daß Gefahr nicht

24 Th. Mann, *Das Problem der Freiheit,* in *Gesammelte Werke in dreizehn Bänden,* a.a.O., Bd. XI, S. 964.

25 *Ebenda.*

26 Th. Mann, *Kultur und Politik,* in *Gesammelte Werke in dreizehn Bänden,* a.a.O., Bd. XII, S. 856 f.

nur von seiten der Manifestanten und Aktionisten einer totalitären Politik drohte, sondern auch von seiten der gänzlich Unpolitischen, jener Gruppe also, zu der er sich selbst einst gezählt hatte. Der Gedanke ging dahin, daß zumal unter den veränderten historischen Verhältnissen jedes geistbewußte Sichfernhalten von der Politik ein Vakuum schaffe, in dem die politischen Ideologen von rechts sowohl wie von links es leicht haben sich einzunisten. Unpolitisches Denken und Verhalten nützt also gerade denen, die auf eine Totalpolitisierung des Lebens und Geistes abzielen. „Die Weigerung", so hat Thomas Mann einmal in einem Brief an Hermann Hesse geschrieben, „ist auch Politik, man treibt damit die Politik der bösen Sache."[27] Und wenn er 1938, also noch vor dem Ausbruch des Zweiten Weltkrieges, auf das bisher in Deutschland Geschehene zurückblickt, so wird aus seinem Kommentar auch eine Abrechnung mit seinem früheren Selbst, dem Autor der ‚*Betrachtungen eines Unpolitischen*': „Dahin ist es gekommen mit der Politik-Verachtung, dem kulturstolzen Anti-Demokratismus des deutschen Geistes [...] Seine Weigerung, die Politik als ein Zubehör der humanen Aufgabe anzuerkennen, ist ausgegangen in den politischen Schrecken selbst, die restlose Machtsklaverei, den totalen Staat; die Frucht seines ästhetizistischen Kulturbürgertums ist ein Barbarismus der Gesinnung, Mittel und Ziele, wie die Welt ihn noch nie sah."[28]

Ich komme zum Schluß und zu einem zusammenfassenden Urteil. Das Fazit des hier kurz skizzierten Bewußtseinsprozesses besteht nicht allein darin, daß die vormals absolut gegensätzlichen Bereiche von Geist und Politik ihre Ausschließlichkeit verlieren und auf der Grundlage eines neuen Humanitätsbegriffes vermittelt werden. Ebenso bemerkenswert erscheint es, daß Thomas Mann eine Politisierung des Geistes nicht etwa deshalb befürwortet, um den Geist der Politik auszuliefern, sondern um umgekehrt dem Politischen gewisse Grenzen zu setzen. Das Postulat, das sich in seinem Bewußtsein angesichts des totalitären Staates herausbildet und von jedem Intellektuellen zu befolgen wäre, ist ungefähr dieses: Denke und verhalte dich politisch, damit der Geist die Politik und nicht die Politik den Geist beherrscht. Nimm das Politische in die Hand, damit es nicht überhandnimmt. Und auch dies: Kümmere dich um das Öffentliche, damit das Private nicht ganz verlorengeht.

Was dieses Postulat im tiefsten motiviert, ist, wie die vorhin zitierten Äußerungen zeigen, das Bedürfnis nach Bewahrung der geistigen und sittlichen Freiheit. Darin aber liegt auch die von Thomas Mann selbst immer wieder behauptete Einheit seines Lebens, seiner von ihm in allen Entwicklungsphasen in der Tat primär als freiheitlich verstandenen und gewünschten Existenz. Wenn aus dem unpolitischen Autor ein politischer wird, so drückt sich darin zwar ein Wandel seines Bewußtseins, ein Wandel auch seines Menschen- und Weltbildes aus. Fragt man aber nach der zugrunde liegenden Motivation, so erkennt man, daß sich vom Wandel des Bewußtseins die Stetigkeit der Be-

27 Hermann Hesse — Thomas Mann, *Briefwechsel*. Herausgegeben von Anni Carlsson, Frankfurt am Main 1968, S. 105 (Brief vom 8. April 1945).

28 Th. Mann, *Kultur und Politik*, in *Gesammelte Werke in dreizehn Bänden*, a.a.O., Bd. XII, S. 859 f.

dürfnisse abhebt und daß beim mittleren und älteren Thomas Mann ähnliche Instinkte und Wünsche am Werk waren wie schon beim jungen.

Das heißt indessen nicht, daß es ihm mit der Politik nie ernst gewesen und daß er stets ein Unpolitischer geblieben sei. Gewiß, die Hinwendung zu dieser Sphäre macht aus ihm nicht geradezu einen neuen Menschen. Wenn man den Haß abrechnet, den er gegen die Nazis hegte und der eher moralischer Natur war, so wurde ihm das Politische nie zur Passion oder gar zu einem Fetisch, den es um seiner selbst willen anzubeten gilt; — eher sah er in ihm ein Element, das im Zaume gehalten werden muß. Aber wenn er in seinem Engagement auch nicht von tieferen Neigungen geleitet war, so doch von der Vernunft, und wenn er kein Homo politicus aus politischer Leidenschaft war, so doch aus politischem Verantwortungsbewußtsein.

Auch der Vorwurf, sein politisches Denken sei anachronistisch, ist hinfällig. Was er über den Stellenwert der Politik in der Demokratie einerseits und im totalitären Staat andererseits gesagt hat, ist nicht überholt, und wenn er die politische Relevanz des Geistigen gewürdigt und vor der Gefahr unpolitischen Denkens gewarnt hat, so möchte man ihm in der Diskussion der vergangenen zehn Jahre, die von diesen Themen beherrscht war, nachträglich geradezu einen Prominentenplatz einräumen. Nur daß er der Forderung nach einer „Politisierung des Geistes" nicht die ideologisch-parteiliche Auslegung gegeben hat, wie sie im Verlauf und als Folge dieser Diskussion modern geworden ist.

Nicht als sei er standpunktlos gewesen. Sein Eintreten für die Demokratie war sogar eine Parteinahme im weitesten Sinne. Sie implizierte aber paradoxerweise den Versuch, das Moment des Offenseins nach verschiedenen Seiten, das einen Aspekt seines Freiheitsbegriffes ausmachte und das er von jeher auch als spezifisch ästhetisches gewertet hatte, in eine historisch veränderte Zeit hinüberzuretten.

So hatte der Ästhet die Politisierung heil überstanden, mehr noch, er hatte durch die Politik überhaupt erst wieder seine Identität zurückgewonnen. Er hatte diese Identität fast verloren, als er sich politisierte, ohne von der Politik etwas wissen zu wollen. Er fand sie wieder mit der Anerkennung des Politischen und im weiteren Sinn mit dem Bewußtsein, daß die Kunst nicht etwas ist, was nur für sich besteht, sondern daß sie mit anderen Bereichen des Lebens eng verbunden ist.

Hans-Joachim Sandberg

Thomas Mann und Georg Brandes

Quellenkritische Beobachtungen zur Rezeption (un-)politischer Einsichten und zu deren Integration in Essay und Erzählkunst

> „Nie werde ich der Sklave meiner Gedanken sein, denn ich weiß, daß nichts nur Gedachtes und Gesagtes wahr ist, und unangreifbar nur die *Gestalt*. Wenn ich schriftstellere, so ist mein erstes Motto: ‚Ihr müßt mich nicht durch Widerspruch verwirren. Sobald man spricht, beginnt man schon zu irren.' Und mein zweites: ‚Sobald aber unser Denken Worte gefunden, ist es schon nicht mehr innig, *noch im tiefsten Grunde ernst.*'"
>
> Thomas Mann am 25.2.1916 an Paul Amann

Das Ausmaß der Impulse, die Thomas Mann dem einen oder anderen Inspirator zu danken hat, entspricht nicht immer der Häufigkeit, mit der er einen solchen „Lehrer" erwähnt. So fällt der Name des Dänen Georg Brandes in den ‚*Gesammelten Werken*' nur selten.[1] Dabei war der liberale Kritiker, wie Thomas Mann 1927 in seinem Nachruf auf ihn schrieb, „der letzte einer europäischen Generation [...], der wir Fünfzigjährigen unsere Erziehung schulden."[2] Die von Thomas Mann in den Brandes-Ausgaben[3] seiner Bi-

1 Vgl. das Personenverzeichnis, in *Gesammelte Werke in dreizehn Bänden*, Frankfurt am Main 1974, Bd. XIII, S. 934.

2 Th. Mann, *[„Ein Meister der produktiven Kritik"]*, in *Gesammelte Werke in dreizehn Bänden*, a.a.O., Bd. XIII, S. 825 f. Vgl. auch die Aussage Thomas Manns aus dem Jahre 1942, daß „die leuchtende Literatur-Analyse eines Georg Brandes, dieses Sainte-Beuve des Nordens", einen „starken Eindruck" auf seine Jugend gemacht habe *(Vorwort. [Zu dem Essay-Band, Order of the Day]*, in *Gesammelte Werke in dreizehn Bänden*, a.a.O., Bd. XIII, S. 170).

3 Ein Verzeichnis der Schriften Georg Brandes' in der Nachlaßbibliothek Thomas Manns im Zürcher Thomas-Mann-Archiv enthält mein Beitrag *Suggestibilität und Widerspruch. Thomas Manns Auseinandersetzung mit Brandes'*, in *Nerthus 3*, 1972, S. 119-163, bes. S. 161 f. Für die im vorliegenden Referat erörterten Zusammenhänge wichtig sind die beiden Ausgaben der *Hauptströmungen*, die zahlreiche Benutzerspuren Thomas Manns aufweisen: 1. *Hauptströmungen der Literatur des Neunzehnten Jahrhunderts**. Übersetzt und eingeleitet von Adolf Strodtmann, Charlottenburg [8]1900. (Die hier und im folgenden mit * bezeichneten Schriften befinden sich in Thomas Manns Nachlaßbibliothek.) 2. *Hauptströmungen der Literatur des Neunzehnten Jahrhunderts** von Georg Brandes. Unter Zugrundelegung der Übertragung von Adolf Strodtmann nach der Neubearbeitung des Verfassers übersetzt von Ernst Richard

bliothek hinterlassenen Arbeitsspuren bezeugen denn auch die zum Teil intensive Auseinandersetzung mit den Schriften dieses Mannes. Den aufschlußreichen Quellen kommt eine Bedeutung zu, die das Werk nicht ohne weiteres erkennen läßt.

Im Mai 1917 schreibt Thomas Mann in den *,Betrachtungen eines Unpolitischen'* rückblickend, Deutschland habe zu Beginn des Krieges den Glauben, „daß die westlichen Ideen noch die führenden, sieghaften, revolutionären seien, als Aberglauben erkannt; es war durchdrungen davon, daß Fortschritt, Modernität, Jugend, Genie, Neuheit auf deutscher Seite seien; es glaubte mit Händen zu greifen, daß, im Vergleich mit dem Konservatismus der ,unsterblichen Prinzipien', sein eigener seelischer Konservatismus etwas wahrhaft Revolutionäres bedeute."[4] An dieser Stelle nimmt Thomas Mann den Dänen für die deutsche Position in Anspruch, indem er sich auf dessen Aufsatz *,Berliner Erinnerungen'* bezieht. Georg Brandes kommt hier auf seinen 1881 geschriebenen Artikel *,Die Gegner des Staatssozialismus'*[5] zu sprechen, in dem er gut dreißig Jahre früher die kurzsichtige Haltung der Freisinnigen gegenüber Bismarcks Bruch mit den Manchesterprinzipien kritisiert hatte. In diesem Falle hatte Brandes trotz erheblicher Vorbehalte Bismarck in Schutz genommen, ihm recht gegeben und seinen Standpunkt für den eigentlich fortschrittlichen erklärt. Thomas Mann zitiert aus jenem, eine längst vergangene historische Situation ansprechenden Beitrag mit dem Ausdruck der Überzeugung, daß Brandes diese „anzügliche Anekdote [...] damals [zu Beginn des Krieges] gewiß nicht von ungefähr in einer deutschen Zeitschrift zum besten" gegeben habe. Thomas Mann weiß sogar, warum: „Er [Brandes] wollte sagen, daß Fortschrittlertum auch in diesem Kriege nicht Fortschritt bedeute; er wollte darauf hindeuten, wo in Wahrheit der „modernere Standpunkt', die ,Umwälzung', die ,Initiative', das ,geniale Wagnis' — und wo der ,unfruchtbare Konservatismus' sei". Thomas Mann gebraucht die Brandes-Reminiszenz als Beweis für die eigentliche Fortschrittlichkeit der nur scheinbar konservativen Position Deutschlands während des Ersten Weltkriegs. Er fährt fort: „und wirklich, wenn der Weltliberalismus (,die Zivilisation') noch den Fortschritt darstellte, die Zukunft für sich hätte, dann hätte er nicht die ganze Welt für sich und wäre nicht bis zu den Wilden, die bereits für ,Freiheit' schwärmen, vorgedrungen."[6] Bei der Beur-

Eckert, Berlin [2]1924. (Diese Edition stand Thomas Mann erst nach Abschluß seines Romans *,Der Zauberberg'* zur Verfügung.)

4 Th. Mann, *Betrachtungen eines Unpolitischen, Politik,* in *Gesammelte Werke in dreizehn Bänden,* a.a.O., Bd. XII, S. 352, Vgl. auch Th. Mann, *Briefe an Paul Amann 1915-1952.* Herausgegeben von Herbert Wegener, Lübeck 1959 (= Veröffentlichungen der Stadtbibliothek Lübeck, Neue Reihe, Bd. 3), S. 32 f.

5 „Berliner Erinnerungen", in *Süddeutsche Monatshefte* 13 (1916), S. 559-564. Der als „Bismarck-Brief" bekanntgewordene Artikel „Die Gegner des Staatssozialismus" wurde in dänischer Sprache erstmals veröffentlicht unter dem Titel „Brev fra Berlin", in *Morgenbladet,* København 6. 10. 1881, S. 1. Bismarcks Pressebureau ließ diesen Aufsatz in einer Auflage von sicher einer Million in Zeitungen des In- und Auslandes verbreiten. Vgl. Brandes' diesbezügliche Anmerkung, *Samlede Skrifter* XIV, København 1904, S. 337.

6 Th. Mann, *Betrachtungen eines Unpolitischen, Politik,* in *Gesammelte Werke in dreizehn Bänden,* a.a.O., Bd. XII, S. 351 f. Zum Verständnis der *,Betrachtungen'* vgl. Winfried Hellmann, *Das Geschichtsdenken des frühen Thomas Mann,* Tübingen 1972, S. 134-141, bes. S. 139 f.

teilung des Brandes-Zitates im aktuellen Text der *‚Betrachtungen'* wird der Leser zunächst davon ausgehen, daß Thomas Mann hinsichtlich der Einschätzung des umrissenen Problems legitimerweise im Einverständnis mit Brandes argumentiert. Eine Prüfung des Zitates im Kontext der Quelle läßt jedoch erkennen, daß Thomas Mann das Urteil des Dänen recht freizügig auf eine andere historische Situation überträgt.[7]

Diese einzige Stelle, an der in den *‚Betrachtungen'* Georg Brandes ausdrücklich zu Worte kommt[8], illustriert die später in der Vorrede formulierte Aussage des Autors über sein Buch: „es argumentiert recht wahllos und geht selbst zweifelhafte Bündnisse ein".[9] Ob nun die Rezeption dieses Brandes-Zitates in Kenntnis oder in Unkenntnis seines ursprünglichen Stellenwertes erfolgte: das Verfahren, einer politischen Einsicht bewußt oder intuitiv einen der aktuellen Sache angemessen und hinreichend überzeugend erscheinenden Ausdruck zu verleihen, ist als ein in erster Linie künstlerischer Akt zu verstehen. Strenggenommen ist die Übernahme des Zitates sachlich nicht gerechtfertigt. Unter künstlerischem Aspekt dürfte jedoch kaum etwas dagegen einzuwenden sein. Die Integration wird geleistet im assoziativen Sprung und mittels einer Argumentation, deren polemische Beredtheit und stilistische Eleganz die Vorstellung einer nicht nur subjektiv vorhandenen, sondern scheinbar objektiv begründeten Überzeugung suggestiv erzwingt.[10]

7 In Wirklichkeit wußte Thomas Mann sich uneinig mit Brandes, der für ihn neben anderen den Typus des „Zivilisationsliteraten" verkörperte. Daß Thomas Mann viele seiner rückwärts orientierten Gedanken aus Quellen mit entschieden progressiver und zukunftsgläubiger Tendenz bezog, läßt die Rezeption in interessanter Beleuchtung erscheinen. Für die *Betrachtungen,* dieses „Arsenal erbitterter Beweismittel" (*Kultur und Sozialismus,* in *Gesammelte Werke in dreizehn Bänden,* a.a.O., Bd. XII, S. 639), war außer dem Buch *Die Reaktion in Frankreich* vor allem *Die romantische Schule* eine wichtige Quelle.

8 Unter den mutmaßlichen Gründen für Thomas Manns Zurückhaltung gegenüber Brandes wäre anzuführen, daß Brandes Bürger eines im Ersten Weltkriege offiziell neutralen Staates war und daß er, ungeachtet seiner politischen Vorbehalte gegenüber dem Machtstaat, dem ehemaligen Gastlande Deutschland während der Kriegsjahre seine menschliche Sympathie bewahrte. Mit Genugtuung vermerkte Thomas Mann in seinem Brief *An die Redaktion des ‚Svenska Dagbladet', Stockholm,* daß der alte Georg Brandes geschrieben hatte, Deutschland dürfe nicht gedemütigt werden (1915, in *Gesammelte Werke in dreizehn Bänden,* a.a.O., Bd. XIII, S. 553).

9 Th. Mann, *Betrachtungen eines Unpolitischen, Vorrede,* in *Gesammelte Werke in dreizehn Bänden,* a.a.O., Bd. XII, S. 40. Der mehrdeutige Begriff des Zweifelhaften charakterisiert treffend die Doppelbödigkeit der Rezeption.

10 Bei der Beurteilung von Sachverhalten mit politischen Implikationen in Essay und Erzählkunst sind bisher kaum je gleichzeitig formalanalytische neben rezeptionsanalytischen Kriterien zugrunde gelegt worden. Einzelne Aspekte behandeln u. a.: Frank Trommler, *Epische Rhetorik in Thomas Manns ‚Doktor Faustus',* in *Zeitschrift für deutsche Philologie,* Jg. 89, 1970, S. 240-258, bes. S. 254 f.; Lothar Pikulik, *Thomas Mann und die Renaissance,* in *Thomas Mann und die Tradition.* Herausgegeben von Peter Pütz, Frankfurt am Main 1971, S. 101-129, bes. S. 122-127; W. Hellmann (s. Anm. 6), S. 87 und passim; Hermann Kurzke, *Auf der Suche nach der verlorenen Irrationalität. Thomas Mann und der Konservatismus,* (Diss.) Würzburg 1980,

Da man in Thomas Mann m.E. einen ausgeprägt ethisch orientierten Künstler zu sehen hat, ist einem solchen Selbsturteil Gewicht beizumessen. Der freimütige Hinweis auf „zweifelhafte Bündnisse" legitimiert diese über deren ästhetische Berechtigung hinaus gewissermaßen auch moralisch. Der Begriff des im künstlerischen Sinne Moralischen ist nun für Thomas Mann zeitlebens verbunden gewesen mit dem des Talentes, das sich Ansprüchen verpflichtet weiß, vor denen andere, nicht der Kunst gehorchende Rücksichten weichen müssen. Die Erörterung politischer Einsichten kann deren Verständnis durch den Leser komplizieren, sofern der Autor sich künstlerischer Mittel und Verfahren bedient, die im Bereich der Fiktion grundsätzlich, im nicht-fiktiven Rahmen allerdings nicht ohne weiteres zu erwarten sind. Die Beurteilung der Rezeption politischer Einsichten und deren Integration dürfte nicht zuletzt daher so problematisch sein, weil die mit diesem Komplex zusammenhängenden Sachverhalte sowohl in der Erzählkunst wie in der Essayistik mit den gleichen Kunstgriffen dargestellt werden. Immer wieder bezeugen das die einander oftmals widersprechenden Aussagen über den Stellenwert politischer Äußerungen Thomas Manns und die Stellungnahmen zur Frage seiner politischen Wandlung.[11] Als Künstler, der im tagesaktuellen Geschehen seine Bürgerpflicht mehr als erfüllte, steht Thomas Mann heute über den Kontroversen. Der Leser muß dabei allerdings immer im Auge behalten, daß Thomas Manns politische Einsichten Äußerungen eines Künstlers sind, dessen Darstellungen bestimmten ästhetischen Anforderungen zu genügen hatten.

Zu den „zweifelhafte[n] Bündnisse[n]" zählt u.a. das mit den Theorien eines in den ‚*Betrachtungen*' überhaupt nicht und in den ‚*Gesammelten Werken*' des Autors nur viermal genannten Mannes.[12] Es handelt sich um den Staatsphilosophen Joseph-Marie de Maistre (1754—1821). Thomas Mann begegnete diesem blendenden Fürsprecher der Restauration und leidenschaftlichen „Verfechter des Autoritätsprinzips"[13] bei Georg Brandes, der dem Lobredner und Verteidiger der Inquisition große Aufmerksamkeit widmet. Die Ausführungen über de Maistre gehören zu den Höhepunkten der psychologischen Darstellungskunst eines Brandes, dessen offenkundige Faszination für den

passim; Helmut Mörchen, *Schriftsteller in der Massengesellschaft. Zur politischen Essayistik und Publizistik Heinrich und Thomas Manns, Kurt Tucholskys und Ernst Jüngers während der Zwanziger Jahre,* Stuttgart 1973, S. 29-61 (passim); und jetzt die Untersuchungen: Hans Rudolf Vaget, ‚*Goethe oder Wagner*'. *Studien zu Thomas Manns Goethe-Rezeption,* sowie vor allem Dagmar Barnouw, *Keine Experimente. Der ironische Großschriftsteller und seine Leser,* in Vaget/Barnouw, *Thomas Mann. Studien zu Fragen der Rezeption,* Bern und Frankfurt am Main 1975.

11 Vgl. die in Anm. 10 genannte Arbeit von H. Mörchen, S. 33 ff. und passim; außerdem die Dokumentation von Klaus Schröter, *Thomas Mann im Urteil seiner Zeit. Dokumente 1891-1955,* Hamburg 1969, passim; Herbert Lehnert, *Thomas-Mann-Forschung. Ein Bericht,* Stuttgart 1969, S. 87 bis 98. Zu den ‚*Betrachtungen*' bes. Winfried Hellmann, *Das Geschichtsdenken des frühen Thomas Mann,* a.a.O., S. 85-100.

12 Vgl. das Personenverzeichnis, in *Gesammelte Werke in dreizehn Bänden,* a.a.O., Bd. XIII, S. 1000.

13 Th. Mann, ‚*Amnestie*', in *Gesammelte Werke in dreizehn Bänden,* a.a.O., Bd. XIII, S. 617.

Restaurationsphilosophen sich auf Thomas Mann übertrug. De Maistre, der witzige und geistreiche Vertreter des reaktionären Prinzips, spielt in den Darlegungen über das Problem des Verhältnisses von Reaktion und Fortschritt bei Brandes eine wichtige Rolle. Die *‚Hauptströmungen der Literatur des Neunzehnten Jahrhunderts'*[14], „ein Stück europäischer Seelengeschichte“ enthaltend und in ihrer Anlage „politisch, nicht literarisch“[15], ließen Thomas Mann den bestimmenden Einfluß dieses Verhältnisses auf die geistige und politische Entwicklung in Europa deutlich erkennen. Die in den *‚Hauptströmungen'* diskutierten politischen Einsichten rezipierte Thomas Mann allerdings in gegenläufiger Tendenz[16] zu Brandes, wie nicht nur die Quellen mit ihren Arbeitsspu-

14 Zitiert wird in der Regel die von Strodtmann besorgte Ausgabe mit arabischen Ziffern sowohl für Band wie Seitenzahl und zusätzlicher Nennung des Autors (z. B. Brandes 2, 555). Die von Eckert besorgte Edition wird zitiert mit römischer Ziffer für Band und arabischer Ziffer für Seitenzahl, ebenfalls unter Angabe des Autors (z.B. Brandes II, 333). Unterstreichungen Thomas Manns in Brandes' Schriften werden durch Kursivierung, Hervorhebungen Brandes' durch Sperrung angezeigt.

15 Brandes im Vorwort zu der von Eckert besorgten Ausgabe (Brandes I, VII).

16 Die Grundeinstellung Thomas Manns zum Problem des Verhältnisses von Reaktion und Fortschritt dürfte u. a. durch die Schopenhauer-Orientierung mitbestimmt worden sein. Eine Untersuchung über den Einfluß Schopenhauers auf Thomas Manns politische Orientierungen steht noch aus. Ansätze zu einer Behandlung dieses Komplexes finden sich bei W. Hellmann, passim, und H. Kurzke, S. 195 f. (s. Anm. 6 und 10). Vgl. in diesem Zusammenhang auch Clemens Heselhaus, *Wiederherstellung. Restauratio. Restitutio. Regeneratio,* in *Deutsche Vierteljahrsschrift für Literaturwissenschaft und Geistesgeschichte,* 25. Jg., 1951, S. 54-81, bes. S. 66. Zur Schopenhauer-Orientierung Th. Manns vgl. im übrigen Henry Walter Brann, *Thomas Mann und Schopenhauer,* in *Schopenhauer-Jahrbuch,* Jg. 43, 1962, S. 117-126; Manfred Dierks, *Studien zu Mythos und Psychologie bei Thomas Mann,* Bern 1972 (= Thomas-Mann-Studien. Zweiter Band), passim; Fritz Kaufmann, *The World as Will and Representation,* Boston 1957, passim; Fritz Kaufmann, *Thomas Manns Weg durch die Ewigkeit in die Zeit,* in *Die neue Rundschau,* Jg. 67, Berlin und Frankfurt am Main, 1956, S. 564-581; Helmut Koopmann, *Thomas Mann und Schopenhauer,* in *Thomas Mann und die Tradition.* Herausgegeben von P. Pütz, a.a.O., S. 180-200; Hans Wysling, *Quellenkritische Studien zum Werk Thomas Manns,* Bern und München 1967 (= *Thomas-MannStudien.* Herausgegeben vom Thomas-Mann-Archiv der Eidgenössischen Technischen Hochschule in Zürich. Erster Band), S. 23-47, bes. S. 38; *Die Fragmente zu Thomas Manns ‚Fürsten-Novelle,* in Paul Scherrer/Hans Wysling, *Quellenkritische Studien zum Werk Thomas Manns,* Bern und München 1967 (= Thomas-Mann-Studien. Herausgegeben vom Thomas-Mann-Archiv der Eidgenössischen Technischen Hochschule in Zürich. Erster Band), S. 64-105, bes. S. 98 ff.; *Thomas Manns Pläne zur Fortsetzung des ‚Krull',* in *Dokumente und Untersuchungen. Beiträge zur Thomas-Mann-Forschung,* Bern 1974 (= Thomas-Mann-Studien. Herausgegeben vom Thomas-Mann-Archiv der Eidgenössischen Technischen Hochschule in Zürich. Dritter Band), S. 149-166, bes. S. 157 ff.; *„Mythus und Psychologie“ bei Thomas Mann,* in *Dokumente und Untersuchungen. Beiträge zur Thomas-Mann-Forschung,* Bern 1974 (= *Thomas-Mann-Studien.* Herausgegeben vom Thomas-Mann-Archiv der Eidgenössischen Technischen Hochschule in Zürich. Dritter Band), S. 167-180, bes. S. 174 ff.; *Einführung,* in *Bild und Text bei Thomas Mann. Eine Dokumentation.* Herausgegeben von Hans Wysling unter Mitarbeit von Yvonne Schmidlin, Bern und München 1975, S. 5-28, bes. S. 22 f.

ren, sondern auch deren Vergleich mit den in Thomas Manns Schriften entwickelten Vorstellungen zu diesem Problemkreis bekunden. Eine wichtige Basis nicht nur für die *'Betrachtungen'* und andere Kriegsbeiträge waren vor allem *'Die romantische Schule in Deutschland'* und *'Die Reaktion in Frankreich'*. Beide Bücher hat Thomas Mann wiederholt gründlich studiert. Unter den Anregungen, die er hier empfing, sollte sich die Begegnung mit de Maistre, dem „energische[n] *Verteidiger des Systems der Vergangenheit*"[17], als künstlerisch besonders fruchtbar erweisen.

Schon die *'Gedanken im Kriege'* enthalten Gesichtspunkte, die Thomas Mann seiner Brandes-Rezeption verdankte. Dies gilt z.B. für Komplexe wie die Standortbestimmung der Kunst, die Verteidigung der deutschen Position gegen die der „Zivilisation"[18] und die Gleichstellung der Reformation mit der Französischen Revolution.[19] Unter den Schriftstellern der Reaktion hatte neben Bonald (1754—1840) und Chateaubriand (1768—1848) den stärksten Einfluß auf Thomas Mann Joseph de Maistre, von dem Brandes sagt, daß er die „Thronbesteigung" des Autoritätsprinzips herbeigeführt habe.[20] Thomas Mann machte sich z.B. die von dem Staatstheoretiker entwickelten Thesen zur Verfassungsfrage zu eigen. Sie kamen offenbar seinen Wünschen entgegen. De Maistre lehnte die Konstitution von 1795 mit der Begründung ab, daß sie wie alle früheren revolutionären Verfassungen für den „Menschen" gemacht sei, daß es jedoch in der Welt keine „Menschen" gebe: „Ich habe in meinem Leben Franzosen, Russen, Italiener usw. gesehen, ich weiß sogar — Dank sei Montesquieu — daß es Perser gibt, aber einem *Menschen* bin ich zu meiner Zeit nicht begegnet; existiert wirklich ein solcher, so geschieht es ohne mein Wissen."[21] Dieser Meinung pflichtete Thomas Mann mit einem „Wahr" am Rande seines Exemplars bei. Vor allem aber teilte er de Maistres politische Grundanschauung, daß, wie Brandes referiert, „der Staat ein Organismus sei, daß er als solcher wirkliche Einheit besitze und kraft einer fernen Vorzeit lebe, aus der er wie aus einer Quelle schöpfe, sowie kraft eines inneren, heimlichen Lebensprinzipes. Dasselbe entspringe keiner Erörterung, sondern einem Mysterium. Deshalb bedeute eine geschriebene Verfassung nichts. Die Seele eines Volkes sei das, was demselben Einheit und Beständigkeit verleihe, und diese Seele liege in der Liebe des Volkes zu sich selbst und den nationalen Denkmälern."[22] Vor dem Hintergrunde dieser und ähnlicher Darlegungen[23] gewinnt der für das Verständnis der Vorstellungen Thomas Manns wichtige Aspekt der Vergangenheitsorientierung[24] schärfere Konturen.

17 Brandes 2, 358.

18 Th. Mann, *Gedanken im Kriege*, in *Gesammelte Werke in dreizehn Bänden*, a.a.O., Bd. XIII, S. 529 f. und 537 f.

19 Brandes 3, 5 und passim.

20 Brandes 3, 96.

21 Brandes 3, 100 (am Rande angestrichen). Vgl. auch den in anderem Kontext von Thomas Mann hervorgehobenen Satz de Maistres: „Der Mensch kann keine Verfassung fabrizieren, und eine legitime Verfassung kann nicht geschrieben sein" (Brandes 3, 73) sowie die Argumentation für diese Auffassung.

22 Brandes 3, 102 (am Rande angestrichen).

23 S. z. B. die Anschauungen Bonalds in ihrer Wiedergabe bei Brandes 3, 127 f. und Brandes II,

Eine gewisse Bedeutung für die von Thomas Mann während des Ersten Weltkrieges vertretenen Auffassungen erhielten darüber hinaus de Maistres Ansichten über Ungerechtigkeit und Machtausübung auf Erden und die aus dieser Überzeugung abgeleitete Legitimation des Krieges, des Soldaten- und sogar des Henkertums.[25] Thomas Mann hat die entsprechenden Ausführungen aus de Maistres Büchern ‚*Über den Papst*' und ‚*Abendunterhaltungen in St. Petersburg*' in ihrer Wiedergabe bei Brandes seitenweise am Rande angestrichen und zum Teil unterstrichen.[26] Nicht so sehr die feststellbare Tatsache der Übernahme solcher Vorstellungen aus den Quellen ist indessen beachtenswert, sondern mehr noch die diesen Übertragungen zugrunde liegende Haltung, die eine bestimmte künstlerische Position Thomas Manns erkennen läßt. Sie war offenkundig weniger politischen als vielmehr literarischen Charakters und ist u.a. von den Begriffen des Genies und des Talentes schwer zu trennen. Diese Begriffe verstand Thomas Mann nicht zuletzt in einem ausgeprägt moralischen Sinne.

Der vor allem an Schopenhauer orientierte Geniebegriff Thomas Manns wurde von diesem mehr oder weniger korrigiert im Hinblick auf die Komponente des Leistungsethos, welche der Neigung zum Quietismus entgegenzuwirken hatte. Zugleich ist Thomas Manns Geniebegriff auch gekennzeichnet durch eine gewisse Affinität zum Geniebegriff der Romantiker, den Brandes ihm nahebrachte und der ohne die Überzeugung von der ästhetischen Freiheit des Talentes nicht denkbar erschien. Die Brandes-Rezeption vollzog sich von diesen Voraussetzungen aus in einem komplizierten Wechselspiel von Beeinflußbarkeit und gleichzeitiger Entschlossenheit zum Widerspruch. Wie bereits angedeutet wurde, erfolgte sie im wesentlichen in einem gegenläufigen Sinn zu Brandes.[27] Diesen Sachverhalt spiegeln etwa die ‚*Gedanken im Kriege*': „Das Genie, namentlich in der Gestalt des künstlerischen Talentes" ist für Thomas Mann „Ausströmung [...] einer tieferen, dunkleren und heißeren Welt, deren Verklärung und stilistische Bändigung wir Kultur nennen. Die Verwechslung des Geistigen, des Intellektuali-

96 f. Thomas Mann hob übrigens auch Brandes' Ausführungen über das von diesem kritisch beurteilte rückwärtsgewandte Geschichtsbewußtsein Schellings hervor, dessen Geschichtsauffassung er geteilt haben dürfte: „Wie Goethe sich in den fernen Orient flüchtete, so flüchtete Schelling sich aus der störenden Außenwelt in die fernste Vorzeit und fand dort die Quellen der Wahrheit und des Lebens [usw.] ..." (Brandes 1, 241).

24 Vgl. zu diesem Komplex Winfried Hellmann, *Das Geschichtsdenken des frühen Thomas Mann*, a.a.O., S. 5 ff. und passim. Er schreibt z.B. die von ihm bei Thomas Mann wahrgenommene Neigung zur „Enthistorisierung und Entzeitlichung" (S. 35), seine „Rückwärtsgewandheit", sein „Gefühl der Zukunftslosigkeit" und die bei ihm erkennbare „Unfähigkeit, sich Entwicklung vorzustellen" (S. 126), vor allem jedoch seinen Kampf gegen den Fortschrittsglauben, „das Fortschrittsdenken überhaupt" (S. 130), unter anderem der Schopenhauer-Orientierung des Autors zu. Darüber hinaus vermutet er — sicher mit Recht — auch „seelisch-geistige, individuelle Gründe" (S. 191).

25 Brandes 3, 109-112.

26 Brandes 3, passim. Vgl. auch Brandes II, 82 f., 85, 90-93.

27 Vgl. hierzu H.-J. Sandberg (s. Anm. 3), passim. In diesem Beitrag werden weitere Aspekte der Brandes-Rezeption Thomas Manns untersucht.

stischen, Sinnigen, ja Witzigen mit dem Genialen ist zwar modern; wir alle neigen ihr zu. Doch bleibt sie ein Irrtum." Um zu verdeutlichen, wie „sehr das Verhältnis zwischen Geist und Kunst das der Irrelevanz ist", beruft Thomas Mann sich auf eine Antwort, die bei Turgenjew einem schreibenden Dilettanten zuteil wird: „Sie haben viel Geist, aber sie haben kein Talent. Und die Literatur kann nur Talent brauchen." Thomas Mann nimmt diese Äußerung zum Anlaß, einen Kunstbegriff zu entwickeln, der seinen an Brandes geschulten Vorstellungen entsprach, aber indirekt gleichzeitig die Gegenwehr gegen dessen kritische und abschätzige Beurteilung der Romantik erkennen läßt: „Kunst, wie alle Kultur, ist die Sublimierung des Dämonischen. Ihre Zucht ist strenger als Gesittung, ihr Wissen tiefer als Aufklärung, ihre Ungebundenheit und Unverantwortlichkeit freier als Skepsis, ihre Erkenntnis nicht Wissenschaft, sondern Sinnlichkeit und Mystik. Denn die Sinnlichkeit ist mystischen Wesens, wie alles Natürliche."[28] Kunst verstanden als Zucht. Damit ist der Begriff des Talentes ethisch geprägt, gebunden an die Gewissenspflicht der Leistung: „Denn das Talent [...] ist nichts Leichtes, nichts Tändelndes, es ist nicht ohne weiteres ein Können. In der Wurzel ist es *Bedürfnis*, ein kritisches Wissen um das Ideal, eine Ungenügsamkeit, die sich ihr Können nicht ohne Qual erst schafft und steigert. Und den Größten, den Ungenügsamsten ist ihr Talent die schärfste Geißel..."[29] Das durch den Moralismus des Künstlers disziplinierte Talent erst gewährleistet die somit zuletzt ethisch gegründete Leistung mit dem mühselig errungenen Anspruch auf Ruhm. Er ist die Entschädigung für das Opfer, welches das Talent dem Künstler abverlangt. Voraussetzung für das Wirken des Talentes ist aber auch die uneingeschränkte Freiheit im künstlerischen Bereich.[30] Der Künstler, der sein Handwerk ernst nimmt, der sein Talent als Ethos, als „Korrektur" der „Neigung" versteht, darf die gesellschaftlichen Forderungen an seine Arbeit geringer achten als die Ansprüche, welche das Talent an ihn stellt. Seine Freiheit ist die der Notwendigkeit, eine in der ästhetischen Anschauung gewonnene höhere Erkenntnis festzuhalten und zu bewahren in der Gestalt. Der Freiheitsbegriff Thomas Manns ist von strenger Observanz: „Laßt ihr euch träumen, was alles ein Geist mit dem Worte zu meinen wagt? Freiheit wovon? Wovon zuletzt noch? Vielleicht sogar noch vom Glücke, vom Menschenglück, dieser seidenen Fessel, dieser weichen und holden Verpflichtung..."[31] Unter der „Freiheit von etwas" hat man nicht zuletzt die Freiheit von gesellschaftli-

28 Th. Mann, *Gedanken im Kriege*, in *Gesammelte Werke in dreizehn Bänden*, a.a.O., Bd. XIII, S. 528 und 529.

29 Diese wörtlich in die ‚*Schwere Stunde*' (in *Gesammelte Werke in dreizehn Bänden*, a.a.O., Bd. XIII, S. 375 f.) übernommene Stelle aus einem Brief an Katia Pringsheim (*Briefe 1889-1936*. Herausgegeben von Erika Mann, Frankfurt am Main 1962, S. 53, An Katia, [Ende August 1904]), hatte Thomas Mann vorher schon in das Notizbuch 7 (1901 ff.) übertragen. Vgl. auch Thomas Manns Brief vom 28.3.1906 an Kurt Martens, *Ebenda*, S. 64.

30 Vgl. die frühe Eintragung im 1. Notizbuch (1893), S. 69: „Die Ehre — das ist die Poesie der Pflicht.' de Vigny." (Zitiert mit freundlicher Erlaubnis von Frau Katia Mann, Kilchberg am Zürichsee.) Vgl. auch zu diesem Komplex T. J. Reed, *Thomas Mann. The Uses of Tradition*, Oxford 1974, S. 169 ff.

31 Th. Mann, *Schwere Stunde*, in *Gesammelte Werke in dreizehn Bänden*, a.a.O., Bd. VIII, S. 378.

chen Rücksichten zu verstehen, unter der „Freiheit zu etwas" vor allem anderen die Freiheit zur Unterwerfung unter die Bedingungen der Kunst. Trotz aktuellen Engagements bleiben deren primären Rechte unangetastet. So nimmt Thomas Mann den Reaktionär de Maistre zeitlebens in Schutz, nachdem er vornehmlich aus ästhetischen Beweggründen während des Krieges seine Partei ergriffen hatte gegen die des „Zivilisationsliteraten" Brandes.[32] Thomas Mann verabscheute die Französische Revolution und insbesondere den Jakobinismus. Mit kritischen Marginalien setzt er sich an vielen Stellen gegen Brandes zur Wehr, der ihn seinerseits für berechtigt hält und einmal sogar den Terror Robespierres zu entschuldigen versucht.[33] In einer Hinsicht ist jedoch der Diktator auch für Thomas Mann akzeptabel: als Schriftsteller hatte er Talent. „Robespierre ist *nur* schätzbar, weil er *einige literarisch schöne Sätze geschaffen hat.*'" Diesem in den ‚*Betrachtungen*' zitierten Urteil Baudelaires stimmt Thomas Mann zu: „Das lasse ich mir gefallen."[34] Bei der Wahl zwischen dem genialen, d.h. unter der Zucht des Talentes stehenden, der Kunst moralisch verpflichteten, und dem ungenialen, d.h. politischen und gesellschaftlichen Interessen entgegenkommenden Künstler, hielt Thomas Mann es mit dem ersteren. Diese Entscheidung entsprang nun aber sicherlich keinem oberflächlichen oder unverantwortlichen Ästhetizismus. Moralische Erwägungen waren ausschlaggebend. Das künstlerisch Gute und Zuverlässige war gewährleistet allein durch die Pflicht und Mühsal des Schweren und die Sorge um die Erfüllung der Ansprüche, welche die Kunst dem Talent auferlegte. So war es für Thomas Mann nicht Schönrednerei, sondern eine Frage des Gewissens, welche die Kunst aus dem Bereich des bloß Ästhetischen emporhob in den Rang des Ethischen. Erst der ethische Antrieb des Künstlers vermag die nur formalen Zwecken dienende Kunst zu adeln, indem er sie der Erkenntnis unterstellt.

Thomas Mann versteht den durch das „Leistungsethos" sittlich legitimierten Begriff des Gestaltens als einen Gewissensakt des Talentes zum Zwecke höherer Erkenntnis.

32 Ausschlaggebend ist der auch von Brandes betonte Aspekt des Talentes: „Man sieht, dieser Lobredner des Scheiterhaufens und Henkers hatte ein gutes, menschenfreundliches Herz, es fehlt ihm in seinen Privatäußerungen weder an Gutmütigkeit noch in seinen offizielen Äußerungen an Humor. Er hatte, wie Sainte-Beuve geistvoll von ihm sagt, nichts anders [sic] vom Schriftsteller, als das Talent" (Brandes 3, 104). Von Thomas Mann angestrichen und mit der Randbemerkung versehen: „Muß ein Schriftsteller für ‚Freiheit' sein?"

33 Brandes 3, 85: „Er [de Maistre] verherrlicht [...] die brutale Gewalt als solche, indem er theoretisch die militärische Gesellschaft unter den Korporalstock, die bürgerliche unter das Beil des Scharfrichters stellt. Letzteres tat Robespierre praktisch, aber nur weil er kein Heil für die Revolution außer in einer Diktatur sah." Randbemerkung Thomas Manns: „Keine Entschuldigung."

34 Th. Mann, *Betrachtungen eines Unpolitischen,* in *Gesammelte Werke in dreizehn Bänden,* a.a.O., Bd. XII, S. 548 (*Ästhetizistische Politik*). Bei aller Anerkennung des intellektuellen und formalästhetischen Niveaus der Thesen de Maistres verurteilt Brandes deren sachliche Implikationen. Für Thomas Mann sind demgegenüber die restaurativen Tendenzen dieser Theorien von untergeordneter Bedeutung. Er sieht sie allein schon durch ihren künstlerischen Rang hinreichend legitimiert.

Wohl nicht zuletzt aus diesem zwingenden Grunde stellt er sich dem politischen Tugendbegriff entgegen, wie er ihn vor allem im Jakobinismus verkörpert sah. Die „wahre“ Tugend repräsentiert das Talent, während die vordergründige Tugend des mehr auf äußere Wirkung bedachten politischen Handelns der höheren Erkenntnis abträglich ist. Sache dieser läßlichen, einer strengen künstlerischen Verpflichtung nicht geneigten Tugend ist eine oberflächliche und verflachende Vorstellung vom Begriffe des Glücks. Diesem Bereiche darf die ernste Kunst sich nicht zuwenden.[35] Daher warnt Thomas Mann in den *‚Betrachtungen‘* vor „der berühmten dreiteiligen Gleichungsformel demokratischer Weisheit ‚Vernunft = Tugend = Glück‘“.[36] Der Geniebegriff Thomas Manns impliziert für den Autor ein Verständnis des Freiheitsbegriffes im Sinne Schopenhauers, der den Glauben an die Willensfreiheit und damit auch an die politische Freiheit für einen Irrtum erklärt. Wenn Thomas Mann, dem Philosophen folgend, sagt, daß die Freiheit „nicht im Handeln, sondern im *Sein*, — nicht im operari, sondern im esse“ liege[37], sieht er in dieser Erkenntnis die tieferen Schichten seiner eigenen Sehnsuchtserfahrung angesprochen. Wenn ihn auch sein Gewissen, die bürgerliche Komponente der Künstlerexistenz, unablässig zur „Korrektur“ bewog, blieb gleichwohl die „Neigung“ unterschwellig stets gegenwärtig. Als Thomas Mann nach dem Kriege, um Aussöhnung der widerstreitenden Grundkräfte des Daseins bemüht, die Vorstellung des sogenannten „Dritten Reiches“ zum Anlaß nimmt, eine Synthese anzustreben, hält er dem Konservatismus nicht nur die Treue, sondern besteht auf dessen Überlegenheit über die Revolution.[38]

Thomas Mann gebraucht die Formel „konservative Revolution“[39] erstmals anläßlich einer Einführung in eine *‚Russische Anthologie‘* (1921). Die in diesem Beitrag entwickelten Gedanken lassen hier und da die aus der Brandes-Rezeption gewonnenen Einsichten erkennen. Wenn Thomas Mann z.B. das Bündnis Rußlands mit Frankreich

35 Thomas Manns Vorstellung vom Glück, welche sich mit einem am „Geist der Politik“ orientierten Glücksbegriff schwer vereinbaren läßt (vgl. z. B. *Betrachtungen eines Unpolitischen,* in *Gesammelte Werke in dreizehn Bänden,* a.a.O., Bd. XII, S. 231 f. [*Politik*]), ist vornehmlich an das Gewissensethos des Künstlers gebunden (vgl. etwa den Brief vom 28.3.1906 an Kurt Martens, in *Briefe 1889-1936,* a.a.O., S. 64).

36 Th. Mann, *Betrachtungen eines Unpolitischen,* in *Gesammelte Werke in dreizehn Bänden,* a.a.O., Bd. XII, S. 397 *(Von der Tugend).*

37 Th. Mann, *Schopenhauer,* in *Gesammelte Werke in dreizehn Bänden,* a.a.O., Bd. IX, S. 548. Vgl. hierzu *Arthur Schopenhauer's sämtliche Werke** (Band I-VI). Herausgegeben von Julius Frauenstädt, Neue Ausgabe, Leipzig 1922, passim, bes. Bd. III, S. 364-367 (*Die Welt als Wille und Vorstellung* II, 2. Buch, Kapitel 25).

38 Vgl. hierzu H.-J. Sandberg (s. Anm. 3), S. 132-140.

39 Th. Mann, *Russische Anthologie,* in *Gesammelte Werke in dreizehn Bänden,* a.a.O., Bd. X, S. 598; vgl. auch *‚Maß und Wert‘, [Vorwort zum ersten Jahrgang],* Bd. XII, S. 801. Hier definiert Thomas Mann Künstlertum als „überlieferungsbewußt und zukunftswillig, aristokratisch und revolutionär in einem“, als „seinem Wesen nach [...] konservative Revolution“. Er fügt hinzu, daß die „*Wiederherstellung* des Begriffes aus Verdrehung und Verderbnis“ ihm am Herzen liege. Vgl. im übrigen auch den Brief vom 25.5.1926 an Ernst Fischer (*Briefe 1889-1936,* a.a.O., S. 255 f.).

bedauert, „die Mesalliance der Demokratie des Herzens mit der Demokratie als abgestandener, akademisch-bourgeoiser Revolutionstirade, das Mißbündnis der Menschlichkeit mit der Politik“[40], gibt dieses Urteil u.a. nach wie vor Eindrücke der Brandes-Lektüre des Autors wieder.[41]

Der letztgenannte Beitrag ist wichtig, weil er einige Vermutungen über das Wirklichkeitsverhältnis Thomas Manns erlaubt, das u.a. gekennzeichnet ist durch das stete Festhalten an den Überlieferungen der Vergangenheit. Der Autor sinnt nach über frühe Beziehungen zu „Sphären der Wirklichkeit, denen man ehemals, in schwankender Frühzeit, nur ein geistiges und mythisches Dasein zuzuschreiben geneigt war. Leben ist Verwirklichung, Realisierung in jedem Sinn, und eben hierdurch phantastisch; denn dem Träumer dünkt Wirklichkeit träumerischer als jeder Traum und schmeichelt ihm tiefer. Aber auch wie Verrat mutet es uns nicht selten an, zu leben, das heißt wirklich zu werden, — wie Verrat und Untreue an unserer wirklichkeitsreinen Jugend.“[42] Die Treue, welche Thomas Mann der Tradition zeitlebens bewahrte, dürfte wohl auch der Scheu vor dem Verrat an der Vergangenheit entspringen. Die „wirklichkeitsgierige“[43] Gegenwart mit ihren Ansprüchen bedroht und verdrängt die überlieferte Geschichte. Sache der Wirklichkeit in Gegenwart und Zukunft sind „Taten“, flüchtige Erscheinungen. Sache des Künstlers ist es, die „Werke“ der Vergangenheit nicht in Vergessenheit geraten zu lassen und selbst Werke zus chaffen, denen er durch besonnene Gestaltung eine dem Zugriff der Wirklichkeit entrückte Dauer zu verleihen vermag. Einzig darauf beruht die Hoffnung des Künstlers auf Erfüllung seiner Sehnsucht nach einer „wirklichkeitsreinen“ Existenz. Dem „wirklichkeitsgierigen“ Künstler muß diese Hoffnung versagt bleiben. Der dem *principium individuationis* anheimgefallene unabhängige Künstler jedoch wird vielleicht die seltene Teilhabe an Erkenntnissen erwarten dürfen, welche Schopenhauer zufolge allein dem „Genie“ vorbehalten ist.[44] Thomas Mann

40 Th. Mann, *Russische Anthologie,* in *Gesammelte Werke in dreizehn Bänden,* a.a.O., Bd. X, S. 596.

41 S. hierzu Brandes 3, 5-45 und 65-72 (passim). Die einleitenden Abschnitte waren mitbestimmend für Thomas Manns Einschätzung des Rhetors als Prototyp des „Zivilisationsliteraten“ in den *Betrachtungen* (passim). Vgl. auch XIII 208. Vgl. auch Th. Mann, *Quotations,* in *Gesammelte Werke in dreizehn Bänden,* a.a.O., Bd. XIII, S. 208. Zum Problem des Rhetorischen bei Th. Mann vgl. die Arbeit von L. Pikulik (s. Anm. 10), S. 122-127.

42 Th. Mann, *Russische Anthologie,* in *Gesammelte Werke in dreizehn Bänden,* a.a.O., Bd. X, S. 590f. Zum Begriff des Wirklichkeitsreinen vgl. Hellmut Haug, *Erkenntnisekel. Zum frühen Werk Thomas Manns,* Tübingen 1969, S. 11 und passim; W. Hellmann (s. Anm. 6), S. 162; H. Kurzke (s. Anm. 10) passim, und H. Wysling, *Bild und Text bei Thomas Mann.* Eine Dokumentation, a.a.O., S. 19-23.

43 Das Wort „wirklichkeitsgierig“ taucht bei Thomas Mann m. W. zuerst in der „Burleske“ ‚*Tristan*‘ (1903) auf (in *Gesammelte Werke in dreizehn Bänden,* a.a.O., Bd. VIII, S. 230). Der Begriff des Wirklichkeitsgierigen ist das Korrelat zu dem des Wirklichkeitsreinen.

44 Zum Geniebegriff Schopenhauers s. bes. *Sämtliche Werke* II, 199-316 (*Die Welt als Wille und Vorstellung* I, 3. Buch: „Die Vorstellung, unabhängig vom Satze des Grundes: die platonische Idee: das Objekt der Kunst“, bes. 199-236) sowie III, 429-455 (*Die Welt als Wille und Vorstel-*

übernimmt die Begriffe und Vorstellungen des Philosophen nicht wortgetreu. Während Schopenhauer den Begriff des Talentes von dem des Genies geschieden wissen will[45], hält Thomas Mann ihn für eine unablässige Bedingung des Genialen. Sie ist dessen moralische Komponente und bestimmt als Gewissenhaftigkeit, Disziplin und Besonnenheit den ethischen Impetus des Künstlers und seiner Kunst. Der Künstler kann ernsthaft gestalten nur in einem Zustande, der dem „des reinen [willenlosen, zeitlosen, ästhetischen] Anschauens" entspricht.[46] Die Annäherung an diesen erstrebenswerten Zustand wird erleichtert durch die Erfüllung der Pietätspflicht gegenüber einer „wirklichkeitsreinen" Vergangenheit in der Gegenwart. Der Künstler darf daher in seiner ästhetischen Freiheit nicht eingeschränkt werden. Aus diesem Grunde sagt Thomas Mann in der Vorrede zur ‚*Russischen Anthologie*': „Nicht immer und überall fallen Talent und politische Tugend zusammen. Die Freiheit aber ist darum gut, weil sie die Völker politisch abbrüht und die geistige Atmosphäre in dieser Beziehung duldsam macht."[47] Die Begründung der Notwendigkeit einer Freiheit unter den Völkern liegt somit in der Hoffnung auf die für den Künstler unerläßliche Toleranz. Das ist im Geiste Voltaires gesprochen und eingegeben durch Georg Brandes.[48] Die Lektüre der Quellen führte Tho-

lung II, Ergänzungen zum 3. Buch, Kapitel 31: „Vom Genie", bes. 432-448); beide Bände mit zahlreichen Hervorhebungen Thomas Manns.

45 Schopenhauer, *Sämtliche Werke* III, 430, 433 ff. und passim.

46 Schopenhauer, *Sämtliche Werke* II, S. 230-246 und passim, sowie III, 419-429.

47 Th. Mann, *Russische Anthologie*, in *Gesammelte Werke in dreizehn Bänden*, a.a.O., Bd. X, S. 601.

48 Brandes 3, 3 f. Die Arbeitsspuren in den Quellen lassen keinen Zweifel daran, daß Thomas Mann es mit dem liberalistischen Geiste Voltaires hielt, der es ja auch nicht auf einen revolutionären gesellschaftlichen Umsturz abgesehen hatte. Der sozial orientierten Position Rousseaus gegenüber bewahrte Thomas Mann Distanz. Den von Brandes dargestellten Kampf der Doktrinen des Liberalismus (Voltaire) und des Sozialismus (Rousseau) verfolgt Thomas Mann als offenkundiger Sympathisant der Girondisten. Ihre liberalistischen Vorstellungen und Plädoyers für die Wahrung der individuellen Rechte des einzelnen, für die Gewissens- und Gedankenfreiheit und den Grundsatz der politischen Nichteinmischung sprachen den Autor mehr an als das jakobinische Gebot der Solidarität zwischen den Menschen und der Pflicht der Brüderlichkeit. Thomas Mann setzt sich zur Wehr gegen die anarchistischen Tendenzen der Revolution (vgl. die Randbemerkung „Schädigung des Geistes durch die That" [Brandes 3, 42]) und läßt die Freiheit nur als geistiges, nicht als gesellschaftliches Prinzip gelten. Er legt Wert darauf, festzustellen, daß „‚Freiheit' und ‚Geist' nicht Alleinbesitz der Jakobiner" seien (Brandes 3, 43) und zu unterstreichen, daß „Freiheit, Gleichheit, Brüderlichkeit" nicht weniger von den Vertretern der Restauration praktiziert worden seien (Brandes 3, 41 und passim). Angesichts der Auswüchse des Jakobinismus hält er die restaurativen Tendenzen für angemessen, z.B. die Etablierung des Machtstaates, der allein „Ordnung" und gleichzeitig relative geistige Freiheit zu gewährleisten vermöge. Der Leistung Napoleons stellt er daher diejenige Bismarcks ebenbürtig zur Seite (Brandes 3, 60); vgl. Th. Mann, *Betrachtungen eines Unpolitischen*, in *Gesammelte Werke in dreizehn Bänden*, a.a.O., Bd. XII, S. 288 und 365 (*Politik*), S. 436 (*Einiges über Menschlichkeit*), S. 507 (*Vom Glauben*). Die unverhohlene Sympathie für den restaurativen Standpunkt entspringt nicht zuletzt der Bewunderung für den Ideenreichtum und das li-

mas Mann vor Augen, wie u.a. die geistige Freiheit durch die Politisierung bedroht wurde. In Anlehnung an Chateaubriand sieht z.B. Brandes eine der Ursachen für das Erlöschen der Poesie in Frankreich im geschichtlichen Handeln Napoleons.[49] Er nennt mehrere von Thomas Mann hervorgehobene Beispiele dafür, daß die historische Aktion der Poesie nicht zuträglich ist. Daher mußte Thomas Mann in der Französischen Revolution und ihren Folgeerscheinungen einen erschreckenden Vorgang erblicken. Der Rückgang und Schwund der Poesie wurde als ein beängstigendes Phänomen registriert. Aus den Darlegungen bei Brandes war die Lehre zu ziehen, daß nicht dem Handeln, sondern der Betrachtung der Vorrang zu gebühren hatte, nicht der Politik, sondern der Kunst als Erkenntnis und Gestalt. Dieser Standpunkt war ausschlaggebend und richtungweisend für die Rezeption der ‚*Hauptströmungen*'. Wohl sind die ‚*Betrachtungen*' ein „Rückzugsgefecht großen Stils"[50], mehr aber noch sind sie „das Riesenreskript der Schmerzen", eine der Furcht entsprungene Verteidigungsschrift, der es um „eine große geistige Vergangenheit" und um die Rettung und Bewahrung der aus ihr gewonnenen Erkenntnisse geht[51]. Nicht zuletzt vor diesem Hintergrund will Thomas Mann seine Klarstellung im Aufsatz ‚*Kultur und Sozialismus*' (1928) verstanden wissen: „Der Geist sollte geistig genug sein, zuzugeben, daß es völlig gleichgültig ist, in welchem Vorzeichen, dem positiven oder dem negativen, eine Erkenntnis steht, falls sie Erkenntnis, falls sie wahr ist [...]. ‚Niemand bleibt ganz, der er ist, indem er sich erkennt.' Das haben die ‚Betrachtungen' gelehrt — zur Entrüstung derjenigen, denen es um ihr Vorzeichen, um ihre Meinung, nicht um ihre Erkenntnisse zu tun war. Ich gebe ihre Meinungen preis. Ihre Erkenntnis aber bleibt unverleugbar richtig [...]."[52]

terarische Talent der Restaurationsliteraten (Chateaubriand und de Maistre). S. z. B. auch Brandes 3, 68-72 mit u.a. folgendem von Thomas Mann hervorgehobenen Satz: „Ihre Stärke ihren Zeitgenossen gegenüber liegt in ihrem Talente; denn leider ist das Talent ein solcher Zauberer, daß es geraume Zeit jede beliebige Sache zu stützen vermag" (71).

49 Brandes 3, 146: „Chateaubriand war wohl ein Genie mit großen dichterischen Anlagen, aber Napoleon war der einzige Dichter großen Stils in dieser Zeit. Chateaubriand, der ihn haßte, fühlte dies sehr wohl. Er sagt (im vierten Teile seiner Erinnerungen): ‚Eine wunderbare Einbildungskraft beseelte diesen so kalten Politiker; er würde nicht derjenige geworden sein, der er war, wenn er nicht seine Muse gehabt hätte. Sein Verstand führte die Ideen des Dichters aus'." Dieser Sachverhalt treffe bereits auf die vornapoleonische Zeit zu: „Schon unter der Revolution war aus verwandten Ursachen die Poesie verschwunden" (Brandes 3, 146). Das Verhältnis von Geist und Macht bzw. Kunst und Politik ist nicht eindeutig bestimmbar. Einerseits beeinträchtigt das politische Handeln die Literatur, andererseits kann es eine Gewähr sein für deren relativ freie Entfaltung. Vgl. vor dem Hintergrund der Brandes-Rezeption z. B. das Kapitel ‚*Ironie und Radikalismus*' in den *Betrachtungen*', passim (in *Gesammelte Werke in dreizehn Bänden,* a.a.O., Bd. XII, bes. S. 578 ff.).

50 Th. Mann, *Kultur und Sozialismus,* in *Gesammelte Werke in dreizehn Bänden,* a.a.O., Bd. XII, S. 640. Vgl. auch Th. Mann, *An das Reichsministerium des Inneren, Berlin,* in *Gesammelte Werke in dreizehn Bänden,* a.a.O., Bd. XIII, S. 101 f., und *Vorwort. [Zu dem Essay-Band ‚Order of the Day'],* Bd. XIII, S. 172 ff.

51 *Ebenda,* Bd. XII, S. 640.

52 *Ebenda,* Bd. XII. S. 641.

Der von Thomas Mann in den *,Betrachtungen'* entwickelte Unterschied zwischen dem „Tun" und dem „Handeln" des Geistes[53] entspricht nun etwa dem zwischen dem „Genie" (Talent) und dem Geist und damit dem zwischen der Kunst und der Politik. Daher fiel es dem Autor nicht schwer, „selbst zweifelhafte Bündnisse" einzugehen[54] und z.B. als Anwalt des von Brandes bekämpften Autoritätsprinzips aufzutreten. Von dieser Optik aus wird die Parteinahme Thomas Manns für die Theorien de Maistres, Bonalds[55] und anderer verständlich. Es handelt sich dabei jedoch nicht um Plädoyers eines „Politikers", sondern eines Künstlers allenfalls in der Rolle eines „Politikers". Die Positionen Thomas Manns in den *,Betrachtungen'* sind alles andere als absolut gemeint. Sie sind vielmehr aufzufassen als ein freilich sehr ernstes und ernst zu nehmendes Spiel mit ausgeprägt ethischem Einschlag. Thomas Mann dürfte sich zu diesen reaktionären Theorien wohl auch mehr aus Vorliebe für das ästhetische Paradox denn aus Überzeugung bekannt haben. An der Gestalt de Maistres faszinierte ihn z.B. die künstlerische Konsequenz, mit der er seine Thesen verficht und die ihn in die Nähe einer romantischen Geisteshaltung rückt. Brandes weist ausdrücklich auf diese Verwandtschaft hin, und Thomas Mann merkte sich mit dem Bleistift „einen der Grundzüge in de Maistres Geist" an, nämlich „jene Freude an Paradoxen" und auch „die Freude am Ausmalen von Leiden, die er mit *Görres* und so manchen anderen Verfechtern jener dunkeln Lehre von der notwendigen Unterjochung der Menschheit unter Könige und Priester gemeinsam hat."[56] Nicht ohne Gefallen las Thomas Mann bei Brandes die Ansicht de Maistres, daß ein extremer Standpunkt ein Ärgernis für die Vernunft sein könne: *„Aber das Irrationelle sei selbst ein Merkmal der Wahrheit. Die scheinbar sonnenklarste Theorie streite fast stets wider die Erfahrung.*"[57] Natürlich nahm Thomas Mann die Meinungen des Staatsphilosophen nur in dem Maße „ernst", als er ihnen eine „Erkenntnis" für Erwägungen spezifisch künstlerischen Charakters abzugewinnen vermochte. Mit einem gewissen Recht ließe sich auf diesen Sachverhalt die Charakteristik der *,Betrachtungen'* durch deren Autor anwenden, dem sein Buch „beinahe zu einer Dichtung" geworden zu sein scheint[58]. Die Meinungen gab Thomas Mann später wieder preis, nicht aber den Kern der Erkenntnis, den sie umkleideten.[59]

53 Th. Mann, *Betrachtungen eines Unpolitischen, Ironie und Radikalismus,* in *Gesammelte Werke in dreizehn Bänden,* a.a.O., Bd. XII. S. 579.

54 Th. Mann, *Betrachtungen eines Unpolitischen, Ironie und Radikalismus,* in *Gesammelte Werke in dreizehn Bänden,* a.a.O., Bd. XII, s. 40.

55 Einige der Thesen Bonalds wurden sowohl in den Kriegsbeiträgen (passim) wie im *,Zauberberg'* (passim) berücksichtigt.

56 Brandes 3, 112 und II, 85 (angestrichen in beiden Ausgaben).

57 Brandes 3, 113 (angestrichen und am Rande mit Ausrufezeichen versehen).

58 Th. Mann, *Betrachtungen eines Unpolitischen, Vorrede,* in *Gesammelte Werke in dreizehn Bänden,* a.a.O., Bd. XII, s. 41.

59 Zum Begriff des „Meinens" vgl. u. a. A. Gisselbrecht, *Thomas Manns Hinwendung vom Geist der Musikalität zur Bürgerpflicht,* in *Sinn und Form,* Sonderheft Thomas Mann, Berlin 1965, passim; H. Kurzke (s. Anm. 10) s. 132 f., sowie zur Problematik dieses Komplexes D. Barnouw, *Keine Experimente. Der ironische Großschriftsteller und seine Leser,* in Vaget/Barnouw,

Von Zeit zu Zeit wird dieser sichtbar, z.B. im Vortrag *‚Goethe und Tolstoi‘* (1921): „Die humane Rückschrittlichkeit ist in der Regel mit Talentlosigkeit geschlagen. Allein diese Regel ist nicht unverbrüchlich. Das rückschlägige Genie, das glanzvolle und sieghafte Talent als Anwalt der ‚Höhle‘ kommt vor — und eine tiefere Verwirrung gibt es nicht als diejenige, die diese paradoxale Erscheinung in der Menschenwelt anrichtet. Sainte-Beuve sagte von Joseph de Maistre, er habe ‚vom Schriftsteller nichts anderes als das Talent‘: — ein Satz, in dem sich diese Verwirrung vollkommen ausdrückt und der genau den Fall bezeichnet, den wir meinen.“[60] Dank der durch Brandes wachgehaltenen Erinnerung kann Thomas Mann sich noch in seinem Vortrag *‚Der Künstler und die Gesellschaft‘* (1952) auf de Maistre berufen: „Die Vorstellung hat etwas Unwillkürliches, daß der Geist seiner Natur nach — um mich des politisch-gesellschaftlichen Terminus zu bedienen — ‚links‘ stehe, daß er also den Ideen der Freiheit, des Fortschritts, der Humanität wesentlich verbunden bleibt. Das ist ein oft widerlegtes Vorurteil. Er kann ebensowohl ‚rechts‘ stehen — und zwar in größter Brillanz. Von dem genialen Reaktionär Joseph de Maistre, dem Verfasser des Buches ‚Du Pape‘, hat Sainte-Beuve gesagt, er habe ‚vom Schriftsteller nur das Talent‘ gehabt, — ein sehr hübscher Satz, worin jene vorgefaßte Meinung, Literatur und Fortschrittlichkeit seien identisch, sich zugleich mit dem Zugeständnis ausspricht, daß man mit dem größten Talent, mit dem erdenklichsten Witz und Glanz den Lobredner der Inhumanität, des Henkers, des Scheiterhaufens, der Inquisition, kurz dessen machen könne, was Fortschritt und Liberalismus das Reich der Finsternis nennen.“[61] Jede dieser Bezeichnungen stützt sich auf die Quellen, in denen Brandes, „Fortschritt und Liberalismus“ repräsentierend, als Gegner der Reaktion in Erscheinung tritt.

Die literarische Verbundenheit mit dem genialen Talent de Maistres ließ Thomas Mann dem Staatstheoretiker wenig später ein Denkmal setzen in der Gestalt des Naphta, die bekanntlich eine aus verschiedenen Vorbildern und Gedanken komponierte Konfiguration darstellt.[62] Thomas Mann legt dem Rollenträger viele der bei Brandes

Thomas Mann. Studien zu Fragen der Rezeption, a.a.O., passim (bes. S. 95 ff.). Vgl. auch Th. Mann, *Briefe an Paul Amann,* a.a.O., passim und den Brief vom 25.5.1926 an Ernst Fischer (*Briefe 1889-1936,* a.a.O., S. 256).

60 Th. Mann, *Goethe und Tolstoi. Fragmente zum Problem der Humanität. ‚Natur und Nation‘,* in *Gesammelte Werke in dreizehn Bänden,* a.a.O., Bd. IX, S. 129.

61 *Th. Mann, Der Künstler und die Gesellschaft,* in *Gesammelte Werke in dreizehn Bänden,* a.a.O., Bd. X. S. 395. Vgl. auch Th. Mann, *‚Amnestie‘,* in *Gesammelte Werke in dreizehn Bänden,* a.a.O., Bd. XIII, S. 616 f. Diese Charakteristiken geben Brandes' Urteile über de Maistre wieder. S. z. B. Brandes 2, 353: „[...] dieser Lobredner des Scheiterhaufens und Henkers [...]“; „Der energische Verteidiger des Systems der Vergangenheit [...]“ (Brandes 2, 358); „Dieser witzige Verherrlicher des Büttels und Fürsprecher der Scheiterhaufen [...]“ (Brandes 2, 360); ähnlich Brandes 3, 79 und passim.

62 Andere Vorlagen werden genannt u.a. von Hans Wysling (Hrsg.), *Thomas Mann. Notizen,* in Beihefte zum *Euphorion*, 5. Heft, Heidelberg 1973, 55 (Notizbuch 9, 71); vgl. auch A. Gisselbrecht, *Thomas Manns Hinwendung vom Geist der Musikalität zur Bürgerpflicht,* in *Sinn und Form*, Sonderheft Thomas Mann, a.a.0., 307 u. 309 f., und nicht zuletzt Heinz Sauereßig, *Die*

rezipierten Auffassungen in den Mund. Meinungen, die er selbst in den *‚Betrachtungen‘* vertreten hatte, werden hier nunmehr im fiktiven Rahmen relativiert durch die Überzeugungen des Kontrahenten Settembrini, hinter dessen Maske sich u.a. der „Zivilisationsliterat" Brandes verbarg, dessen Auffassungen der Italiener zu vertreten hatte. Für die Konzeption und Ausführung der Dispute zwischen den Rollenträgern Naphta und Settembrini war die Brandes-Rezeption von großer Bedeutung. Die den beiden Gestalten zugewiesenen Positionen der Reaktion und des Fortschritts werden zunächst in der Schwebe gehalten durch die von den Antagonisten mit unüberbietbarer rhetorischer Vehemenz erfochtene Unwiderlegbarkeit des jeweils vertretenen Standpunktes. Bald aber werden sie gegenstandslos in den Redeansätzen Mynheer Peeperkorns. Am Ende verlieren sie sich mehr und mehr im Schweigen dieser Persönlichkeit. Das alle Antinomien aufhebende Verstummen symbolisiert auf fiktiver Ebene die letztliche Unlösbarkeit des Problems des Verhältnisses von Reaktion und Fortschritt und damit das Eingeständnis der Unmöglichkeit einer entschiedenen Parteinahme für die eine gegen die andere Meinung.

In den *‚Betrachtungen‘* mußte Thomas Mann sich diese seiner eigentlichen Einsicht entsprechende künstlerische Lösung versagen. Der Ausbruch des Krieges zwang den Autor zur Einseitigkeit einer Haltung, welche er in seinem ersten Brief vom 21.2.1915 an Paul Amann verteidigte: „Man ist gerecht gegen den einen Standpunkt *oder* gegen den anderen, — die goldene Mitte heißt Apathie."[63] Die zum Teil extremen Thesen der *‚Betrachtungen‘* sind in ihrer auf den ironischen Vorbehalt verzichtenden Einseitigkeit einer durch psychischen Druck bewirkten Verengung der Optik des Künstlers und dessen gesteigerter Reizbarkeit zuzuschreiben. Während des Krieges galt die Parole: Polemik um jeden Preis. Diese Situation gestattete Thomas Mann keinen Rückzug auf die vermittelnde Position einer Ironie, welche die Dinge in der Schwebe belassen kann. Was an den in die *‚Betrachtungen‘* integrierten politischen Einsichten „Erkenntnis" war, brauchte nicht preisgegeben zu werden. Die Paul Amann mitgeteilte, später von Naphta[64] wiederholte Kriegseinsicht war ein vorübergehender Standpunkt, der, als Thomas Mann sich wieder seiner Erzählkunst zuwenden durfte, dem „eigentlichen" Standpunkt weichen konnte, dem „Pathos der Mitte", der „Ironie"[65]. Die *‚Betrachtungen‘*

Entstehung des Romans ‚Der Zauberberg‘, in *Besichtigung des Zauberbergs.* Herausgegeben von Heinz Sauereßig, Biberach an der Riß 1974, 5—53, bes. 27—29, sowie Heinz Sauereßig, *Die Galionsfiguren und die Anreger,* Biberach an der Riß 1975 (= Wege und Gestalten), 2—5.

63 Th. Mann, *Briefe an Paul Amann,* a.a.O., 25.

64 Th. Mann, *Der Zauberberg, Siebentes Kapitel, Die große Gereiztheit,* in *Gesammelte Werke in dreizehn Bänden*, a.a.O., Bd. III, 960.

65 Vgl. Th. Mann, *‚Ein letztes Fragment‘* in *Goethe und Tolstoi* (in *Gesammelte Werke in dreizehn Bänden,* a.a.O., Bd. IX, 170—173, bes. 171). Die Position des Vorbehalts kommt von neuem zum Ausdruck nach dem Kriege. Vgl. hierzu Katharina Mommsen, *Gesellschaftskritik bei Fontane und Thomas Mann,* Heidelberg 1973 (= Literatur und Geschichte 10), 66. Mit Recht sagt die Autorin von Thomas Mann und Fontane, „daß ihr Streben nach Gleichgewicht ihnen einerseits die Vorliebe für den schwierigen Standpunkt der politischen Mitte gibt, zugleich

sollten daher vielleicht nicht in erster Linie als ein Werk der Wandlung aufgefaßt werden, sondern als ein Dokument der Verengung einer vor und nach dem Kriege unbegrenzten Optik. Die spätere Bereitschaft Thomas Manns zu einer gesellschaftsbezogenen schriftstellerischen Aktivität, die sich ihm angesichts der nach und nach herrschenden politischen Zustände als unumgänglich erwies, tritt nicht als ein neues Element in den Bereich des „Eigentlichen" seiner Kunst. Als die ethische Komponente seiner Künstlerexistenz war sie in ihm angelegt, man darf sie wohl dem bürgerlichen Erbe zuschreiben: dem als berechtigt anerkannten Anspruch auf Erfüllung der dem Bürger zugewiesenen Pflicht. Aber diese Aktivität dürfte kaum den Bereich dessen berühren, was der Künstler Thomas Mann unter dem Begriff der „Erkenntnis" versteht. Daß Thomas Mann die vordergründige Parteinahme für nur *einen* Standpunkt als einen seiner künstlerischen Aufgabe nicht angemessenen Zwang empfand, verrät eine Stelle des Beitrages ‚*Friedrich und die große Koalition*' (1915), in dem es hinsichtlich der schwankenden Urteile der Historiker über Friedrich II. heißt: „So widerspruchsvoll geht die Rede. Was uns betrifft, wenn man uns fragt, wir möchten wohl schweigen dürfen. Denn uns ist zumute, als ob Schweigen das Resultat der einander aufhebenden Meinungen über das Leben und über die Taten sei."[66]

Thomas Mann hat im Jahre 1949 rückblickend die ‚*Betrachtungen*' „ein sehr richtiges Buch mit einem falschen Vorzeichen" genannt.[67] Gleichzeitig weist er die These vom sogenannten „Bruch" in seinem Leben, das „vielmehr eine sich entwickelnde Einheit" bilde, als „eine törichte Fabel" zurück. Dem Anspruch der Kunst gegenüber blieb

aber auch die Affinität zu manchen Ideen der Rechten und Linken". Zur Problematik dieses Komplexes vgl. wiederum vor allem Dagmar Barnouw (s. Anm. 10), passim.

66 Th. Mann, *Friedrich und die große Koalition. Ein Abriß für den Tag und die Stunde,* in *Gesammelte Werke in dreizehn Bänden,* a.a.O., Bd. X, 113.

67 Th. Mann, *Briefe 1948—1955 und Nachlese.* Herausgegeben von Erika Mann, Frankfurt am Main 1965, 118 ([Konzept] An G. W. Zimmermann [undatiert, etwa 7.12.1949]). Zur Frage der Wandlung Thomas Manns vgl. u.a. H. Lehnert, *Thomas-Mann-Forschung. Ein Bericht,* a.a.O., 14, und Walter G. Hesse, *Thomas Mann, der unpolitische Deutsche oder Leiden an der Soziologie,* in *Dichtung. Sprache. Gesellschaft.* Herausgegeben von Victor Lange und Hans-Gert Roloff, Frankfurt am Main 1971 (= Beiheft zum Jahrbuch für internationale Germanistik), 189—196. Hesse führt triftige Belege für die These an, daß sich „das Wesentliche an Thomas Manns Haltung von Anfang an nicht geändert" habe (190). Schon Lehnert warnt mit Recht vor der verbreiteten Ansicht, „Thomas Mann habe sich nach dem ersten Weltkrieg von einer konservativen und ästhetizistischen zu einer demokratischen Weltanschauung gewandt" (*Thomas Mann. Fiktion. Mythos. Religion,* Stuttgart [2]1968 [[1]1965] [= Sprache und Literatur 27], 91). Vgl. zu diesem Komplex des weiteren Hans Mayer, *Thomas Mann. Zur politischen Entwicklung eines Unpolitischen,* in *Der Repräsentant und der Märtyrer. Konstellationen der Literatur,* Frankfurt am Main 1971 (= edition suhrkamp 463), 65—120; H. Kurzke (s. Anm. 10), 94 ff. und passim; Herbert Lehnert, *Repräsentation und Zweifel. Thomas Manns Exilwerke und der deutsche Kulturbürger,* in *Die deutsche Exilliteratur 1933—1945.* Herausgegeben von Manfred Durzak, Stuttgart 1973, 398—417, bes. 399 ff. und passim; H. Mörchen, passim, und Dagmar Barnouw (s. Anm. 10) passim. In dieser Frage schließe ich mich mehr oder weniger den Urteilen der genannten Forscher an.

die politische Forderung des Tages, die zeitgebundene schriftstellerische Aktivität, der er sich aus „Bürgerpflicht" unterzog, wohl etwas Peripheres. Das „Eigentliche" blieb stets die in vielen Transformationen gespiegelte Hingabe an den unbedingten Traum der Sehnsucht nach einer wirklichkeitsreinen Existenz.[68]

Für Thomas Manns langjährige Auseinandersetzung mit dem Problem des Verhältnisses von Reaktion und Fortschritt war die Rezeption politischer Einsichten aus den Schriften des Dänen Georg Brandes von nicht zu unterschätzender Bedeutung. Die aus den Quellen zu erschließenden Befunde zeigen u.a., daß Thomas auch nach dem Ersten Weltkrieg das ursprüngliche Auswahlprinzip bei der Rezeption politischer Einsichten unverändert beibehält. Die Bewertung der rezipierten Materialien ist in erster Linie eine Frage der vorwiegend durch ästhetische Erwägungen bestimmten künstlerischen Optik. Dies trifft auf die Beiträge essayistischen Zuschnitts nicht weniger zu als auf die Erzählkunst. Einer der Gründe für diese charakteristische „eigentliche" Haltung Thomas Manns dürfte auf die Schopenhauer-Orientierung zurückzuführen sein.[69] Die in den *‚Hauptströmungen'* geübte Methode der Geschichtsbetrachtung war besonders der Geschichtsphilosophie Hegels verpflichtet.[70] In den *‚Betrachtungen'* gibt Thomas Mann ausdrücklich zu erkennen, daß seinesgleichen „nichts weniger als hegelisch gesinnt" sei.[71] Wohl auch aus diesem Grunde erfolgte die Brandes-Rezeption des Autors aus der Position des Widerspruchs zu den Vorstellungen des dänischen Kritikers.[72] Thomas

68 Vgl. z.B. die Äußerung Adornos: „Er [Thomas Mann] hatte keine rechte Lust, im Leben so ganz mitzutun. Entscheidungen waren ihm wenig sympathisch, der Praxis mißtraute er nicht nur als Politik sondern als jeglichem Engagement [...]." (*Noten zur Literatur* III, Frankfurt 1966 [= Bibliothek Suhrkamp 146], 24).

69 Vgl. Anmerkung 16.

70 Vgl. hierzu Klaus Schröter, *Anfänge Heinrich Manns. Zu den Grundlagen seines Gesamtwerkes,* Stuttgart 1965 (= Germanistische Abhandlungen 10), 42—68.

71 Th. Mann, *Betrachtungen eines Unpolitischen, „Gegen Recht und Wahrheit",* in *Gesammelte Werke in dreizehn Bänden,* a.a.O., Bd. XII, 149. Unübersehbar ist demgegenüber die an Schopenhauer orientierte Optik Thomas Manns während des Ersten Weltkrieges. Dies bekunden nicht nur die *‚Betrachtungen'* (Bd. XII, passim), sondern z.B. auch Thomas Manns Brief vom 25.3.1917 an Paul Amann: „Als Schopenhauerianer bin ich überzeugt von der metaphysischen Freiheit des Willens und seiner empirischen Unfreiheit." (*Briefe an Paul Amann,* a.a.O., 52). Vgl. Hierzu auch Th. Mann, *Quotations,* in *Gesammelte Werke in dreizehn Bänden,* a.a.O., Bd. XIII, 208.

72 Die Entscheidung für die romantische Position hatte tiefreichende Gründe, die zum Teil schon Käte Hamburger in ihrer auch heute noch beachtenswerten Untersuchung angedeutet hat (*Thomas Mann und die Romantik,* Berlin 1932, passim). Vgl. andererseits Hans Eichner, *Thomas Mann und die deutsche Romantik,* in *Das Nachleben der Romantik in der modernen deutschen Literatur,* Heidelberg 1969 (= Poesie und Wissenschaft 14), 152—173. Für die Brandes-Rezeption Thomas Manns dürfte der Fortschrittsoptimismus eines Brandes mit seiner vorwiegend negativen Einschätzung der Romantik als einer im politischen Sinne reaktionären Bewegung von ausschlaggebender Bedeutung gewesen sein. Vgl. hierzu Näheres bei H.-J. Sandberg (s. Anm. 3), 132—140. Thomas Mann war sich natürlich darüber im klaren, daß die Romantik nicht nur reaktionäre, sondern auch progressive Züge hatte (zu diesem Komplex z.B. Ludwig Marcuse, *Reaktionäre und progressive Romantik,* in *Monatshefte,* Jg. 44, 1952,

Mann war bei seiner konservativen Gesinnung als Künstler gleichwohl so liberal, daß er seine Überzeugungen mit Hilfe der Schriften eines Mannes verteidigen konnte, die seinen eigenen Anschauungen widerstrebten. Die Brandes-Rezeption läßt erkennen, daß Thomas Mann nicht etwa nur zur Zeit des Ersten Weltkrieges, sondern auch später noch insgeheim und unverbrüchlich an dieser seiner Ur-Erkenntnis festhielt, die sich 1925 in dem bei allem Humor doch wohl ernst zu nehmenden Geständnis des Doktor Cornelius spiegelt, daß nämlich „Professoren der Geschichte die Geschichte nicht lieben, sofern sie geschieht, sondern sofern sie geschehen ist; daß sie die gegenwärtige Umwälzung hassen, weil sie sie als gesetzlos, unzusammenhängend und frech, mit einem Worte, als ‚unhistorisch' empfinden, und daß ihr Herz der zusammenhängenden, frommen und historischen Vergangenheit angehört."[73]

195—201; vgl. auch A. Gisselbrecht, *Thomas Manns Hinwendung vom Geist der Musikalität zur Bürgerpflicht*, in *Sinn und Form*, Sonderheft Thomas Mann, a.a.O., 310). Mit den Romantikern plädierte Thomas Mann für die Rechte der Kunst gegen die Staatsvergottung Hegels. Vgl. die Bestimmung der Positionen im Hinblick auf die Kennzeichnung des „wahren" Menschen bei Brandes III, 516: „Daß der Künstler der wahre Mensch sei — das war sein [Schellings] und der Romantiker Grundsatz. Doch was die Kunst für Schelling war, war die Geschichte für Hegel: der ewige Fortschritt der Freiheitsidee, das große Epos der Freiheit."

73 Th. Mann, *Unordnung und frühes Leid*, in *Gesammelte Werke in dreizehn Bänden*, a.a.O., Bd. VIII, 626. Die Vergangenheitsorientierung war Thomas Mann nicht zuletzt durch die Lektüre der *‚Hauptströmungen'* vertraut, in denen Brandes ausführlich auf das Wiederherstellungsdenken etwa des Staatsphilosophen Bonald eingeht (Brandes 3, 123—145 [passim], und II, 93—110 [passim]). Vgl. z.B. folgende Stelle: „Jedes Streben, mit der Überlieferung zu brechen, sei daher ein Streben nach geistigem Tode. Jedes auf Erhaltung des Überlieferten gerichtete Streben sei daher eins mit dem Verlangen nach kräftigst pulsierendem Leben. Festhalten an der reinsten Tradition schaffe die reinste und stärkste Existenz." (Brandes 3, 128, und II, 97). Thomas Manns ausgesprochene Vorliebe für die „Werke" statt für die „Taten" (vgl. Schopenhauer, *Sämtliche Werke*, II, 441—444) dürfte nicht zuletzt aus seiner Vergangenheitsorientierung zu erklären sein.

Terence J. Reed

„Der Zauberberg“ Zeitenwandel und Bedeutungswandel 1912—1924

„Man ändert hier seine Begriffe“
Joachim Ziemßen

I

„Der Zauberberg“ ist Thomas Manns komplexeste Schöpfung. Er stellt die Summe seines Lebens, seines Denkens und seiner technischen Vervollkommnung im Alter von fünfzig Jahren dar. Er ist zugleich geistige Autobiographie, Konfession und Apologie, eine hochentwickelte Allegorie, eine Art historischer Roman, eine Analyse des Menschen und eine Deklaration der Voraussetzungen für einen praktischen Humanismus. Der Roman erscheint als eine Parodie des deutschen Bildungsromans — „Schon die Erneuerung des deutschen Bildungsromans auf Grund und im Zeichen der Tuberkulose ist eine Parodie“, wie Thomas Mann sagte[1] — ist aber in Wirklichkeit ein Bildungsroman im guten Ernst.

Das ist kein Widerspruch. Parodie und Verspieltheit ergeben sich fast unvermeidlich, wenn eine ältere literarische Form wieder benutzt wird durch einen hochbewußten modernen Schriftsteller. Aber im „Zauberberg“ bleibt die Verspieltheit an der Oberfläche. Sie ist die Überlegenheitsgeste des Ironikers, die ihm dann doch die Freiheit läßt, die Form zu gebrauchen, welcher er bedarf.

Seine Bedürfnisse sind jedoch nicht abstrakt literarisch. Mit anderen Worten, er wählte nicht diese am meisten traditionelle deutsche Form einfach als ein Mittel zur weiteren künstlerischen Betätigung. Keine literarische Form ist für den rein ästheti-

Es wird aus folgenden Ausgaben zitiert:

Thomas Mann, Gesammelte Werke in zwölf Bänden, S. Fischer Verlag, 1960. Römische und arabische Ziffern bedeuten Band und Seite dieser Ausgabe.

Thomas Mann, Briefe 1889—1936, herausgegeben von Erika Mann, Frankfurt am Main, 1961. Zitiert als Br I.

Thomas Mann, Briefe an Paul Amann, 1915—1952, herausgegeben von Herbert Wegener, Lübeck, 1959. Zitiert als Br A.

Thomas Mann an Ernst Bertram, Briefe aus den Jahren 1910—1955, herausgegeben von Inge Jens, Pfullingen, 1960. Zitiert als Br B.

1 TM an Ernst Fischer, 25. Mai 1926, Br I, 256

schen Zugriff weniger geeignet, als eben der Bildungsroman. Die großen Beispiele der Gattung – Goethes „Wilhelm Meister" etwa, oder Kellers „Grüner Heinrich" – sind Lebensdokumente, Früchte eines wachsenden Lebensverständnisses, welches im Autor die Verwicklungen seiner persönlichen Geschichte gezeitigt haben. Die Reife, die er erreicht hat und ganz besonders der Preis, den er dafür zahlen mußte, hat die literarische Formulierung geradezu erzwungen. Genau so verhält es sich auch mit Thomas Mann. „Der Zauberberg", ist, wie er sagte, Fragment eines größeren Ganzen, des Lebenswerkes, kurz, des Lebens und der Persönlichkeit selbst.[2] Natürlich strebt der Roman auch die zeitlose und sich selbst genügende Vollendung der Kunst an. Aber auch diese Qualitäten und die mit ihnen verbundene Heiterkeit sind ja Aspekte der menschlichen Errungenschaft, die der Roman bedeutet. Der souveräne Blick des Romans ist nicht mühelos zustandegekommen; die künstlerische Freiheit, mit welcher er die Ideologien behandelt, beruht erst auf Thomas Manns eigener Entwicklung über die Ideologien hinaus, keineswegs auf der Gleichgültigkeit oder Machtlosigkeit der Ideologie als solcher. Das kritische Urteil, das dahin lautet, die Ideologien bedeuteten „nichts, was Thomas Manns eigene Überzeugungen betrifft", macht den Roman zu leicht, zu trivial. Denn sie bedeuten im Gegenteil etwas sehr Reelles, dasjenige nämlich, was unsere vergangenen Engagiertheiten uns bedeuten. Von „intellektuellen Schachfiguren" zu sprechen, die „zum Zwecke der Komposition hin und her geschoben werden"[3], ist gewiß oberflächlich, weil damit die Frage ignoriert wird, welche entscheidend ist für die Wirklichkeit eines Bildungsromans, nämlich warum „die Komposition" komponiert zu werden verlangte.

Sie war am Anfang überhaupt nicht als Bildungsroman geplant. Untersucht man, wie sie dazu wurde, so dringt man tief in die Form und die Aussage des abgeschlossenen Textes hinein, indem man denselben Erziehungsprozeß nachvollzieht, der schließlich beschrieben wurde. Schon vom „Tod in Venedig" läßt sich sagen, daß Moral und künstlerische Qualität erst im Lichte der Entstehung voll erkennbar werden;[4] und diese Novelle war ein verhältnismäßig kurzes Werk, geschrieben in kaum mehr als einem Jahr, und zwar einem Jahr des Friedens, so daß die Entwicklung der Geschichte ein internes Problem war zwischen dem Autor als moralischer und künstlerischer Persönlichkeit und seinem gewählten Vorwurf. Im Fall des „Zauberberg" liegen zwölf Jahre, ein Weltkrieg, erschütternde persönliche Konflikte, eine Revolution und der turbulente Beginn der Weimarer Republik zwischen Konzeption und Vollendung des Romans. Es ist daher kein Wunder, daß Thomas Mann im Vorsatz zum Roman von der „hochgradigen Verflossenheit" spricht, in der die Ereignisse des Romans liegen, jenseits einer vergangenen, „Leben und Bewußtsein tief zerklüftenden Wende und Grenze".[5]

Der Stoff des „Zauberberg" ist demgemäß Wechsel, und zwar in vielfach verflochte-

2 Einführung in den „Zauberberg", XI, 603

3 Theodore Ziolkowski, *Dimensions of the Modern Novel*, Princeton 1969, 73

4 Vgl. den Abschnitt ‚Darstellung' in meiner Ausgabe des „Tod in Venedig", München, Hanser 1983.

5 III, 9

ner Weise. Denn schon die erste Vorkriegskonzeption hatte es auf die Darstellung des Wechsels, der Veränderungen, abgesehen. Dann, als Veränderungen in der äußeren Welt eintraten, verbreiterte sich ganz erheblich die Fragestellung Thomas Manns. Er versuchte in den „Betrachtungen eines Unpolitischen" über die neuen Fragen (es waren eigentlich alte Fragen in neuer Aufmachung) ins Reine zu kommen. Das war notwendig, denn sonst wäre sein Roman „intellektuell unerträglich überlastet worden", wie er an Paul Amann schrieb.[6] Die „Betrachtungen" weisen scheinbar endgültige — es waren jedenfalls nachdrücklich bezogene — gedankliche Positionen auf. Doch dann änderte Thomas Mann seine Vorstellungen, allmählich aber gründlich. Statt sich also auf feste Positionen verlassen zu können, um darauf die Struktur des Romans zu errichten, mußte er diese Positionen selbst einbeziehen, aber jetzt um sie zu relativieren und zu verwerfen. Das Material der „Betrachtungen" mußte also weitgehend verwendet werden, so daß die intendierte „entlastende" Funktion des Kriegsbuches aufgehoben wurde. Eben in diesem Sinne, einem weitaus komplexeren als Thomas Mann beabsichtigt hatte, gehören die beiden Werke zusammen.

Am Anfang aber gehörte „Der Zauberberg", als Vorkriegswerk, mit seinem Vorgänger, dem „Tod in Venedig", zusammen. Thomas Manns Besuch in Davos, wo Frau Katja sich wegen einer Lungenaffektion aufhielt und der behandelnde Arzt „profitlich lächelnd" erklärte, Thomas Mann selbst leide an Tuberkulose und ein verlängerter Aufenthalt sei zu empfehlen,[7] fiel in den Mai und Juni 1912, kurz bevor „Der Tod in Venedig" abgeschlossen war. Nach seiner Rückkehr aus dem Gebirge versuchte Thomas Mann, am „Felix Krull" weiterzuarbeiten, doch offensichtlich ohne rechten Erfolg. Ein Jahr später hatte er vom „Krull" abgelassen, zugunsten einer weiteren Novelle, „die eine Art von humoristischem Gegenstück zum „Tod i V" zu werden scheint".[8] Dies ist die erste Erwähnung des „Zauberberg".

Man sieht, es gibt noch keinen Hinweis auf den Bildungsroman. Was war denn aber das Besondere der Novellenkonzeption und auf welche Weise wurde schon in ihr Veränderung zu porträtieren versucht? Bei zwei späteren Gelegenheiten hat Thomas Mann jene Parallele zwischen dem „Tod in Venedig" und dessen „humoristischem Gegenstück", dem „Satyrspiel nach der Tragödie", weiter ausgebaut. Beide Werke sollten die Faszination durch den Tod und den Triumph der Unordnung über ein der Ordnung gewidmetes Leben zeigen.[9] Der tragische Konflikt und der dionysische Rausch Gustav von Aschenbachs fanden ihr Echo im komischen Konflikt zwischen Hans Castorps bürgerlicher Respektabilität und seinen makabren Abenteuern. Das Ende der Geschichte war noch nicht zu sehen, doch würde sich zweifellos ein Schluß finden.

Welche Art von Veränderung sollte also zergliedert werden? Nicht die Formation eines Charakters, sondern seine grotesk komische Unterminierung: nicht Bildung, son-

6 TM an Paul Amann, 25. März 1917, Br A 53

7 TM an Hans von Hülsen, Juni 1912. Zitiert bei Hans Bürgin und Hans-Otto Mayer, *Thomas Mann. Eine Chronik seines Lebens*, Frankfurt am Main 1965, 36

8 TM an Ernst Bertram, 24. Juli 1913, Br B 18

9 *Lebensabriß*, XI, 125; Einführung in den „Zauberberg", XI, 607

dern Entbildung. Es lohnt sich, einmal zu versuchen, den „Zauberberg" in dieser Richtung zu lesen, als das Satyrspiel, welches ursprünglich gedacht war; und möglichst zu vergessen, daß schließlich ein hochseriöser Bildungsroman dabei herausgekommen ist.

Die Linien der ersten Konzeption finden sich noch ganz klar in dem endgültigen Text und weisen eine bemerkenswerte Ähnlichkeit mit den Umständen der tragischen Version, des „Tod in Venedig", auf, — genauso wie in den griechischen Satyrspielen anscheinend die Themen der jeweils vorausgegangenen Tragödien einen Nachhall gefunden haben dürften. Beide Mannsche Helden beginnen mit dem Plan, einen kurzen Abstecher aus ihrem geordneten Leben zu machen, sie wollen erfrischt, aber im wesentlichen unverändert, zurückkehren. Beide finden sich in eine geschlossene, aber kosmopolitische Gesellschaft versetzt und sind verstört durch klimatische und kulturelle Einflüsse und Begegnungen mit seltsamen, ja sogar grotesken Charakteren. Keinem von beiden gelingt es, aus dem schicksalhaften Milieu zu entfliehen, obwohl sie beide gewarnt sind und einen Fluchtversuch unternehmen beziehungweise in Erwägung ziehen. Sie werden aber durch eine Leidenschaft festgehalten, die auf unterschiedliche Weise im Gegensatz zu Vernunft und Gewissen steht und daher vom Bewußtstein verdrängt wird. In beiden Fällen handelt es sich um die Liebe zu einem (slawischen) Menschen, den sie, innerhalb der engen Grenzen des Schauplatzes, nur „von Ferne anbeten" können. Beide empfinden eine ausschweifende Freude an ihrem erhöhten psychologisch-körperlichen Zustand und an den liederlichen Gefühlen, die damit verbunden sind. Beide gestehen sich schließlich ein, daß sie sich verliebt haben und werden willentlich Opfer einer Intoxikation, gegen die sie sich nicht wehren, ja sie wehren sich geradezu dagegen, wieder ernüchtert zu werden. Beide werden in dieser Entwicklung von Merkur begleitet, Aschenbach durch den Gott in seinen verschiedenen Maskierungen, Hans Castorp durch den in der Quecksilbersäule auf- und niedersteigenden „Merkurius". Aschenbach stirbt schließlich, Hans Castorp...doch bis der Augenblick kam, wo über den Ausgang von Hans Castorps Geschichte entschieden werden sollte, war aus dem Satyrspiel längst etwas völlig anderes geworden.

Diese auffallenden Ähnlichkeiten der Motive sind noch nicht alles. Es gibt eine wichtigere Ähnlichkeit, die all diesen an sich schon frappierenden Einzelheiten zugrundeliegt. Die Kohärenz, die sie bilden, entspringt dem Begriff eines Schicksals. Im „Zauberberg" wie im „Tod in Venedig" wird der Eindruck des schicksalhaften Ablaufs erweckt, und zwar mit denselben stilistischen Mitteln. Einfache Bemerkungen klingen ominös, sie werden zu potentiellen dramatischen Ironien. Der Erzähler hält zum Beispiel Hans Castorps Absicht fest, „ganz als derselbe zurückzukehren, als der er abgefahren war"[10], macht aber dann seine Reflexionen darüber, wie weit der einfache Held seine Heimatstadt und heimatliche Verpflichtungen hinter und unter sich gelassen hat und fragt sich, ob es sehr weise war, eine Reise direkt in diese „extremen Gegenden" zu unternehmen, ohne zwischendurch haltzumachen, um sich beser zu akkklimatisieren. Durch diese nicht aufdringlichen, aber für den eingeübten Thomas-Mann-Leser unmißverständlichen Fingerzeige werden bange Gefühle wachgerufen. Und wenn dann gar er-

10 III, 12

zählt wird, wie Hans Castorp sich selbst als „gottlob, ganz gesund" beschreibt;[11] oder wenn der Erzähler in eigener Person Reflexionen anstellt darüber, wie unbezweifelbar normal der tüchtige norddeutsche Hans Castorp sei,[12] so hört der Leser den schmunzelnd vorweggenommenen Genuß von Komplikationen heraus, in die der einfache Held noch geraten soll.

Oder es gibt auch jene sich selbst aufhebenden Erklärungen von Ursache und Motivierung, hinter denen sich die wahren — eben nicht verbergen. Beim ersten Auftreten von Krankheitssymptomen im Helden wird der Sachverhalt vertuscht-unterstrichen durch die harmlose Bemerkung, „vielleicht hatte er sich nicht warm genug zugedeckt".[13] Oder beim Schildern von Hans Castorps wachsender Abneigung, den Berg am Ende der zunächst feststehenden drei Wochen zu verlassen: diese wird hinter der Abneigung maskiert, die Abreise gegenüber Joachim zu erwähnen — aus Mitleid mit dem zu verlassenden Vetter. Es wird dieses Mitleid — „herzliches", „das stärkste", „geradezu brennendes" — innerhalb einer Textseite so wiederholt beredet, daß es am Ende der einzige Beweggrund ist, an den man nicht glauben kann.[14] Vor allem wird immer wieder der Zufall bemüht, scheinbar um Fragen der Ursächlichkeit ganz auszuschließen, in Wahrheit aber um die Aufmerksamkeit des Lesers auf die verborgene Schicksalslinie wachzurufen. Ist es wirklich Zufall, daß Hans Castorp zu Clawdia Chauchat hinüberblickt, während er Settembrinis Ratschlag, den Berg am nächsten Tag zu verlassen, abweist?[15] Oder daß die Vettern gerade dann mit Hofrat Behrens zusammentreffen, als Hans Castorp sich überlegt, ob er sich doch nicht untersuchen lassen sollte?[16]

„Der Tod in Venedig" suggerierte in genau ähnlicher Weise, daß Aschenbachs Weg ein schicksalhafter sei. Das war selbstverständlich nicht naturalistisch-buchstäblich gemeint: „Schicksal" war hier kein wirkliches Agens, wie in der griechischen Tragödie; die Figuren, welche auf Aschenbachs Weg zum Tode standen, waren nicht eigentlich gesandt, um ihn zu „holen". Der Begriff und die symbolischen Figuren, in denen er sich verkörperte, waren formale Mittel, die der moderne Schriftsteller wählte, um den innerlichen Verfall, insbesondere den geschwächten Willen, des Charakters sichtbar zu machen. Wenn etwa Aschenbach die Fehlleitung seiner Koffer begrüßt oder aber die Cholera-Epidemie ekstatisch willkommen heißt, so wird gerade aus solchen Akten der Hinnahme sein Schicksal geschmiedet. Er lebt sein Leben vorwärts, gestaltet es als Reaktion auf das, was ihm begegnet. Erst sein Autor, rückblickend und die psychologischen Ursachen verstehend, sieht den ganzen Ablauf im Licht des Endes als schicksal-

11 III, 29 f
12 III, 47
13 III, 117
14 III, 229
15 III, 124
16 III, 244. Zur Technik der Suggerierung per contrarium, vgl. im „Tod in Venedig" die Anspielungen auf „Zufall", die das Gegenteil bedeuten sollen, z.B. VIII, 444, „Zufällig fand er den Halteplatz und seine Umgebung von Menschen leer"; und VIII, 482, „Es fügte sich, daß im selben Augenblick Tadzio durch die Glastür hereinkam".

haft und vollendet an. Doch wenn „Der Tod in Venedig" die Idee des Schicksals benutzte, um einen moralischen Prozeß äußerlich darzustellen, welchen Sinn hatte das Schicksal des mittelmäßigen Hans Castorp? Sollte es lediglich ein komisches Echo von Aschenbachs Schicksal sein, „verkleinert und ins Komische herabgesetzt"?[17] So rein willkürlich ist der Humor im „Zauberberg" nicht. Auch die innerlichen Gefahren, auf die Hans Castorps Schicksal weist, sollten eine allgemeine Wahrheit erhärten: selbst norddeutsche Normalität mag den Keim der Abnormalität bergen, genauso wie die öffentliche Würde und Haltung eines verehrten Künstlers den Keim von Verirrung und Sturz in sich tragen. Das so konzipierte Satyrspiel wäre ganz klar eine Tour-de-force geworden; denn wieviel pikanter wäre es nicht gewesen, die in einem gesunden jungen Bürger lauernde Abnormalität hervorzuzaubern, als bloß mit der doch etwas Routine gewordenen Abnormalität der Künstler und Außenseiter weiter zu hantieren!

Nicht, als könnte selbst Thomas Mann Abnormalität aus der dünnen Luft herausgreifen. Hans Castorp hat, wie sich herausstellt, eine Vergangenheit, die doch nicht ganz normal ist — obwohl es der Anstrengungen seines Gedächtnisses und der Hilfe eines Röntgenapparates bedarf, um dies zu entdecken. Seine Lungen tragen nämlich die Spuren einer alten Infektion; sein Aufenthalt in den Bergen aktiviert eine latente Tendenz.

Aber auch hier neckt uns Thomas Mann mit der Technik der zweideutigen Erklärungen, diesmal die Entscheidung zwischen den Ansprüchen der physischen und der psychischen Ursachen auf Priorität ernstlich hinauszögernd. Behrens erklärt Hans Castorps angehendes Leiden materialistisch: das Hochgebirge sei unter Umständen auch „gut *für* die Krankheit", bringe sie zum Ausbruch.[18] Sein psychoanalytisch dilettierender Assistent Krokowski sieht im Gegenteil alle organischen Vorgänge als sekundär an, was in seiner Vorlesungsreihe über „die Liebe als krankheitsbildende Macht" *in nuce* ausgedrückt ist. Hans Castorps Geschichte scheint beide Erklärungen zu illustrieren. Aber der Erzähler neigt doch eher dazu, sich zu den psychisch Erklärenden zu schlagen. Man kann die Kette der psychischen Ursachen genau verfolgen: Settembrinis Fluchtvorschlag zurückweisend, sieht Hans Castorp Clawdia an — an wen erinnert sie ihn doch? Am folgenden Tag erinnert er sich, als er die Rechte eines bloßen Berghofbesuchers behauptet und einen energischen Spaziergang unternimmt — „wir wollen doch sehen, ob ich nicht ein anderer Kerl bin, wenn ich nach Hause komme".[19] Da befällt ihn eine starke Nasenblutung und dabei kommt die Erinnerung zum Durchbruch — an Pribislaw Hippe, den Schulkameraden, der ihn so merkwürdig angezogen hatte, und der Clawdias Züge so frappierend vorwegnahm. Zum Berghof in einem ganz anderen Sinne „als ein anderer zurückgekehrt", hört Hans Castorp Krokowskis Vorlesung. Er sitzt — wiederum durch „Zufall" — direkt hinter Clawdia.[20] Von da ab geht es wie am Schnürchen. Verdrängte Liebe bestimmt Hans Castorps Handlungen und implicite

17 XI, 125
18 III, 253 f
19 III, 165
20 III, 176

auch seinen körperlichen Zustand. Er scheint die Symptome, die seinen weiteren Bergaufenthalt rechtfertigen, nach Wunsch zu bekommen. Er macht keinen Hehl daraus, daß er entzückt ist, Fieber zu haben; er wartet auf Joachim, dem er es mitteilen will, und „es war , als lächle er jemandem zu".[21] Aber dann macht ein Rückgang des Merkurius ihm Zweifel, ob er zur Untersuchungsstunde mit Behrens gehen soll und darf. Doch ein Blick Clawdias scheint zu sagen: „Nun? Es ist Zeit. Wirst du gehen?"[22]

Er geht. Nach bestätigter Affektion empfindet Hans Castorp Furcht aber auch Freude und Hoffnung. Die objektive Welt hat sich im Einverständnis mit seiner Leidenschaft erklärt — wie sie es übrigens auch für Aschenbach tat. Clawdia fährt darin fort, Hans Castorps körperlichen Zustand zu bestimmen. Sie ist die Gebieterin seiner Temperatur lange bevor sie ihm etwas weiteres wird; die ernüchternde Wirkung einer mißglückten Annäherung kann nur durch den erfolgreichen Austausch eines „Guten Morgen" gutgemacht werden, der ihn wieder auf die (Fieber)-Höhe bringt.[23]

Trotz alledem bleibt uns bis zu einem gewissen Grade noch die Freiheit, Behrens' Ansicht zu teilen und Hans Castorps Erregung als Erzeugnis seiner Lungenaffektion zu betrachten. (Die erotisch steigernde Wirkung des Patientenlebens ist ja eines der Nebenthemen des Romans.) Wir können sogar Hans Castorps Folgerung ablehnen, seine Lungennarben rührten von seiner Liebe zu Pribislaw her — obzwar wir die Verbindung zwischen Pribislaw und Clawdia nicht so leicht abtun können, da sie aufgrund der Ähnlichkeit zwischen den beiden eine psychische Realität für ihn sind. Wir können auch einwenden, die physiologischen Wirkungen des Hochgebirges hätten schon angefangen, bevor Hans Castorp Clawdia erblickte. Aber solche Einwände sind nur möglich, wenn man das vom Erzähler Implizierte sozusagen willentlich überhört. Und sie lassen sich übrigens auch, was wichtiger ist, mühelos einfügen in die Ansicht der Castorpschen Abenteuer als Teile eines „Schicksals". Denn in dem entscheidenden Fastnachtsgespräch mit Clawdia berichtet Hans Castorp ihr nicht nur über Pribislaw Hippe, und deutet er nicht nur seine Krankheit als „wirklich" seiner Liebe für sie entsprungen, sondern er behauptet auch, die Liebe sei es, die ihn zum Zauberberg geführt habe: „C'était lui, évidemment, qui m'a mené à cet endroit..."[24] Wahnsinn, kommentiert Clawdia. Aber das letzte Wort bleibt Hans Castorp überlassen: was ist denn überhaupt die Liebe, wenn nicht Wahnsinn, Verbotenes, ein Abenteuer mit dem Bösen. „Oh l'amour n'est rien, s'il n'est pas de la folie, une chose insensée, défendue et une aventure dans le mal".

So beleuchtet gehen sämtliche materiellen und körperlichen Ursachen, von denen wir gehört haben, und selbst die angebliche Motivierung von Hans Castorps Besuch bei seinem Vetter, in einem kohärenten Schicksalszusammenhang auf, der demjenigen des „Tod in Venedig" ähnlich ist. Gewiß, auch dort war „Schicksal" nicht buchstäblich zu verstehen. Immerhin wird die Parallelisierung der beiden Konzeptionen, der Venedig-

21 III, 239
22 III, 247 f
23 III, 327 ff
24 III, 475

Novelle und seines humoristischen Gegenstücks, vollkommen. Die Linien — und damit auch die Grenzen — des ursprünglichen „Zauberberg"-Planes sind klar erkennbar.

II

Im endgültigen Bildungsroman aber ist Hans Castorps Liebe zu Clawdia keineswegs die Ursache seiner Abenteuer, trotz jenem Fastnachtsrückblick. Diese angebliche Ursache steht selbst im Rahmen einer noch tiefergreifenden Erklärung, welche uns ziemlich früh der Erzähler vorlegt. Der Mensch nämlich lebe

> nicht nur sein persönliches Leben als Einzelwesen, sondern, bewußt oder unbewußt, auch das seiner Epoche und Zeitgenossenschaft... Wenn das Unpersönliche um ihn her, die Zeit selbst der Hoffnungen und Aussichten bei aller äußeren Regsamkeit im Grunde entbehrt, wenn sie sich ihm als hoffnungslos, aussichtslos und ratlos heimlich zu erkennen gibt und der bewußt oder unbewußt gestellten Frage nach einem letzten, mehr als persönlichen, unbedingten Sinn aller Anstrengung und Tätigkeit ein hohles Schweigen entgegengesetzt, so wird gerade in Fällen redlicheren Menschentums eine gewisse lähmende Wirkung solchen Sachverhalts fast unausbleiblich sein, die sich auf dem Wege über das Seelisch-Sittliche geradezu auf das physische und organische Teil des Individuums erstrecken mag.[25]

Das wäre eine ganz andere Konzeption als die bisher verfolgte. Diese implizierte einen gefühlsmäßigen Ursprung der Krankheit, führte ein abenteuerliches geistiges Schicksal auf die Suche nach erotischer Erfüllung und den spezifischen erotischen Geschmack des Helden auf eine halbvergessene Kindheitsepisode zurück, um ihn am Ende in jener Suche nach Liebe die eigentliche Motivation seiner Handlungen sehen zu lassen. Die neue Konzeption hingegen behauptet, die wirkliche Ursache seiner Erkrankung sei die Beschaffenheit des Zeitalters gewesen, die ihn über den Weg durch sein Geistiges den Körper attackierte.

Die beiden Konzeptionen sind schwer vereinbar. Zwar könnte man sagen, die erste wäre nur Hans Castorps Theorie. Aber warte, Pribislaw Hippe hat doch wirklich Wesensart und Züge Clawdias antizipiert, die bekannten feuchten Stellen in Hans Castorps Lungen zurücklassend? Dann müßte man freilich zur weiteren (und weiter hergeholten) Hypothese greifen, schon jene jugendliche Erkrankung bedeute eine Anfälligkeit Hans Castorps, die auf besagten Einfluß des Zeitalters deute. Hier tritt aber doch wohl das kritische Prinzip in Kraft: wenn Hypothesen so ausgeklügelt werden müssen, um eine künstlerische oder gedankliche Einheit aufrechtzuerhalten, so gibt man am besten den Versuch auf und schaut nach einem neuen Ansatzpunkt zur Interpretation aus. Tatsächlich läßt sich die Verzwicktheit der beiden Konzeptionen von Hans Castorps Schicksalsweg eher entstehungsgeschichtlich erklären. Die „Liebe als krankheitsbildende Macht" gehört zur ursprünglichen Konzeption des Satyrspiels; dort sollte offentsichtlich eine Freud'sche Auffassung der Kindheitserotik und der krankheitserregenden sexuellen Verdrängung blühen. Später jedoch wird eine ganz andere Theorie benötigt, weil inzwischen die Zeit aus den Fugen geraten ist; das Abenteuer Hans Castorps, statt

25 III, 50

auf die ironisch leichte Achsel genommen zu werden, muß als Mittel dienen, die Probleme eines neuen Weltzustandes zu kommentieren. Wir haben es also mit einer Erzählung zu tun, deren Substanz die Gesamtheit der Probleme irgendwie in sich aufnehmen mußte, die ihr die Weltgeschichte unverhofft aufdrängte. Diese Zweiheit von ursprünglichem Erzählmaterial und später hinzuwachsender tieferer Bedeutung tritt an einer Textstelle besonders klar hervor. Der Erzähler fragt, was Hans Castorp hier oben auf dem Berge festhalte? Einerseits gewiß das Interesse an Clawdias Körper — das Leidenschaftsmotiv wird lange nicht fallengelassen — andererseits aber „etwas außerst Flüchtiges und Ausgedehntes, ein Gedanke, nein, ein Traum, der schreckhafte und grenzenlos verlockende Traum eines jungen Mannes, dem auf bestimmte, wenn auch unbewußt gestellte Fragen nur ein hohles Schweigen geantwortet hatte".[26] Also eine Bestätigung der schon einmal angedeuteten zeitgeschichtlichen Ursache für das Schicksal des Helden. Und der Erzähler fügt seine Meinung hinzu, ohne dieses hohle Schweigen auf die Frage nach dem Lebenssinn würde Hans Castorp nicht einmal die drei anfänglich geplanten Wochen bei seinem Vetter Joachim zugebracht haben.
Hat aber ein Erzähler nicht das Recht auf mehr als eine bloße Meinung über die psychischen Mechanismen seines Helden? Anscheinend nicht: „Wie jedermann, nehmen wir das Recht in Anspruch, uns bei der hier laufenden Erzählung unsere privaten Gedanken zu machen", so fährt er fort. Gewiß, ein ironisches Understatement, das die Konvention des allwissenden Erzählers zugleich gebraucht und bespöttelt; aber auch eine ziemlich genaue Schilderung der Lage eines Künstlers, der gezwungen ist, einer Erzählung, die schon „läuft" einen tieferen Sinn abzugewinnen.

Das hat der Krieg getan. Man darf ziemlich sicher sein, daß Hans Castorps metaphysisch-zeitkritische Ahnungen erst nach Kriegsausbruch im nachhinein hinzugeschrieben wurden, vielleicht sogar nach Kriegsende, als das ferne Vorkriegseuropa aus der trüben Perspektive einer schier zerstörten Zivilisation wie eine Gesellschaft „ohne Aussichten" gesehen werden konnte.[26a] Die Aussichtslosigkeit konnte dann in einer vor 1914 abrollenden Fiktion „prophetisch" festgestellt werden, als etwas, was die psychophysischen Antennen eines „mittelmäßigen" jungen Mannes auffangen konnten. Das Schicksal Hans Castorps wurde dadurch zum Mittel, etwas weit Gewichtigeres auszusagen als die sardonische Botschaft, daß auch ein Musterbeispiel norddeutscher Jugend Abnormitäten birgt. Das Satyrspiel war auf dem Wege, ein Bildungsroman zu werden.

26 III, 321

26a (Nachtrag 1984): Diese Vermutung wurde inzwischen durch die Veröffentlichung der *Tagebücher 1918–1921* (Frankfurt/M., 1979) bestätigt. In einem Eintrag vom 9. Juni 1919, also zwei Monate nach der Wiederaufnahme der Arbeit am *Zauberberg*, schreibt TM: ‚Ich dachte, [...], man müsse H.C.'s geistige Zeitbestimmtheit, seine geistig-sittliche Indifferenz, Glaubenslosigkeit und Aussichtslosigkeit zeigen' (261). Am 19. berichtet TM, er habe das betreffende Kapitel ‚um einige Dinge erweitert, die das Ganze entschieden großartiger machen', wobei das Anschließende klarmacht, daß es sich um ‚die *Arbeit* als höchstes Prinzip, als das Absolute' handelt (a.a.O., 268).

III

Wie hat sich der Kriegszwang ausgewirkt? Anfangs hat die Stimmung der ersten Kriegsmonate Thomas Manns schöpferische Arbeit gestört. Dann wurde das freikünstlerische Schaffen vollends unmöglich, da sich der Romanschriftsteller in bittere Polemik verwickelt und zur massiven Auseinandersetzung mit den anderen und sich selbst in den „Betrachtungen eines Unpolitischen" veranlaßt sah. Ab November 1915 hat er weiter keine Hand an den „Zauberberg" gelegt bis nach Kriegsende.[27]

Das bedeutet aber keine bloße Lücke im Entstehungsprozeß des Romans, dank der engen Beziehung zwischen diesem und dem Kriegsdenken seines Verfassers. Daß sich der Romantext vom Jahre 1924 wiederholt auf die Kriegsschriften bezieht, wurde oft bemerkt. Man kann aber auch durch diese Schriften die Spur der sich verwandelnden Romankonzeption verfolgen, an deren Ausführung Thomas Mann gehindert war. März 1917 schrieb er an Paul Amann, er müsse die „Betrachtungen", deshalb schreiben, „weil infolge des Krieges der Roman sonst intellektuell unerträglich überlastet worden wäre".[28] Daraus folgt, daß die „Betrachtungen" seine damalige Einstellung zu den Themen festhalten, die im Roman zu behandeln waren. Nimmt man die Briefe aus der Kriegszeit hinzu, so kann man sich eine ziemlich genaue Vorstellung davon machen, wie „Der Zauberberg" ausgesehen hätte, falls Thomas Mann ihn in jenen Jahren zu vollenden imstande gewesen wäre.

Ein anderer Brief an Paul Amann gibt uns den Faden in die Hand:

> Ich hatte vor dem Kriege eine größere Erzählung begonnen, die im Hochgebirge, in einem Lungensanatorium spielt, — eine Geschichte mit pädagogisch-politischen Grundabsichten, worin ein junger Mensch sich mit der verführerischsten Macht, dem Tode, auseinanderzusetzen hat und auf komisch-schauerliche Art durch die geistigen Gegensätze von Humanität und Romantik, Fortschritt und Reaktion, Gesundheit und Krankheit geführt wird, aber mehr orientierend und der Wissenschaft halber als entscheidend. Der Geist des Ganzen ist humoristisch-nihilistisch, und eher schwankt die Tendenz nach der Seite der Sympathie mit dem Tode. „Der Zauberberg", heißt es, etwas vom Zwerg Nase, dem sieben Jahre wie Tage vergehen, ist darin, und der Schluß, die Auflösung — ich sehe keine andere Möglichkeit, als den Kriegsausbruch.[29]

Das Satyrspiel ist in diesem Bericht noch sichtbar, halb zugedeckt aber durch andere Elemente. Der Tod als die „verführerischste Macht", die „komisch-schauerliche Art" von Hans Castorps Auseinandersetzungen, der „humoristisch-nihilistische" Geist — so viel ist uns schon vertraut, wie auch, wenn man es so sehen will, eine „pädagogische Grundabsicht". Aber eine „politische"? Diese erweiterte Bedeutung des erinnerten

27 Vgl. TM an Frank Wedekind, 11. Januar 1915; an Korfiz Holm, 6. Mai 1915, Br I, 116, 119 f); und an Paul Amann, 3. August 1915 — „ob ich weiter fabulieren darf" — Br A 30. Am 7. September 1915 hat er sich schon „in eine kritische — essayistische — Arbeit gestürzt", aus der die „Betrachtungen" werden sollten (Br A 38). Es wird keine weitere Arbeit am „Zauberberg" erwähnt bis September 1918.

28 TM an Paul Amann, 25. März 1917, Br A 53

29 TM an Paul Amann, 3. August 1915, Br. A 29

„Zauberberg"-Planes wird doch wohl ein Ergebnis der radikal veränderten Lage, also des Krieges sein. Erst diese Weltkatastrophe wird den Stoff in ein „gefährliches Beziehungszentrum" gerückt haben. Der „expansiven Möglichkeiten und Neigungen des Stoffes"[30] wird der Autor erst dann sich bewußt geworden sein, als Ideen vorlagen, die dringend eine fiktive Behausung erforderten; und diese Ideen hatte erst der Krieg aufgewühlt. Der Brief an Amann ist also wohl nicht, wie er angibt, bloß ein Bericht über das Vorhaben von ehedem, sondern er enthält schon die weiteren Bedeutungen und Implikationen, die Thomas Mann auf Grund neuester Erfahrungen in den Vorkriegsstoff hineingelesen hat. Er sieht eine politische „Grundabsicht" auf genau dieselbe Weise, wie er in den „Betrachtungen" ausgerechnet „Tonio Kröger" unter dem Druck von Kriegsereignissen und -ideologien als ein Stück politischen Konservatismus deuten sollte.[31]

Mit anderen Worten, auch das reinste literarische Thema erscheint in politischer Perspektive, und zwar ganz ohne bewußtes Deuteln und Klügelei. Wes des Herz voll ist, des geht des Selbstinterpreten Mund über.

Im vorliegenden Fall haben sich dem sicherlich ursprünglichen Gegensatz von Gesundheit und Krankheit zwei weitere gegensätzliche Paare zugesellt: „Humanität und Romantik", „Fortschritt und Reaktion". Denn der Thomas Mann, der diesen Brief schreibt, hat sich seit Kriegsausbruch mit Deutschlands Feinden — Rationalisten, Fortschrittlern, aufklärerischen inneren Kritikern, wie dem Bruder Heinrich — herumgeschlagen. Er hat ihre Terminologie übernommen, indem er ihre Wertungen trotzig umkehrt. Also erscheint die Romantik als eine aus Krankheit geborene höhere Kunst, Reaktion als eine weniger oberflächliche Weltanschauung. Diese konservativen Werte stehen dem humanitären Aktivismus und dem seichten Fortschrittsglauben feindlich und mit verächtlich-vornehmer Geste gegenüber.

Da aber eine Erzählung kein Pamphlet ist, kann noch immer berichtet werden, das alles geschehe „mehr orientierend und der Wissenschaft halber als entscheidend". Immerhin konnte der „nihilistische Humor" des ursprünglichen Planes, der ja eine Vertiefung des mittelmäßigen Helden durch den Kontakt mit dem Tode darstellen sollte, ohne Schwierigkeit in eine „Sympathie mit dem Tode" umbenannt werden, und dieses Motiv konnte ebenfalls ohne Schwierigkeit eine Sympathie mit den Begriffen Romantik und Reaktion umfassen, die jetzt ein politische Bedeutung assoziierten. Wenn nicht polemisch entschieden, so war diese Konzeption auf einer leicht erkennbaren Gesinnung basiert. Bislang aber — dies eine wichtige Einzelheit — ist die „Sympathie mit dem Tode" die Tendenz des Werkes, nicht (oder noch nicht explizit) die Einstellung des Helden selbst. Der ist ja noch immer Gegenstand eines Experiments, er wird der „verführerischsten Macht", dem Tode, ausgesetzt.

Der spätere Brief an Amann, aus dem schon zitiert wurde, zeigt weitere Entwicklungen auf. Von düsteren Grübeleien über die Zukunft kommt Thomas Mann auf den „Zauberberg" zu sprechen:

30 XI, 125
31 XII, 587

> Aber merkwürdig bleibt mir, wie ich schon vor dem Kriege, an den ich nicht glaubte, die Politik, und zwar die politischen Probleme des Krieges, im Blute und Sinne hatte: der Roman, in dem ich unterbrochen wurde, hatte ein pädagogisch-politisches Hauptmotiv; ein junger Mann war zwischen einen lateinisch-rednerischen Anwalt von „Arbeit und Fortschritt", einen Carducci-Schüler — und einen verzweifelt-geistreichen Reaktionär gestellt, — in Davos, wo eine untugendhafte Sympathie mit dem Tode ihn festhält...Sehen Sie? Und die Betrachtungen muß ich nur deshalb schreiben, weil infolge des Krieges der Roman sonst intellektuell unerträglich überlastet worden wäre.[32]

Jetzt bleibt noch wenig vom Satyrspiel übrig. Weg sind auch die „verführerischste Macht", das „Komisch-Schauerliche", der „nihilistische Humor". Aus den früheren „pädagogisch-politischen Grundabsichten" ist ein „politisches Hauptmotiv" geworden, und die Politik ist ausdrücklich die vom Kriege. Die Antithesen treten jetzt personifiziert auf — wir erkennen die Gestalten von Naphta und Settembrini.[32a] So sehr der erste Amann-Brief in der Schilderung des Vorkriegsplanes die Dinge verschoben hatte, so sehr geht dieser zweite über ihn hinaus, das Veränderte in der gleichen Richtung weiter umgestaltend. Denn es ist nicht recht glaubwürdig, daß der „Carducci-Schüler" wirklich zum Vorkriegsplan gehörte. Würde Thomas Mann eine so offensichtlich auf seinen Bruder gemünzte Gestalt in einem Roman zur Schau gestellt haben, bevor die politische Entzweiung der Brüder Tatsache geworden war? Gewiß waren ihre Beziehungen zueinander „zart seit Jahren";[33] gewiß schwelten Ressentiments schon lange in Thomas Manns Privatnotizen, die gegen den leichter Schreibenden, an seiner Kunst anscheinend nicht Leidenden Schneidendes enthalten. Aber selbst, wenn diese Möglichkeit denkbar ist, so läßt sich nicht verkennen, daß die Formulierungen in Thomas Manns Brief, weit davon, auf die Vorkriegsperiode zurückzuweisen, bestimmte Schlüsselbegriffe und Losungen aus der Kriegspolemik aufnehmen: die „untugendhafte" Sympathie mit dem Tode etwa, die nur im Lichte der „Betrachtungen"-Angriffe auf Heinrichs angebliche Monopolansprüche auf „Tugend" verständlich ist.[34]

Man merke wohl, es ist jetzt ausdrücklich Hans Castorps eigene Sympathie mit dem Tode, um die es geht, nicht bloß die Tendenz des Werkes. Soviel ist entschieden. Aus dem fast neutralen Gegenstand eines sardonischen Experimentes ist der kleine Hans

32 Br A 53

32a (Nachtrag 1984): Oder eigentlicher, laut Eintrag vom 14. April 1919 (*Tagebücher 1918—1921*, 196), ‚Settembrini und Bunge', letzterer eine Pastorfigur (vgl. a.a.O. 444). Die aus den frühen Kriegsjahren stammende Ausführung von deren Gesprächen gilt aber im selben Eintrag eindeutig als ‚veraltet!' Anders als jene Abschnitte der früheren Handschrift, die beim Neuansatz durch stückweise Umschreibung, Streichungen und Additionen gerettet werden konnten, dürften die betreffenden Seiten daher ganz geopfert worden sein. Jedenfalls fehlen sie in James F. Whites Edition der ‚ausgeschiedenen und umgeareiteten Seiten', die das Yale-Manuskript ausmachen. Vgl. White, *The Yale „Zauberberg"-Manuscript Rejected Sheets Once Part of Thomas Mann's Novel*, Thomas-Mann-Studien, Vierter Band, Bern und München 1980.

33 TM an Paul Amann, 27. August 1917, Br A 58

34 Vgl. den Abschnitt der „Betrachtungen eines Unpolitischen", der den Titel „Von der Tugend" führt (XII, 375—428).

zum Mittel geworden, jene innere Tendenz des Werkes mitzuteilen. Sein früherer Kontakt mit dem Tode, der ihm eine geheime Affinität zum Hochgebirgstode gab, ist jetzt seine positive Haupteigenschaft. Er ist jetzt weit mehr als früher Vertreter seines Schöpfers.

Zur gleichen Zeit dürfte sich auch die Einschätzung der ganzen Sanatoriumswelt in einem neuen Sinne positiver geworden sein. Der Berghof war früher nur der anregende Ort, wo aus einem mittelmäßigen jungen Mann eine interessante Abnormität entwickelt werden konnte. Jetzt aber schmolzen die evidentesten Züge dieser Welt — Krankheit, Nähe zum Tode, Aufhebung der Zeit bis zur gänzlichen Zeitlosigkeit — sehr leicht mit den Werten zusammen, welche Thomas Mann im Bruderzwist positiv herausgestellt hatte. Denn wie definiert er jene verhaßte „Tugend" des Bruders? Als

> die unbedingte und optimistische Parteinahme für die Entwicklung, den Fortschritt, die Zeit, das „Leben"; es ist die Absage an alle Sympathie mit dem Tode, welche als letztes Laster, als äußerste Verrottung der Seele verneint und verdammt wird. „Ich habe die Gabe des Lebens", erklärt der Verfasser jenes lyrisch-politischen Gedichtes, das Emile Zola zum Helden hat, „denn ich habe die tiefste Leidenschaft für das Leben! — [...]" Aus Vernunft ist man tugendhaft, schwört zur Fahne des Fortschritts, fördert als strammer Ritter der Zeit „die natürliche Entwicklung der Tatsachen", verleugnet gründlich die Sympathie mit dem Tode, die einem *von Hause aus* vielleicht nicht fremd ist, und gewinnt so, sollte man sie ursprünglich nicht besessen haben, die Gabe des Lebens [...]
> Unzweifelhaft handelt es sich da um die Kunst, gesund zu werden. Aber das Problem der Gesundheit ist kein einfaches Problem...[35]

Mit diesem Angriff auf den Zivilisationsliteraten wird unmißverständlich klar, wer hinter dem „Carducci-Schüler", dem „lateinisch-rednerischen Anwalt von „Arbeit und Fortschritt" stand. Dieser Angriff auf den Bruder Heinrich, der sich in solch elender Weise bemühte, Dekadenz und Nihilismus zu überwinden und deren Stimme in sich selbst mit Politik zu übertönen, läßt sich auch als ein Bericht über die nunmehr sich verbreiternde Konzeption des „Zauberberg" lesen. Thomas Manns Weigerung, sich zu der „Zeit" und deren „Entwicklung" zu bekennen, impliziert ein anderes Ideal, das darin liegt, sich über der Zeit zu erheben; gerade dieses Ideal haben die „Betrachtungen" herausgearbeitet, in der Form einer Theorie der nicht-gesellschaftlichen Kunst, des „vielseitigen" Künstlers und des wahren Ästhetizismus. Wie ließe sich diese ästhetizistische Abstraktion, dieses Über-der-Zeit-Stehen, besser ausdrücken, als mit dem Symbol des zeitentrückten Hochgebirgsortes? Und wenn Heinrich an seiner Nation und an den gemeinsamen Wurzeln der Brüder („von Hause aus") Verrat übte und dadurch einen allzu unproblematischen Weg zur „Gesundheit" einschlug, so bekam die geistig tiefere Krankheitswelt einen positiven Symbolwert. Das Sanatorium also, das über dem Leben stand und die Tiefen der Krankheit sondierte, wurde — im Geiste Thomas Manns, wenn schon noch nicht auf dem Papier — zum Repräsentanten jener Werte, die er in den „Betrachtungen" formulierte. Die ursprüngli-

35 XII, 426 f

che maliziöse Geschichte ergab eine thematische Basis. Der Krieg und die „Betrachtungen"-Problematik gaben den Themen breitere Resonanz. Noch ein weiteres Werk hat das seine als technische Vorbereitung beigesteuert: „Königliche Hoheit", jener erster Versuch einer Allegorie, eines „symbolischen, für das Ideelle transparenten geistigen Kunstwerkes".[36]

Kann es aber als ausgemacht gelten, daß Thomas Mann in den zitierten Sätzen aus den „Betrachtungen" ganz bewußt auf eine Allegorie hin arbeitete? Bedeutsam ist schon die Tatsache, daß er der Formulierung „Sympathie mit dem Tode" einen repräsentativen Sinn beilegt. Die damit bezeichnete Schwäche Hans Castorps (denn so wurde sie in der ursprünglichen Konzeption verstanden) ist jetzt zu seiner wichtigsten Eigenschaft geworden. Dabei ist dieselbe Formulierung zum Mittel geworden, alle jene „tieferen" Züge zu kennzeichnen, welche die Deutschen vor ihren westlichen Feinden und Kritikern voraus haben. Hans Castorp ist jetzt Träger und Stellvertreter dieses deutschen Wesens. Dadurch aber ist schon der Terminus „Allegorie" gerechtfertigt; denn wenn das Besondere auf diese Weise für das Allgemeine steht, ergibt sich eben die Allegorie.

Hans Castorps allegorische Qualität wird durch das Zeugnis einer wenig bemerkten Vorveröffentlichung aus dem Roman bestätigt. Zum fünfzigsten Geburtstag der Romanschriftstellerin Adele Gerhard am 8. Juni 1918 ist ein schmales Bändchen erschienen, zu dem Thomas Mann die „Rede eines einfachen jungen Mannes und fragmentarischen Romanhelden" beisteuerte. Mit einigen Variationen, die nicht ins Gewicht fallen, ist dieses Fragment identisch mit der Rede Hans Castorps über die Schönheit von Särgen als Möbelstücken und das Erbauliche an Begräbnissen.[37] Thomas Mann hat später um Entschuldigung gebeten, daß er einen so „wunderlichen" Beitrag mit solch „funebrem Charakter" gewählt habe.[38] Er fügt aber hinzu, das Stück erscheine ihm „als schlicht stilisiertes Bekenntnis einer gewissen charakteristischen ethischen Grundstimmung". Die Passage hat also, wann immer sie zuerst entstand (und das muß vor Herbst 1915 gewesen sein) eine national-ethische Bedeutung gewonnen. Hans Castorp hat an derselben Stimmung von „Kreuz, Tod und Gruft" und „ethischer Luft" Anteil, die Thomas Mann an seinen nationalen Geisteshelden Schopenhauer, Wagner und Nietzsche fand.[39]

Ebenso aufschlußreich ist der allegorische Modus einer Seite aus dem Kapitel „Einiges über Menschlichkeit" der „Betrachtungen". Dort stellt Thomas Mann, der noch immer darauf aus ist, die einseitige Lebensanschauung des Bruders zu unterminieren, die Frage, ob die menschliche Würde lediglich in Prometheischen Emanzipationsgesten liege, ob nicht doch vielleicht die Haltung der Ehrfurcht ästhetisch annehmlicher sei. Er führt ein Beispiel an:

36 XI, 574

37 III, 155. Der Vorabdruck enthält einen Satz, der im Roman weggelassen wurde: „Neulich war ich bei dem Begräbnis von Konsul Padde, — es hat mir sehr gefallen".

38 TM an Adele Gerhard, 11. September 1918, Br I, 147 f

39 XII, 79

> Ich brauche nur aufzublicken von meinem Tisch, um mein Auge an der Vision eines feuchten Haines zu laben, durch dessen Halbdunkel die lichte Architektur eines Tempels schimmert. Vom Opferstein lodert die Flamme, deren Rauch sich in den Zweigen verliert. Steinplatten, in den sumpfig-beblümten Grund gebettet, führen zu seinen flachen Stufen, und dort knien, ihr Menschtum feierlich vor dem Heiligen erniedernd, priesterlich verhüllte Gestalten, während andere, aufrecht, in zeremonialer Haltung aus der Richtung des Tempels zum Dienste heranschreiten. Wer in diesem Bilde des Schweizers, das ich von jeher wert und mir nahe halte, eine Beleidigung der Menschenwürde erblickte, den dürfte man einen Banausen nennen. Trotzdem ist der politische Philanthrop ohne Zweifel verpflichtet, dergleichen darin zu erblicken, — und soviel sei eingeräumt, daß es ein nur zu schlagendes Beispiel für die Unzuverlässigkeit der Kunst als Mittel des Fortschritts bietet, für ihren verräterischen Hang zur Schönheit schaffenden Widervernunft. Offenbar aber ist die Humanität des emanzipatorischen Fortschritts entweder nicht die wahre oder nicht die ganze Humanität...[40]

Der 1917 Schreibende (Thomas Mann hat dieses Kapitel im Spätsommer des Jahres fertiggestellt) gebraucht Arnold Böcklins „Heiligen Hain"[41]) als allegorisches Mittel zum Ausdruck eigener Ideen. Sicherlich nicht zum letzten Male. Ein Tempel mit Opferstein, eine greuliche Zeremonie ahnen lassend als Beweis für eine Seite des Menschlichen, die der Rationalist außer Acht läßt — das alles kehrt wieder in Hans Castorps Schneetraum, in dessen zweiter Szene innerhalb des Tempels. Stimmung und Sinn dieser „Zauberberg"-Passage klingen unmißverständlich an die „Betrachtungen" an und sind Böcklin stark verpflichtet, ebenso sehr wie die Szenen außerhalb des Tempels in ihrer Detailgestaltung gewissen Bildern Ludwig von Hofmanns verpflichtet sind.[42]

Das Wichtige aber an dieser Zusammenstellung zweier verwandter Textstellen liegt in der Verschiebung des damit Gemeinten, in der subtil geänderten Betonung. In der Romanszene wird wiederum impliziert, gewissen Ansichten seien „entweder nicht die wahre oder nicht die ganze Humanität". Diesmal aber wird nicht nur der westliche Rationalismus (Settembrinis) sondern auch die extreme „Widervernunft" Naphtas ihrer Einseitigkeit wegen relativiert — wobei einiges Detail in der Formulierung letzterer wortwörtlich aus Thomas Manns „Betrachtungen"-Argumentation beigesteuert wird. Was Hans Castorp betrifft, aus dessen Perspektive diese Einseitigkeiten gesehen werden, so ist er sich weit mehr der Gefahren einer übermäßigen „Sympathie mit dem Tode" bewußt als daß er von der Notwendigkeit überzeugt wäre, eine solche Sympathie jeder reiferen Lebensanschauung zugrundezulegen. Sein Autor ist über die erste Selbstkorrektur hinausgegangen und hat diese durch eine spätere, umfassendere überboten.[43]

40 XII, 478 f

41 Das Bild hängt in der Öffentlichen Kunstsammlung zu Basel. Eine Abbildung bei Fritz von Ostini, „Böcklin", Berlin 1909, 75

42 Vgl. Heinz Sauereßig, „Die Bildwelt von Hans Castorps Frosttraum", Biberach an der Riß, 1967

43 Vgl. den sehr wichtigen Brief TMs an Josef Ponten, 5. Februar 1925, Br I, 230 ff. Dort stehen die Worte: „In seinem Schneetraum sieht er: Der Mensch ist freilich zu vornehm für das Leben, darum sei er fromm und dem Tode anhänglich in seinem Herzen. Aber namentlich ist er

Hans Castorps ausdrückliche Bevorzugung Settembrinis gegenüber Naphta, trotz der eigentlichen Machtverhältnisse in ihren Disputationen, ist ein Symptom dieser neuen Einstellung.[44] Mit anderen Worten gesagt: die zentrale Vision des Romans ist bemüht, das menschliche Gleichgewicht in einem radikal anderen Sinne wiederherzustellen, als an jener sie vorbereitenden Stelle der „Betrachtungen" gemeint war.

Das liegt in Thomas Manns eigener Erziehung begründet. Im Laufe der zwanziger Jahre hat sich seine Einstellung zu den Problemen, welche der Roman in Angriff genommen hatte, von Grund auf verändert. Erst das hat den *Bildungs*roman ermöglicht, ja geradezu erzwungen. Ansätze zum Thema „Erziehung" waren zwar schon 1915 in den Paul Amann gegenüber erwähnten „pädagogisch-politischen Grundabsichten" impliziert; das Thema trat dann noch stärker hervor in der Personifizierung entgegengesetzter intellektueller Prinzipien durch zwei Erzieherfiguren, wie sie der Brief an Amann aus dem Jahre 1917 erwähnt. Aber bis zu diesem Zeitpunkt und noch ein gut Stück über ihn hinaus fehlte das dem Bildungsroman eigene, notwendige Element: das Element des Irrtums. Noch immer sah Thomas Mann die großen Fragen, die er behandeln wollte, mit den Augen dessen, der sich des eigenen Rechthabens bewußt ist. Das fraglos Richtige wollte nur in Fiktion umgesetzt werden. Das erforderte die unmittelbare, selbstsichere Gattung der Allegorie. Erst als er eine komplexe Meinungsveränderung hinter sich hatte, mußte er zum Bildungsroman im eigentlichsten Sinne greifen und konnte er dessen humorig-reuevollen Ton erreichen.

Es bleiben zwar größere Reste der Allegorie noch im vollendeten Roman erhalten. Settembrinis Bekleidung etwa, alt und verbraucht aber elegant zur Schau getragen, und jener ihm von Hans Castorp respektloserweise zugedachte Spitzname „Orgeldreher" (immer die alte, vertraut-altmodische Weise) verschlüsseln ein Urteil über seine liberal-individualistischen Ansichten und deren rhetorischen Vortrag. Als er Hans Castorps Licht anknipst, stellt er den typischen Aufklärer dar. Der Rahmen des Sanatoriumslebens hat den schon besprochenen allegorischen Sinn, obwohl dieser im späteren Verlauf des Romans kritisch beleuchtet wird. Die Schneevision, welche ja laut Thomas Manns Angabe das „Ergebnis" des Romans enthält,[45] ist eine Allegorie innerhalb einer Allegorie; der Weg durch den Schnee zu dieser Vision wiederholt die Motive des ganzen Gebirgsabenteuers Hans Castorps, die Einflüsse, denen er ausgesetzt gewesen und deren Resultate.[46] Dann kommt in den letzten Seiten des Romans jene allegorische Verschlüsselung der Vorkriegsstimmung Europas durch die „große Gereiztheit" der Berghofin-

zu vornehm für den Tod, und darum sei er frei und gütig in seinem Herzen". In diesem Brief an einen Erzkonservativen löst sich Thomas Mann freundlich-apologetisch von seinen alten Bindungen und verteidigt seine neuen Positionen.

44 Vgl. III, 660: „Du bist zwar ein Windbeutel und Drehorgelmann, aber du meinst es gut, meinst es besser und bist mir lieber als der scharfe kleine Jesuit und Terrorist, der spanische Folter- und Prügelknecht mit seiner Blitzbrille, obgleich er fast immer recht hat, wenn ihr euch zankt".

45 Fragment über das Religiöse, XI, 423 f

46 Vgl. III, 664: „Vor ihm lag kein Weg, an der er gebunden war, hinter ihm keiner, der ihn so zurückleiten würde, wie er gekommen war"; und III, 670: „Benommen und taumelig, zitterte

sassen, als deren Schlußpunkt das Duell zwischen Naphta und Settembrini erscheint, welches gerade an der Stelle stattfindet, wo Hans Castorp so oft bemüht war, das Ergebnis ihrer endlosen Wortduelle zu durchdenken.

Diese zweifellos allegorischen Momente sind aber im vollendeten Roman nur Mittel innerhalb eines künstlerischen Systems, das komplexer ist als alle Allegorie. In dieser wird nichts hinzugelernt, die Antworten stehen von Anfng an fest und sie sind einfach. Im *Zauberberg* aber beobachten wir eine nichts weniger als einfache Entwicklung. Ein „normaler" junger Mann unterliegt gewissen bizarren Einflüssen und Erlebnissen, die in ihm Eigenschaften und Interessen heranzüchten — nach denen er jedoch im Rahmen des Möglichen wieder zu einem normalen jungen Menschen wird. Sein Hang zur Krankheit, den die Geschichte intensiviert und betätigt, muß wieder abgeschwächt, aufgewogen, integriert werden. Bedeutet das eine bloße Rückkehr zum Ausgangspunkt? Keineswegs. Sagt doch Hans Castorp selber zu Clawdia, es gebe zum Leben zwei Wege, den „gewöhnlichen, direkten und braven", und denjenigen, der „schlimm" ist, „über den Tod führt", und „der geniale Weg" heißt.[47] Diese Worte deuten in positiver Weise eine Entwicklungsbahn, die den Ausgangspunkt *errungen* hat. Nichts mehr von geradlinig aussagender Allegorie, aber auch nicht bloß eine Kehrtwendung. Denn die bereicherte Rückkehr gehört ja zum Wesen des Bildungsromans, der eine Lebensgeschichte aus richtungsweisenden Irrtümern aufbaut. Wesen und Ablauf der entsprechenden „Rückkehr" im eigenen Leben Thomas Manns steht hier nicht zur Frage. Sie ist eine Geschichte für sich — eine ebenso fesselnde wie die Hans Castorps — und sie spielt im kulturpolitischen Leben der Weimarer Republik.[48] Bei der Fiktion bleibend müssen wir dreierlei nachweisen: die Technik, mittels derer die ursprüngliche Geschichte von Liebe und Tod zum Bildungsroman wurde; den Charakter des Bildungsvorgangs, seiner Materialien und seines Resultats; und abschließend die ganz besondere Verzwicktheit, die sich aus dem Verhältnis zwischen Hans Castorps und Thomas Manns geistigen Lebensläufen und aus dem doppelten Impuls des Autors ergibt, seine alten Irrtümer zu registrieren und seine neugewonnenen Überzeugungen mitzuteilen.

IV

Wo nimmt eine richtige Bildung ihren Anfang? Doch wohl im Bedürfnis, im Verlangen, etwas zu lernen, das den Antrieb gibt. Wie kommt Hans Castorp in solche Lage? Indem er, vor die erschütternde Wiederholung der Züge Pribislaw Hippes durch Clawdia gestellt, ein nie geahntes Schicksal spürt und nach Hilfe sich umsieht. Wer kann ihm helfen? Joachim nicht, denn diesem macht die hochbusige Marusja zu schaffen. Behrens etwa? Dieser ist sicherlich eine Autorität, eine potentielle Vaterfigur wie sie Hans Castorp braucht, aber auch er hat Probleme. Hans Castorp entscheidet sich für Settembrini, der bekanntlich ein Pädagoge ist. Er entscheidet sich aber provisorisch und nicht unkri-

er vor Trunkenheit und Exaltation, sehr ähnlich wie nach einem Kolloquium mit Naphta und Settembrini, nur ungleich stärker".

47 III, 827

48 Sie wird dargestellt im „Republic" betitelten Kapitel meines unten (S. 134) zitierten Buches.

tisch, im Sinne jenes „placet experiri", welches Settembrini selber ihm als Grundsatz anempfohlen hat. Er läßt sich von Settembrini weder bekehren noch beherrschen, sondern nur geistig anregen, damit er sich intellektuell nicht festlegt. So lautet Settembrinis Programm: „berichtigend auf Sie einzuwirken, wenn die Gefahr verderblicher Fixierungen droht".[49] Hans Castorps bildende Kontaktnahme mit der Tradition westlichen Rationalismus und Liberalismus läßt sich also unmittelbar auf seine Desorientierung durch das Liebeserlebnis zurückführen, das am Anfang der ganzen Konzeption stand; was auch von dem Einfluß jener dunkleren Philosophie Naphtas gilt, zu der Settembrini gegen seinen Willen eine Brücke bauen muß.

Auch Hans Castorps humanistisches Studium der Wissenschaften des menschlichen Körpers läßt sich auf gleiche Weise zur Urkonzeption zurückverfolgen. Sein Interesse fängt nämlich in jener herrlichen komischen Szene an, wo er, vom treuherzig-verständnislosen Joachim begleitet, Behrens' Wohnung auskundschaftet, angeblich Bilder bewundernd aber eigentlich auf der Suche nach der Wahrheit über das Verhältnis zwischen Behrens und Clawdia. Wo er die Technik von Behrens' Clawdia-Porträt zu erörtern scheint, schwelgt er eigentlich in der Betrachtung ihrer körperlichen Beschaffenheit. Hier treibt er seine ersten humanistischen Reflexionen, jene schamlos aus der Luft gegriffenen Ideenassoziationen, welche ein insgeheim ganz Clawdia gewidmetes Gespräch in Gang erhalten. In Behrens' beiden Rollen als Arzt und Maler, womit sich eine mögliche dritte als Clawdias Liebhaber verbindet, kommen die verschiedenen Einstellungen zum menschlichen Körper zusammen: die medizinische, die maltechnische, die erotische. Auf dieses Gespräch folgen Hans Castorps Studien (Anatomie, Physiologie, Embryologie, Pathologie) die also ihre Wurzel im erotischen Gefühl haben. Darauf weist Behrens' Wortspiel, Hans Castorp lege „eine ausschweifende Wißbegier"[50] an den Tag: nicht bloß eine Wißbegier, wie sie in einem normal-bürgerlichen jungen Menschen untypisch und extravagant ist, sondern eine Wißbegier, die schon als solche eine Art geschlechtliche Ausschweifung darstellt.

Diese erotische Motivierung bleibt auch späterhin Grundlage seiner Studien. Sein „Bild des Lebens" ist und bleibt Clawdia und seine Studien gehen am Schluß des ihnen gewidmeten Kapitels in einen naturwissenschaftlich-erotischen Traum von ihr über.[51] Dieser wiederum bereitet die Liebeserklärung Hans Castorps in der Walpurgisnachtszene vor, welche eine französische Adaptation von Walt Whitmans Ergießungen über den „elektrischen" Leib enthält.[52] Viel später ist Clawdias erwartete Rückkehr der wahre Grund, aus dem Hans Castorp sich weigert, den Berghof zu verlassen, als Behrens ihn für ausgeheilt erklärt. Die abwesende Clawdia, als „genius loci", hält ihn an den Berg gebunden. Sie hat ihre Rolle als Anstifterin seiner Bildung so wirksam gespielt, daß ihre körperliche Anwesenheit nach der Walpurgisnach nicht mehr nötig ist. Sie hat Hans Castorps Suche nach einem Mentor veranlaßt, mit allem, was daraus folgt; darüber hin-

49 III, 281
50 III, 371
51 III, 385, 399
52 Vgl. Henry Hatfield, „Drei Randglossen zum Zauberberg" *Euphorion*, 56 (1962)

aus hat sie ihm Anlaß gegeben, seine Unabhängigkeit von diesem Mentor zu zeigen, denn das im Verlauf der Walpurgisnacht genossene Verbotene, welches sie versinnbildlicht, liegt außerhalb der Grenzen von Settembrinis „zivilisierten" Sympathien und soll diese offenbar in ihrer Beschränktheit in Frage stellen. Damit ist Hans Castorps Recht, sich beliebigen weiteren Einflüssen auszusetzen (Naphta, Peeperkorn) rechtzeitig behauptet. Und seine Weigerung, sich ins Flachland zurückschicken zu lassen, zeigt, wie sehr der Trieb zur Selbstbildung mit dem erotischen Trieb nunmehr verwachsen ist. Nur ein Leser, der auf die reinste Interesselosigkeit unserer Bildungsmotivierung besteht, wird der Meinung sein, diese lebenswahre Mischtung beeinträchtige den Wert der daraus folgenden Resultate.

Welche aber sind diese Resultate? Damit ist unsere zweite, stofflichste Frage angeschnitten. Es geht jetzt um ein richtiges Verständnis von Charakter und Wert der Materialien, die Thomas Mann zur Bildung Hans Castorps ins Feld führt und damit um das eigentliche Wesen dieser Bildung selbst. Mißverständnis ist hier eher die Regel. Allem Anschein zum Trotz ist „Der Zauberberg" keineswegs das Werk eines brütenden Polyhistors und auch nicht ein Lobgesang auf die Bildung im sekundären Sinne der rein stofflichen Bildungselemente – jener Gegenstände des Wissens, von denen Nietzsche einmal behauptet hat, sie seien „unverdauliche Wissenssteine" die „bei Gelegenheit auch ordentlich im Leibe rumpeln, wie es im Märchen heißt".[53]

Vielmehr ist „Der Zauberberg" das Werk eines Humanisten und eines Humoristen zugleich, der bestrebt ist, die bloßen Materialien der Bildung in der richtigen Perspektive zu sehen, nämlich in der Perspektive des einzelnen Menschen und seiner Bedürfnisse. Hat man das einmal akzeptiert, so sieht man auch die Forderungen anders, die dieser schwerbelastete Bildungsroman an seine Leser zu stellen scheint.

Man nehme zum Beispiel noch einmal die medizinischen Studien Hans Castorps. Wir sahen schon, daß die Motivierung des Helden sie menschlich (schon ein bißchen allzumenschlich) erscheinen läßt. Es wird keineswegs der Anspruch erhoben, er werde gelehrt oder etwa ein Fachmann; sondern er sucht sich Kenntnisse anzueignen, deren er persönlich bedarf und die, trotz ihres sehr unvollständigen Charakters, seine Lebensanschauungen in einem entscheidenden Zeitpunkt zu beeinflussen vermögen. Das sind also keineswegs neutral wissenschaftliche Materialien, welche man feierlich nehmen muß; das ist, um Worte Joachim Ziemßens zu zitieren, „weiß Gott, eine nette Gelehrsamkeit".[54] Daß diese Gelehrsamkeit dem Helden erlaubt, ein kohärentes Bild des menschlichen Lebens in dessen kosmischem Rahmen zusammenzusetzen, ist, in einer Geschichte, welche eben *seine* Bildung beschreibt, nur zu erwarten. Die Grenzen seines Wissens und Denkens sind jedoch offenbar – etwa in seinem kaum imposanten Philosophieren über das in den Atomen eines Hundebeins sich wiederholende Weltall, oder in jenen Gemeinplätzen, in denen sein Denken über das Wesen der Zeit sich niederschlägt.[55] Das alles erinnert, weit davon, wissenschaftlich eindrucksvoll zu sein, eher an

53 „Vom Nutzen und Nachteil der Historie" § 4

54 III, 17

55 Unter den ersten Rezensenten des Romans hat hier Ernst Robert Curtius mit einem Ver-

Tony Buddenbrooks lebenslangen Gebrauch von medizinischen Brocken und gesellschaftskritischen Ansichten, die ihr früh durch Morten Schwarzkopf beigebracht wurden; oder an das oberflächlich erworbene Wissen des Prinzen Klaus Heinrich im Roman „Königliche Hoheit", dessen Bedeutung als eine von fern auf den „Zauberberg" vorwärtsweisende Methodenübung jetzt klar wird.

Das alles aber entwertet keineswegs den Bildungs*prozeß* Hans Castorps. Es ist nur richtig, daß die Bildungsmaterialien in einem fiktiven Werk auf den Hauptcharakter zugeschnitten werden, der ja als die Persönlichkeit, die er ist, gewisse Grenzen hat. Die Elemente seiner Bildung — das Wort nominal verstanden — sind im Roman durch Humor relativiert. Das bedeutet lange nicht, daß wir seine Bildung — das Wort jetzt verbal genommen — nicht mit vollem Ernst nehmen sollen.

Dasselbe Prinzip gilt für das andere Gebiet hoher Kultur, auf dem Hans Castorp sich herumtummelt, dem Gebiet der Gesellschaftstheorie. Die hier auftretenden Duellanten, Naphta und Settembrini, haben offensichtlich ein echtes und tiefes Wissen. Daraus folgt, daß ihre Räsonnements sowohl Hans Castorp als auch anderen Berghofinsassen über den Kopf gehen. Selbst die einfachste Anspielung auf das Alltagswissen der Gebildeten wird mißverstanden, woraus komisches Kapital geschlagen wird. Ob Hans Castorp vom Erdbeben zu Lissabon gehört habe? möchte Settembrini wissen. Nein, entschuldigt sich der junge Held, er lese hier oben keine Zeitungen.[56] Bei solchen Bildungslücken wird er seine Mentoren nie einholen.

Aber solche Episoden sollen ihn in unseren Augen keineswegs herabsetzen. Seine „Mittelmäßigkeit", auf die sein Autor so nachdrücklich und wiederholt anspielt, ist kein bloßer Mangel, sondern eine Art von Norm. Denn die Gesellschaft besteht ja weitgehend aus solchen „mittelmäßigen" Menschen im nicht abschätzigen Sinne, den Thomas Mann dem Worte beilegt; ihre Bildung, ihre Erziehung zum Rechten, ist mindestens eine ebenso lebenswichtige Frage wie die Interessen der höheren Kultur. Gerade deswegen lohnt es sich, einen Roman — und zwar den auf den ersten Blick „gebildetsten" aller Romane — zu schreiben, der die Geschichte eines solchen Durchschnittsmenschen erzählt. Wenn die Mittelmäßigkeit Hans Castorps in der Urkonzeption die neutrale Mittelmäßigkeit eines experimentellen Objekts war, so ist sie im vollendeten Werk die repräsentative Mittelmäßigkeit eines Atoms in der politischen Gesellschaft — desjenigen Atoms, das zur Zeit der Weimarer Republik verantwortlich war wie nie zuvor für das Schicksal der deutschen Nation. Gerade deswegen hat Hans Castorps Geschichte eine überpersönliche Bedeutung. Der Thomas Mann der zwanziger Jahre, der den Roman zu Ende schrieb, hatte den Dichter der Demokratie, Walt Whitman, gelesen und verstanden.

Also muß man aufhorchen, wenn Hans Castorp seine Unabhängigkeit behauptet,

gleich der Zeitreflexionen TMs und Marcel Prousts das Rechte getroffen. (Abgedruckt bei Heinz Saueressig, „Die Entstehung des Romans ‚Der Zauberberg'", Biberach an der Riß, 1965, 53). Seitdem aber treten die meisten Kritiker mit ehrfurchtsvoll verhaltenem Atem an diese „Zauberberg"-Stellen heran

56 III, 349

die Bildungsgrundlage, auf der er es tut, sei noch so dürftig. Seine Geschichte ist es, die erzählt wird, der wesentliche Beziehungspunkt für alles, was wir sehen und hören, ist er.

Von Anfang an findet er Settembrinis rhetorisches Moralisieren verdächtig; er sucht sogar, ihn auf einem Widerspruch zu ertappen: wie kann denn gerade ein Humanist den Körper in irgendeinem Punkt verwerfen? oder ein Rationalist die (Psycho)-Analyse?[57] Der einfache junge Mann ist schon unterwegs zu seinen späteren Schlußfolgerungen.

Settembrini läßt sich solche Zwischenrufe nicht immer gefallen. Er ist zwar kein Dogmatiker, aber er ist ein Pädagoge; er weiß, wie mißlich es sein kann, wenn ein Schüler sich zu viel anmaßt, Späteres vorwegnehmen will, und ohne eine Übersicht des Ganzen die schon gewonnenen Einsichten anwenden will, das heißt falsch anwendet. Nach einem weitausholenden „Erstens" von Hans Castorps allzu selbstsicherem „Kann ich mir denken" unterbrochen, gibt Settembrini ihm zu bedenken, er könne sich „von Hause aus" wenig denken, er solle statt dessen „aufzunehmen und zu verarbeiten" suchen, was Settembrini ihm „zweitens einzuprägen im Begriffe" sei.[58] Ebenso schlimm ist es, als Hans Castorp den Naphta'schen Redefluß unterbricht, weil er in dessen Philippika gegen den Körper und die notwendig damit verbundene „Verderbtheit" eine Analogie mit dem Denken ausgerechnet eines Humanisten, des Plotinus, zu erkennen glaubt. Worauf Settembrini, als Geste pädagogischer Verzweiflung „die Hand aus dem Schultergelenk über den Kopf geworfen", ihn nur auffordern kann, „die Gesichtspunkte nicht zu vermengen und sich lieber rezeptiv zu verhalten".[59]

Aber es ist doch, wie gesagt, Hans Castorps Erziehung, um die es geht. Warum soll er sein Scherflein nicht beitragen? Wenn die Bildungsdiskrepanz zwischen ihm und seinen Mentoren Komödie bewirkt, so ist auch ein ernster Sinn dabei. Es bleibt nämlich, trotz der enormen Komplexität der in diesen Streitgesprächen behandelten Fragen, trotz der in hohem Grade technischen Argumente, welche die Zuständigen zu diesen Fragen konstruieren, etwas sehr Einfaches das Wesentliche: was *er*, keineswegs zuständig, gänzlich unwissend, meistens auf dem Holzweg sich befindend, trotzdem von der ganzen Sache begreifen kann. Die rivalisierenden Gesellschaftsphilosophien des Abendlandes mögen wohl in ihrem ganzen Reichtum den Gelehrten vertraut sein; aber die Zukunft des Abendlandes liegt nicht in ihren Händen. Die „Mittelmäßigen", welche an dem Punkte stehen, wo jene Traditionen ins Unbekannte fortgesetzt werden müssen, handeln aufgrund des hier Aufgeschnappten, des dort flüchtig Erblickten, des Halb- oder gar falsch Verstandenen. Des Ganzen sind sie sich nicht bewußt.

Dafür sind sie aber nicht zu verachten. Es ist auch nicht so, daß sie deswegen schiefer handeln werden. Ungefähr das ist die Botschaft, die immer klarer in den fürchterlichen Gesprächskapiteln des „Zauberberg" sich ausspricht — eine ermunternde Botschaft für Hans Castorp als auch für den oft mühsam durch diese Seiten sich arbeitenden Leser.

57 III, 347, 311
58 III, 711
59 III, 627

Mehr noch: die Probleme, welche den „mittelmäßigen“ Menschen gegenüberstehen, sind nicht bloß theoretisch zu kompliziert für sie, sondern sie sind theoretisch überhaupt nicht zu lösen, wie groß auch die Gelehrsamkeit und wie breit auch das Wissen des Theoretikers sein mögen. Es ist nicht bloß so, daß praktische Entscheidungen die noch lange ausstehenden theoretischen Schlüsse nicht abwarten können. Nein, die Methoden selbst des in Worten formulierenden, in Worten endlich verfangenen Intellekts sind an sich mangelhaft. Schon nach dem ersten Rededuell zwischen Naphta und Settembrini muß Hans Castorp Joachim gegenüber seine Zweifel äußern: beim besten Willen sei die Sache ihm nicht klar geworden, im Gegenteil „die Konfusion war groß, die herauskam bei ihren Reden“.[60] Dieser Eindruck wird nur bestätigt; der Leser ist eingeladen, die Ansicht des Helden zu teilen. Eine späte Disputation über die Freiheit liefert noch Beweise für die eigene Vergeblichkeit. Denn trotz der meisterhaften Behandlung der Abstraktionen – ja, gerade wegen dieser Meisterschaft – erreichen die Disputanten keine Klärung, nicht einmal eine „militante“, das heißt, die reinliche Scheidung entgegengesetzter, sich bekriegender Prinzipien. Die Wörter, die man für die eine Seite charakteristisch glaubte, tauchen nämlich plötzlich auf der anderen Seite auf, so daß beide Disputanten sich selbst für Hans Castorps Gefühl zu widersprechen scheinen. Die gleiche Unmöglichkeit besteht, zwischen den Gegensätzen zu *ent*scheiden und diese Gegensätze als klare Wesenheiten zu *unter*scheiden. Eine „große Konfusion“ also, und immer die eine, im gleichen Problem wurzelnde[61]: für den Durchschnittsmenschen scheinen die Wörter selbst die Schuld zu tragen. Außerstande, ihre verschiedenen Bedeutungen und die vielen Ebenen zu trennen, auf denen Wörter bedeuten können, sieht er sie als eine Art von Wirklichkeiten; selbständig, unzuverlässig, unbändig sogar, machen sie ein Chaos, wo sie klären sollten.

Diese Konklusion dürfte als Verallgemeinerung zu pessimistisch sein. Aber sie enthält eine gerechte Kritik an einer bestimmten traditionell deutschen Art zu philosophieren, für die die Aufblähung des Wörtlichen und das Hypostatisieren der Begriffe typisch sind. Von früh an hatte Thomas Manns eigenes Denken die Spuren dieser Tradition getragen und an der mangelnden Beweglichkeit gelitten, die daraus entspringt, in großen Gegensätzen zu denken. Die Wörter, mit denen Naphta und Settembrini um sich werfen – Geist und Natur, Kunst und Kritik – klingen an Thomas Manns alte Denkschwierigkeiten an. Der hartnäckige Versuch, mehrere dieser Gegensatzpaare auf ein ihnen allen zugrundeliegendes Ordnungsprinzip zu reduzieren, war in „Geist und Kunst“ gescheitert, und zwar aus gerade denselben Gründen, die in den „Zauberberg“-Duellen zur „Konfusion“ führen. Die gleiche geistige Tradition lag hinter den Wortschlachten des Weltkrieges, die von gegensätzlichen Positionen ausgingen, die ebenso tief und unbeweglich waren wie die wirklichen Schützengräben. Thomas Mann hatte eine der bittersten dieser Schlachten geschlagen. Das siebenjährige Leiden und die Bitterkeit des Bruderzwistes waren der Preis, den er für die Skepsis bezahlen mußte, die er dann seinem jungen Helden verleiht.[62]

60 III, 536

61 III, 644 f

62 Diese seltene Skepsis hatte fast als Einziger Hermann Hesse, dessen Kriegsschriften sämtlich

Diese Skepsis den großen Gegensätzen gegenüber ist die wichtigste Voraussetzung für Hans Castorps Schneetraum. Über diesen reflektierend nennt Hans Castorp die Disputationen seiner gelehrten Freunde einen „verworrenen Schlachtenlärm".[63] Ihre Gelehrsamkeit und Brillanz nützen nichts, weil die Fragen falsch gestellt sind; die Fragen sind falsch, weil die ganze Methode gegensätzlicher Argumentierung falsch ist; und diese Methode ist falsch, weil die Gegensätze von den Menschen stammen und also von den Menschen versöhnt und überwunden werden können: „Mit ihrer aristokratischen Frage! Mit ihrer Vornehmheit! Tod oder Leben — Krankheit, Gesundheit — Geist und Natur. Sind das wohl Widersprüche? Ich frage: sind das Fragen? [...] Der Mensch ist Herr der Gegensätze, sie sind durch ihn, und also ist er vornehmer als sie."[64] Es leuchtet ein, daß diese Einsichten ganz spezifisch auf seiner kritischen Einstellung zu den beiden Rededuellanten fußen.

Aber auch auf seinen eigenen humanistischen Forschungen, die ihm das Gefühl gewähren, das Leben unmittelbar — das heißt, nicht durch Wörter und Begriffe vermittelt und verwandelt — angefaßt zu haben. Er hat die Nachbarschaft von Leben und Tod als verschiedenen, nur durch die schmale Grenze der kontinuierlichen Form getrennten Aspekten eines und desselben Prozesses verstanden. Er hat beschlossen, daß nur ein Interesse für das Leben das Studium von Tod und Krankheit rechtfertigt. Er mag kein Fachmann geworden sein, aber seine (in zweierlei Sinne) Liebhaberstudien sind für ihn Solideres als die Worte seiner beiden Pädagogen. Er kann sogar mit verständlicher Übertreibung von sich behaupten, er wisse alles vom Menschen. Es ist ein Wissen, in welchem naturwissenschaftliches Studium und sexuelles Erlebnis eins geworden sind, wie aus der biblische Sprache und Freud'sches Gedankengut verbindenden Formulierung hervorgeht: „Ich habe sein [d.h. des Menschen] Fleisch und Blut erkannt, ich habe der kranken Clawdia Pribislaw Hippe's Bleistift zurückgegeben."[65]

Wie deuten wir folglich Hans Castorps Traumvision? Sie ist eine ziemlich einfache Verwirklichung seiner neuen geistigen Unabhängigkeit und seiner im Hochgebirge entwickelten Interessen. Die Einfachheit geht bis zum Rande des künstlerisch allzu Direkten. Aber das liegt im Wesen der Allegorie. Die sonnige Existenz, die Hans Castorp in der Mittelmeerlandschaft beobachtet, hat eine dunkle Seite. Die Greuel des Todes im Tempel liegen hinter dem harmonischen Idyll. Was bedeuten soll: ein rationaler Huma-

gegen den Strom nationaler Vorurteile anzuschwimmen bestrebt waren. Hesses Diagnose des geistesgeschichtlichen Hintergrunds steht derjenigen TMs ziemlich nahe. In „Zarathustras Wiederkehr" von 1919 weist er gerade auf die falschen antithetischen Positionen hin, welche einen Krieg der Illusionen und also auch eine Nachkriegsdesillusion verschuldet hatten: „Ihr habet, von irgendeiner schlechten Schulstube her, an gewisse Gegensätze geglaubt, von welchen die Sage ging, sie stammten von Ewigkeit her und seien von den Göttern erschaffen". Hesse nimmt TMs Konklusionen vorweg, indem er warnt: „Sehet, es ist schwierig, einander zu verstehen, wenn man immer so große Worte braucht." Abgedruckt in: Hesse, „Krieg und Frieden", Berlin, 1949

63 III, 685

64 Ebenda

65 III, 684

nismus ist unzulänglich, der sich weigert, dieses Dunkle anzuerkennen und zu erforschen. Aber auch eine romantische Widervernunft ist abzulehnen, die sich dem Dunklen restlos verschreibt. Das menschliche Ideal wäre eine Gesellschaft, in der man Respekt und Nachsicht hat, weil man weiß, daß alle gleichermaßen bedroht, ja letztlich verurteilt sind. Ein humanistisches Mitleid entspringt, anders als ein christliches, unserer gemeinsamen Sterblichkeit. Die „Sonnenleute" sind charmant und höflich gegeneinander gerade wegen dieses Wissens, das nicht ausgesprochen zu werden braucht — „im stillen Hinblick"[66] auf die Bedrohung durch das Dunkle.

Die Botschaft dieser kleinen Allegorie läßt sich nur mit Mühe mißverstehen (was aber auch den Kritikern ab und zu gelingt). Man mag hier die Bemerkung einflechten, daß Thomas Mann manchmal weit einfacher ist, als es ein Kritiker glaubwürdig findet, einfacher in der Intention und in der künstlerischen Verwirklichung dieser Intention. Vor allem muß eine Allegorie allegorisch gelesen werden — das heißt, das Gemeinte erspürend und in klare Aussage umsetzend. Wenn die Deutung dieser Stelle dennoch Schwierigkeiten macht, so erwachsen sie aus dem sehr eigentümlichen Wachstum der ganzen Romankonzeption. Es dürfte selten vorkommen, daß eine schon früh konzipierte allegorische Romanepisode wegen diametralen Umschwungs in den Ansichten des Autors schließlich etwas so gänzlich Entgegengesetztes sagen muß. Aber abgesehen von solchen unentrinnbaren historischen Schwierigkeiten muß man der Allegorie ihre intendierte Botschaft glauben. Waren doch die hervorgehobenen Worte im Erzählkommentar zu Hans Castorps Vision für Thomas Mann ganz einfach der „Ergebnissatz".

Wir können diese auktoriale Ansicht nicht ignorieren, um dann den Roman noch immer als Produkt bestimmter positiver aber ungleich feinerer Intentionen zu deuten. Es geht zum Beispiel nicht an, Hans Castorps Traum als Kitsch abzutun und dann doch dessen Autor zu retten, indem man ihm einen subtilen Verfremdungseffekt zuschreibt.[67] Wenn für den Leser der Traum dermaßen Kitsch ist, daß er als ernsthafter Träger der allegorischen Botschaft nicht überzeugen kann, dann ist die ganze Episode als verfehlt zu betrachten — für diesen Leser wenigstens. Es ist wahr, daß die Gemälde, die Thomas Mann bewunderte und als Unterlagen zur Vision benutzte, als Kunstwerke keinen sehr hohen Rang beanspruchen können. Böcklin, Ludwig von Hofmann — vielleicht hatte Thomas Mann keinen sehr verfeinerten Geschmack auf diesem Gebiet. Zugegebenermaßen war er kein Augenmensch. Aber er nahm diese Bilder, als Mittel zu seinem Zweck, vollkommen ernst. Größere Bilder hätten sich diesem Zweck vielleicht nicht so leicht angepaßt. Mit ihrer mächtigeren Verwirklichung des Gesehenen und ihren Ansprüchen auf eigene hohe Bedeutung hätten sie wohl weniger Raum gelassen für fremde Bedeutungen. Schwächere Bilder boten sich williger zur Adaptation — wozu noch zweierlei zu bemerken ist. Einmal, daß eine Allegorie kein visuell vollständig realisiertes Bild geben muß, sondern nur eine Aussage mitteilen will. Zum anderen, daß die Vi-

66 III, 685
67 Vgl. Jürgen Scharfschwerdt, „Thomas Mann und der deutsche Bildungsroman", Stuttgart 1967, 142

sion eben Hans Castorps Vision ist, welche ihre in der Romanfiktion begründeten Einschränkungen haben darf und soll.

Es dürfte schon klar sein, daß „Der Zauberberg" einen geistigen Entwicklungsprozeß schildert, der nicht nur im Hauptcharakter sondern auch im Autor vorging. Es lohnt sich, an einigen Aspekten den Mechanismus dieser geistigen Veränderungen aufzuzeigen. Wir sahen schon, daß eine Verschiebung der Emphase aus alten Materialien einen neuen Sinn machen kann. Wäre die Schneeszene früher ausgeführt worden (der Keim dieser literarischen Idee war schon 1915 da, Böcklins visueller Beitrag 1917 in Aussicht genommen[68]), so würde das Motiv des „inneren Tempels" die Oberflächlichkeit eines rationalen Aktivismus Heinrich Mann'scher Art entlarvt haben. Hans Castorps Studien würden zweifellos in Zusammenhang damit eine „romantische" Tiefe menschlichen Verständnisses verkörpert haben, die dem bloßen Rationalisten abgeht; sie würden der Bemerkung Hans Castorps nach der Anatomiestunde in Behrens' Wohnung unterstützt haben: „Und wenn man sich für das Leben interessiert, so interessiert man sich namentlich für den Tod".[69]

Es kostete aber sehr wenig Mühe, was die künstlerische Organisation betrifft, damit die aufgebaute Situation das Umgekehrte bedeutete, die Argumente in eine ganz andere Richtung wiesen, und aus der zentralen Allegorie eine Erklärung der Lebensverbundenheit würde, welche die Faszination mit Krankheit und Tode relativierte, anstatt daß ihr ein höchster Wert zugeschrieben würde. Denn „eine Zeit vergeht", wie Thomas Mann später schrieb, „und zu demselben Gedankenpunkte zurückgekehrt, *wendet* der Lernende das Aperçu; er sagt: „Denn alles Interesse für Tod und Krankheit ist nichts als eine Art von Ausdruck für das am Leben".[70]

In einer noch komplizierteren Weise kann der Autor einem Prinzip treu bleiben, zu welchem er sich früher bekannte, und ihm trotzdem — für sich selbst wohl kaum merklich — eine sich allmählich verwandelnde Bedeutung geben. Der Gedanke einer Überwindung der Gegensätze zum Beispiel hat in Thomas Manns Werk tiefe Wurzeln. Lange vor der von Naphta und Settembrini herbeigeführten „großen Konfusion" und der sie überwindenden Vision Hans Castorps ist sie im Ideal einer vielseitigen Kunst impliziert, zu der sich der Essayist von „Geist und Kunst ", des gegensätzlichen Denkens müde, zurückwendet. Der gleiche Impuls taucht wieder in den „Betrachtungen eines Unpolitischen" auf, indem der deutschen Kultur eine Vielseitigkeit zuerkannt wird, welche höher ist als gegensätzliche Glaubenssätze und also über deren europäischem Konflikt steht. An später Stelle in jenem Werk spricht Thomas Mann seine Hoffnungen auf eine Nachkriegswelt aus, in einer Form, die den Konklusionen Hans Castorps sehr nahe zu sein scheint: „Undoktrinär, unrechthaberisch und ohne Glauben an Worte und Antithesen, frei, heiter und sanft möge es sein, dieses Europa".[71] Selbst das Bild der Sonnenleute scheint ihm schon vorzuschweben, indem er an eine Nachkriegskunst denkt,

68 TM an Ernst Bertram, 17. Februar 1915 und 6. August 1918. Br B 21, 72
69 III, 372
70 X, 219
71 XII, 488

die „zart, schmucklos, gütig, geistig, von höchster humaner Noblesse, formvoll, maßvoll und kraftvoll durch die Intensität ihrer Menschlichkeit" sein soll.

Aber diese Worte stehen in einem Werk, welches selber fast durchgehend „doktrinär" ist, dessen Autor die eigene *Ein*seitigkeit nicht sehen konnte oder wollte; er glaubte nämlich, daß unter den Polemikern nur er und unter den sich bekriegenden Ländern nur Deutschland frei von Bigotterie seien — was wohl das Wesen der Bigotterie ist. Man könnte zwar meinen, daß im Kontext eines „bigotten" Buches diese Stelle, wie einige Passagen in der Vorrede, eine versöhnliche Stimmung verraten und die einseitige Position des Unpolitikers aufzugeben suchen. Aber erst im vollendeten „Zauberberg" wird das lange gehegte Ideal eines Über-den-Gegensätzen-Schwebens, eines Über-sie-hinaussseins endlich verwirklicht. Das geschieht, indem mit den Gegensätzen gespielt wird.

Anstatt sich vom peinlichen Konflikt bloß abzuwenden, was früher für Thomas Mann die Funktion der Kunst gewesen zu sein scheint,[72] gebraucht er seine und seiner Gegner Ansichten aus den Kriegstagen als Materialien, die sämtlich mit Ironie behandelt werden. Immer wieder finden wir Aussagen aus verschiedenen Stadien seiner eigenen Vergangenheit in die Reden der Disputanten eingestreut, und zwar auf eine Weise, die sie gänzlich relativiert.

Es wäre langweilig, jeden einschlägigen Fall anzuführen, aber die verschlungenen Pfade, auf denen Naphtas und Settembrinis Ansichten auf sie kamen, sind aufschlußreich. Stellen aus den „Betrachtungen eines Unpolitischen", die die Position des Zivilisationsliteraten skizzieren, werden als rhetorische Behauptungen Settembrini in den Mund gelegt. Er spricht auch Formulierungen aus, die weiter zurückgehen, zuletzt ganz bis auf „Geist und Kunst"; denn in gewissen Notizen zu diesem großangelegten Literatur-Essay hatte der Thomas Mann der Vorkriegszeit eine stark aufklärerische Ansicht der Literatur ausgesprochen. Inzwischen (1913) waren diese Meinungen in den beiden miteinander zusammenhängenden Essays „Der Künstler" und „Der Literat" veröffentlicht worden, anscheinend ganz positiv gemeint, um dann in den „Betrachtungen" verworfen zu werden. Auf der anderen Seite sind jeweils Naphtas Antworten auf diese Sätze Umschreibungen von Thomas Manns eigener „Betrachtungen"-Kritik an solcher Simpelei.[73]

Vieles von dem allem hätte zwar sehr gut in den Tagen konzipiert werden können, wo Thomas Mann mit ganzem Herzen dabei war, Heinrichs aufklärerischen Gesten Widerstand zu leisten. Das ist es ja wohl auch. Was zu der Zeit als Karikatur der zivilisa-

72 Vgl. XII, 546: „Künstlertum ist etwas, *wohinter man sich zurückzieht*, wenn es mit dem Sachlichen ein wenig drunter und drüber geht, — wohinter man heiter geborgen ist und von dem Drunter und Drüber noch Ehre hat" (Hervorhebung durch TM.)

73 Die Verbindung zwischen dem „schönen Wort" und der „guten Tat" findet sich um 1909 in „Geist und Kunst", Notiz 41, dann in „Der Künstler und der Literat" von 1913 (X, 64), wird zurückgenommen in den „Betrachtungen" (XII, 99 f.) und dann Settembrini in den Mund gelegt (III, 224). „Anständigkeit" als die Haupteigenschaft des Literaten, der den intellektuell-moralischen Radikalismus auf Äußerste treibe, taucht zuerst in „Der Künstler und der Literat" auf (X, 69), wird in den „Betrachtungen" abgelehnt (XII, 100), um schließlich auch bei Settembrini (III, 549) zu landen.

tionsliterarischen Ansichten gemeint war, bleibt im endgültigen Text bestehen, aber als *ein* Element in einem komplexeren Bilde. Denn auch die Position, von der aus solche Ansichten angegriffen wurden, ist seitdem aufgegeben worden. Der Thomas Mann der zwanziger Jahre war wieder annähernd bei seinen alten Ansichten angelangt — so nahe jedenfalls, daß er jetzt die Angriffe, die er damals auf sie ausführte, ironisieren will. Als der Erzähler im Ton der Verzweiflung eine lange Rede Naphtas gegen Vernunft, Gerechtigkeit und sonstige liberale Werte unterbricht, tut er es mit den Worten: „Wir haben da nur auf gut Glück aus dem Uferlosen ein Beispiel herausgegriffen dafür, wie er es darauf anlegte, die Vernunft zu stören";[74] was doch sicherlich eine Anspielung darstellt auf die „Betrachtungen", welche Thomas Mann in seinem „Lebensabriß" als „meine uferlosen politisch-antipolitischen Grübeleien"[75] bezeichnet. Und wie beurteilt der Erzähler diese Naphta'schen Argumente? Er sagt, „daß sie nachgerade alles Maß und häufig genug die Grenze des geistig Gesunden überschritten".[76]

Selbstironie könnte kaum weiter getrieben werden. Zwar waren die rivalisierenden Pädagogen schon früh mit dem Beiwort „schnurrig" distanziert worden;[77] der Gegensatz Naphta — Settembrini war wohl nie so konzipiert, daß er sich mit dem Gegenesatz „Gut/Böse" decken sollte. Die Sympathien des Autors neigten aber um 1917 gewiß, eher Naphta als Settembrini Recht zu geben. Jetzt ist er mit Abstand der menschlich Fragwürdigere des Paares, für den Autor sowohl wie für den Hauptcharakter.

„Etcetera", „und so fort". Mit solchen müden Formeln endet mehr als einmal der Bericht des Erzählers von den Kampfreden der Widersacher. Damit wirft Thomas Mann die intellektuelle Last zweier Jahrzehnte ab; innerhalb der letzten fünf Jahre dieser Periode hat er sich vom vollständigsten Engagement für gewisse Begriffe zum heiterfreiesten Spiel mit diesen selben Begriffen entwickelt. Die „Betrachtungen" haben keineswegs, wie er hoffte, „dem Roman das Schlimmste an grüblerischer Beschwerung abgenommen",[78] haben es aber doch „spiel- und kompositionsreif gemacht". Der Krieg hat ihm eine lange, peinliche Lektion erteilt, die er in massiver (vielleicht etwas allzu massiver) Weise weitergibt: nämlich, daß intellektuelle Abstraktionen und Engagements mit einem Körnchen Salz zu nehmen sind.

Oder vielleicht mit einem Körnchen Pfeffer, insofern Pieter Peeperkorn als eine positive Figur gemeint ist. Ist er es? Er bleibt die rätselhafteste Figur des Romans und die umstrittenste, über die radikal divergierende Meinungen geäußert wurden. Er soll die glücklichste Schöpfung des ganzen Werkes sein,[79] oder eine bloße Travestie der Schneevision,[80] oder als eine scharfe Kritik an Gerhart Hauptmann gemeint, bis hin zu kleinen Einzelheiten des Hauptmannschen Werkes.[81] Thomas Mann jedoch hat seine Liebe zur

74 III, 960
75 XI, 128
76 III, 958
77 XII, 424
78 XI, 126
79 Unter anderen Kritikern behauptet dies Erich Heller, „The Ironic German", 1957, 208.
80 Ziolkowski, a.a.O., 86
81 Scharfschwerdt, a.a.O., 125 ff

Peeperkornfigur erklärt[82] und den in „Bilse und ich" aufgestellten Prinzipien getreu darauf bestanden, er habe nur die äußerlichen Züge Hauptmanns in sein Buch übernommen. Dieser komplizierte Fall wird nur fälschlich simplifiziert, wenn wir die ganze Hauptmann-Affäre mit einem gemurmelten „Biographismus" von der Hand weisen.[83] Sicherlich darf man keine einfache Gleichung Hauptmann = Peeperkorn akzeptieren. Aber ebenso falsch wäre es, wenn wir darüber hinwegsehen wollten, wie sehr Thomas Manns Gebrauch des Hauptmann-Modells zunächst seine Ausführung einer literarischen Idee und dann deren Interpretation beeinflußte.

Die Idee nämlich war als erstes da. Die Disputanten sollten überschattet werden, aber Mann schaute vergebens nach einer Figur aus, die es fertigbringen konnte.[84] In Gerhart Hauptmann kam ihm die Figur entgegen, die die betreffenden Kräfte verkörpern würde.

Welche waren diese Kräfte? Wir müssen wohl annehmen, sie seien in der Peeperkorn-Episode richtig verkörpert, so daß sie sich von ihr ablesen lassen. Aber ein solches Ablesen stößt sofort auf Schwierigkeiten. Auf den unvoreingenommenen Leser macht Peeperkorn weder einen rein positiven noch einen bloß negativen Eindruck, sondern einen gemischten. Er ist imposant aber prekär, majestätisch aber auch lächerlich. Zwischen dem ersten und dem letzten Kommentar Hans Castorps zu dieser Erscheinung — „robust und spärlich" und „eine königliche Narretei"[85] — bleibt alles ebenso zweideutig. Peeperkorn ist „eine Persönlichkeit, aber verwischt",[86] ein „torkelndes Mysterium".[87] Ehrfurcht paart sich mit Ironie, Respekt mit Spötterei.

Nirgends tritt diese Mischung klarer zutage als in den religiösen Anspielungen, in welchen einige Kritiker die reinste Affirmation gesehen haben. Nun ist es zwar vielleicht nicht blasphemisch, aber immerhin ironisch, daß Peeperkorn die Worte Christi an die schlafenden Jünger — „Könnet ihr denn nicht eine Stunde mit mir wachen?" — ausgerechnet an ermüdende Zecher spricht.[89] Was Peeperkorns abgerissenes Gemummel betrifft („Der Wein" — sagte er, „Die Frauen — Das ist — Das ist nun doch — Erlauben Sie mir — Weltuntergang — Gethsemane —")[90] so ist es schwierig, das als religiöse Symbolik überhaupt ernst geschweige denn feierlich zu nehmen. Das Gleiche gilt für das bacchische oder dionysische Element. Dieses hat mehr Substanz. Denn das Bacchanal, welches Peeperkorn überwacht, hat wirklich unter der sozial-modernen Oberflä-

82 TM an Herbert Eulenburg, 6. Januar 1925, Br I, 224
83 TM an Gerhart Hauptmann, 11. April 1925, Br I, 234 f
84 Oskar Seidlin, „The Lofty Game of Numbers. The Mynheer Peeperkorn Episode in Thomas Mann's „Der Zauberberg", PMLA, 86 (1971). Seidlin schüttet mit etwas Wasser einige Kinder aus.
85 TM an Eulenburg, im schon zitierten Brief
86 III, 760, 867
87 III, 765
88 III, 819
89 III, 789
90 III, 793

che traditionelle Züge einer dionysischen Erscheinung[91]: der „verantwortungslose Zustand" der Beteiligten, ihr Gefühl intensiveren Lebens („Frau Magnus gestand, sie fühle, wie Leben sie durchrinne"), die Betonung der weiblichen Aktivität, welche Zähneblecken und Ohrenläppchenziehen umschließt — das alles ist authentisch, wie man es von einem Schriftsteller erwarten würde, der sich schon zur Zeit des „Tod in Venedig" in die Einzelheiten dionysischer Vorgänge vertieft hatte.

Aber auch dieser dionysische Peeperkorn wird unmißverständlich ironisiert. Auf den ersten Blick scheint es, als sollte er die Lektion einer Lebensverbundenheit unterstreichen, wie Hans Castorp sie von seinem Schneeabenteuer nach Hause brachte. Aber „das Leben" ist ein recht unbestimmter Ausdruck und man kann ihm auf sehr verschiedene Weise verbunden sein. Im Vergleich mit Hans Castorps Vision von Form und Harmonie — eine Vision, die selber als eine Aussöhnung von apollinischen und dionysischen Kräften gedeutet werden darf — erscheint Peeperkorns „Gefühlsdienst" einseitig und allzu emphatisch. Er besteht dogmatisch auf gewisse heilig-einfache Dinge, er forciert in eher ängstlicher Weise seinen Appetit, er hat eine panische Furcht vor Katastrophen kosmischen Ausmaßes, falls der sinnliche Zelebrierende die männlichen Kräfte zum Akt des Genusses nicht schrauben kann. Er treibt die anderen geradezu an, zu genießen — sie sind eben „im Genuß überwacht von ihm".[92] Selbst der Name „Peeperkorn" spricht aus, wie sehr seine auf die Neige gehenden Kräfte auf Pikant-Reizendes angewiesen sind.

Was wir hier zu sehen bekommen, ist eben forcierte Lebensphilosophie. Schon bevor Peeperkorns Selbstmord dies bestätigt, ist seine ganze Einstellung wirksam in Frage gestellt worden, und zwar durch keinen anderen als Hans Castorp, in jener schnippischen Rede, welche dekadente „Raffinements" als letztlich auch zum Kult des Gefühls gehörig verteidigt. Sicherlich seien sie künstlich, „stimulantia, wie man sagt";[93] er läßt dabei schalkhaft durchblicken, indem er Peeperkorns wachsenden Koller mit einem Lob des Weins abwendet, daß auch Peeperkorns „stimulantia", gefühlsmäßige und konkrete, in die gleiche Kategorie gehören. Peeperkorn selber ist also extrem und einseitig, wenn auch über die Art von Gegensätzen hinaus, welche Naphta und Settembrini auf rein intellektuellem Gebiet kultivieren. Das sagt ihm Hans Castorp ja auch, ganz höflich: die Idee, der Mensch sei Gottes Hochzeitsorgan zur Vollziehung einer Ehe mit dem Leben, sei „eine höchst ehrenvolle, wenn auch vielleicht etwas einseitige religiöse Funktion"; Peeperkorns Anschauungsweise habe „eine gewisse Rigorosität...die ihr Beklemmendes hat".[94] Das alles kann nicht in Abrede stellen, daß für Hans Castorp Peeperkorn ein großes Erlebnis ist. Trotz ironischer Vorbehalte sagt er von Peeperkorn, er sei „*absolut* positiv, wie das Leben, kurzum: ein Lebenswert".[95] Auf diesem Urteil und auf der Prämisse, daß von Hans Castorp positiv Beurteiltes positiv beurteilt

91 Die folgenden Einzelheiten stehen III, 790 ff.
92 III, 781
93 III, 785
94 III, 837
95 III, 809

werden muß, basiert die kritische Tendenz, Peeperkorn vollständig ernst zu nehmen. Die Prämisse ist aber falsch. Denn Hans Castorp ist ein Romancharakter, der über einen anderen Romancharakter urteilt; übrigens ist er ein Romancharakter aus einer bestimmten, zur Zeit der Vollendung des Romans schon historisch gewordenen Epoche. Und die Art und Weise seines Urteils über Peeperkorn, ja seiner ganzen Einstellung zu Peeperkorn, weist auf eine leicht erkennbare Strömung im Geistesleben dieser Epoche. Der Raubvogel, mit dem Peeperkorn assoziiert wird, die Idee des Lebens als eines Forderungen stellenden Weibes, die Anspielung auf „stimulantia", der allegorisch kranke Wald auf dem Spaziergang zum Wasserfall zu Flüela — das alles spricht eine bekannte Sprache. Die von der Epoche nahegelegte Form der „Lebensverbundenheit" war eine emphatische Lebensphilosophie, ein Pochen auf das Vitale, welches angeblich eine Reaktion auf die sogenannte Dekadenz, im Grunde aber ein Teil von dieser Dekadenz war.

Und für Thomas Mann (wie übrigens auch für den rückblickenden Geistesgeschichtler) war der führende Geist, ja der eigentliche Autor dieser Bewegung Nietzsche, in dessen Leben die religiösen Symbole der Peeperkorn-Episode — Dionysos und der Gekreuzigte — zusammenflossen. Kein Bild des europäischen Geisteslebens vor dem Ersten Weltkrieg wäre ohne dieses Element vollständig. Das besagt nicht, daß es ein Ideal war. Es war da; es war für Hans Castorp zugänglich; der Exponent dieser Weltanschauung war danach angetan, Naphta und Settembrini stärker zu relativieren, als es der Schneetraum tun konnte; aber die vitale Strömung hatte ihr Fragwürdiges, was Thomas Mann schon lange vorher zur Zeit von „Geist und Kunst" eingesehen hatte. Die Peeperkorn-Episode umfaßt alle diese Nuancen. Gerhart Hauptmann, der Elemente christlichen Mitleidens mit solchen vitalistischen Regenerationswillens vereinigte, war ein sehr geeignetes Vorbild für eine Figur, in deren Behandlung dieser Gesamtzusammenhang zur Sprache kommen sollte.

Geeigneter in der Tat, als Thomas Mann zugeben durfte. Als Hauptmann einmal „erkannt" wurde, mußten diplomatische Erwägungen Thomas Manns Interpretationen gewisse Grenzen setzen. Trotz „Bilse und ich" will das Publikum immer wissen, es sei mehr als bloß die Äußerlichkeiten der abgebildeten Figur gemeint gewesen. Thomas Mann mußte Peeperkorn also immer „positiv" deuten — was er ja auch um so leichter tun konnte, da er Hauptmann wirklich zugetan war und in der eigenen Peeperkornfigur dem geliebten Dichter huldigen durfte. Erst viel später in den Rückblicken der „Entstehung des Doktor Faustus" und der Rede auf Hauptmann aus dem Jahre 1952 konnte er offen bekennen, wie sehr Peeperkorn und Hauptmann als „schmerzhafte Dionysier"[96] ihr Gemeinsam-Fragwürdiges hatten, und Hauptmann selber explizit mit dem Autor der Lebensphilosophie verbinden, indem er sagte, „der Gekreuzigte und Dionysos waren in dieser Seele mythisch vereinigt, wie in derjenigen Nietzsche's".[97] Bis dahin aber akzeptierte er das Urteil derjenigen Teile seiner Leserschaft, die durch Peeperkorns „verwischte Persönlichkeit" hingerissen waren. Einfacher — und taktvol-

96 IX, 815
97 IX, 812

ler — als ein Versuch, das mit dieser Figur Gemeinte auszulegen, war es, sie als etwas Dichterisch-Irrationales geltenzulassen, was an sich eine Leistung war für einen Romanschriftsteller, der oft als allzu „intellektuell" betrachtet wurde und mit diesem Roman sich an Intellektualität überboten hatte.[98]

Diese ganze Episode illustriert in mehr als einer Hinsicht die Probleme allegorischer Komposition. Wichtiger noch, sie führt uns zur zentralen Frage des Bildungsromans zurück. Denn wenn wir, anstatt Peeperkorn einfach als „positiv" oder „negativ" zu deuten, dieser Figur *eine* Bedeutung für den Romanhelden und eine andere Bedeutung für das Roman*ganze* beilegen, so sind wir mit unserer Interpretation in bestem Einverständnis mit dem Wesen des Bildungsromans, der ja traditionell Wege und Holzwege schildert und dem Leser volle Freiheit läßt, die Meinungen des Helden zu beurteilen. Es entsteht ein Bild von Hans Castorps Situation in seiner Zeit, und daraus fließt eine auf Erfahrungen basierende Lehre. Den Helden selbst aber müssen wir nicht zu jeder Zeit als eine maßgebende Autorität über das von ihm Erlebte betrachten. Sein Schneetraum einerseits ist ein wesentlicher Teil der Lehre, die aus dem Romanganzen fließt, nicht weil die Vision Hans Castorp überzeugt, sondern weil sie das immer wieder Angedeutete zusammenfassend versinnbildlicht. Peeperkorn andererseits hat eine durch breitere Perspektiven eingeschränkte Bedeutung.

Damit ist unser drittes Problem angeschnitten: wir verhalten sich die geistigen Lebensläufe von Autor und Charakter zueinander? Eine sehr einfache Tatsache kompliziert dieses Verhältnis und macht es verständlich, daß die beiden nicht immer geistig gleichzusetzen sind. Die Romanhandlung endet mit dem Jahre 1914, wurde aber erst 1924 zu Ende geschrieben. Hans Castorps Erziehung nimmt mit dem Kriegsanfang sein Ende; aber die Perspektive, aus der Thomas Mann sie erzählte, schließt in sich das von ihm in den Kriegsjahren und den frühen Jahren der Weimarer Republik Zugelernte. Vom Standpunkt des Jahres 1924 war Thomas Mann bestrebt, seine neuesten Überzeugungen mitzuteilen — eine didaktische Intention. Deswegen konnte er vom Roman als einem „Dokument der europäischen Seelenverfassung und geistigen Problematik im *ersten Drittel* des zwanzigsten Jahrhunderts"[99] sprechen. Aber der Roman war auch ein Bericht über die Irrungen und Wirrungen, durch welche er zu diesen Überzeugungen gelangt war — also eine bekennerisch-selbstkritische Intention.

Dem Helden kommt also eine doppelte Rolle zu. Er ist Träger einer Botschaft aber auch Gegenstand der Kritik. In der Experimentalatmosphäre der entlegenen Hochge-

98 Die hier vorgelegte Peeperkorn-Interpretation läßt sich unschwer mit der von Peter de Mendelssohn vorgeschlagenen in Einklang bringen, nach der TM es halbbewußt auf die geistige Unzulänglichkeit des Hauptmannschen Dichtertypus als Träger gesellschaftlicher Repräsentanz in einer verwandelten Welt abgesehen haben soll. („Von deutscher Repräsentanz", München, 1972, 215—221). Der Begriff eines deutschen „Dichters", wie er um die Jahrhundertwende und von konservativen Kräften noch in die Zeit der Weimarer Republik hinein gehandhabt wurde, wurde nämlich weitgehend aus den Quellen der Lebensphilosophie und des Regenerationsdenkens gespeist. Man sehe Notiz 103 von „Geist und Kunst", die ein sehr eindringliches zeitgenössisches Zeugnis dafür ablegt.

99 IX, 150

birgswelt entwickelt er sich übernatürlich schnell, um schon vor einem fiktiven 1914 zu gültigen Konklusionen zu gelangen, die sein Autor erst lange nach dem wirklichen 1914 erreichte. Er ist also „ein Vortypus und Vorläufer, ein Vorwegnehmer, ein kleiner Vorkriegsdeutscher der durch „Steigerung" zum Anticipieren gebracht wird".[100] In der Überwindung einer gefährlichen Sympathie mit dem Tode ist er seinem Autor um eine gute Strecke voraus. Diese Botschaft mußte also vom Romancier retrospektiv eingebaut werden.

Andererseits aber verkörpert Hans Castorp einige der Irrtümer seines Autors vor dem wirklichen 1914 und muß daher einer kritischen Beurteilung unterzogen werden. Diese Verdoppelung seiner Rolle dauert bis ans Ende des Romans, denn ein Sündenbock war bis dicht vor Ausbruch des Krieges noch benötigt. Der konsequente Ablauf eines Bildungsvorgangs war also an sich nicht genug, die beiden Rollen aufeinander harmonisch abzustimmen.

Darin liegt sicherlich der Schlüssel zum Verständnis der ganzen Romanstruktur. Es mag sein, daß Thomas Mann sich der Zweideutigkeit seiner Einstellung zu seinem Helden theoretisch nie ganz bewußt wurde — er spricht immer nur jeweils von der einen *oder* der anderen Rolle, die Hans Castorp spielen muß.[101] Wie dem auch sei, er hat das technische Problem praktisch glänzend gelöst, indem er die Schneevision in die Mitte des Romans stellt (oder beließ), statt sie ans Ende zu setzen. Diese Tatsache, zusammen mit dem realistischen Motiv von Hans Castorps Vergeßlichkeit — schon am selben Abend nach dem Traum versteht er nicht mehr, was er über seinen Traum dachte — erlaubt dem Autor, die Botschaft des Traumes mitzuteilen ohne jedoch den sie vermittelnden Helden zu einem Ausbund humanistischer Tugend zu machen, der außerhalb der Reichweite späterer Kritik gewesen wäre. Hans Castorps folgende Tätigkeit, beziehungsweise gänzliche Untätigkeit, kann also ohne Inkonsequenz der Offenbarung, die ihm zuteil geworden, untreu werden. Er kann sich aus der Welt der Allegorie innerhalb einer Allegorie (der Schneevision) welche die positiven Einsichten des Romans enthielten, wieder in die Welt der einfachen Allegorie (der Berghofswelt) zurückbegeben, welche die kritischen Einsichten des Autors verkörpern.

Kritik ist nämlich die Dominante in den fünf letzten Abschnitten des Schlußkapitels. Sie ist nicht bloß auf den Helden gerichtet. In zunehmendem Maße sucht der Roman gegen das Ende hin, in Wesen und Benehmen der Berghofgesellschaft den Zustand Vorkriegseuropas darzustellen. Dies ist eine wichtige Verschiebung des Blickwinkels nach den früheren Kapiteln, welche wesentlich Privaterlebnisse gestalteten, die nur in dem Maße europäisch relevant waren, in dem Thomas Mann seine eigenen Erlebnisse für repräsentativ hielt.[102] Jetzt geht es an eine großzügigere historische Allegorisierung.

100 TM an Julius Bab, 23. April 1925, Br I, 239

101 Man vergleiche mit dem soeben angeführten Brief an Bab die Stelle in „Goethe und Tolstoi", welche den Bildungsromanhelden definiert als „ein Du, an welchem das dichterische Ich zum Führer, Bildner, Erzieher wird — identisch mit ihm und zugleich ihm überlegen" (IX, 150).

102 Vgl. den Brief TMs an Ernst Bertram, 25. November 1916, Br B 43: „Es ist nicht Größenwahn...wenn ich dies Verhängnis [Deutschlands] längst in meinem Bruder und mir symboli-

Der „große Stumpfsinn", der sich aus der Monotonie des Sanatoriumslebens ergibt und frivol-sensationelle Zeitvertreibe zeitigt; dann die „große Gereiztheit", die vom Stumpfsinn unmittelbar herrührt, und die immer empfindlicheren Sanatoriumsinsassen gegeneinander aufbringt — das alles steht für die Zwecklosigkeit und Aussichtslosigkeit Vorkriegseuropas und für die aggressiven Stimmungen, welche dadurch hervorgerufen werden. Als der Krieg kommt, wird er als eine „betäubende Detonation lang angesammelter Unheilsgemenge von Stumpfsinn und Gereiztheit"[103] bezeichnet. Wie man auch von dieser geschichtlichen Diagnose denken mag, sie ist die allegorische Last, welche der Roman in der letzten Phase trägt.

Im Rückblick wird ersichtlich, wie viel — und wie vieles — die relativ einfachen stofflichen Elemente dieses Romans an allegorischer Last schon zu tragen hatten. Wenn sich verschiedene allegorische Intentionen zum Teil überschneiden und eine Spur Uneinheitlichkeit zeitigen, so ist das erstens auf die lange, komplizierte Entstehungsgeschichte des Romans, und zweitens auf die Mischung des Didaktischen und des Kritischen zurückzuführen, die soeben analysiert wurde. Ganz am Anfang war die Krankheitswelt ein Mittel, die scheinbar gesunde Normalität eines jungen Norddeutschen sardonisch aufzuheben; dabei hatte diese Welt die überwiegende Sympathie eines Künstlers des fin de siècle, der ja kaum an Gesundheit glauben konnte. Danach wurde sie zum allegorischen Mittel, die größere Subtilität und Tiefe der deutsch-romantischen Tradition gegen die Oberflächlichkeit der westlichen Aufklärung und allen vernunftseligen Aktivismus auszuspielen. Noch allgemeiner gesehen konnte die Abstraktion und Erhöhung der Sanatoriumswelt über dem Flachlande die Kunst selbst allegorisieren, jene „vielseitige", angeblich alles andere als engagierte Kunst, wie sie der Thomas Mann der „Betrachtungen" evozierte. Dann aber strebten Hans Castorps humanistische Forschungen immer energischer eine Ganzheitsvision an, welche jenseits der Gegensätze lag und auch über die romantischen Argumente der „Betrachtungen" hinaus war. Die Versuchungen und Verführungen der romantischen Sphäre begannen zu weichen, negativ gesehen zu werden; dadurch nahm die Gebirgswelt, in der sie hausten, eine negativere Färbung. Wenn sie überhaupt positiv gesehen werden konnte, so nur darum, weil in ihr ein Bildungsprozeß statthaben könnte, der mit knapper Not zur Absage an besagte Versuchungen führte. Zu guter Letzt mußte noch der Berghof zu einer weiteren allegorischen Prozedur herhalten, diesmal als Typisierung einer ganzen zum Untergang verurteilten politischen Gesellschaft: diesmal nicht wegen der hier oben befindlichen Krankheit als solcher, sondern wegen des Lebenswandels, den sie hochzüchtete, „das Leben ohne Zeit, das sorg- und hoffnungslose Leben, das Leben als stagnierend betriebsame Liederlichkeit, das tote leben".[104] Vom Standpunkt des Jahres 1924 konnte die Vorkriegswelt rückblickend als „aussichtslos" beurteilt werden.

siert sehe...Europäische Kriege würden nicht mehr auf deutschem Boden geführt? Und ob sie es werden! Es werden immer sogar deutsche Bruderkriege sein".

103 III, 985

104 III, 872

An diesem heillosen Leben ist Hans Castorp beteiligt und wird so geschildert. Es war ihm gelungen, sich über die große Konfusion zu erheben; aber der große Stumpfsinn und die große Gereiztheit bemeistern sich seiner wie jedes anderen Einwohners von Berghof-Europa. Er nimmt teil an den Fimmeln, die wellenartig über dies Gesellschaft brechen, er kann der Gereiztheit nicht entgehen, die symptomatische Duelle vom Zaune bricht, bis ihnen das Große Duell ein Ende macht. Kritik und apokalyptische Weissagung setzen ein mit dem krassen Kontrast eines besorgten, die Gefahren der Balkanpolitik kommentierenden Settembrini und eines sorglosen Hans Castorp, der zu vollauf beschäftigt ist, Patiencen zu legen, als daß er darauf achten möchte. Er weiß aber in seinem Herzen, daß er sich unverantwortlich benimmt. „Ihre Augen", sprach Settembrini, „suchen ganz vergebens zu verhehlen, daß Sie wissen, wie es um Sie steht". Allein gelassen, fürchtet sich Hans Castorp. „Ihm war, als könne „das alles" kein gutes Ende nehmen, als werde eine Katastrophe das Ende sein, eine Empörung der geduldigen Natur, ein Donnerwetter und aufräumender Sturmwind, der den Bann der Welt brechen, das Leben über den „toten Punkt" hinwegreißen und der „Sauregurkenzeit" einen schrecklichen Jüngsten Tag bereiten werde."[105]

Der daraus resultierende Fluchtdrang Hans Castorps wird verhindert, zunächst durch Behrens, der neue medizinische Experimente in Sachen Castorp probiert, dann durch die reichere Zerstreuung der Fimmel, — für Musik, für Spiritismus. Die spiritistischen Seancen erwachsen aus den Vorlesungen Krokowskis, die von der Psychoanalyse zu noch dunkleren psychischen Phänomenen übergegangen sind. Zum zweiten Mal also bewährt sich der Assistent als der Verbündete des Allegoristen; denn das psychische Gebiet bietet die Möglichkeit zum „fragwürdigsten" aller Exkurse im Roman.

Das Fragwürdige wird aber sorgfältig vorbereitet, indem eingangs die allgemeine Theorie eines „pathologischen Idealismus" aufgestellt wird, der den Kausalzusammenhang zwischen geistigen und materiellen Erscheinungen beleuchten soll. Es wird ganz spezifisch von einem „Überbewußtsein" gesprochen, welches zu einem „Wissen" Zugang habe, wie es „das Bewußtseinswissen des Individuums bei weitem übersteigt."[106] Diese Theorie ist einerseits im Einklang mit der früheren nicht-materialistischen Erklärung von Hans Castorps Krankheit und Abenteuern, bereitet uns andererseits auf die prophetische Erscheinung des toten Joachim vor.

Was nicht sagen will, daß die Theorie überzeugt. Das Heraufbeschwören Joachims bleibt fragwürdig, nicht nur im moralischen Sinn, den der Abschnittstitel meint, sondern auch künstlerisch. Wie läßt sich diese Episode rechtfertigen? Nichts in Thomas Manns Erlebnissen des Okkulten, so merkwürdig diese gewesen sein mögen,[107] reichte auch nur von ferne an die Materialisation Joachims im neuen Kriegshelm heran. Tho-

105 III, 881

106 III, 908

107 Vgl. TM an Ernst Bertram, 25. Dezember 1922: „Ich habe okkulte Gaukeleien des organischen Lebens gesehen (mit meinen unbestochenen Augen gesehen), die sich mehr als zwanglos in den Kreis meines Romans fügen", Br B 116. Einen ausführlichen Bericht über die Schrenck-Notzing-Seancen gibt der Essay „Okkulte Erlebnisse".

mas Mann hat ja später auch gesagt, die Szene ginge „nicht nur graduell, sondern wesentlich" über seine Erfahrung hinaus. Er protestierte, er halte „dergleichen prinzipiell nicht für ganz unmöglich". Etwas so „schmutziges" wie ein Weltkrieg könnte sich denn doch „auf schmutzige Weise ankündigen". Das sind schwache Ausreden. Der wirkliche Grund für diesen Exkurs steht im selben Brief: die „freilich über und über fragwürdige Beschwörungsscene" paßte gut „in die ideelle Composition".[108] Hier hat, mit anderen Worten, die Allegorie so sehr Überhand genommen, daß sie dem sonst bei Thomas Mann gewissenhaft beobachteten Oberflächenrealismus Gewalt antut. Nirgendwo in seinem Oeuvre ist das Disponieren der Wirklichkeit zum Zwecke einer ideellen Konstruktion eben fragwürdiger.

Wichtiger aber als die Seance-Episode ist der musikalische Abschnitt, scheinbar eine Abschweifung aber in der Tat ein Beitrag zu den tiefsten Fragen des Buches. Denn diese werden im Bericht über Hans Castorps Leibplatten symbolisch-verkleinert wiedergegeben, bis auf jene heikle Verdoppelung seiner beiden Rollen hinab.

Schon lange vor dem Abschnitt „Fülle des Wohllauts" ist die musikalische Anspielung als raffiniertes Deutungsmittel für Hans Castorps Erlebnisse ausgebeutet worden. Als die deprimierende Episode seiner Abweisung durch Clawdia wieder gutgemacht wurde — was mit einer befriedigenden Temperaturerhöhung markiert ist — schlägt der überglückliche Hans Castorp dem Vetter einen Ausflug ins Kurhaus vor. Vielleicht werde es dort Musik geben, etwa jene Arie, in welcher José seine Treue Carmen gegenüber ausdrückt („Hier an dem Herzen treu geborgen, die Blume, sieh, von jenem Morgen").[109] Gleich dem verliebten Spanier widmet sich Hans Castorp wieder ganz der problematischen Geliebten. Eben an diesen Zwischenfall erinnert er sich viel später, als er Peeperkorn auseinandersetzt, wie er all die Jahre hindurch auf dem Berg geblieben, für Heimat, Familie und bürgerliche Pflichten verloren — alles um der Liebe zu Clawdia willen. Vom Persönlichen rutscht er förmlich in die Nacherzählung der „Carmen"-Geschichte ein, um mit den Worten zu schließen, es sei „eine ziemlich beziehungslose Geschichte", auf die er da komme, warum falle sie ihm denn ein?[110] Es handelt sich hier noch einmal um die schon vertraute Technik des Dementi, durch welche der Erzähler per contrarium ein Effekt unterstreicht. Denn die Geschichte ist alles andere als „beziehungslos".

Im Verzeichnis der Leibstücke Hans Castorps stehen Arien aus „Carmen" an dritter Stelle; sie wiederholen eben jene erste Parallelisierung von Hans Castorps Geschichte mit der Opernhandlung: Konflikt zwischen der durch den Trompetenruf zum Appell symbolisierten Pflicht und der Unverantwortlichkeit von Liebe, Freiheit, Fahnenflüchtigwerden. Die anderen Lieblingsschallplatten Hans Castorps sagen Ähnliches aus. Die Schlußszenen der „Aida" etwa, welche ein gleiches Dilemma wiederholen: Liebe, die zur Pflichtversäumnis führt; Liebe, die die Forderungen von Ehre und Vaterland übertönt und also zum Tode führt; ein Held, der mit der Geliebten lebendig eingemauert

108 TM an Julius Bab, 22. Februar 1926, Br I, 233
109 III, 329 f
110 III, 848

wird, ein scheußlicher Tod, der nur durch die „siegende Idealität der Musik“[111] beschönigt und also akzeptabel gemacht wird.

Dann, als beruhigendes Zwischenspiel nach solchen „Schrecken und Verklärungen“, genießt Hans Castorp die „Prélude à l'après-midi d'un faune“, wird selber zum flötenden Naturwesen, läßt sich ein auf „die Liederlichkeit mit bestem Gewissen, die wunschbildhafte Apotheose all und jener Verneinung des abendländischen Aktivitätskommandos“.[112] Als nächstes folgt Valentins Todesarie aus Gounods „Faust“, aus der Hans Castorp ein Versprechen des Soldatenvetters heraushört, vom Himmel auf ihn schützend herniederzublicken.[113] In allen diesen Stücken ist eine klare Anspielung auf Hans Castorps Lage enthalten, in den drei ersten eine Identisches bedeutende. Daher seine „Sympathie für diese Situationen.“[114] Sein musikalischer Geschmack spiegelt also nicht nur seine Urerlebnisse wieder, wie schon lange her Hermann Weigand nachwies,[115] sondern auch sein grundlegendes Problem: die rivalisierenden Forderungen des Flachlandes (Pflicht, Normalität) und des Berges (Freiheit, Abenteuer, Fragwürdiges).

Wie lautet die Lösung? Welche Wertung kommt durch die mittelbare Sprache der Musikwahl zum Ausdruck? Was erfahren wir über Hans Castorps Geisteszustand, indem wir sein Privatkonzert belauschen? Auf den ersten Blick nur recht Vages. Mit zartem Humor wird dem Leser zu verstehen gegeben, das alles seien nur Schallplattenkonflikte, die innerhalb einer Schachtel und einer Kunstwelt verbleiben. Immerhin, sie üben doch eine gewisse Wirkung auf den jungen Helden, der etwas zu entnehmen ist. Die Freiheit, sich gehenzulassen, die ihm durch die „Prélude“ gewährt wird, ist in seinen Augen etwas Positives. Das wird in den Worten aus „Carmen“ wiederholt: „das seligste Entzücken, die Freiheit lacht! Die Freiheit lacht!“ Diesmal aber antwortet Hans Castorp mit einem „Ja, ja!“,[116] welchem ebensogut ein ironischer als ein positiv anerkennender Ton anzuhören ist.

Bis hierher muß man eine gewisse Zweideutigkeit registrieren. Das ist aber typisch für vieles in diesem Roman, der mit der Zeit „seine Begriffe geändert“ hat. Er läßt sich wiederum wenigstens konjektural aus dessen Entstehungsgeschichte erklären. Das Musikkapitel hat wahrscheinlich, mindestens in der Konzeption, ziemlich früh vorgelegen. Denn in den ersten Seiten der „Betrachtungen“ war „Musik“ ein Symbol für die vielseitige deutsche Menschlichkeit und stand im Kontrast zu der oberflächlich-allzuklaren westlichen „Literatur“. Deutschland, das „unliterarische Land“ war das Land der Musik (die paradoxerweise auch die „höhere“, beziehungsweise „tiefere“ Form der Wort-

111 III, 896

112 III, 898. Das erotische Element, welches auch diesem Stück zugrunde liegt, wird vom Erzähler nicht erwähnt. Vielleicht hat TM nicht gewußt, mit was für Gedanken der Faun in der Mallarméschen Vorlage spielt.

113 III, 902. Die Verbindung Joachim—Valentin ist schon durch den Abschnitt „Als Soldat und brav“ hergestellt worden, wo Joachims Tod behandelt wird.

114 III, 893

115 Hermann Weigand, „Thomas Mann's Novel „Der Zauberberg“, New York, 1933, 113. Diese Studie gehört noch heute zu den unentbehrlichsten Büchern über Thomas Mann.

116 III, 902

schöpfung, nämlich die „Dichtung" mit einschloß). Für die „tugendhafte" lateinische Zivilisation war die Musik also unzuverlässig, verdächtig,[117] ein Urteil, welches im Roman Settembrini in den Mund gelegt wird. Im Abschnitt „Politisch verdächtig" vergleicht er die Klarheit der Musik der ganz unverbindlichen Klarheit eines Bächleins; sie sei im Vergleich mit dem Worte, dem „Träger des Geistes, ...der glänzenden Pflugschar des Fortschritts", von einer Klarheit „ohne Konsequenzen". Sie sei ein Mittel zum Quietismus, ja geradezu ein Opiat.[118] Denn die Musik ist diejenige Kunst, welche zur *vita contemplativa*, nicht zur *vita activa* paßt.

Gerade die *vita contemplativa* ist es aber, die in der letzten Phase des Romans kritisch in Frage gestellt wird. Sie war früher als eine der hohen Kunst analoge Ablehnung des Lebensaktivismus erschienen; jetzt erscheint sie immer mehr als eine Ablehnung jeder Verantwortlichkeit, statt „*vita contemplativa*" lese Trägheit. Folglich ist die Musik, die früher einmal als die „wunschbildhafte Apotheose all und jeder Verneinung des abendländischen Aktivitätskommandos" verherrlicht zu werden beanspruchte, jetzt nicht mehr so ohne weiteres zu bejahen. Die Versuchungen und Verführungen durch die Musik müssen noch immer konstatiert werden — soviel gehört zur vollständigen Konfession, die der Roman enthalten soll; daher haben wir eine volle und scheinbar weitgehend neutrale Schilderung der Musikstücke, in welchen Hans Castorp zu recht sein eigenes Schicksal im Medium der Kunst reflektiert sieht. Aber es wird darüber auch ein Urteil gefällt. Dieses geschieht in der Passage, die dem fünften Leibstück des Helden gewidmet wird. Es geht um Schuberts Lied „Am Brunnen vor dem Tore".

Die Affinität dieses Liedes mit Hans Castorps Wesen und Schicksal geht über eine solche der Grundsituation hinaus. Auch diese liegt vor, denn das Lied evoziert die Todesversuchung eines zurückgewiesenen Liebenden. Dieses Anklingen der Situation ist aber nur ein Anfang. Als einziges der fünf Leibstücke ist das Lindenbaumlied ein Erzeugnis derselben germanischen Welt, aus der auch der Held stammt, es ist „etwas besonders und exemplarisch Deutsches", was wohl andeuten will, daß die darin zum Ausdruck kommende Schicksalsverwandtschaft nicht bloß Sache des Zufalls sein dürfte. Im Gegenteil, Hans Castorps Liebe zu diesem „Sinnbild" einer „ganzen Gefühls- und Gesinnungswelt" wird vom Erzähler als ebenso „bedeutend hervorgehoben, wie das Lied selbst als Ausdruck einer bestimmten Sphäre es ist.[119]

Wenn nun aber dieses Lied typisch ist für die Kulturwelt, aus der sie gewachsen ist; und wenn weiter Hans Castorp dieses typische Produkt liebt, so folgt daraus, daß er jene Welt selbst lieben muß, die darin zum Ausdruck kommt. In der Formulierung, welche diese Schlußfolgerung wiedergibt — „eine ganze Welt, und zwar eine Welt, die er wohl lieben mußte" — glauben wir zu vernehmen, wie ein Mensch mit Hilfe einfacher Logik die eigene gefühlsmäßige Zugehörigkeit entdeckt. Der Text geht weiter, indem die praktischen Folgen dieser Zugehörigkeit anerkannt werden: „Wie wissen, was wir sagen, wenn wir — vielleicht etwas dunklerweise — hinzufügen, daß sein Schicksal sich

117 XII, 50 f
118 III, 160 ff
119 III, 904 f

anders gestaltet hätte, wenn sein Gemüt den Reizen der Gefühlssphäre, der allgemeinen geistigen Haltung, die das Lied auf so innig-geheimnisvolle Weise zusammenfaßte, nicht im höchsten Grade zugänglich gewesen wäre."[120]

Wieso denn aber „dunklerweise"? Keineswegs dunkler- sondern klarerweise bezieht sich diese Stelle auf das Schicksal Hans Castorps, welches eben darin bestand, daß er zur „Sympathie mit dem Tode" neigte. Die zwischen Strichen stehenden Worte sind als ein für Thomas Mann typisches Signal an den Leser zu deuten, nach verborgenem Nebensinn zu suchen, der am Ende der Hauptsinn sein mag. Denn was der Erzähler hier von Hans Castorp behauptet, ist auch für den Schriftsteller selbst zutreffend, wie auch durch den Satzanfang angedeutet wird — das „wir wissen, was wir sagen" weist auf am eigenen Leibe Erfahrenes hin. Und tatsächlich wäre ohne Thomas Manns Offenheit für die Reize jener Gefühlssphäre, die hier in Frage steht, jene Faszination mit Tod und Krankheit und Schattenseite des Lebens nicht gewesen, die der ganzen Folge seiner Werke von den „Buddenbrooks" bis hin zum „Tod in Venedig" ihr eigentümliches Gepräge gab. Und es wäre ohne diese gefühlsmäßige Zugehörigkeit auch nicht möglich gewesen, daß sich der Künstler 1914 aufgrund einer treuherzigen Gleichung der romantischen Gefühlssphäre mit dem Wilhelminischen Machtreich mit solcher Emphase zur deutschen Sache bekannte.

Aber diese ganze Entwicklung hat Thomas Mann gebildet und mußte durch seine Vermittlung auch seinen Romanhelden bilden. Gerade das von beiden Durchlittene macht sie zuständig, die germanische Gefühlssphäre, deren Erzeugnis, und die Liebe zu ihm zu kritisieren. Denn daß Hans Castorp einer solchen klarsichtigen Kritik fähig ist, wird vom Autor behauptet, obzwar im Bewußtsein, daß die Behauptung nicht allen glaubwürdig klingen wird. („Will man glauben, daß unser schlichter Held nach so und so viel Jährchen hermetisch-pädagogischer Steigerung tief genug ins geistige Leben eingetreten war, um sich der „Bedeutsamkeit" seiner Liebe und ihres Objektes bewußt zu sein?"[121]) Es handelt sich um eine „ahnungslose Kritik" nur, aber immerhin um Kritik.

Um was für eine? Hans Castorps Gewissen läßt ihn einsehen, daß das Lindenbaumlied für eine Welt verbotener Liebe, der Liebe zum Tode stehe. Der Erzähler weiß im voraus, es werden sich gegen diese Behauptung Einwände, und zwar vehemente, erheben, — das sei doch Wahnsinn, das Lied sei ein reines Meisterwerk, geboren aus den Tiefen des Volksgemüts, die Liebenswürdigkeit selbst usw. Er bleibt aber bei seiner Behauptung. Das Lied unterhalte „Beziehungen zum Tode", man dürfe es lieben, müsse jedoch die Unerlaubtheit dieser Liebe empfinden. Denn im letzten Grunde habe das Lied „Ergebnisse der Finsternis" zur Folge, „Folterknechtssinn und Menschenfeindlichkeit in spanischem Schwarz mit der Tellerkrause und Lust statt Liebe — als Ergebnis treublickender Frömmigkeit und Rückwärtsgewandtheit neige das Lied „zur Zersetzung und Fäulnis"; „reinste Labung des Gemütes, wenn sie im rechten Augenblick genossen wurde", verbreite es „vom nächsten unrechten Augenblick an Fäulnis und Verderben in der genießenden Menschheit". Rein ästhetisch — „vor dem Angesicht gewis-

120 III, 905
121 III, 904

senloser Schönheit" – betrachtet, sei das Lied ein Wunder; „vom Auge verantwortlich regierender Lebensfreundschaft",[122] also politisch-ethisch betrachtet, enthalte es eine Aufforderung zur Selbstüberwindung. Dies Produkt der deutschesten aller Künste sei, wie Settembrini von dieser Kunst selbst meinte, „politisch verdächtig".

Was wir da lauschen, ist eine recht verschlüsselte Geschichtsstunde, eine mit Emblemen und Symbolen hantierende Analyse deutscher Geistesgeschichte. Der abschließende Absatz des Abschnitts deutet, obwohl wiederum nicht eben sehr direkter Aussage sich befleißend, die praktischen Auswirkungen geistesgeschichtlicher Tendenzen an. Vor dem „Musiksarge" sitzend überdenkt Hans Castorp sie: „Oh, er war mächtig, der Seelenzauber! Wir alle waren seine Söhne, und Mächtiges konnten wir ausrichten auf Erden, indem wir ihm dienten. Man brauchte nicht mehr Genie, nur viel mehr Talent als der Autor des Lindenbaumliedes, um als Seelenzauberkünstler dem Liede Riesenmaße zu geben und die Welt damit zu unterwerfen. Man mochte wahrscheinlich sogar Reiche drauf gründen, irdisch-allzu-irdische Reiche, sehr derb und fortschrittsfroh und eigentlich gar nicht heimwehkrank, – in welchen das Lied zur elektrischen Grammophonmusik verdarb. Aber sein bester Sohn mochte doch derjenige sein, der in seiner Überwindung sein Leben verzehrte und starb, auf den Lippen das neue Wort der Liebe, das er noch nicht zu sprechen wußte."[123] Wer also für dieses Lied starb, der starb schon für eine Zukunft, die schon über das Lied hinaus lag.

Vieles ist in dieser Passage zusammengefaßt, was auf außerhalb des Romans Liegendes anspielt und nur zu verstehen ist, wenn man die mehr als fiktiven Ziele des Autors erkennen und anerkennen will. Da ist die musikalisch-kulturpolitische Erobererbahn Wagners, das Bismarckisch-Wilhelminische Reich, und Nietzsches Kritik an beiden. In dem „wir" („wir alle waren seine Söhne") gibt sich der Erzähler darüber Rechenschaft, daß er selber in diesem Grund seine Wurzeln habe und ihm seine Erfolge verdanke. Wer ist aber mit dem „besten Sohn" gemeint, der aus der heimatlichen Gefühlssphäre herauswachsen und deren Gefahren überwinden soll. Hans Castorp etwa? Das schon, soweit der Träger von Thomas Manns positiven Einsichten ist und mindestens eine flüchtige Klarheit erlangt hat. Oder vielleicht Thomas Mann selber? Dieser auch, insoweit er aufgrund der persönlichen Äquivalente von Hans Castorps Erlebnissen Schlüsse gezo-

122 Das Wort „regieren" gebraucht Hans Castorp für die eigenen Reflexionen. Man kann diese Wortwahl TMs in Verbindung bringen mit dem Leitmotiv des Prinzen, welches auf „Königliche Hoheit" und weiter bis auf die König-Philipp-Szene aus „Tonio Kröger" zurückgeht. Aber das Wort ist auch ein Goethe-Zitat. In „Faust II" sagt Mephisto vom Kaiser:
Und ihm beliebt es, falsch zu schließen,
Es könne wohl zusammengehn
Und sei recht wünschenswert und schön,
Regieren und zugleich genießen.
(Zeilen 10248 ff.)
Thomas Mann zitiert die letzte Zeile in einem Brief an Max Rychner vom 26. Juli 1925: „Und doch habe ich längst gelernt, daß es das nicht gibt: regieren und zugleich genießen". Abgedruckt in „Blätter der Thomas-Mann-Gesellschaft", 7, Zürich, 1967, 11

123 III, 907

gen hat über die Art und Weise, wie die Deutschen mit ihrer Vergangenheit leben und sich zur europäischen Gegenwart verhalten sollten. Noch jemand sonst? Vielleicht auch Nietzsche, auf den Thomas Mann im Erscheinungsjahr des Romans den vollen Wortlaut dieses Kapitelausklangs angewendet hat.[124] Es ist weder das erste noch das letzte Mal, daß ein Mannscher Held und Friedrich Nietzsche in gemeinsamem Streben und Leiden verbunden sind.[125] Zu später Stunde also wird Hans Castorp nach abgelegtem Bekenntnis der Versuchungen der Musik zu deren Überwinder und also wieder zum positiven Helden, trotzdem er seine Schneevision gänzlich vergessen zu haben scheint. Vielleicht hat er sie doch nicht vergessen, sondern irgendwo im Unterbewußtsein beibehalten, wie er damals behauptete („Mein Traum hat es mir deutlichst eingegeben, daß ich's für immer weiß").[126] Trotz der Tiefe und Breite seines Bildungsprozesses aber, trotz der beherzigenswerten Wahrheiten, die er flüchtig erblickt hat, ist er bislang untätig geblieben. Der Konflikt zwischen Flachlandspflichten und Bergfreiheit besteht noch. Wenn der Zweck des Bergaufenthalts der ist, nicht bloß „klüger", sondern auch „gesünder" zu werden, wie einst Joachim ihm vorhielt,[127] so erhebt sich die Frage, wann der Bildungsprozeß in Tätigkeit übergehen soll?

Das ist die letzte kritische Frage, die das Buch über den Helden stellt, und sie wird nicht richtig beantwortet. Es sind nämlich die elementaren Mächte des Krieges, die ihn — wie schon lange her vorgesehen — zum Flachland zurückrufen. Es handelt sich nicht um persönliche Entscheidung. Bis der Zeitpunkt gekommen ist, hat Hans Castorp keine Kraft mehr zu solchen Willensakten. Seine Uhr ist kaputt, er sitzt nur mehr am „schlechten" Russentisch, die Behörde gibt sich nicht einmal Mühe, ihn zu zerstreuen oder zu beschäftigen. Settembrini allein, der unermüdliche Pädagoge, bemüht sich bis zum letzten Augenblick, ihn über Wichtiges aus der wirklichen Welt zu informieren, erhält aber keine Reaktion von diesem Schüler, „der sich zwar von den geistigen Schatten der Dinge regierungsweise das eine und andere träumen ließ, der Dinge selbst aber nicht geachtet hatte, und zwar aus der Hochmutsneigung, die Schatten für die Dinge zu nehmen, in diesen aber nur Schatten zu sehen, — weswegen man ihn nicht allzu hart schelten darf, da dies Verhältnis nicht letztgültig geklärt ist".[128]

Der Leser muß förmlich erbleichen; denn diese Kritik droht eine gänzliche Negierung all dessen an, was längst zum einzigen Zweck des Romans geworden ist. Soll jetzt der Wert von Hans Castorps Bildung als solcher bezweifelt werden? Ist das alles nicht genug gewesen, was er (und wir!) durchgemacht haben? Hat er denn nicht sein Mög-

124 „Vorspruch zu einer musikalischen Nietzsche-Feier", vorgetragen am 15. Oktober 1924. Die zitierte Stelle X, 183. Die Identität hat zuerst Weigand nachgewiesen.

125 Tonio Kröger und Aschenbach sind beide zu schwach für die ihnen aufgelegte Last, fühlen sich „berufen" aber „nicht geboren" zu den Schmerzen der Erkenntnis und der Anstrengung des Schaffens. Diese Formel spielt auf Nietzsches Hamlet-Charakteristik in „der Geburt der Tragödie" an und wird später im Essay „Nietzsche im Lichte unserer Erfahrung" auf Nietzsche selbst angewendet.

126 III, 686

127 III, 535

128 III, 985

lichstes getan — die Ansprüche der abstrakt-intellektuellen Bildung durchschaut, den Menschen erforscht, das Weib besessen, gefragt, gedacht, geträumt, seinen Geist allen möglichen Einflüssen offen gehalten...?

Vielleicht liegt aber gerade in dieser letzten Formulierung der Grund, warum sein Autor ihn kritisiert. Denn es muß endlich der Augenblick kommen, wo man nach bereichernder Bildung den Geist nicht mehr passiv-offen hält, wo aus Offenheit, Geschlossenheit, *Ent*schlossenheit wird. Reichtum und Vielseitigkeit sind nämlich nicht als Selbstzweck zu betrachten. Sie können wohl für die reine Kunst ein Ideal sein, aber Hans Castorp ist ja kein Künstler,[129] sondern ein „mittelmäßiger" Mensch, und hat also anderes anzustreben. Selbst ein Autor, der ja ein Künstler ist, hat seine Zweifel über die extreme Form jenes früher von ihm verfochtenen Kunstideals der Vielseitigkeit.

Dieses kritische-selbstkritische Bewußtsein ist es wohl, das ihn Hans Castorp noch einmal zum Sündenbock machen läßt, ehe er ihm auf immer Lebewohl sagt. Die hohe Entrückung des Berges, einst ein Symbol reiner Kunst, ist jetzt zum Symbol jener Wirklichkeitsfremde der Kunst geworden, die in Deutschland seit der Zeit der Weimarer Klassik ein die Wirklichkeit doch mitgestaltender Faktor gewesen. Beides, Kunstreinheit und Wirklichkeitsfremde, läßt sich mit demselben Wort bezeichnen: Ästhetizismus. In den „Betrachtungen" hatte sich Thomas Mann zum Ästhetizismus bekannt; jetzt steht er dem Bruder näher, der in seinem Zola-Essay gesagt hatte, Ästhetizismus sei „ein Produkt hoffnungsloser Zeiten, hoffnungtötender Staaten".[130] Daß die Vorkriegsepoche hoffnungslos und aussichtslos war, steht nun auch bei Thomas, der auf verschlungenen Wegen zur Ansicht des Bruders über die Ursachen dieses Sachverhalts gefunden hat.

Am Ende also bleibt Hans Castorp dort oben im Zustand der Trägheit, als Warnungsexempel gegen den Quietismus, zu dem die Bildung unter Umständen führen kann. Als er vom Berge herunterkommt, geschieht es keineswegs aus innerem Antrieb; zuguterletzt sehen wir, wie er inmitten seiner Landsleute Krieg führt — also eine sehr primitive Form der Pflicht erfüllt. Er hat auch das Lindenbaumlied auf den Lippen, wobei jetzt sicherlich die Liebe zu ihm stärker ist als etwaige Einsichten in seine Gefährlichkeit.

So steht es am Ende des Romans mit Hans Castorp. Wie steht es mit seinem Autor? Ohne Zweifel hat er im „Zauberberg", mehr als in seinen früheren Werken, das Ideal der Vielseitigkeit erreicht — gerade im Augenblick, als er die problematische Seite dieses Ideals erkannt hat. Die Vielseitigkeit entspringt aber eher der Komplexität der Konfession als etwa einer artistischen Intention, ästhetizistisch-vielseitig zu sein. Und diese Komplexität wurzelt wiederum in der Folge von Veränderungen, die die Geschichte — Weltgeschichte und Privatgeschichte — gezeitigt hat. Sowohl die Tragweite der Probleme selbst, die der Roman behandelt, als auch die durch manche verschiedenen Stadien

129 Heller, a.a.O., 213, bemerkt witzig, daß Hans Castorp jetzt zu nichts anderem taugt als eben Romanschriftsteller zu sein.

130 Heinrich Mann, „Zola", in: „Die Weißen Blätter", November 1915, 1326

sich entwickelnden Einstellungen des Autors zu ihnen, verhindern den „Zauberberg", allzu unkünstlerisch-explizit zu sein.

Trotzdem durfte Thomas Mann glauben, er hätte seine endgültigen Intentionen klar ausgedrückt. Wenn sie nicht allen Lesern ohne weiteres klar sind (was die Kontroversen der Literarkritiker reichlich beweist) so liegt dies zum Teil daran, daß die Kunst, die Kunst des Romans, und ganz besonders die Kunst des Romans, wie Thomas Mann sie praktizierte, nicht dazu geeignet ist, einfache Botschaften mitzuteilen; spezifischer noch daran, daß die der Kunst schon an sich wesentlichen Zweideutigkeiten in einem Werk intensiviert werden, welches den doppelten Zweck verfolgt, Chronik des Gewesenen und Programm für das Zukünftige zu sein.

Die Chronik geschichtlicher Komplexität hat an sich schon einen großen Wert — einen weit größeren jedenfalls, als alle auf oberflächlicher Darstellung basierende Scheinklarheit.[131] Darüber hinaus hat Thomas Mann in gewissen Schlüsselepisoden — der Schneevision, dem musikalischen Exkurs — Fingerzeige zur Deutung des ganzen Bildungsgangs des Helden gegeben, die eine richtige Perspektive herstellen sollen. Nun können auktoriale Fingerzeige in einem so großangelegten Werke übersehen werden. Also hat Thomas Mann außerhalb des Romans seine üblichen Kommentare geliefert. Vor willentliches Mißverständnis gestellt, hat er die eigene Allegorie erläutert. Er hat die Gelegenheit wahrgenommen, zu erklären, die im Schnee-Kapitel kursiv gesetzten Worte enthielten das „Ergebnis", also die zentrale Lehre des Buches. Er scheint sogar bedauert zu haben, daß er die Schneevision nicht, des Nachdrucks halber, ans Ende statt in die Mitte des Romans gesetzt hatte.[132] Das alles ist bezeichnend für die schwierige Lage eines Künstlers, der zu gleicher Zeit Künstler bleiben und die Welt außerhalb der Kunst beeinflussen möchte, der sich dessen bewußt ist, etwas so gewissenhaft Berichtendes und Gestaltendes „gegen die Zeit" zu machen, da diese „eigentlich nur Artikel, Manifeste, rasch fertige Improvisationen" begünstige.[133]

Der Thomas Mann der zwanziger Jahre hat bekanntlich auch Artikel und Manifeste geschrieben und vor der politischen Öffentlichkeit in eigener Person vorgetragen. Daß sie aber „rasch fertige Improvisationen" wären, kann man nicht sagen. Thomas Mann der Politiker und Thomas Mann der Künstler lassen sich so leicht nicht trennen. Hans

131 Stoff zum Vergleich bietet der zum Teil als Replik auf TMs „Zauberberg" geschriebene Sanatoriumsroman des Russen Konstantin Fedin, „Ssanatǫrii Arktur". (Jetzt in: Fedin, „Ssobranie Ssotschinenii", Moskau, 1960, Band 5.) Die Überwindung einer Krankheitswelt wird dort als eine sehr einfache Sache der Willensanstrengung dargestellt; eine gesunde, brüderliche Gesellschaft ruft den Leidenden mit mächtiger Stimme zurück. Daß besagte Gesellschaft ungleich dramatischere Umwälzungen und Leiden durchgemacht hatte als selbst das Deutschland der Kriegs- und Nachkriegsjahre braucht nicht zur Sprache zu kommen. Wohingegen Thomas Mann im allegorischen Modus alles Traditionelle, Negative, Gefährliche aus der nahen Vergangenheit aufzeichnet, um daraus am Ende positive Prinzipien abzuleiten. Wer die Möglichkeiten des Romans — geschichtlich-realistische und philosophisch-didaktische — besser erfüllt, dürfte keine Frage sein.

132 Vgl. TM — Robert Faesi, „Briefwechsel", Zürich, 1962, 16

133 TM an Ernst Bertram, 21. Februar 1923, Br B 117

Castorps Autor „ist derselbe, der, aus dem Roman heraus, den Aufruf ‚Von deutscher Republik' verfaßte".[134] Das hat wichtige Folgen für das Verständnis sowohl der Manifeste als auch des Romans. Jene lassen sich nicht leichthin abtun, denn sie haben die feste Realität langjährigen künstlerischen Nachdenkens und Forschens zur Grundlage. Der Roman läßt sich wiederum nicht als „reines Kunstwerk" lesen, denn das künstlerische Nachdenken und Forschen galt eben der bestimmten Situation des deutschen Menschen in einer kritischen geschichtlichen Konjunktur. Wenn man den Roman wirklich verstehen will, muß man sich aus dem Rahmen künstlerischer Fiktion begeben — gerade so, wie Thomas Mann selber die traditionell selbständige Sphäre deutscher Kunst verlassen hat, um das, was noch gerettet werden konnte, aus der vergangenen und vor der kommenden Katastrophe zu retten.

Der vorliegende Essay ist eine leicht überarbeitete Fassung des „Zauberberg"-Kapitels meines Buches „Thomas Mann: The Uses of Tradition" (ungefähr: „Vom Nutzen und Nachteil der Tradition") welches 1974 bei Oxford-University Press erschienen ist. Er steht dort zwischen einer ausführlichen Behandlung der Unpolitik Thomas Manns zur Zeit des Ersten Weltkriegs und einer Nachzeichnung seiner politischen Entwicklung in den Jahren der Weimarer Republik. Die hier vorgelegte Analyse des „Zauberberg"-Textes selbst setzt also im Gesamtzusammenhang der Studie gewisse Materialien und Argumente voraus, weist andererseits auf noch ausstehende hin. Es gehört zur Interpretation des Romans, daß diese Materialien für dessen Verständnis unentbehrlich sind; sie konnten aber im hier zur Verfügung stehenden Raume höchstens andeutungsweise einbezogen werden.

134 TM an Josef Ponten, 5. Februar 1925, Br I, 232

Børge Kristiansen

Der Zauberberg: Schopenhauer-Kritik oder Schopenhauer-Affirmation?*

In den Jahren, die seit dem Erscheinen der ersten Auflage des vorliegenden Buches über Thomas Manns *Zauberberg* vergangen sind, ist eine Anzahl von Aufsätzen und Besprechungen erschienen, die sich zum Teil sehr ausführlich mit meiner Interpretation auseinandersetzen[1]. Bei allen Unterschieden in der Bewertung mancher Nebenfragen läßt sich jedoch eine klare Haupttendenz in der Kritik feststellen. Sie reagiert zustimmend auf die Grundthese des Buches, daß Schopenhauer im *Zauberberg* rezipiert worden ist und daß die Rezeption der Schopenhauerschen Grundphilosopheme sowohl die thematische als auch die formale Struktur bestimmten. Während also der strukturelle Wert der Schopenhauerschen Philosophie für den *Zauberberg* nicht angefochten worden ist, wird dagegen die Frage nach der Bewertung dieser Philosophie im *Zauberberg* in allen Beiträgen diskutiert und die von mir vertretene Auffassung kritisiert, daß im *Zauberberg* der Willens-Bereich Schopenhauers als die objektive Wahrheit des Seins bejaht wird.

Auf diese Kritik einzugehen, lohnt sich nicht nur, weil sie mir eine erwünschte Gelegenheit gibt, meine Affirmationsthese erneut zu überprüfen, sondern es scheint mir auch und vor allem deswegen erforderlich, weil mit diesem spezifischen Problem zugleich die wichtige Frage nach der Weltdeutung Thomas Manns und der Art seines politischen Engagements und seiner Humanität zur Diskussion steht.

Die ausführlichste Auseinandersetzung mit meiner Interpretation stammt von Helmut Koopmann, der teils eine umfassende Besprechung geschrieben hat, teils, wenn

* Vorabdruck einer Nachschrift zu der im Bouvier Verlag, Bonn, unter dem Titel *Thomas Manns Zauberberg und Schopenhauers Metaphysik*, 1984, erscheinenden Neuauflage meiner Zauberbergmonographie aus dem Jahre 1978. Der Vorabdruck erfolgt mit freundlicher Genehmigung des Verlages.

1 Zu nennen sind vor allem: Die Besprechung von Manfred Dierks in *Germanistik* 1979, 1 und der Aufsatz desselben in *Orbis Litterarum*, 34, 1979: *Philosophische Orientierung des Erzählverfahrens bei Thomas Mann. Überlegungen anläßlich des Erscheinens von Børge Kristiansen: „Unform-Form-Überform. Thomas Manns Zauberberg und Schopenhauers Metaphysik“*; 352—359; Helmut Koopmann: *Zu Børge Kristiansen: Unform-Form-Überform. Thomas Manns Zauberberg und Schopenhauers Metaphysik*, 1981. Diese Besprechung, die noch unveröffentlicht ist, umfaßt 25 Manuskriptseiten und stellt somit die ausführlichste und gründlichste Arbeit dar, die dem Buch gewidmet worden ist. Der Aufsatz von Steffen Steffensen *Der Zauberberg in neuer Sicht* in *Journal of English and Germanic Philology*, 80, 1981, 380—387 enthält ebenfalls eine ausführliche Besprechung meines Buches. Für *Text & Kontext* wurde das Buch von Werner Frizen rezensiert, 10, 1, 1982, 192—196.

auch indirekter, in dem Buch *Der klassisch-moderne Roman in Deutschland. Thomas Mann, Döblin, Broch*[2] auf meine Deutung reagiert hat. In einem späteren Aufsatz über Thomas Mann hat Koopmann noch einige Kritikpunkte aus seinem Buch zu erhärten versucht[3].

Diese Beiträge verdienen eine ganz besondere Beachtung, weil Koopmann hinsichtlich der wichtigen Fragen nach dem Umfang der Schopenhauer-Rezeption und deren struktureller Bedeutung mit mir einig ist und dennoch zu der von meinen Ergebnissen gänzlich verschiedenen Konklusion kommt, daß „Thomas Mann im *Zauberberg* sich der Schopenhauerschen Metaphysik bedient habe, um vor ihr zu warnen, nicht um sie zu verteidigen“[4]. In dem später erschienenen Buch hat Koopmann diese Auffassung noch schärfer formuliert, indem er den *Zauberberg* nun als „Schopenhauerkritik und Bekenntnis zur Aufklärung“[5] bezeichnet. Bei aller Übereinstimmung hat Koopmann damit eine Gegenthese zu meiner Auffassung formuliert, daß Thomas Mann im *Zauberberg* der Wahrheit des Schopenhauerischen Seinsverständnisses verhaftet bleibt und deshalb auch alle Lebensformen, ja, das Leben selbst zumindest grundsätzlich in Frage stellen muß. Diese Interpretationen verhalten sich in ihren Konklusionen wie These und Antithese zueinander und, da der *Zauberberg* unmöglich sowohl ein Roman des „Lebensja“ als auch ein Roman der „Todessympathie“ sein kann, soll eine Klärung der Frage zumindest angestrebt werden, wer hier textangemessener interpretiert. Ich beziehe mich dabei vor allem auf Koopmanns Buch *Der klassisch-moderne Roman in Deutschland*, weil sich hier die ausführlichste Zauberberg-Interpretation findet.

Koopmann sieht im *Zauberberg* mit Recht einen Initiationsroman, dessen Ziel eben nicht die Bildung einer harmonischen Persönlichkeit, sondern die Herausfindung der gültigen Wahrheit ist. In seiner ausführlichen Darstellung des Initiationsprozesses zeigt Koopmann überzeugend, wie Castorp dem „Flachland“ der „überkommenen Vorstellungen“[6] immer mehr entfremdet wird, bis er schließlich einen Zustand völliger Orientierungslosigkeit erreicht. An diesem Punkt werden die Todeserfahrungen Castorps zum eigentlichen Initiator, mit dem Ergebnis, daß er in die Welt des Verfalls immer tiefer hineingeführt wird[7].

Das entspricht im Wesentlichen meiner Interpretation und entscheidende Differenzen ergeben sich erst in der Deutung des Schnee-Abschnittes und in der Frage nach dessen struktureller Bedeutung. Nach Koopmann findet der Initiationsprozeß seinen endgültigen Abschluß im Schnee-Abschnitt, indem Castorp in seinem Traum vom Men-

2 Stuttgart, 1983, 26—76.

3 *Philosophischer Roman oder romanhafte Philosophie? Zu Thomas Manns lebensphilosophischer Orientierung in den 20er Jahren*, in: B. Ekmann, B. Kristiansen, F. Schmöe (Hrg.): *Literatur und Philosophie*, Text & Kontext, Sonderreihe, Bd. 16, Kopenhagen, München, 1983; 101—124.

4 Die oben angeführte Besprechung 22ff.

5 So im Titel des letzten Abschnittes des Buches *Der klassisch-moderne Roman in Deutschland*, a.a.O., 71f.

6 Ebd., 46f.

7 Vergleiche hierzu bei Koopmann vor allem den 6. Abschnitt, 44—49.

schen die „eigentliche Aufklärung (erfährt), die am Ende der Initiation steht"[8]. „Hans Castorp hat", so beschreibt Koopmann diese Aufklärung, „nichts Geringeres getan, als den Tod besiegt, indem er ihn in seinem wahren Wesen erkannte: und seine Lehre geht dahin, dem Tod, der verführerischen Macht des Zauberbergs, eine endgültige Absage zu geben"[9]. In diesem Bekenntnis zum Leben, das ohne Zweifel in Castorps Traum zum Ausdruck kommt, sieht Koopmann — und das ist entscheidend — keine nur individuelle und keine nur momentane Erfahrung, sondern eine „Botschaft", die für den ganzen Roman gültig ist. Um diese Auffassung plausibel zu machen, muß Koopmann nicht nur nachweisen können, daß Castorp seine lebensbejahende Einsicht nicht vergißt, sondern auch daß sich diese Einsicht im letzten Teil des Romans strukturell auswirkt.

Nun heißt es am Ende des Schnee-Abschnittes: „Was er geträumt, war im Verbleichen begriffen. Was er gedacht, verstand er schon diesen Abend nicht mehr so recht." Für Koopmann ist das „zunächst einmal nur die Folge seiner Erschöpfung: seine Einsicht selbst gerät nicht ins Vergessen"[10]. Im Text selbst wird diese kausale Verbindung zwischen Vergessen und Erschöpfung allerdings nicht hergestellt und ob Koopmann sie mit Recht realisiert, wird deshalb ausschließlich daran zu entscheiden sein, ob die initiierte Einsicht in der Struktur nachweisbar ist.

Castorps Initiation enthält, wie Koopmann völlig richtig bemerkt, nicht nur die Absage an den Tod und das Bekenntnis zum Leben, sondern auch eine „Theorie der Autonomie, die auf die absolute Eigenverantwortung des Einzelnen hinausläuft"[11], und es ist deshalb auch völlig legitim, wenn Koopmann die strukturelle Bedeutung der Initiation vor allem, wenn auch nicht ausschließlich, an Castorps Haltung zu den beiden Pädagogen (Settembrini und Naphta) und zu dem „torkelnden Persönlichkeitsmysterium" Peeperkorn abzulesen versucht.

Durch zahlreiche Belege zeigt Koopmann, daß sich Castorps Einstellung zu seinen ‚Lehrmeistern' nach dem Schneeabenteuer fundamental ändert. Er wird skeptischer, distanziert sich immer mehr, bis sie und schließlich auch Peeperkorn ihm bedeutungslos geworden sind. Daß Castorp sich freimacht, läßt sich also nicht bezweifeln, aber — und das scheint mir die ganz entscheidende Frage zu sein — ist die vollzogene Emanzipation auch mit einem Zuwachs an Autonomie und Selbstverantwortung gleichbedeutend? Macht Castorp sich frei, um die im Schnee existentiell erfahrene eigene Wahrheit gegen die falschen Lehren der Pädagogen durchzusetzen, oder macht er sich frei, weil er an keine verbindliche Lebensposition zu glauben vermag? Ist die Emanzipation mit anderen Worten das Ergebnis einer initiierten *Position*, oder erfolgt sie umgekehrt aus reiner *Negation*, wodurch sie sich schließlich selbst als eine „orgiastische Form der Freiheit" (Z: 981) *von* allen Bestimmungen und Bindungen ausweisen würde?

Bei dieser grundsätzlichen Frage melden sich Bedenken gegen Koopmanns Auffassung, daß Castorps Bekenntnis zum Leben und zur autonomen Selbstverantwortung

8 *Der klassisch-moderne Roman,* a.a.O., S. 57f.
9 Ebd., 57ff.
10 Ebd., 59f.
11 Ebd., 57f.

seinen Ausdruck in seiner „Emanzipation" gefunden hat. Wenn dem wirklich so gewesen wäre, müßte auf Castorps Auseinandersetzung mit den falschen Lehren konsequenterweise ein *aktiver* Einsatz *für* die initiierte „wahre Lehre" erfolgt sein und das scheint im Roman kaum der Fall zu sein. Auch wenn Castorps Befreiung von den ‚Lehrmeistern' und von dem erkrankten Vitalismus Peeperkorns mit seiner Initiation verbunden ist, stellt sie recht besehen dennoch keine Aktion für die neue Idee dar. Im Gegenteil, sie ist Re-Aktion und als solche kommt sie über die Negation unverbindlich gewordener Orientierungssysteme nicht hinaus.

Nun läßt sich allerdings mit Recht einwenden, daß diese Negation der überkommenen Vorstellungen und Systeme der Verwirklichung der neuen Idee notwendig vorangehen muß. Stellt die reaktive Befreiung *von* somit lediglich eine erste und notwendige Phase eines Emanzipationsprozesses dar, der letztlich in aktive Tätigkeit für das Neue umschlägt? Um diese Frage beantworten zu können, müssen zumindest die Abschnitte nach dem Tod Peeperkorns etwas eingehender untersucht werden.

Mit dem Verlust letztmöglicher Vitalität ist „das Ganze", wie es im Abschnitt „Der große Stumpfsinn" heißt, auf dem „toten Punkte" (Z:871) angekommen. Diesen unheimlichen Zustand durchschaut Castorp: „er wußte, was er sah: Das Leben ohne Zeit, das sorg- und hoffnungslose Leben, das Leben als stagnierende betriebsame Liederlichkeit, das tote Leben." (Z:872). Castorp findet es „entsetzlich" (Z:878) und, wie es ausdrücklich heißt: „Er fürchtete sich" (Z:880). Diese negative Bewertung der völligen moralischen Indifferenz gegenüber dem, was sich in der Welt „dort unten" abspielt, zeigt, daß in Castorp die humane Idee noch durchaus lebendig ist. Er distanziert sich von der „Liederlichkeit", übt Kritik und „hatte Lust zu fliehen" (Z:881). An diesem Punkt ist die initiierte Einsicht im Begriff, für eine andere Welt wirklich aktiv zu werden, aber der Umschlag bleibt bezeichnenderweise aus. Castorps Empörung und seine „Fluchtgedanken" (Z:872) geraten nämlich mit seiner Leidenschaft für die „Elferpatience" (Z:878), die „das Haus zur Lasterhöhle" (Z:878) macht, in Konflikt, und das Ergebnis dieses Widerstreites ist die Neutralisierung der humanen Idee. „Das Ergebnis war", wie es in anderem Zusammenhang heißt, „Null –, und Hans Castorp fuhr fort, Patience zu legen." (Z:882ff). Die Todessympathie hebt zwar nicht die humane Idee völlig auf, aber sie reduziert sie auf ein schlechtes Gewissen, das bei aller Anstrengung doch nicht aktiv zu werden vermag.

Auch Castorps Betrachtungen zur Musik und insbesondere seine Überlegungen zu Schuberts „Lindenbaumlied" sind durch einen strukturell identischen Konflikt zwischen humaner Idee und Todesneigung gekennzeichnet. Dank „hermetisch-pädagogischer Steigerung" (Z:904) ist Castorp sich der geistigen „Bedeutsamkeit" seines geliebten Liedes bewußt geworden und sie wird nun „vom Auge verantwortlich regierender Lebensfreundschaft, der Liebe zum Organischen" (Z:906ff) kritisch betrachtet. Die Bewertungsperspektive fällt also wieder mit der im Schnee-Abschnitt gewonnenen humanen Idee zusammen und sie läßt Castorp erkennen, daß die „geistige Sympathie" mit dem Lied verwerfliche „Sympathie mit dem Tode" (Z:906) war. Wichtiger noch ist, daß er auch zu der Einsicht gelangt, daß die Ergebnisse dieser Haltung „Ergebnisse der Finsternis. Finstere Ergebnisse. Folterknechtssinn und Menschenfeindlichkeit in spanischem Schwarz mit der Tellerkrause und Lust statt Liebe" (Z:906) sind. Aus dieser Kritik zieht Castorp als Schlußfolgerung: „Aber sein bester Sohn mochte doch derjenige sein, der in seiner Überwindung sein Leben verzehrte und starb, auf den Lippen das neue Wort der Liebe, das er noch nicht zu sprechen wußte. Es war so wert, dafür zu sterben, das Zauberlied!" (Z:907). Fragt man hier ausschließlich nach der Bedeutung dieser Stelle für die „Geschichte Castorps" und nicht nach ihrer Funktion im Horizont des Lesers, bleibt wieder festzustellen, daß sich die initiierte Einsicht Castorps lediglich als Kritik an seiner „Sympathie mit dem Tode" äußert. Die Initiation hat, wie Koopmann behauptet, Castorp sehen gelehrt. Er weiß, daß seine eigene Haltung Barbarei und im weitesten Sinne des Wortes Inhumanität zur Folge haben kann, aber seine Einsichten bleiben abstrakte Theorie, die für ihn keine wirkliche Verbindlichkeit mit praktischen Konsequenzen erlangt.

Dem entspricht nicht nur, daß Castorp im Sanatorium bleibt, sondern auch, daß er sich unmittelbar, nachdem er seine Kritik formuliert hat, mit den okkulten Experimenten Krokowskis einläßt. Für lange Zeit verstummen seine kritischen Bedenken gänzlich. Erst am Ende des Abschnittes „Fragwürdigstes" melden sie sich wieder. Castorp bittet, als die Beschwörung Joachims endlich gelungen ist, seinen toten Vetter um Verzeihung und auf Krokowskis Befehl, Joachim mit seinem Namen anzureden, schaltet Castorp „mit knappem Handgriff das Weißlicht" (Z:947) ein und fordert „mit brüsk heischender Kopfbewegung" (Z:947) den Türschlüssel von Krokowski. Als er ihn bekommen hat, „nickte er dem Doktor mehrmals drohend ins Gesicht, machte kehrt und ging aus dem Zimmer" (Z:947).

Diese ganze Szene ist, wie die leitmotivische Beziehung Castorps zu Settembrini im Abschnitt „Ewigkeitssuppe und plötzliche Klarheit" zeigt, als Zeichen dafür zu verstehen, daß Castorp aus dem gespenstischen Wirklichkeitszerfall erwacht und sich für die Welt der Vernunft einsetzt. Die Leitvorstellung ist wieder die humane Idee, daß der „Mensch — um der Güte und Liebe willen dem Tode keine Herrschaft einräumen (soll) über seine Gedanken" (Z:686).

Castorp reagiert in dieser Episode zwar in Übereinstimmung mit der humanen Idee, aber — und das ist strukturell entscheidend — seine humane Aktion hält nicht an, sondern ist auf eine nur momentane Unterbrechung seiner Sympathie mit dem Tode beschränkt. Das zeigt recht eindeutig seine Haltung zum Duell zwischen Settembrini und Naphta im Abschnitt „Die große Gereiztheit".

Castorp weiß nur zu gut, daß das Duell reiner Wahnsinn ist und daß „man es verhindern" (Z:970) müßte. Er argumentiert auch ausführlich für seine Auffassung und lehnt sich gegen Settembrinis merkwürdige Gegenargumente auf — „oder er versuchte doch, es zu tun, um zu seinem Schrecken zu finden, daß er es auch nicht konnte" (Z:972). Auch in dieser Situation ist die humane Idee als Kritik an einem sinnlosen Geschehen vorhanden, aber die kritische Stimme ist spürbar abgeschwächt worden und, was für eine Gesamtbewertung der „Geschichte Castorps" von weitaus größerer Bedeutung ist: sie wird in diesem Abschnitt durch eine fatalistische Einsicht völlig zum Verstummen gebracht. Es heißt: „Furchtbar und letztgültig wehte es ihn an aus jener Erinnerungsgegend, wo Wiedemann und Sonnenschein sich in ratlos tierischem Kampfe wälzten, und er begriff mit Grauen, daß am Ende aller Dinge nur das Körperliche blieb, die Nägel, die Zähne. Ja, ja, man mußte sich wohl schlagen, denn so war wenigstens jene Milderung des Urzustandes durch ritterliche Regelung zu retten. Hans Castorp bot sich Herrn Settembrini als Sekundanten an." (Z:972).

„Das Wesentliche der Lage", heißt diese Einsicht in Settembrinis Fassung, „bleibt das schlechthin Ursprüngliche, der körperliche Kampf." (Z:971). Die substantielle und wirkliche Lebensrealität ist nach dieser Auffassung der nackte Kampf ums Leben, oder – in der Terminologie Schopenhauers – der blinde Wille zum Leben. Mit dieser Einsicht steht Castorp wieder in völliger Deckung mit der pessimistischen Lebensdeutung Schopenhauers. Denn was Castorp hier erkennt, ist, recht besehen, die Wiederentdeckung der im „Blutmahl" erschauten Wahrheit, daß die Vorstellungen eines humanen, von der Vernunft geleiteten Lebens lediglich illusorische Wünschbarkeiten darstellen, die zum unablässigen Scheitern an der Lebenswahrheit verurteilt sind. Diese Wahrheit wird, wie schon einmal früher in der Blutmahl-Vision, von Castorp zwar mit Schrecken und Grauen begriffen, aber dennoch wird sie, und nicht die mit Freude erfahrene humane Idee selbstverantwortlicher Autonomie, für sein weiteres Leben ausschlaggebend. Das zeigt sich vor allem darin, daß Castorp sich fortan aller kritischen Äußerungen konsequent enthält und sich stattdessen im letzten Abschnitt des Romans einer „gewissen philosophischen Gleichgültigkeit" (Z:981) hingibt.

Nach Koopmann ist diese Gleichgültigkeit im Sinne einer „Erfahrungsverweigerung"[12] aufzufassen. „Hans Castorp kann ohnehin", so schreibt Koopmann, „keine essentiellen Erfahrungen mehr machen, da er alles schon weiß und initiiert ist."[13] Gegen diese Auffassung spricht aber, daß im letzten Kapitel keine Anzeichen einer personalen Initiation mehr vorhanden sind. Castorps „philosophische Gleichgültigkeit" äußert sich konkret als Ich-Zerfall, Wirklichkeitsauflösung und totale Apathie. Sie wird mit anderen Worten ausschließlich als Verfallserscheinung beschrieben und zeigt damit auch recht eindeutig, daß für Castorp die humane Idee und die Theorie einer selbstverantwortungsbewußten Ich-Autonomie ihre Verbindlichkeit endgültig verloren haben. Was am Ende des Schnee-Abschnittes schon „im Verbleichen begriffen" ist, ist im letzten Abschnitt von Castorp schließlich gänzlich vergessen worden.

Castorps „philosophische Gleichgültigkeit" stellt aber nicht nur die Zurücknahme der humanen Idee dar, sondern enthält darüber hinaus ein Bekenntnis zu der Schopenhauerschen Wahrheit, die Castorp im Abschnitt „Die große Gereiztheit" begreifen lernt. Hier erkennt er, wie schon erwähnt, daß der Wille zum Leben (der „körperliche Kampf") das Urprinzip aller Dinge darstellt und daß das Leben sich somit nicht von Ideen beherrschen läßt. Diese Auffassung dispensiert, weil sie letzten Endes alle wirklichen Entscheidungen dem irrationalen Prinzip des „Willens" überantwortet hat, konsequenterweise von aller persönlichen Verantwortung und liefert die philosophische Rechtfertigung absoluter Indifferenz. Wenn Castorp deshalb im Abschnitt „Der Don-

12 Ebd., 70f.
13 Ebd., 70f.

nerschlag" der Apathie verfällt, zeigt das, daß seine Schopenhauersche Einsicht für ihn auch wirklich verbindlich geworden ist.

Vom Romanschluß her betrachtet kann also kaum die Rede davon sein, daß Castorp der humanen Idee vorbildlich vorgelebt hat, wie Koopmann meint. Diese Idee ist zwar, wie unsere Analyse zeigte, auch über seine Emanzipation von Settembrini, Naphta und Peeperkorn hinaus punktuell wirksam, aber sie befindet sich die ganze Zeit in strukturell bedeutsamer Konkurrenz mit der durch Schopenhauers Philosophem des „Willens" legitimierten Weltabkehr und Todessympathie. In diesem Wettstreit manifestiert sie sich lediglich als ein Störfaktor, der — wie die humane Stimme Settembrinis im ersten Teil des Romans — Castorp zum kritischen Nachdenken über sich selbst und sein Weltverhältnis zwingt und somit seine in den Augen humaner Vernunft bedenkliche Entwicklung immer wieder punktuell unterbricht. Sie leistet Widerstsand, aber die Faszination der auflösenden Kräfte vermag sie schließlich doch nicht zu brechen. Die humane Idee ist in ihren Wirkungen also durchaus greifbar, aber da diese lediglich transitorische und von Hans Castorp schnell wieder vergessene Momente darstellen, konstituiert sie dennoch keine, wie Koopmann meint, wirklich strukturell tragende aufklärerische Gegenlinie im *Zauberberg*. Die *Konsequenz*, womit die „Aufklärung" abgebrochen wird, zeigt im Gegenteil, daß auch die Thematisierung des Humanitätsprogramms dem Strukturprinzip der Auflösung und Befreiung *von* Positionen folgt, das sowohl im ersten als auch im zweiten Teil für „Castorps Geschichte" bestimmend ist. Der Endpunkt der beiden Entwicklungsverläufe ist dabei jedesmal die „orgiastische Form der Freiheit" *von*, sei es nun, daß sie, wie im ersten Teil, „im buhlerischen Experiment mit den Mächten der Widervernunft" in den Armen der Frau Chauchat, oder wie im zweiten Teil, in einem apathischen Weltverlust realisiert wird.

Zweimal werden wir also innerhalb der „Geschichte Castorps" zu demselben Ergebnis geführt und diese Widerholung bestätigt recht eindeutig, daß die „Geschichte Hans Castorps" konsequent darauf angelegt ist, lebensbejahende und humane Positionen, ja Positionen überhaupt in Frage zu stellen und letztlich auch als Schein zu enthüllen. Diese Positionen — und das gilt auch für die humane Idee der Initiation — sind im Roman letzten Endes nicht einmal um ihrer selbst willen da, sondern, als Objekte der Negation, dienen sie vornehmlich als strukturelle Bestätigung des Schopenhauerschen Seinsverständnisses, daß dem Leben ein irrationales Prinzip inhärent ist, an dem geistige Weltentwürfe notwendig zerbrechen müssen.

In der Optik von „Hans Castorps Geschichte" — das ist die Konsequenz dieser Überlegungen — ist die „Schlüsselerkenntnis des Romans"[14] nicht, wie Koopmann meint, im „Gedankentraum" und dessen humanem Bekenntnis zum Leben zu finden. Im Gegenteil, sämtliche sinntragende Strukturlinien münden in die „Willens"-Lehre Schopenhauers ein, die im Blutmahl-Geschehen ihren angemessenen Ausdruck am unmittelbarsten gefunden hat. Auch so bleibt der *Zauberberg* durchaus ein Initiationsroman, dessen eigentliche Aufgabe darin besteht, „über das wahre Wesen von Leben und

14 Ebd., 57f.

Tod"[15] aufzuklären. Nur wird Castorp die eigentliche Aufklärung nicht erst im „Gedankentraum", sondern schon in der Blutmahl-Vision zuteil und die hier erfahrene Initiation fördert keineswegs humane Lebensverantwortlichkeit, sondern legitimiert umgekehrt die totale Indifferenz und Gleichgültigkeit dem Leben gegenüber.

Für Castorp stellt die Willens-Lehre Schopenhauers zweifellos die letztgültige Wahrheit dar, aber hat sie darüber hinaus auch noch volle Geltung für den Roman selbst? Da diese Frage im sechsten Kapitel meiner Zauberberg-Monographie „Das Form-Unform--Verhältnis in der Optik des Geistes der Erzählung" ausführlich behandelt worden ist, soll in diesem Zusammenhang lediglich nochmals auf die Bedeutung der auch von Koopmann bestätigten Ergebnisse für die Bewertung Schopenhauers kurz hingewiesen werden. Der Aufbau von Welt und Wirklichkeit im *Zauberberg* — so lassen sich die Ergebnisse der Analyse vereinfachend zusammenfasen — ist der Schopenhauerschen Lehre von der *Welt als Wille* und der *Welt als Vorstellung* nachgebildet. Durch die hochentwickelte Leitmotivtechnik werden in der Struktur des Romans und damit auf der romantheoretisch höchstmöglichen Erkenntnisebene die Formenwelt des Geistes und die in Zeit und Raum organisierte Vorstellungswelt als seinsentfremdete Fiktionen enthüllt und, indem das *nunc stans* in der Struktur selbst realisiert wird, zugleich für das wahre Sein aller Dinge, den „Willen zum Leben" durchsichtig gemacht. Die Funktion des Leitmotivs besteht also nicht, wie Werner Frizen in seiner Besprechung meint, darin, „das Chaos des Willens durch das schöne Netz der raum-zeitlichen Bezüge"[16] zu überdecken. Das Leitmotiv wird vielmehr eingesetzt, um diese raum-zeitliche Welt in den Urgrund des „Willens" zurückzunehmen. Nicht das Irrationale wird Gestalt, sondern das Gestaltete wird, soweit das im Rahmen eines Romans überhaupt möglich ist, auf seine irrationalen Urgründe hin transparent gemacht.[17] Für den Roman selbst ist, wie für „Hans Castorps Geschichte", eine negative Dialektik der „Zurücknahme" strukturell entscheidend und hier wie dort mündet die Negation in die Affirmation der Schopenhauerschen „Willens"-Lehre als letztgültige Wahrheit des Seins und des Lebens. Damit habe ich nicht, was W. Frizen entgegenzuhalten ist, „die Personalperspektive Castorps mit der des Romans"[18] identifiziert, sondern zunächst einmal den Zusammenfall

15 Ebd., 47f.

16 *Text und Kontext*, 10, 1, 1982, 195f.

17 Als Einwand gegen meine These von der Affirmation der Schopenhauerschen Irrationalität des Seins behauptet Werner Frizen, daß das Irrationale „notwendig an Rationalität" gewinnt, indem es „Gestalt" wird (ebd., 195f.). Kraft seiner Struktur und seiner Sprachlichkeit, als „Gestalt" mit anderen Worten, trägt der *Zauberberg* natürlich das Signum der Rationalität. Aber da diese Rationalität kein spezifisches Kennzeichen des *Zauberbergs*, sondern lediglich eine allgemeine ontologische Grundbedingung des sprachlichen Kunstwerkes darstellt, halte ich es für falsch, darin eine „Aufwertung der Formenwelt" (ebd., 195f.) zu sehen, Von einer Aufwertung der Formenwelt wäre nur zu sprechen, wenn sie als die *Intention* der spezifischen Form des *Zauberbergs* nachgewiesen werden könnte. Das ist aber nicht der Fall. Im Gegenteil: die dem *Zauberberg* eigentümliche Leitmotivstruktur intendiert vielmehr eine Entwertung der Formenwelt, indem sie diese konsequent als Schein demaskiert.

18 Ebenda, 195f.

der Personalperspektive mit der Romanperspektive festgestellt und erst danach die Konsequenz gezogen, daß für den *Zauberberg* das „Willens"-Philosophem Schopenhauers zumindest in dem Aspekt seiner Wahrheit uneingeschränkt verbindlich ist.

Im Rahmen der Diskussion, ob der *Zauberberg* als Schopenhauer-Affirmation oder Schopenhauer-Kritik zu verstehen ist, bleibt noch eine wichtige Frage zu klären. Denn auch wenn die ontologische Wahrheit des *Zauberbergs* bedeutet, daß das Sein seinem Wesen nach sich jedem gestaltenden Zugriff der Vernunft und des ‚Geistes' entzieht und auf der ethischen Ebene somit von aller Verantwortlichkeit befreit, ist diesem Roman in sehr paradoxer Weise *auch* ein humanes *Wollen* inhärent. Zum Ausdruck kommt das vor allem in der Bewertung der ontologischen Wahrheit.

Mit Recht haben Koopmann, Frizen und Steffensen gegen meine Affirmationsthese den Einspruch erhoben, daß weder der „Willens"-Bereich (Walpurgisnacht, Blutmahl, Krieg) noch seine Äußerungsformen (Entindividuation, Formauflösung und Tod) positiv gesehen werden. Sie werden vielmehr, worauf ich auch selbst in einer im Jahre 1980 erschienenen Besprechung von Hermann Kurzkes Buch *Auf der Suche nach der verlorenen Irrationalität. Thomas Mann und der Konservatismus*[19] hingewiesen habe, eindeutig negativ valorisiert, und wenn man diesen Befund mit den *Buddenbroks* und dem *Tod in Venedig* vergleicht, sieht man, wie entscheidend sich Thomas Manns Haltung zu Schopenhauer gewandelt hat. Wurde das „Willens"-Philosophem dort noch im Sinne einer befreienden Erlösung von der Welt der Individuation begriffen, dann stellt das vom „Willen" beherrschte Leben im *Zauberberg* lediglich ein sinnfremdes, absurdes Geschehen dar.

Aus Thomas Manns anfänglicher Begeisterung für Schopenhauer ist im Laufe der Zeit zweifelsohne ein Ungenügen an seiner „Willens"-Philosophie geworden. Denn auch wenn nicht verkannt werden sollte, daß die negative Bewertung mit der Bewertungsperspektive Schopenhauers zusammenfällt, ist Koopmann dennoch darin zuzustimmen, daß sie auch eine Opposition gegen Schopenhauer enthält. Durch die negative Valorisierung wird eindeutig klargemacht, daß eine im Sinne Schopenhauers verstandene Welt eine *sinnfremde* Welt ist. Diese Enthüllung der Sinnfremdheit des Schopenhauerschen Weltverständnisses wird durch die human modifizierte Lebensbejahung („Gedankentraum", Lindenbaum-Lied, Roman-Schluß) zudem noch um eine humane Alternative zu Schopenhauer ergänzt. Die sinnlose Realität des „Willens" wird mit der humanen Idee „verständig-freundlicher Gemeinschaft und schönen Menschenstaats" konfrontiert und durch diese Kontrastierung profiliert sich die humane Idee eindeutig als sinnhaltige Utopie.

Auch wenn die humane Utopie somit als positive Gegenwelt zu Schopenhauer konzipiert ist, bleibt dennoch zu fragen, ob sie, wie Koopmann behauptet, auch vom Leser als gültige Alternative erfahren wird. Gegen Koopmanns Auffassung spricht, daß er die Bedeutung der in der Struktur des Romans realisierten Schopenhauerschen Seinswahrheit für die Leseerfahrung nicht genügend beachtet und deshalb auch verkennt, daß die

19 Erschienen in: *Text & Kontext*, 8, 1, 1980; 182—188.

humane Utopie vom idealen Leser nicht isoliert, sondern immer vor dem Hintergrund der sinnlosen Realität des „Willens" wahrgenommen wird.

Diese doppelte und zwiespältige Wahrnehmung bedeutet, da die *Wahrheit* der „Willens"-Realität im *Zauberberg* nicht angefochten wird, daß sich beim idealen Leser die Erkenntnis durchsetzt, daß das, wofür auf der humanen Sinnebene appelliert wird, lediglich illusorische Wünschbarkeiten darstellt. Die Wahrheit des Schopenhauerschen „Willens"-Philosophems hebt somit auch im Horizont des idealen Lesers die aufklärerische Wirkmacht der humanen Utopie auf. Die „Willens"-Philosophie nimmt die „Aufklärung" zurück und verwandelt damit die auch im *Zauberberg* unüberhörbar gestellte Frage nach einer sinnhaltigen humanen Lebensform in eine fundamentale Hoffnungs- und Ausweglosigkeit — und diese Aporie zwischen humaner Absicht und metaphysischer Wahrheit, die letztlich für die Struktur des *Zauberbergs* bestimmend ist[20], dürfte nicht sonderlich zur Aktivierung des idealtypischen Lesers in Richtung auf Humanität beitragen, sondern vielmehr eine Haltung völliger Passivität und Indifferenz fördern.

20 Vergl. hierzu meinen Aufsatz *Zur Bedeutung und Funktion der Settembrini-Gestalt in Thomas Manns Roman „Der Zauberberg"*, in R. Wiecker (Hrg.): *Thomas Mann Gedenkschrift 1875—1975*, Kopenhagen 1975; 95—135, besonders 123—124, und meine oben angeführte Besprechung von H. Kurzkes Buch; 187—188. Darüber hinaus hat vor allem Steffen Steffensen in einem Aufsatz, der meinen Ansatz um die geistesgeschichtliche Perspektive des Nihilismus ergänzt, die aporetische Grundsituation des *Zauberbergs* hervorgehoben. (St. Steffensen: *Der Zauberberg in neuer Sicht*, a.a.O., besonders 384ff.) Steffensen betont, wie auch Werner Frizen, daß im *Zauberberg* „eine ganz leise Hoffnung" (368f.) ausgedrückt wird. Im Gegensatz aber zu Werner Frizen, der dieser Hoffnung eine „zukunftsweisende Funktion" (Rezension, a.a.O., 195f.) zugesteht, spricht Steffensen von einer „unmöglichen Lösung" (386f.) und, wie mir scheint, mit Recht, weil die „Willens"-Philosophie Schopenhauers jede Hoffnung zunichte machen muß.

Karl Werner Böhm

Die homosexuellen Elemente in Thomas Manns „Der Zauberberg“[1]

Einleitung

„Daß sich seine tieferen erotischen Neigungen stets auf das männliche Geschlecht gerichtet haben, ist heute wohl unbestritten. Selbst ohne die Tagebücher war es an den Erzählwerken abzulesen“[2] — und zwar nicht nur an denen, die, wie der ‚Tod in Venedig‘, Homosexualität zum Thema haben, deren Geschichte und Sinngehalt von Knaben- und Männerpaaren bestimmt wird: Buddenbrook/Mölln, Kröger/Hansen, Castorp/Hippe, Leverkühn/Schwerdtfeger, — um nur einige zu nennen. Manns Homosexualität strukturiert auch scheinbar heterosexuelle Beziehungen seiner Figuren: die ‚Geliebten‘-Notizen[3] und Mayers Analyse der Tümmler/Keaton-Konstellation[4] belegen das. Darüber hinaus hilft sie mit, seine Einschätzung *des* Männlichen, *des* Weiblichen in eine antifeministisch-männerkultische Richtung zu lenken. Über *die* Homosexualität sagt das allerdings nichts aus, zumal Frauenverachtung und machismo zu den Grundzügen einer sich heterosexuell verstehenden Gesellschaft gehören. Auch hier gilt, daß jedes menschliche Verhalten nur in seinem historischen und gesellschaftlichen Kontext verstanden werden kann: es „gibt kein ursprüngliches ‚Männliches‘ oder ‚Weibliches‘; geschlechtsspezifische Verhaltensmuster und Erfahrungsweisen sind immer sozial produziert“[5]. Wie tiefgreifend Manns Homosexualität Struktur, Handlung und Stimmung seines Werks beeinflußt, soll hier am Beispiel des ‚Zauberbergs‘, insbesondere den homosexuellen Elementen der Castorp/Chauchat-Konstellation und ihrer vielfachen Verschleierung, nachgewiesen werden. *Ausgangspunkt* ist der Vergleich des 1925 in ‚Über die Ehe‘ entwickelten Konzepts einer „unfruchtbaren und aesthetisch-todverbundenen“[6] Homerotik mit der gleichfalls Todes-, Auflösungs- und Unformassoziationen auslösenden Chaucat-Mystik. *Ziel* ist es, etwas über jene Masken und Taktiken in Erfahrung zu bringen, mit denen (nicht nur) Thomas Mann seine Homosexualität zu verbergen verstand.

1 Nachfolgender Text basiert auf einer im Wintersemester 1982/83 an der Johannes-Gutenberg-Universität Mainz angefertigten Seminararbeit. Titel des Seminars: Thomas Manns ‚Der Zauberberg‘. Seminarleiter: Dr. Hermann Kurzke. Letzterem möchte ich für die Anregungen, mit denen er die Umarbeitung des Textes begleitete und förderte, herzlich danken.

2 Hans Mayer, *Thomas Mann* (Frankfurt 1980), 477.

3 Vgl. Peter de Mendelssohn, *Der Zauberer. Das Leben des deutschen Schriftstellers Thomas Mann, Erster Teil 1875—1918* (Frankfurt 1975), 424—426, 480—490, 530—541.

4 Vgl. Mayer, ebd. 408—426.

5 Gerhard Vinnai, *Das Elend der Männlichkeit. Heterosexualität, Homosexualität und ökonomische Struktur* (Hamburg 1980), 11.

6 *Dichter über ihre Dichtungen. Thomas Mann*, Bd. 1 (1975), 379.

1. ‚Über die Ehe' – Homosexualität und Todessehnsucht

Neben den über die Tagebücher verstreuten Bemerkungen äußert sich Mann auch grundsätzlich zum Thema Homosexualität[7]. Sein Essay ‚Über die Ehe' ist hier von besonderem Interesse, da er kurz nach dem ‚Zauberberg' erschien und sich also zu ihm in Relation setzen läßt. Typisch schon hier, daß der eigentlichen Erörterung der Homoerotik, quasi um ihr die Spitze zu nehmen, kurze Hinweise auf die „Androgynität der Jugend", auf Freud und seine „Entdeckung der ursprünglichen und natürlichen Bisexualität des Menschen"[8] vorweggeschickt werden. Erst dann kommt Mann auf das „homoerotische Phänomen"[9] zu sprechen. Die allgemeine Enttabuisierung des Sexuellen habe auch der Homoerotik zu einer „gewissen zeitklimatischen Gunst" verholfen. Indizien dieser Entwicklung seien die Bücher André Gides und Hans Blühers[10]. Zweierlei bringt Mann zur Rechtfertigung (!) der Homoerotik vor. Wie Gide zitiert auch er die Leistungen berühmter homosexueller Künstler, verweist auf Michelangelo, Platen, Tschaikowskij. Sein zweites Argument: „mit dem Urteil ‚unästhetisch'" ist diesem „Gefühlswesen (...) am wenigsten beizukommen". Denn das Ästhetische, so Mann, ist ein „außermoralischer, von Ethik, von Lebensbefehl nichts wissender, von der Idee der Nützlichkeit und Fruchtbarkeit ganz unberührter Gesichtspunkt"[11]. Und weiter: „Das Prinzip der Schönheit und Form entstammt nicht der Sphäre des Lebens (...). Es steht dem Leben in stolzer Melancholie entgegen und ist im tiefsten mit der Idee des Todes und der Unfruchtbarkeit verbunden"[12]. Die Bestimmungen des Ästhetischen fallen mit denen der Homoerotik zusammen:

„Es ist kein Segen bei ihr, als der der Schönheit, und das ist ein Todessegen. Ihr fehlt der Segen der Natur und des Lebens – das möge ihr Stolz sein, ein allerschwermütigster Stolz, aber sie ist gerichtet damit, verworfen, gezeichnet mit dem Zeichen der Hoffnungslosigkeit und des Widersinns. (...) ein Fluch, nicht gleichbedeutend mit bloßer gesellschaftlicher Verpönung (...) schwebt unverkennbar über dieser freien, allzu freien Liebe." Ehe und Knabenliebe, Hetero- und Homoerotik verkörpern hier zwei einander diametral entgegengesetzte Welten. Ihre weiteren Charakteristika lassen sich antithetisch auflisten[13]:

Familienbildung	–	Unfruchtbarkeit/ohne Zukunft
Dauer/Treue	–	Flatterhaftigkeit/Untreue
Tugend/Lebenszucht	–	unmoralisches l'art pour l'art

7 *Brief an Carl Maria Weber* (4.7.1920); *Von deutscher Republik* (1922); *August von Platen* (1930); *Protest gegen § 175* (~ 1930). Im letzten Fall handelt es sich um einen noch unbekannten Text Thomas Manns; er findet sich in dem von Joachim S. Hohmann zusammengestellten Auswahl-Reprint des *‚EIGENEN. Ein Blatt für männliche Kultur'* (Berlin 1981).

8 Th. Mann, *Über die Ehe*, Gesammelte Werke Bd. X (1960), 195.

9 Ebd. 196.

10 André Gide, *Corydon* (1924); Hans Blüher, *Die deutsche Wandervogelbewegung als erotisches Phänomen* (1912), *Die Rolle der Erotik in der männlichen Gesellschaft* (1917/1919).

11 *Über die Ehe*, 196.

12 Ebd., 197.

13 Vgl. ebd. 197–202.

Hier also die helle geordnete bürgerliche Welt: Sittlichkeit und Sozialität; dort das mystische Dunkel des „erotischen Ästhetizismus", eine pessimistisch-orgiastische, todessehnsüchtige Homoerotik: „Auflösung der sittlichen Lebensform".

Der Versuch, die so gewonnenen Kategorien auf die Figurenkonstellationen des ‚Zauberbergs' zu übertragen, will nicht ganz gelingen. Denn während alle kleineren heteroerotischen, auch die lesbischen Paarungen, wie erwartet, dem Schema des Essays entsprechen, erscheint die zentrale Geschichte der Liebe Hans Castorps zu Clawdia Chauchat in hohem Grade mystifiziert. Warum? Handelt es sich nicht um eine „naturgebotene, ehelich mögliche, zeugende Liebe"[14], eine Mann/Frau-Beziehung, die den Ansprüchen der bürgerlichen Flachlandgesellschaft genügen könnte? Was unterscheidet Clawdia Chauchat von den anderen Frauen des Romans, daß die Liebe zu ihr Castorp unvernünftig, unnatürlich, verboten erscheint?

2. Die homosexuellen Ursprünge der Chauchat-Mystik

2.1. Phallische Frau

Losgelöst von der Chronologie des Romans läßt sich das Besondere an Chauchat in vier Aspekten fassen. Der erste zeigt ihre Verknüpfung mit phallischen Symbolen. Gemeint sind Bleistift, Thermometer, Zigarre. Deren Existenz erklärt sich zum einen aus der Erstkonzeption des Romans als Psychoanalyse-Parodie; gleichzeitig gehören sie zu seinen integralen Momenten, ein Widerspruch, den Mann schon 1919 erkennt[15]. Andererseits zählen sie als Symbole zu der von Mann so benannten „wollüstigen Körpermystik"[16]; trotz ihres parodistischen Charakters sind sie Teil des allgemeinen Versteckspiels, das der Roman mit sexuellen Anspielungen treibt.

Über die formale Parallele hinaus[17] sind sie durch gewisse Details verknüpft. Bleistift und Thermometer stimmen farblich überein; während aus dem einen etwas herauswächst, steigt in dem anderen etwas empor. Die Zigarre ist über die Begriffe „Quecksilberzigarre" (Z-69), „gläserne Zigarre" (Z-246) mit dem Thermometer assoziiert. Ihre Funktionen sind die von Relais: sie schließen Schaltkreise, bauen Assoziationsbrücken. So fungiert das *Thermometer* als Gradmesser der Castorpschen Ängste; verhält sich Chauchat abweisend, fällt Merkurius und umgekehrt (Z-vgl. 327, 330): ein Phallus im ständigen Wechsel zwischen erschlafftem und steifem Zustand. Über die Namen Merkur/Hermes, an die sich wieder phallische Motive knüpfen lassen[18], werden Brücken geschlagen zu Mythologie und Todessymbolik. Nach Chauchats Abreise verliert das Thermometer seinen phallischen Charakter. Die *Zigarre* ist vielfach determi-

14 Ebd. 198.

15 Th. Mann, *Tagebücher 1918–1921* (Frankfurt 1979), 345.

16 Ebd., 450.

17 Vgl. Th. Mann, *Der Zauberberg*, Gesammelte Werke Bd. III (1960), 173 (Bleistift), 236 (Thermometer), 353 f. (Zigarre).

18 Vgl. Helmut Koopmann, *Die Entwicklung des ‚intellektualen Romans' bei Thomas Mann* (Bonn 1962), 158.

niert. Sie „strukturiert Castorps Akklimatisationsprozeß“[19], scheidet als Motiv der „Lasterhaftigkeit“ die leicht verführbaren Raucher (Castorp, Behrens, Chauchat) von den bürgerlich asketischen Nichtrauchern (Settembrini, Ziemßen) und verbindet wie das Thermometer sexuelle Motive mit denen des Todes. Ihre phallische Form reiht sie unter die männlichen Symbole; durch ihren Namen und die Tatsache, daß Castorp und Behrens über sie sprechen, wie ‚man‘ über Frauen spricht, zählt sie gleichzeitig zu den weiblichen (Z-vgl. 353). Der *Bleistift*, das Relais zwischen Chauchat und Hippe, ist geradezu die Parodie eines phallischen Symbols. Die im Text geschilderte Bleistiftleihe ist die mythisierende Umschreibung einer pubertären gegenseitigen Onanie: Hans hält das Glied des Geliebten in seinen Händen und tut das, was der andere ihm sagt. Das Ausleihen bedeutet: das neue Wissen ausleihen, das Erlernte an sich selbst ausprobieren. Handlungstragend ist der Bleistift vor allem in den ersten fünf Kapiteln.

Neben den beschriebenen symbolischen Bezügen ist Chauchat auch charakterlich der Prototyp der „phallischen“, „männlichen“ Frau: emanzipiert, stark, „liederlich“, eine Anarchistin, das Gegenbild zur banalen Ehefrau. Mit diesen Attributen überragt sie alle anderen Frauengestalten des Romans. Die Wirkung, die sie auf Castorp ausübt, ist eine Mischung aus Faszination und Abwehr.

Während Castorps Tischgenossin Fräulein Engelhart die „Lässigkeit“ der Russin vorbehaltlos bewundert (Z-vgl. 191—194), wird sie von ihm zunächst mißbilligt[20]. Seine Kritik, die sich an dieser Stelle noch aus der Wut über das Türenschlagen speist, stellt sich schon bald als Abwehr einer unbewußten Faszination heraus. Da diese Frau all das verkörpert und lebt, was Castorp, ohne es sich einzugestehen, an sich selbst vermißt, wird sie zum bewunderten Idol. Castorp beginnt sich mit ihr zu identifizieren und ahmt sie nach. Er imitiert ihre Sitzhaltung und findet es bequem, wie sie die Saaltür ins Schloß fallen zu lassen, anstatt sie „umständlich hinter sich zu schließen“ (Z-321). Zur Illustration des Idolcharakters „phallischer“ Frauen zwei Zitate: „unsichere Invertierte verwandeln sich gern in machtvoll-kraftvolle Exemplare des anderen Geschlechtes, um dann in solcher Gestalt & beruhigten Gewissens, gleich mit ganzen Scharen von Vertretern des eigenen Geschlechtes an- & verführerisch umgehen zu können“[21]. „Marlene Dietrich, Zarah Leander, Mae West, Josephine Baker leben von der Hingabe und Verehrung von Millionen von Schwulen in der ganzen Welt. Jeder will so sein wie sie, ein männermordender Star, angestarrt und bewundert, exzentrisch und unberechenbar. (...) ein Vamp, der die Männer für all die dreckigen Gemeinheiten bestraft; eine Frau, die die Weltherrschaft an sich reißt, die Männer fickt mit monströsem, nachgemachtem Schwanz“[22]. Daß Castorp zur Identifikation mit Chauchat fähig ist, deutet bereits auf

19 Børge Kristiansen, *Unform-Form-Überform. Thomas Manns Zauberberg und Schopenhauers Metaphysik* (Kopenhagen 1978), 104, vgl. 106.

20 Eher „ahnungsweise, als daß er es eigentlich gesehen hatte“ (110) erkennt er an ihr wenig „Damenhaftes“; sie ist lässig (111), unerzogen (131), rücksichtslos (176), zudringlich, ohne Manieren.

21 Arno Schmidt, *Sitara und der Weg dorthin* (1980), Fischer-Tb, 190 f.

22 Rosa von Praunheim, *Sex und Karriere* (1978), Rowohlt-Tb, 42.

einen homoerotischen Gefühlshintergrund; die Schmidt- und Praunheim-Zitate unterstützen diese These. Vor allem aber ist die Freilegung dieser Fähigkeit ein Indiz für jenen allgemeinen Sexualisierungsprozeß, zu dessen Beginn sich Castorps Miene, angesichts der Enthemmtheit des russischen Ehepaars, „ehrbar verfinstert", dessen Höhepunkt, die Faschingsnacht, seine eigene Enthemmung bedeutet. Neben dieser stetigen Entkonventionalisierung durchläuft Castorp einen zweiten, ihn in seiner psychischen und sexuellen Identität wesentlich stärker beeinflussenden Prozeß.

2.2. Chauchat/Hippe

Es beginnt mit einer „vagen Erinnerung an irgend etwas und irgendwen" (Z-111), „ich (kann) nicht sagen an was..." (Z-121), „Woran, dachte er, woran (...)" (Z-124). Ein Traum löst das Rätsel. In seinem Kern ein Verdichtungsvorgang: der alte Schulhof, Chauchats heisere Stimme, ihre schmalen blaugraugrünen Augen und breiten Backenknochen, ein Bleistift, ein Blick und — Hans schreckt auf, weiß plötzlich, an wen ihn die Frau erinnert. Zweimal noch, so der Erzähler, träumt er, wie die Frau durch den Speisesaal lautlos auf ihn zukommt und ihn die Innenfläche ihrer „unveredelten" Schulmädchenhand küssen läßt (Z-vgl. 131). Das ist, im Gestus absoluter Hingabe, das Eingeständnis der Liebe, nachdem die unsichtbare Barriere, die Castorps Erinnerungsvermögen blockierte, durchbrochen ist: „Da durchdrang ihn wieder von Kopf bis zu Fuß jenes Gefühl von wüster Süßigkeit, das in ihm aufgestiegen war, als er zur Probe sich des Druckes der Ehre ledig gefühlt und die bodenlosen Vorteile der Schande genossen hatte (...)" (ebd.). Das Fieber erreicht seinen ersten Höhepunkt. Castorp beginnt sich seiner bürgerlichen Hemmungen zu entledigen. Obwohl 23jährig, scheint er seine Sexualität erst jetzt zu entdecken.

Der Prozeß dieser äußeren allgemeinen Sexualisierung Castorps birgt in sich den seiner Re-homo-sexualisierung. „Wie merkwürdig ähnlich er ihr sah, — dieser hier oben! Darum also interessiere ich mich so für sie? Oder vielleicht auch: habe ich mich darum so für *ihn* interessiert? Unsinn!" (Z-174) Die Fragen werden auch vom Erzähler nicht beantwortet. Pribislav Hippe ist ein Schulkamerad Castorps, der bestimmte Züge Kai Möllns und Hans Hansens in sich vereinigt. Mit Hansen verbinden ihn die blonden Haare, seine blaugrauen Augen sind unbestimmt, auch er ist ein erfolgreicher Schüler (Z-vgl. 170), gesellschaftlich anerkannt, mit den besten Aussichten für eine spätere bürgerliche Karriere. Trotzdem umgibt ihn, wie den Grafensohn Kai Mölln, etwas Außenseiterisches und Fremdartiges, was sich schon in seinem Namen, vor allem aber in seinem Gesicht ausdrückt, dessen schmale Augen und breite Backenknochen bereits Mölln aufweist. Eine durchweg positive nicht ironisierte Gestalt: erfolgreich, aber ohne die Naivität und Geistlosigkeit Hansens, träumerisch, aber ohne die Armut und Einsamkeit Möllns. Hans ist dreizehn, Untertertianer. Er „bewundert" den Kameraden, „interessiert" sich für ihn, aus der Ferne, und macht sich nur „wenig Sorge um die geistige Rechtfertigung seiner Empfindungen oder gar darum wie sie etwa notfalls zu benennen gewesen wären" (Z-171)[23]. Der „abenteuerliche Höhepunkt" dieser unerwider-

23 Für C.A.M. Noble (*Krankheit, Verbrechen und künstlerisches Schaffen bei Thomas Mann*, Bern

ten, weil nie artikulierten Liebe ist die ominöse Bleistiftleihe, — „dann dauerte es noch ein Jahr, dank der bewahrenden Treue Hans Castorps, und dann hörte es auf —" (Z-172). Daß Pribislav Schule und Stadt verläßt, registriert er „ohne Abschiedsweh", — „er hatte ihn schon vorher vergessen." Jetzt, zehn Jahre später, unter den besonderen Bedingungen eines zeit- und weltentrückten, durch Krankheit und Todesnähe entkonventionalisierten „Zauberbergs" kehrt Pribislav zurück. Clawdia Chauchat bringt Castorps Re-homo-sexualisierungsprozeß in Gang. Sie und Hippe verschmelzen auf der Leitmotivebene zu einem scheinbaren hermaphroditischen Wesen mit männlichen (schmale blaugraugrüne Augen, breite Backenknochen, heisere Stimme, üppige Lippen, vorgeschobener Kopf) und weiblichen (schlaffer Rücken, weiche Arme, Nacken, bestimmte Gesten: Hand zum Hinterkopf, schleichender Gang) Determinanten. Betrachtet man allerdings die Kennzeichen Chauchats genauer, gerät dieses Bild hermaphroditischer Ausgewogenheit ins Wanken. Ihre Brust wird als klein und mädchenhaft beschrieben (Z-vgl. 299), ihre Hüften sind „nicht breit" (ebd.) und ihre Hände wirken, nicht nur weil sie Castorp in seinem anfänglichen Ärger so sehen will, wenig „damenhaft", dh.: breit, kurzfingrig, kindlich: Schulmädchenhände (Z-vgl. 110). Schon aus diesen Beschreibungen, die sich ausdrücklich auf Chauchat beziehen, ergibt sich das Bild einer eher knabenhaften Frau. Die Veränderungen, die sie dann in Castorps Bewußtsein erfährt, lassen ihre weiblichen Komponenten fast vergessen. Der erinnerte Mann/ Knabe rückt in den Vordergrund. Chauchat ist von nun an die Schmaläugige, die mit den Kirgisen- und Pribislav-Augen, den breiten Backenknochen und der heiseren Stimme: „alles war ganz wie bei Pribislav" (Z-206). Diese Motive finden sich weitaus häufiger als die weiblich determinierten und geben auf diesem Weg nun doch eine Antwort auf jene offen gelassene Frage, ob Castorp sich vor allem für *sie* oder für *ihn* interessiert. Der leitmotivische Hermaphrodit hat einen deutlichen Überhang zum Männlichen, auch wenn er auf der Personalebene weiterhin Frau genannt werden muß[24].

1970) ist dieses „Interesse" schlicht Ausdruck „psychischer Gestörtheit" (141); in Anerkennung der Freudschen Neurosentheorie habe Mann die Hippe-Episode in den Roman eingeschaltet. Auch Peter Dettmering (*Suizid und Inzest im Werk Thomas Manns,* in*: Dichtung und Psychoanalyse.* München 1969, dort: 9—79) pathologisiert Castorps Liebe zu Hippe. Die Phallizität Chauchats ist aus seiner Sicht die Projektion der Castorpschen Kastrationsangst (vgl. 35); viele Protagonisten Manns, so Dettmering, wenden sich von den als triebhaft erlebten Frauen ab, hin zu „narzißtisch-homoerotischen Wunschbildern" (32); sie flüchten vor dem „Rivalitätsproblem" (45), kommen jedoch nicht zum Ziel, weil Aggressivität und genitale Triebwünsche nicht endgültig zu eliminieren sind. — Beide Autoren übernehmen kritiklos das vorgegebene Modell der Freudschen Libidotheorie, das durch eine fragwürdige Gegenüberstellung von ‚Normalem' und ‚Unnormalem' Homosexualität zur Entwicklungsstörung degradiert. Weder versuchen sie, ihre Thesen anhand von Textbelegen zu verifizieren, noch sehen sie den Widerspruch zwischen der Libidotheorie und Freuds fragmentarischen Äußerungen über eine ursprüngliche menschliche Bisexualität.

24 In der bisherigen Forschung, so wie sie Kristiansen (vgl. ebd. 160—164) resümiert, lassen sich hinsichtlich Clawdia Chauchat vier Deutungsrichtungen unterscheiden. Die erste sieht in der Russin vor allem den ‚positiven Bildungsfaktor', — der zweiten, mythologischen gilt sie als

Man kann zusammenfassend die Ausstrahlung der „phallischen" Frau *doppelt ambivalent* nennen. Als Verkörperung von Emanzipation, Anarchie und sexueller Freiheit muß der Bürger in Castorp sie verurteilen, der Nicht-Bürger sich zu ihr hingezogen fühlen: hier das Regiment der Sittlichkeit, dort eine aufbegehrende, revoltierende Sinnlichkeit. Die andere, sehr viel tieferreichende Ambivalenz Chauchats liegt auf der Ebene ihrer physiognomischen Besonderheit. Der Prozeß, in welchem sich Castorp seiner „vergessenen" Homosexualität bewußt wird, wird von dem einer allgemeinen Sexualisierung befördert.

2.3. Settembrinis Warnungen

Settembrinis Einschätzung Chauchats ist nach den dargestellten Verbindungen dieser Frau zu phallischen Motiven und zu Pribislav Hippe der dritte Aspekt ihrer Mystifizierung. Warum warnt Settembrini Castorp vor Chauchat? Er ist schließlich kein religiöser Fanatiker, kein allem Sinnlichen feindlich gesonnener Asket. Er ist im Gegenteil ein Humanist, der, gerade weil er die Einheit von Natur und Geist postuliert (Z-vgl. 519), gegen irgendwelche sexuellen Abenteuer seines Schülers nichts weiter einzuwenden haben dürfte. Trotzdem versucht er, Castorp vor dieser Liebe — und er ruft das ganze Abendland gegen sie auf — zu schützen. Seine Einwände richten sich zunächst allgemein gegen die todessüchtige Atmosphäre des Sanatoriums, vor deren paralysierender Wirkung er Castorp bewahren und ihn deshalb gleich am ersten Tag wieder nach Hause schicken möchte. „,Sie meinen, ich sollte abreisen?' fragte Hans Castorp... ,Wo ich gerade erst angekommen bin? Aber nein, wie will ich denn urteilen nach dem ersten Tag!' Zufällig blickte er ins Nebenzimmer bei diesen Worten und sah dort Frau Chauchat von vorn, ihre schmalen Augen und breiten Backenknochen. Woran, dachte er, woran und an wen in aller Welt erinnert sie mich nur." (Z-124) Castorp spricht „auf einmal sehr eindringlich". Ihm fehlen die Gegenargumente, um Settembrinis Vorschlag ein klares Nein entgegenzusetzen. Stattdessen flüchtet er vor ihm in den Rausch, soweit hat ihn der ,zufällige' Blick ins Nebenzimmer gegen die ,Vernunft' immunisiert.

Die sich nun immer deutlicher herauskristallisierende Dreierkonstellation — Settembrini/Castorp/Chauchat — wiederholt die Antithetik der ,Betrachtungen eines Unpolitischen'. Ludovico Settembrini — Typ des Aufklärers, Literat und Vertreter westlicher Zivilisation, Verkörperung von „Sittlichkeit" und „politischer Tugend". Ihm gegenüber in Gestalt Clawdia Chauchats: Osten, Entindividuation, Anarchie und Auflösung, „Todeslaster" und „Fleischesmystik"[25]. Zwischen beiden, als Repräsentant der deutschen „humanen Mitte" (Z-vgl. 714, 722), als Mittler zwischen Europa und Asien: Hans Castorp. Wäre damit alles erklärt? Warnt Settembrini nur deshalb vor

Hermes-Psychagogos-Figur und Führerin durch den Hades, — die historische versteht sie als Verkörperung des Mannschen Asienbildes, — die psychoanalytische als Ausdruck der Castorpschen Mutterfixierung. Im Zentrum dieser Interpretationen steht die *Frau* Chauchat. Ihre vitale homoerotische Komponente wird in der Literatur, wenn nicht übersehen, so doch nur am Rande in die Analyse einbezogen.

25 Vgl. *Tagebücher*, 319 f.

Chauchat, weil es das Schema der ‚Betrachtungen' nun einmal verlangt, daß der Zivilisationsliterat alles Asiatische verabscheut? Auch der Hinweis auf das psychologische Motiv dieser Apathie – gemeint ist die „quasi-erotische"[26] Eifersucht des Pädagogen auf jeden, der sich zwischen ihn und seinen Schützling schieben könnte – ergründet nicht ihren eigentlichen Antrieb. Als Settembrini ihn zum zweiten Mal auffordert abzureisen, kann Castorp zwar auf seine „frischen Stellen" und deren nötige Behandlung verweisen, den Ausschlag für sein diesmal entschiedenes Nein gibt jedoch etwas anderes. „Hans Castorp hatte sich nun gestrafft. Er hielt die Absätze geschlossen und sah Herrn Settembrini ebenfalls gerade an. Diesmal war es ein Gefecht. Hans Castorp stand seinen Mann. Einflüsse aus der Nähe ‚stärkten' ihn. Da war ein Pädagog und dort draußen war eine schmaläugige Frau." (Z-346) Nicht bloß die *Frau* läßt Castorp standhaft bleiben, sondern konkret ihre Gesichtsphysiognomie und die Erinnerung, die sie heraufbeschwört (Z-vgl. auch 848). Das, was ihn letztlich festhält – jene „dunklen Gewalten", „Mächte der Widervernunft" und der „Fleischessünde" (Z-vgl. 495 f.) – ist seine verdrängte, nun wieder akut werdende Homosexualität. Sie ist das eigentliche Ziel von Settembrinis Warnungen.

2.4. *Tod als ‚Unform'*

Die Tendenz des Romans, die zentrale heteroerotische Beziehung seines Protagonisten mythisch zu überhöhen, widerspricht der in ‚Über die Ehe' vertretenen These, derzufolge die Liebe zwischen Mann und Frau eine dem Leben, der Sittlichkeit und Tugend verbundene, fruchtbare und naturgebotene Angelegenheit ist. Die mit Clawdia Chauchat verknüpften Themen der Todessehnsucht, der Auflösung von Lebenszucht und Ordnung, des Unvernünftigen, Verbotenen und Unfruchtbaren sind im Essay Kennzeichen der Homoerotik.

Børge Kristiansen interpretiert Castorps Interesse an Chauchat als Konkretion seiner Sehnsucht „nach der ‚asiatischen' Welt der ungehemmten Triebentfaltung und des ‚Todes als Unform'".[27] Diese Liebe umfasse „beide Geschlechter, und ihr eigentlicher Gegenstand ist letzten Endes weder Hippe noch Chauchat, sondern vielmehr die in der Hippe-Chauchat-Transpersonalität verkörperte ‚asiatische' irratio."[28] Das homoerotische Element spielt in dieser „Transpersonalität", die nach Kristiansen eine Projektion der „unbewußten metaphysischen Neigungen"[29] Castorps ist, nur eine der „ästhetischen Eigengesetzlichkeit"[30] des Romans untergeordnete leitmotivische Rolle. Es wurde oben schon festgestellt, daß die scheinbare hermaphroditische Ausgewogenheit Hippe/Chauchat einen deutlichen Überhang zum Männlichen hat. Auch der hier zu untersuchende Aspekt der Chauchat-Mystik wurzelt ausschließlich in den männlichen Determinanten dieses leitmotivischen Zwitters, d.h.: nur als Hippe-Reinkarnation ist

26 Vgl. ebd., 378.
27 Kristiansen, 114.
28 Ebd., 22, vgl. auch 124, 175.
29 Ebd., 165.
30 Ebd., 77.

Chauchat die Repräsentantin des ‚Unform'-Bereichs, nur als solche — und nicht als „Transpersonalität" — ist sie die Projektion der Sehnsucht Castorps nach Entindividuation und Auflösung jeglicher Lebenszucht durch den Tod[31]. Bestimmte Details ihres Verhaltens zum Beispiel passen durchaus nicht ins Bild einer ‚Unform'-Allegorie. In ihren Umgangsformen ist Chauchat geradezu eine verknöcherte Formalistin: „‚Eh bien, est-ce que tu as l'intention de me tutoyer pour toujours?' ‚Mais oui. Je t'ai tutoyée de tout temps et je te tutoierai éternellement.' ‚C'est un peu fort, par exemple. (...)'" (Z-469f.) Weil es Fasching ist, läßt sie das Du über sich ergehen, nur deshalb benützt sie es auch selbst; im Prinzip wahrt sie, wie Settembrini, für den das Du „unter Fremden" nichts als „widerwärtige Wildheit" und „liederliches Spiel", „frech und schamlos" ist (Z-vgl. 457), gesitteten Abstand. Die Ironie, mit der sie Castorps wachsende Enthemmung quittiert — „‚Parlez allemand s'il vous plaît!'"(Z-467) „‚Quelle folie!'" (Z-475) „‚Allons, allons!' sagte sie. ‚Si tes précepteurs te voyaient...'" (Z-476) — ist die Maske dieses biederen Formalismus. „‚pédanterie elle-même'", kritisiert Castorp folgerichtig, als sie sich, kaum ist das Fest vorüber, die Papiermütze vom Haar nimmt und verkündet: „‚Vous connaissez les conséquences, monsieur.'" (Z-474) Und als er sie im ersten Gespräch nach ihrer Rückkehr wie selbstverständlich duzt, ruft sie empört: „‚Was fällt Ihnen ein!' (...) ‚Schon wieder! Was für eine Redeweise zu einer Dame, die man kaum kennt!'" (Z-773). Es gibt da eine auffällige Diskrepanz zwischen dem kühl abwehrenden, auf bürgerliche Form bedachten Verhalten dieser Frau und der Vehemenz, der zwanghaften neurotischen Unbedingtheit, mit der ihr Castorp seinerseits begegnet. Sein Traum Chauchat ist mit der Person Chauchat nur in ihren an Hippe erinnernden Komponenten vereinbar. Castorp erhofft sich mehr von ihr als sie zu geben vermag; er überlädt sie mit Projektionen. Was das mit dem ‚Unform'-Bereich verknüpfte Duzen betrifft[32], scheint Castorp ‚liederlicher' zu sein als die ‚Unform'-Repräsentantin selbst. Genaubesehen besteht seine Liederlichkeit jedoch nur darin, eine alte Gewohnheit nicht aufzugeben: „je t'ai aimée de tout temps, car tu es la Toi de ma vie, mon rêve, mon sort, mon envie, mon éternel désir..." (Z-476). Castorp duzt Hippe. Dieser ist der eigentliche Adressat seiner Liebeserklärung. Die gesamte Chauchat-Mystik, deren vier hervorstechendste Merkmale hier behandelt wurden, gründet in den Hippe-Elementen. Ohne diese Verwurzelung im homoerotischen Bereich wäre Clawdia Chauchat für den Fortgang des Romans so belanglos wie eine Marusja.

31 Die Verknüpfung von Homosexualität und Tod ist in der Homosexuellen-Literatur dieses Jahrhunderts fast schon Klischee. Da man das eine vernünftigerweise nicht aus dem anderen herleiten kann, kann die Erklärung dieses ‚Phänomens' nur in der gesellschaftlichen Situation Homosexueller, damals und heute, zu finden sein. Die Literatur zum ‚Zauberberg' übersieht dieses Problem völlig.

32 Vgl. Kristiansen, 291.

3. Hans Castorp und der Prozeß seiner Re-homo-sexualisierung

3.1. Krankheit und Widerstände

Bisher wurde Castorps Homosexualität im Spiegel der Chauchat-Mystik betrachtet; jetzt soll das gleiche aus der Perspektive des Protagonisten selbst und seiner „Krankheit" geschehen. Die Deutung der Krankheitssymptome, die Castorp seit seiner Ankunft und besonders seit seiner Begegnung mit Chauchat an sich feststellt, als physische Wiederkehr seiner „vergessenen" Liebe zu Pribislav Hippe, wird durch die Kapitelanordnung nahegelegt. Auf den Hippe-Traum folgt konsequent die „Analyse"; hier wird die Psychoanalyse trotz Ironisierung integrales Moment der Handlung.

Wie entwickelt sich Castorps „Krankheit"[33] weiter? Er hat sich jetzt zwar an die vergessen geglaubte Episode erinnert, nichtsdestoweniger hält er sie für vergangen und abgetan: „Nun, so leb' wohl und hab' Dank!" (Z-174) — er verabschiedet sich von Hippe, kaum daß der ihn wiedergefunden hat. Es gelingt ihm, sich auf diese Weise über die Aktualität und unverminderte Stärke seiner Liebe zu Hippe hinwegzutäuschen. Die Bewußtwerdung, die nach der Logik der Psychoanalyse ein Abklingen der Krankheitssymptome hätte nach sich ziehen müssen, findet nicht statt. Im Gegenteil. Der Spaziergang bringt die bis dahin „still vorhandene Krankheit zum Ausbruch" (Z-263). Indizien dieser beständigen Flucht vor sich selbst sind Castorps Widerstände: „außerdem wünschte der junge Mann, sich von außen zur Hingabe an Empfindungen ermutigen zu lassen, denen seine Vernunft und sein Gewissen störende Widerstände entgegensetzten." (Z-192) „Auch dies, daß der längst vergessene Pribislav ihm hier oben als Frau Chauchat wieder begegnete und ihn mit Kirgisenaugen ansah, war wie ein Eingesperrtsein mit Unumgänglichem oder Unentrinnbarem, — in beglückendem und ängstlichem Sinn Unentrinnbarem." (Z-206 f.) Da der Prozeß der Re-homo-sexualisierung das Signum des Verbotenen noch nicht abgeschüttelt hat, gerät Castorps Liebe zu Chauchat notwendig ambivalent. Sie zerfällt in Glücks- und Angstzustände[34], wobei Castorp letztere mittels Vernunft und Gewissen zu rationalisieren versteht: „Denn daß ein Mann sich für eine kranke Frau interessierte, dabei war doch entschieden nicht mehr Vernunft, als...nun, als seinerzeit bei Hans Castorps stillem Interesse für Pribislav Hippe gewesen war. Ein dummer Vergleich, eine etwas peinliche Erinnerung. Aber sie hatte sich ungerufen und ohne sein Zutun eingestellt." (Z-182 f.) Chauchats immer wieder beschworene Krankheit ist ein Beispiel solcher Ablenkungsversuche. Es gehört gerade zur Technik des Romans: Je nachdrücklicher etwas behauptet wird, um so mehr sollte der Leser daran zweifeln. In Wahrheit hat es mit dieser Krankheit nämlich nicht viel auf sich: „‚Gewiß, krank ist sie. Aber doch nicht *so*. Doch nicht so ernstlich krank, daß sie geradezu immer in Sanatorien und von ihrem Manne getrennt leben müßte.'" (Z-194) Sie wird krank *genannt*. Sie hustet nie, zeigt keine Anzeichen von Hinfälligkeit, im Gegenteil, verglichen mit dem wechselfiebrigen Peeperkorn ist sie, so Castorp selbst, gesund (Z-vgl. 839). Gerade *weil* Chauchats Krankheit eine erzählerische Leerstelle bleibt,

33 „Hippe heißt die Krankheit (...)", Eckhard Heftrich, *Zauberbergmusik. Über Thomas Mann.* (Frankfurt 1975), 170.

34 Vgl. *Der Zauberberg*, 289, 315, 322.

muß Castorps Versuch, mit ihr die Unvernunft seiner Liebe zu begründen, fadenscheinig wirken. Überhaupt, warum sollte es „unvernünftig" sein, eine kranke Frau zu lieben? Weil sie „unfruchtbar" bleiben muß? (Z-vgl. 182) Würde das denn einer Beziehung im Weg stehen? Es ist kein Zufall, daß Castorp ausgerechnet an dieser Stelle (Z-vgl. 183) seine alte Liebe zu Hippe assoziiert, die genauso unvernünftig — weil unfruchtbar und ehelich unmöglich? — gewesen sei. Der Hinweis auf die Dummheit des Vergleichs lenkt den Blick nur noch mehr auf seine inhaltliche Berechtigung. Die Unvernunft hat in beiden Fällen ein und dieselbe Ursache. Chauchats angebliche Krankheit dient Castorp als Vorwand, sich von dieser Tatsache abzulenken. Anders gesagt: die „Krankheit" der Madame Chauchat ist ihre Ähnlichkeit mit Hippe, sie ist die Projektion der Castorpschen Angst vor der verbotenen Liebe.

3.2. Heilung

Bald nach der Hippe-Erinnerung gesteht sich Castorp ein, daß „die Gemütsbewegungen, Spannungen, Erfüllungen und Enttäuschungen", die ihm aus seiner Beziehung zu Chauchat erwachsen, zum „eigentlichen Sinn und Inhalt seines Ferienaufenthaltes" (Z-203) geworden sind. Er ist längst der Gefangene eines Prozesses, auf dessen Höhepunkt er seine mühsam rationalisierten Widerstände gegen einen näheren Kontakt zu Chauchat überwinden und mit ihr sprechen wird. Je heftiger das Verbotene ins Bewußtsein drängt, um so mehr Energie muß Castorp aufwenden, es daran zu hindern, um so extremer und hektischer gestaltet sich seine Krankheit. Seine Unruhe wächst: Herzklopfen (Z-198, 254), Eifersucht (Z-291 f.), extreme Temperaturunterschiede (Z-327, 330); längst verurteilt er nicht mehr Chauchats Lässigkeit: „die Sittenstrenge hat ausgespielt" (Z-320). Castorp aktiviert sich, hält Reden auf Chauchats Gesicht (Z-vgl. 333), wird geradezu „durchgängerisch" (Z-372); seine erregt betriebenen anatomischen Studien (Z-vgl. 381—399) lassen sich unschwer als Sublimierung sexueller Wünsche deuten.

Castorps sich sprunghaft steigernde Enervierung vollzieht sich nach dem Willen jenes „unentrinnbaren Schicksals", über dessen Wahrheit er sich auch in der Faschingsnacht noch hinwegtäuscht. Die nervöse Zwanghaftigkeit der erneuten Bleistiftleihe beweist das. Ähnlich einem Analysanden, kurz vor der Lösung des in der Kindheit verdrängten Konfliktes, durchlebt Castorp seine ‚Urszene' in allen Einzelheiten noch einmal (Z-vgl. 463 f.): der Schulhof, die „blau-grau-grünen Epicanthus-Augen über den vortretenden Backenknochen", der Bleistift. Welche Überwindung es ihn kostet, Chauchat anzusprechen, zeigt die „Verwüstung seines Äußeren": „Er war totenbleich, so bleich wie damals, als er blutbesudelt von seinem Einzelspaziergang zur Konferenz gekommen war." (ebd.); „blaßkalt", „bleifarben wie bei einer Leiche", so sein Gesicht; sein Herz trommelt, er atmet schwer, Schauer überlaufen ihn. Das folgende Gespräch vermag diesen Zustand noch zu steigern. Er ist „verzweifelt", er „phantasiert" (Z-476); mit bleichem Gesicht, zuckenden Lippen, klappernden Zähnen, „am ganzen Körper zitternd" (ebd.) redet er auf Chauchat ein. In einer wahren Redewut, ekstatisch, rauschhaft, zwanghaft, bricht das Aufgestaute aus ihm hervor: „‚oui, c'est vrai, je t'ai déjà connue, anciennement, toi et tes yeux merveilleusement obliques et ta bouche et ta voix, avec laquelle tu parles, — une fois déjà, lorsque j'étais collégien, je t'ai demandé ton crayon, pour faire enfin ta connaissance mondaine, parce que je t'aimais irraisonnablement, et c'est de là, sans doute, c'est de mon ancien amour pour toi que ces marques me restent que Behrens a trouvées dans mon corps, et qui indiquent que jadis aussi j'étais malade...' (...) ,Je t'aime', lallte er, ,je t'ai aimée de tout temps, car tu es le Toi de ma vie, mon réve, mon sort, mon envie, mon éternel désir...'" (Z-475 f.) Psychisch und physisch aufs höchste erregt erklärt er — Pribislav seine Liebe. Die „Vernarbung" (Z-254) bricht auf. Die alte Liebe wird *ausgesprochen*[35]. Castorp ist von seinem Schicksal eingeholt.

3.3. Nach Chauchats Abreise: Neutralisierung Hippes

Castorp verändert sich. Seine Physis paßt sich, trotz weiterer Übertemperatur, endgültig dem Leben „hier oben" an (Z-vgl. 538 f.). Auch die neurotischen Symptome klingen ab. Vor allem verschwindet mit Chauchats Abreise die emotionale Ambivalenz aus Castorps Liebe. Die extremen Gefühle, das Hin- und Hergerissensein zwischen Freude und Angst und seine darauf zurückzuführende physische „Verwüstung" weichen einer zunehmenden Ausgeglichenheit. Er wirkt selbstsicherer, — gegenüber Wehsal und Tienappel demonstriert er es (Z-vgl. 591, 596, 601); er „erbebt" nicht mehr vor seiner „Freiheit" (Z-608). Die Bank, auf der ihm Hippe im Traum begegnet war, ist nun sein „Lieblingsort" (Z-537): „Pribislav Hippe erschien ihm nicht mehr leibhaftig, wie vor elf Monaten. Seine Akklimatisation war vollendet, er hatte keine Visionen mehr, lag nicht mit stillgestelltem Leibe auf seiner Bank, während sein Ich in ferner Gegenwart weilte — nichts mehr von solchen Zufällen. Deutlichkeit und Lebendigkeit dieses Erinnerungsbildes, wenn es ihm denn vorschwebte, hielten sich in normalen, gesunden Grenzen (...)" (Z-540). Aus dem Zitat geht zweierlei hervor. Castorps Verhältnis zur Hippe-Erinnerung hat sich offensichtlich entkrampft; er hat seinen Frieden mit der Vergangenheit geschlossen. Einen Frieden allerdings, der den Anlaß der vormaligen Konflikte vergessen machen will; die Formulierung ,in normalen, gesunden Grenzen halten' deutet es an. Wie der Fortgang des Romans bestätigt, soll die Hippe-Episode neutralisiert werden.

Schon im Gespräch mit Chauchat ist diese Richtungsänderung vorgezeichnet. Der Liebeserklärung an Pribislav folgt eine zweite an den menschlichen Körper, das „Hochgebild organischen Lebens", die die Eindeutigkeit der ersten zurücknimmt. Das anschließende scheinbar unmotivierte Verschwinden Chauchats ist aus zwei Gründen notwendig. Erstens ermöglicht es Settembrinis Rückkehr. Der Pädagog findet seinen Schützling erneut im „Zustand des Experimentes" (Z-495). Obwohl sich Castorp in der Faschingsnacht den „Mächten der Widervernunft" (Z-496) verschrieben hat, spielt er

35 In *Die Frage der Laienanalyse* (in: *Darstellungen zur Psychoanalyse,* Fischer-Tb 1977, dort: 139—220) läßt Freud seinen fiktiven Dialogpartner Ausführungen über den „Zauber" des Wortes und die große Bedeutung, die das ungehemmte Sprechen für die Heilung des Patienten hat, wie folgt kommentieren: „Ich verstehe (...) Sie nehmen an, daß jeder Nervöse etwas hat, was ihn bedrückt, ein Geheimnis, und indem Sie ihn veranlassen es auszusprechen, entlasten Sie ihn von dem Druck und tun ihm wohl" (ebd. 144 f.)

zwischen Settembrini und Naphta wieder den Mittler. Chauchats Abwesenheit vertuscht diesen Widerspruch. Zweitens wird durch ihren Abgang eine strukturell unmöglich gewordene, weil mit homo- und heterosexuellen Determinanten völlig überfrachtete Gestalt beseitigt. Da Mann seinen Helden weder auf die Suche nach dem ‚realen' Hippe schicken, noch ihn einer zur Eindeutigkeit zwingenden heterosexuellen Beziehung aussetzen möchte, läßt er Chauchat verreisen und Castorp sich mit einem ideellen Hippe, verbannt an seinen „Lieblingsort", begnügen.

Als Chauchat mit Peeperkorn zurückkommt, ist sie ‚nur noch' Frau. Die Mystik, die sie in der ersten Romanhälfte umgab, hat sich geklärt. Hippe-Determinanten wie Augen, Backenknochen, Stimme werden zwar beiläufig zitiert, haben jedoch nur noch Vergangenheitsbezug; sie verursachen keine „Visionen" oder sonstigen „Zufälle" mehr. Stattdessen gewinnen weiblich determinierte Motive an Bedeutung: Chauchats Arme, ihr katzenartiges Schleichen[36]. Ihre symbolisch wie charakterlich demonstrierte Phallizität existiert nur noch in der Erinnerung: sie ist die Frau, von der sich Castorp einst „einen Bleistift geliehen" (Z-797). Als überzeugte „Hörige Peeperkorns" (Z-804) erscheint sie in ihrer Freiheit und Ungebundenheit beschnitten. In der vitalistisch-lebensphilosophischen Sicht dieser „Persönlichkeit" wird sie zum „Weib" schlechthin, das — „lässig im Sinne von passiv", so Castorp (Z-835) — darauf wartet, von der „Begierde (des Mannes) berauscht zu werden" (Z-836). Was ihre ‚Unform'-Repräsentanz betrifft, so wurde oben bereits darauf hingewiesen, wie konventionell und knöchern sie reagiert, als Castorp sie im ersten Gespräch nach ihrer Ankunft wie selbstverständlich duzt. Settembrinis Verhältnis zu Chauchat ist noch immer von Vorbehalten und „grundsätzlicher Verneinung" (Z-805) bestimmt, nimmt jedoch nicht mehr die Form der früheren Warnungen an. Die Rivalität, die in der Vergangenheit zwischen beiden bestand, hat unverkennbar an Stärke und Emotionalität verloren. Die „pädagogische Unruhe" (Z-807) des Humanisten bezieht sich nun auf Peeperkorn: „‚Aber, in Gottes Namen, Ingenieur, das ist ja ein dummer alter Mann! (...) Alles wäre klar (...), wenn Sie in seiner Gesellschaft nur die seiner gegenwärtigen Geliebten suchten. Aber es ist unmöglich, nicht zu sehen, daß Sie sich beinahe mehr um ihn kümmern als um sie.'" (ebd.) Castorp findet sich, nach anfänglicher Verstörung (Z-vgl. 759), nicht nur überraschend schnell mit Peeperkorns Anwesenheit ab, er stellt sich „auf guten Fuß" mit ihm, wie Chauchat verärgert feststellt (Z-vgl. 830). Das „Persönlichkeitsmysterium" nimmt Castorp gefangen. Daß er auch weiterhin nicht dazu kommt, eine heterosexuelle Beziehung zu leben, wird ohne Bedauern hingenommen. Die objektive Funktion Peeperkorns besteht gerade darin, solche Konkretionen zu verhindern. Sein Tod ändert daran nichts. Im Gegenteil. Castorp beginnt Chauchat — „‚Jamais je te dirai ‚vous', jamais de la vie ni de la mort'" (Z-474) — zu siezen. Kurz darauf verschwindet sie sang- und klanglos.

Diese Entmystifizierung Chauchats ist eine Folge der Neutralisierung des in Pribislav Hippe konkret faßbaren homoerotischen Elements. Castorps Geschichte, die sich bis zum Ende des fünften Kapitels als Re-homo-sexualisierungsprozeß beschreiben

36 Vgl. *Der Zauberberg*, 759, 767, 804, 831.

ließ[37], wird, statt die geweckten Erwartungen einzulösen, gewaltsam in eine andere Richtung gelenkt. Trotz Aufhebung des Verdrängungsdrucks bleibt Castorps Homosexualität weiterhin „im Dunklen" (Z-847). Sie verliert an Vitalität, läuft sich aus, — und zwar zugunsten einer höchst abstrakten Idealisierung der Bisexualität.

4. Bisexualität und Neue Jugend

4.1. Bisexuelle Motive (vor Chauchats Abreise)

Trotz einer äußeren Vielfalt erotischer Beziehungen: konkretes bisexuelles Verhalten gibt es im ‚Zauberberg' nicht. Die heteroerotischen Paarungen dominieren. Daneben existiert eine kleine Anzahl lesbischer Beziehungen[38], die allerdings einseitig und unerwidert bleiben. Außer der Castorp/Hippe-Konstellation bleibt die unmittelbare mannmännliche Liebe ausgespart. Erst auf der Symbolebene finden sich androgyne und zwittrige Gebilde, die als Ableger einer Theorie der Bisexualität verstanden werden können. Zu ihnen gehören jene Fastnachtsgestalten „travestierten Geschlechts" (Z-460), die Castorps Liebeserklärung beziehungsvoll umtanzen[39]. Das „Bild des Lebens" ist das zentrale bisexuelle Motiv der ersten Romanhälfte. Die androgyne Gestalt, mit der sich Castorp das ‚Leben' vergegenwärtigt, zitiert bekannte leitmotivische Determinanten. Wie Chauchat hält sie die Hände im Nacken verschränkt, ihre Augen und Lippen gehören Hippe (Z-vgl. 385 f.). Brust und Schoß sind nur angedeutet: es kann eine Frau, es kann auch ein Mann sein[40]. Entsprechend dieser geschlechtlichen Ambivalenz rückt der Begriff einer allgemeinen „Schönheit" in den Vordergrund: „Er sah das Bild des Lebens, seinen blühenden Gliederbau, die fleischgetragene Schönheit. Sie hatte die Hände aus dem Nacken gelöst und ihre Arme (...), — diese Arme waren von unaussprechlicher Süßigkeit." (Z-398 f.) Die Arme sind ein Chauchat-Merkmal; die Lippen, die sich dann auf Castorps drücken, sind die „aufgeworfenen Lippen" Pribislavs (Z-vgl. 206, 386).

Mehr „schön" als geschlechtlich differenzierbar ist auch der menschliche Körper, den Castorp, nachdem er Hippe seine Liebe erklärt hat, voll Begeisterung beschwört: „une grande gloire adorable, image miraculeuse de la vie organique, sainte merveille de la forme et de la beauté, (...) Oh, enchantante beauté organique (...)" (Z-477). Die androgyne Schönheit des ‚Lebensbildes' will vergessen machen, daß Castorp bisher vor allem von seiner wiedererwachenden Homosexualität und der von ihr ausgelösten emotionellen Spannung bestimmt wurde.

37 „Die Geschichte von Hans Castorps Liebe wird zugleich als Analyse seiner homoerotischen Disposition gegeben", Heftrich, ebd., 157.

38 Fräulein Engelhart/Chauchat (vgl. 191—196, 290 f., 474); Frau Nölting/Freundin (vgl. 575 f.); ägyptische Prinzessin/Landauer (vgl. 758).

39 Vgl. auch 451, 454, 468.

40 In der Literatur wird das „Bild des Lebens" ausschließlich mit Clawdia Chauchat identifiziert, — vgl. Heftrich, ebd. 184 f.; vgl. T.J. Reed, *‚Der Zauberberg'. Zeitenwandel und Bedeutungswandel 1912—1924* s.o. S. 109.

4.2. Idealisierung der Bisexualität (nach Chauchats Abreise)

In der zweiten Romanhälfte, parallel zur beschriebenen Neutralisierung des homoerotischen Elements, gewinnen die bisexuellen Motive zahlenmäßig und inhaltlich an Bedeutung. Es beginnt mit einer Reihe botanischer Zwitter. Krokowskis Vortrag über den „Impudicus" (Z-506) veranlaßt Castorp, die Pflanzenwelt der Umgegend näher zu studieren. Namentlich beschäftigt er sich mit zwittrigen Ranunkeln (Z-vgl. 505, 512), deren Unterart, die „blaublühende Akelei", sich nun gerade an dem Ort „massenweise" findet (Z-vgl. 536 f.), an dem ihm Hippe leibhaftig erschienen war, und an dem er sich, seit Chauchats Abreise, mit Vorliebe seinen „Regierungsgeschäften" widmet. Zu diesen wiederum gehört, inspiriert durch Chauchats Brustbild, die wiederholte Vergegenwärtigung des androgynen ‚Lebensbildes', der „Menschengestalt schlechthin", des „Hochgebilds organischen Lebens" (Z-vgl. 540). Die durch solche Motivhäufung vorbereitete Idealisierung der Bisexualität erreicht ihren Höhepunkt in Castorps Schneetraum: „Menschen, Sonnen- und Meereskinder, regten sich und ruhten überall, verständigheitere, schöne junge Menschheit" (Z-679) „‚Das ist ja reizend!' dachte Hans Castorp von ganzem Herzen. ‚Das ist ja überaus erfreulich und gewinnend! Wie hübsch, gesund und klug und glücklich sie sind! Ja, nicht nur wohlgestalt — auch klug und liebenswürdig von innen heraus. Das ist es, was mich so rührt und ganz verliebt macht (...).'" (Z-680) Parallelmotive zu dieser Stelle finden sich bezeichnenderweise im zwei Jahre später geschriebenen Ehe-Essay. Hier wie dort bewirkt die Beschwörung einer schönen und jungen Menschheit die Nivellierung geschlechtsspezifischer Unterschiede. Die Androgynität der Neuen Jugend, so Mann 1925, hat „eine Art von beiderseitiger Vermenschlichung", eine „menschlich ausgeglichene Kameradschaft zwischen den Geschlechtern" zur Folge[41]. In ihrer gegenseitigen „Ehrerbietung", ihrer „höflich geschwisterlichen Rücksicht" (Z-vgl. 680 f.) nehmen die Sonnenkinder des Schneetraums diese Feststellung vorweg. Castorp verliebt sich in eine androgyne übergeschlechtliche „Schönheit". Wie der bisexuelle Künstler des Ehe-Essays, jener „(ironische!) *Mittler* zwischen den Welten des Todes und des Lebens"[42], denen der Homo-und Heterosexualität also, ist auch er ein „Sorgenkind des Lebens" (Z-vgl. 675, 684).

Die beabsichtigte Idealisierung bisexuellen Lebens bleibt abstrakt und oberflächlich. Ihre Wurzeln liegen nachweislich in einem homoerotischen Beziehungsfeld. So geht die Parkwelt der Neuen Jugend auf Vorlagen des Jugendstilmalers Ludwig von Hofmann zurück[43], über dessen Zeichnungen Mann gelegentlich einer Auswahlsendung notiert: „viel schöne jugendliche Körperlichkeit, namentlich männliche, die mich entzückt. Ich liebe sehr seinen Strich und seine arkadische Schönheitsphantasie."[44] In den Umkreis dieses um die Jahrhundertwende aufkommenden Natur- und Körperkults gehören

41 Vgl. *Über die Ehe,* 194 f.

42 Ebd., 199.

43 „Erinnerungen an Marées, auch an L. von Hoffmann (sic), mögen bei den antikischen Visionen des Zbg. sehr wohl eine Rolle gespielt haben." *Dichter über ihre Dichtungen,* ebd. 565, vgl. auch 591.

44 *Tagebücher*, 166.

Männer wie Friedrich Huch und Hans Blüher, Vertreter des homoerotischen Teils der Jugend- und Wandervogelbewegung, deren Bücher Mann goutierte und zu denen er auch in persönlichem Kontakt stand. Insbesondere Huchs 1903 erschienener Roman ‚Geschwister', dessen Stimmung in der zeitgenössischen Kritik nicht zufällig mit der der Bilder von Hofmanns verglichen wurde[45], bewunderte Mann sehr[46]. Von der Jugendstil-Parkwelt der ‚Geschwister' und ihrer (latent homoerotischen) Verliebtheit in eine, egal ob männliche oder weibliche, immer jedoch schöne jugendliche Körperlichkeit lassen sich Brücken schlagen zum Werk des Hofmann-Kenners Stefan George[47], unter dessen Einfluß Huch damals stand, wie zu dem des homosexuellen Dichters Walt Whitman. Whitman, dessen Hymnus an den „Leib, den elektrischen" in Castorps Lobrede auf den menschlichen Körper wiederkehrt[48], beeinflußt neben Blüher maßgeblich das sozialerotische Demokratieverständnis in ‚Von deutscher Republik'[49]. Auch das für diesen parallel zum Schneetraum entstandenen Essay charakteristische Werben um ‚die Jugend' ist, so Sommerhage, „eindeutig homoerotisch motiviert."[50].

Vor dem Hintergrund dieses Geflechts von Beziehungen und Einflüssen, das die Welt der schönen und friedliebenden Sonnenkinder konstituiert, erscheint die Schreckensvision des Blutmahls zunächst als die Gegenwelt des Alters, der Häßlichkeit, der Gewalt. Hier die übergeschlechtliche junge Menschheit, in die sich Castorp sofort verliebt; dort die Negativwelt der „Greuelweiber" (Z-683). Das „Gräßliche" wird von Frauen illustriert. Das erinnert an eine zeitlich sehr nahe liegende Bemerkung in den Tagebüchern, mit der Mann einen Tanzabend der damals schon älteren Gertrude Barrison kommentiert: „Öde, ja widerlich. Für den ersten jungen *Mann*, den ich nachher auf der Straße sah, empfand ich etwas wie Begeisterung nach so viel ranzig graziöser Weiblichkeit"[51]. Beide Stellen sind in ihrem antiweiblichen Affekt miteinander verwandt. Für die Deutung der sexuellen Motive des Schneetraums sind sie ein weiterer Beleg, daß das angestrebte bisexuelle Ideal abstrakt bleibt, mit ungebrochen starker homoerotischer Prägung.

Nach den botanischen Zwittern, dem mehrmals imaginierten ‚Lebensbild' und der Idealisierung einer androgynen schönen Jugendlichkeit in Castorps Schneevision ist der „Stein der Weisen" (Z-vgl. 705, 827) das letzte bisexuelle Motiv des Romans. Die „zweigeschlechtige prima materia" steht in Analogie zum Prozeß der Castorpschen Erziehung. Da sich in ihr ein Prinzip verbirgt, das Männliches und Weibliches in sich vereinigt, ist daraus für Castorp zu folgern, daß es das *Ziel* seiner „Steigerung" ist, diese Bipolarität herzustellen, bzw. sie offenzulegen. Auch hinter diesem Zwitter-Motiv steht die Absicht, Bisexualität zu rechtfertigen und zu idealisieren. Es bleibt bei dem Versuch.

45 Vgl. Helene Huller, *Der Schriftsteller Friedrich Huch. Studien zur Literatur und Gesellschaft um die Jahrhundertwende*. (1974), 243.
46 Vgl. Th. Mann, *Bei Friedrich Huchs Beerdigung*, Gesammelte Werke Bd. X (1960), 410.
47 „der George der schönen Parkwelt", Huller, ebd. 245 f.
48 Vgl. Heftrich, ebd. 330.
49 Vgl. Claus Sommerhage, *Eros und Poesis*, Bonn 1982, 115—120.
50 Ebd., 98.
51 *Tagebücher*, 176 f.

Verglichen mit der bis zur Abreise Chauchats handlungstragenden, konkreteren, viel vitaleren Homoerotik wirken die bisexuellen Motive abstrakt, aufgesetzt, gewissermaßen ideologisch. Das entspricht der Struktur des Ehe-Essays. Auch dort tendiert der Verweis auf die allgemeine menschliche Bisexualität dahin, die Homosexualität in ihr zu verstecken, sie unauffällig zu machen, sie zu neutralisieren. Statt konkret zu werden, durch die Darstellung tatsächlich bisexuell lebender Menschen, überwindet Castorps Bisexualität nie die Ebene der Symbole, Träume, Theorien.

5. Hans Castorps ,Unmännlichkeit'

5.1. Castorps Konfrontation mit den Mähnerbündlern

Die zweite Romanhälfte betont nicht nur die bisexuellen Motive, sie steht auch im Zeichen zweier männlicher Modelle. Gemeint sind die männerbündlerischen Elemente des sechsten Kapitels und Castorps Doppelbund mit Peeperkorn/Chauchat. Hans Castorp, selbst kein Mitglied militärischer oder paramilitärischer Organisationen, beginnt sich, angeregt durch Naphtas Jugenderinnerungen, lebhaft für das Männerbundwesen zu interessieren. Rasch entdeckt er die Analogien zwischen Ziemßens „Bundesleben" (Z-708), Naphtas Jesuitenorden, Settembrinis Freimaurerei (Z-vgl. 703) und dem durch Behrens repräsentierten Studentenkorps (Z-vgl. 710 f.). Rangordnung, Askese, Gehorsam (Z-vgl. 619 f.) sind die Konstituenten dieser männerbündlerischen Front. Wesenhaft ist ihr der Kampf gegen die „Empörung des Fleisches" und die „Neigungen der Sinnlichkeit" (ebd.). Ziemßens Verhalten gegen Marusja oder die nahezu völlige Frauenlosigkeit Naphtas und Settembrinis sind Beispiele solcher Triebunterdrückung.

Wie schon der Schneetraum ist auch das ihn umschließende militärische Beziehungsfeld von homoerotischen Bezügen nicht frei. Der Einfluß Hans Blühers wurde bereits erwähnt[52]. Ein kurzer Blick in das Inhaltsverzeichnis des 1919 erschienenen zweiten Bandes seiner „Rolle der Erotik..."[53] zeigt die thematischen Parallelen zum ,Zauberberg'. Der Bund der Freimaurer/Die militärischen Kameraderien/Die Katastrophe des Templerordens/Die Erotik der studentischen Verbindungen, — so vier Kapitelüberschriften. Blühers Abwehrhaltung gegen den Einbruch des „modern-aufklärerischen Zweckverbändlertums"[54] in jene ihrer Natur nach „zwecklose"[55], männerbündlerische Welt deckt sich mit Naphtas Kritik an der utilitaristischen Sicht des Militärs und des Freimaurertums durch Settembrini (Z-vgl. 525 f., 708), — mit dem Unterschied, daß Naphta bei der Beschwörung einer geheimnisvollen „Sphäre", eines „höheren Lebens" (vgl. ebd.) stehen bleibt und nicht wie Blüher die Homoerotik dieser Männerbünde

52 Vgl. Anmerkungen 49, 50.

53 Mann liest das Buch gleich nach seinem Erscheinen (vgl. *Tagebücher*, 302—304). Unter seinem Eindruck stellt er fest, „daß ,auch' die ,Betrachtungen' ein Ausdruck meiner sexuellen Invertiertheit sind." (ebd., 303) „Invertiertheit" ist hier im Sinne Blühers gebraucht, dem der Begriff „Homosexualität" zu einseitig das Sexuelle betont; vgl. *Die Rolle der Erotik in der männlichen Gesellschaft* Bd. 1. (Jena 1917), 30, 53.

54 Blüher, Bd. 2 (Jena 1920), 196.

55 Ebd., 217.

benennt[56]. Alle Themen und Motive, die dieser Bereich evoziert — Kadettenhaus, Narkotika, Templer, Kreuzzüge, Liebesmahl, Burschentreue, mystische Zeremonien, alle Arten von Eiden, Gelübden, Schwüren — entstammen dem gleichen konnotativen Umfeld, sind also von unterschwelliger homoerotischer Bedeutung.

5.2. Doppelbund mit Peeperkorn/Chauchat

Castorps Doppelbund mit Peeperkorn/Chauchat (Z-vgl. 830, 849) fungiert als Gegenentwurf zur bündischen Welt des Militärs. Als Bündnis mit der Freiheit (Chauchat) und dem ungehemmten, letztlich selbstzerstörerischen ‚Lebens'-Willen (Peeperkorn) ist er eine Entscheidung gegen die asexuelle, jede Sinnlichkeit unterdrückende Sphäre der Männerbünde. Zum anderen macht er eine Frau zum gleichrangigen Partner, — nach Blüher ein „Stich in das Lebenszentrum des Männerbundes"[57]. Da das Hippe-Element in der zweiten Romanhälfte neutralisiert wird und Chauchat aus den oben angeführten Gründen ‚nur noch' als Frau erscheint, steht diese Interpretation nicht in Widerspruch zur Analyse der starken homoerotischen Komponente, die Chauchat in den ersten fünf Kapiteln prägt.

Castorp schließt einen Bund mit Mann *und* Frau. Zeichen der Reife? — der inneren Abkehr von den antifeministischen, durch Verdrängung charakterisierten Männerbünden? — eine Art neuer Männlichkeit? Verschiedene Bemerkungen, provoziert durch Castorps Weigerung, mit Peeperkorn zu rivalisieren, deuten dies an. Er ist kein „Held", kommentiert der Erzähler, „er ließ sein Verhältnis zum Männlichen nicht durch die Frau bestimmen." (Z-797) Und Castorp selbst: „Ich bin gar nicht männlich auf die Art, daß ich im Manne nur das nebenbuhlende Mitmännchen erblicke, — ich bin es vielleicht überhaupt nicht (...)" (Z-811 f.) „ich (komme) mir renommistisch und geschmacklos vor (...), indem ich mich einen ‚Mann' nenne (...)" (Z-845). Diese Äußerungen sind sowohl mit den bisexuellen Motiven des Romans als auch mit denen des Ehe-Essays verknüpft: Dem Eingeständnis, kein „Mann von Format" zu sein, läßt Castorp einen Vortrag über seine „Steigerung", die „res bina", den „lapis philosophorum" folgen (Z-vgl. 827). Seine Kritik der „galanten", „hahnenmäßigen" Männlichkeit (Z-vgl. 811) entspricht wortwörtlich der im Ehe-Essay beschriebenen ‚Unmännlichkeit' der Neuen Jugend. Castorp ist mit dem androgynen, femininen Jüngling des Essays, der sich alles „Martialischen" entledigt hat[58], identisch.

5.3. Partielle Abkehr von den ‚Betrachtungen'

Noch in den ‚Betrachtungen' hatte Mann die soldatisch-asketische Lebensform glorifiziert. Sein Männlichkeitskult, nach Sommerhage eine Reaktion auf die als „männlich-defizitär begriffene Inversion"[59], korrespondiert mit unverhülltem Antifeminismus[60].

56 Vgl. Blüher, Bd. 1, 31.
57 Blüher, Bd. 2, 196.
58 *Über die Ehe*, 194 f.
59 Sommerhage, ebd. 106, vgl. 107—115; vgl. Mayer, ebd. 479; vgl. Eckhard Heftrich, *Vom Verfall zur Apokalypse* (Frankfurt 1982), 119.
60 Vgl. *Betrachtungen eines Unpolitischen,* (Berlin 1918), 28, 46, 297, 467 f., 472.

Auch die Zauberbergwelt ist eine Männer-Welt. Die einzige weibliche Hauptfigur des Romans verdankt ihre handlungstragende Bedeutung ihrer Ähnlichkeit mit einem Mann. Die übrigen Frauengestalten sind immer nur originell, haben irgendeinen Tic, bleiben ohne charakterliche Konturen. In den großen philosophischen Disputen spielen Frauen gelegentlich als Thema, nie aber als Gesprächspartner eine Rolle. Vergleicht man das mit Castorps gegen Romanende leichthin bekannter ‚Unmännlichkeit' sowie mit der eindeutig positiven Wertung der neuen „femininen" Jugend in ‚Über die Ehe', so hat hier offensichtlich ein Wandel stattgefunden. These: Die Problematisierung der Castorpschen Männlichkeit spiegelt Manns erneute Auseinandersetzung mit der in den ‚Betrachtungen' verherrlichten militärischen Welt. Der Doppelbund, den er seinen Helden mit Mann *und* Frau schließen läßt, ist der symbolische Ausdruck seiner Abkehr von der spezifischen „Invertiertheit"[61] des Kriegsbuches. Dieser zunächst mehr gewollte als tatsächlich vollzogene Wandel bewirkt den konzeptionellen Bruch des ‚Zauberbergs'. T. J. Reed beschreibt ihn als Folge des zwischen 1918 und 1922 statthabenden Wandels Thomas Manns vom Antidemokraten zum Republikaner[62]. Hier erscheint er nun sexuell motiviert. Clawdia Chauchats Abreise markiert den Riß zwischen zwei sexuellen Situationen. Während die eine Castorp mit seiner „vergessenen" Homosexualität konfrontiert, will ihn die andere nachträglich in einen Bisexuellen umbenennen. Die sich in androgynen und Zwitter-Motiven manifestierende Theorie der Bisexualität, die in engster Beziehung zur Wandlung des Mannschen Demokratieverständnisses Anfang der 20erJahre steht[63], dient erstens dazu, Castorps Homosexualität zu unterdrücken; zweitens ist sie das Instrument, mit dessen Hilfe sich Mann von der mit Militarismus und Antifeminismus belasteten Erotik der ‚Betrachtungen' zu lösen beginnt.

Zusammenfassung

Die Masken und Taktiken, hinter denen Mann seine Homosexualität verbirgt, sind das Resultat instinktiver *und* berechneter Abwehrreaktionen. Unreflektiert bleibt der Zwang zur Selbstrechtfertigung, der sich in den verschiedenen Stilisierungen des Homosexuellen, ob zum Kulturträger[64], zu einem der „notwendig Geist hat"[65], zum Ästheten, Märtyrer oder Todessympathisanten[66], niederschlägt. Diese Stilisierungen gehorchen einem doppelten Legitimationsdruck. Sie richten sich an die Öffentlichkeit wie an das eigene Gewissen, die verinnerlichte Öffentlichkeit; gleichzeitig ‚entschädi-

61 Vgl. Anmerkung 53.

62 Vgl. T.J. Reed, s.o.

63 Sommerhage beschreibt diesen Wandel als „Prozeß der Selbstaufklärung" (ebd., 28), in dessen Verlauf der anfangs jede Sinnlichkeit abwehrende, kompensierende Autor (vgl. 22) den „Eros" als Kern allen Künstlertums anerkennen lernt (vgl. 32), um schließlich eine „erotische Gesellschaftslehre" (38) zu entwickeln, die zwar in der „von Freud und Blüher behaupteten Bisexualität des Menschen" (166) gründet, jedoch ihren homoerotischen Ursprüngen verhaftet bleibt.

64 Vgl. *Über die Ehe*, 196.

65 Th. Mann, Brief an Carl Maria Weber, in: *Briefe* Bd. 1, 1889—1936, Fischer-Tb 1979, 176.

66 Vgl. *Über die Ehe*, 197 f., 202.

gen' sie, indem sie das (angebliche) Defizit der Homosexualität kompensatorisch ausgleichen. Demgegenüber erscheint die verdeckte, symbolische und mythisierende Schreibweise des Romans, die an keiner Stelle so eindeutig wird, daß der ,normale' Leser nicht mehr über sie hinweglesen könnte, als sehr bewußtes taktisches Manöver. In Kenntnis aller möglichen Zusammenhänge werden die Assoziationen des Lesers organisiert, bis sie sich in einem Dickicht leitmotivischer Bezüge verwirren. Zentrales Beispiel: die Chauchat-Mystik. Castorps Homosexualität wird unter dem Mantel einer heterosexuellen Beziehung verborgen. Bis zu Chauchats Abreise ließ sich die Mystifizierung ihrer Person noch als Projektion der Castorpschen Verdrängungen begreifen, als notwendige Stufe eines Prozesses, in dessen Verlauf sich Castorp seiner Homosexualität mehr und mehr bewußt wird. Mit dem Ende des fünften Kapitels bricht dieser Prozeß unvermittelt ab. Physisch erscheint Castorp ,geheilt'. Allerdings: mit dem Verdrängungsdruck beginnt das Verdrängte selbst zu verblassen. Castorp darf sich seiner Homosexualität *nicht* bewußt werden. Das Hippe-Element wird zurückgedrängt; gleichzeitig gewinnen androgyne und zwittrige Motive zahlenmäßig und inhaltlich an Bedeutung, flankiert von der Problematisierung der Castorpschen Männlichkeit. Castorps neue sexuelle Situation möchte ihn in einen Bisexuellen umbenennen; das Jugend-Ideal und die genannten Motive sind die neue Maske seiner Homosexualität. Neben dieser, bewußten oder unbewußten Verschleierungstendenz markiert Castorps freimütig bekannte ,Unmännlichkeit' jedoch auch einen tatsächlichen, nicht nur abstrakt ideologischen Wandel der Mannschen Position. Für den Castorp des letzten Kapitels ist die Frage der ,richtigen' Männlichkeit, mit der Homosexuelle immer wieder konfrontiert werden[67], kein Problem mehr. Er und der eindeutig positiv gesehene „feminine" Jüngling des Ehe-Essays belegen, daß Mann sich Anfang der 20er Jahre vom antifeministischen Männlichkeitskult der ,Betrachtungen' zu entfernen beginnt.

Dieser Fortschritt trägt nun allerdings den Stempel einer Begrifflichkeit, die die allgemeine Polarisierung der Sexualität in eine ,männlich'-aktive und ,weiblich'-passive eher zementiert als aufhebt. Das bisexuelle Ideal der Androgynie und die Beschwörung einer neuen Feminität sind trotz ihrer Fortschrittlichkeit affirmativ. Auch diejenigen, „die in progressiver Absicht die Geschlechterdifferenz soweit wie möglich abschaffen wollen, verlängern mitunter kapitalistische Trends allzu geradlinig."[68] Dieser Zwiespalt prägt besonders den Ehe-Essay. Gerade hier, wo Mann Homosexualität verteidigt, bewirkt die Art der Verteidigung eher das Gegenteil. Statt die Isolation der Homosexuellen auf ihre historischen und ökonomischen Wurzeln hin zu untersuchen, übernimmt er sie in sein weltanschauliches Denken und befestigt sie dort mittels überzeitlicher Kategorien. Die relative Hoffnungslosigkeit homosexueller Beziehungen in einer bestimmten gesellschaftlichen Situation wird zur generellen Hoffnungslosigkeit verabsolutiert. Die ihr gegenüberstehende „Sittlichkeit" ist nicht mehr zeit- und ortsgebunden, sondern wird zum ewig gültigen Gesetz. Was bleibt dieser von Momenten der Selbststilisierung getragenen Resignation anderes als die Flucht in eine ,schöne Melancholie', als

67 Vgl. Vinnai, ebd. 132, 150.
68 Ebd., 142, vgl. auch 158.

der Trost eines von Einsamkeit und Lächerlichkeit, ‚Komik und Elend' erlösenden Todes? Thomas Mann begeht hier noch den selben Fehler, den er später August von Platen vorwirft: er macht Homosexualität zu etwas Besonderem. Vom Anders-sein zum Besonders-sein ist ein kleiner Schritt, wenn man die Isolation nicht verkraftet und sie durch ein selbstgewähltes Martyrium kompensieren muß.

Hartmut Böhme

Thomas Mann: Mario und der Zauberer
Position des Erzählers und Psychologie der Herrschaft

Vor dem Hintergrund des faschistischen Italiens wird die Veranstaltung des Zauberers Cipolla zum Modell der Verführbarkeit der Masse durch psychologische Manipulation. Zugleich wird im Zauberer Cipolla und dem Erzähler die Position des Irrationalismus mit der Position humaner Vernunft konfrontiert. Die Analyse des Erzählerverhaltens auf der Ebene sozialer Interaktion wie ästhetischer Organisation zeigt, daß der Status der „freischwebenden Intelligenz" (A. Weber) sich in autoritären Gesellschaften nicht halten läßt. Der im Zauberer Cipolla symbolisierte Totalitarismus von faschistischer Herrschaft hat in den autoritären Charakterstrukturen der Masse und selbst des Erzählers seine psychoanalytisch erklärbare Grundlage. Die überraschende Ermordung Cipollas durch Mario wird vom Erzähler positiv als Schicksalsfügung gedeutet. Dies ermöglicht zwar die ästhetische Finalisierung des Geschehens im Sinn der klassischen Novellenstruktur, verdeckt aber auch, daß der entwickelte Widerspruch zwischen psychosuggestiver Autoritätsbildung und intellektueller Aufklärung nur durch politisch-praktische Alternativen gelöst werden könnte.

Als die Novelle 1930 erschien, erkannte Stefan Großmann als einziger Rezensent in ihr mehr als ein „leichtes Vergnügen": vielmehr sei hier „die geistige Verfassung des italienischen Bürgertums" ebenso wie in Cipolla der „viel mächtigere italienische Rhetor oder Zauberer oder Herrscher" — Mussolini nämlich — mitgezeichnet.[1] Auf diese politische Dimension der Novelle hebt die DDR-Forschung seit dem Mann-Buch von G. Lukács (1949) mit Regelmäßigkeit ab.[2] Sie beruft sich dabei zu Recht auf die politische Essayistik Manns, die insbesondere in der Spätphase der Weimarer Republik eine zunehmend antifaschistische Tendenz enthält.[3] Die Novelle ordnet sich von hier aus als literarisch-

1 Stefan Großmann in: Klaus Schröter (Hrsg.): Thomas Mann im Urteil seiner Zeit. Dokumente 1891-1955. Hamburg 1969, S. 175-7.

2 G. Lukács: Thomas Mann. Neuwied und Berlin, 4. Aufl. 1957, S. 31/2, 166/2, 166/7, 190. — Ferner: Hans Mayer: Thomas Mann. Werk und Entwicklung. Berlin (-O) 1950, S. 185-193. — Inge Diersen: Untersuchungen zu Thomas Mann. Die Bedeutung der Künstlerdarstellung für die Entwicklung des Realismus in seinem erzählerischen Werk. Berlin (-O) 1959, S. 161-171. — H.Matter: Mario und der Zauberer. Die Bedeutung der Novelle im Schaffen Thomas Manns. In: Weimarer Beiträge 6, 1950, S. 579-596. — E. Hilscher: Thomas Mann. Berlin (-O) 1970.

3 So argumentiert einleuchtend vor allem Inge Diersen, a.a.O.

politisches Dokument in die Entwicklung Th. Manns zum kämpferisch-demokratischen Humanisten ein. Dabei muß das „Reiseerlebnis" in dem italienischen Badeort notwendig symbolisch interpretiert werden: „Cipolla ist nicht nur die Symbolfigur des Faschismus, sondern Abbild und Ergebnis faschistischer Lebensweise in einem."[4] Dieses Verfahren kann sich durchaus auf Th. Mann selbst berufen, der die Urlaubsarbeit von 1929 zwar als „Stegreifleistung" bezeichnet, doch auch betont, „daß mir aus der Anekdote die Fabel, aus lockerer Mitteilsamkeit die geistige Erzählung, aus dem Privaten das Ethisch-Symbolische unversehens erwuchs".[5] 1948 — durch die Erfahrungen mit dem Faschismus geschärft — heißt es sogar, die Novelle sei eine „stark ins Politische hinüberspielende Geschichte, die mit der Psychologie des Faschismus — und derjenigen der ‚Freiheit', ihrer Willensleere, die sie gegen den robusten Willen des Gegners so sehr in Nachteil setzt, innerlich beschäftigt ist."[6] Diese Selbstinterpretationen entbinden freilich nicht, wie in der DDR-Forschung durchweg, von der Strukturanalyse der Novelle. Die ästhetische Organisation der Novelle, die mittels komplizierter Symbolisierungen in den privaten Erfahrungsraum der Erzählerfamilie psychologische und politische Bedeutungen hineinspiegelt, ist bislang, auch in der BRD,[7] entweder gar nicht oder unzureichend analysiert. Doch gerade auf die Struktur dieser Vermittlung des „Privaten" mit dem „Moralisch-Politischen" kommt es in dieser Novelle an. Methodologisch ist dabei einzufordern, daß ästhetische Symbolprozesse nur in dem Maß durch Interpretation historisch oder theoretisch verallgemeinert werden dürfen, wie dies von der Struktur der Erzählung legitimiert ist. Analyse und Kritik der ästhetischen Konstruktion der Novelle versucht dieser Aufsatz; er liefert damit die bisher fehlende Grundlage einer politischen Interpretation. Der Aufsatz weist nach, daß die Analyse der Erzählstruktur mit ästhetischen Kategorien allein nicht vollständig wäre, sondern sich erst einem sozialpsychologischen Begriffsinstrumentarium erschließt. Mit seiner Hilfe wird gezeigt, wie in dieser Novelle zwar auch der Faschismus symbolisch widergespiegelt, vor allem aber der Status der bürgerlich-humanistischen Intelligenz vor Irrationalismus und Gewalt reflektiert und verteidigt wird. Die Ergebnisse der Arbeit führen auf eine

4 Diersen, a.a.O. S. 170.

5 Th. Mann: Autobiographisches. In: Fischer-Taschenbuch-Ausgabe. Das essayistische Werk in 8 Bänden. Frankfurt/M. 1968, S. 251/2. — Vergl. auch den Brief an O. Hoerth vom 12.06.1930 in: Th. Mann: Briefe 1889-1936. Frankfurt/M. 1961, S. 299/300.

6 Th. Mann: Autobiographisches, a.a.O. S. 361.

7 In der BRD erschienen zum „Mario" bisher Arbeiten, die kaum wissenschaftlichen Ansprüchen genügen und zumeist sowohl strukturelle wie politische Analyse vernachlässigen: E. Imhof: Thomas Mann: Mario und der Zauberer. In: DU Jg. 4, H. 6, 1952, S. 59-69. — W. Zimmermann: Thomas Mann: Mario und der Zauberer. In: Ders.: Deutsche Prosadichtungen unseres Jahrhunderts. Düsseldorf 1966, Bd. 1, S. 284-305. — K. Brunkmann: Erläuterungen zu Thomas Manns Novellen. Hollfeld/Obfr. o.J. — Ernstzunehmende Arbeiten beziehen sich auf werkimmanente Problemfelder wie die sprachliche Integrationskunst oder die Künstlerproblematik bei Th. Mann: W. Weiss: Thomas Manns Kunst der sprachlichen und thematischen Integration. Düsseldorf 1964, S. 80-100. — H. Hannemann: Illusion und Desillusion in den Novellen Thomas Manns. Diss. Masch. Hamburg 1955.

Struktur kritischer Intelligenz, die über Th. Mann hinaus an Autoren des sog. bürgerlichen Humanismus zu bewähren ist.

Ich strukturiere die Novelle zunächst nach Zeitfolgen: 18 Tage (79)[8] nach der Ankunft der Erzählerfamilie (Zeitpunkt T1 = „Mitte August", 70) setzt die Nachsaison ein, die inländischen Gäste reisen ab, das Wetter schlägt um, und Cipolla zeigt sich an (= T2, Anfang September, 79/80). Aus dieser knapp dreiwöchigen Zeit werden einige Episoden erzählt, die die national aufgeheizte Atmosphäre Italiens und ihre Wirkung auf die deutsche Familie schildern (= ca. 1/5 des Erzählumfangs). 4/5 der Erzählung beansprucht die abendliche Veranstaltung Cipollas, die eingeleitet wird vom Gang zur „Sala" (= T3, 20.45 Uhr, 80), die Schilderung des Publikums bis zum verzögerten Beginn der Vorführungen Cipollas enthält (= T4, ca. 21.30 Uhr), ihren ersten Höhepunkt vor der 20minütigen Pause erreicht (= T5, zwischen 23.00 und 23.30 Uhr, 99—101), ein triumphales Ausmaß mit der Unterwerfung des „Herrn aus Rom" „weit nach Mitternacht" annimmt (= T6, 107) und wenig später an Mario eine nochmalige Steigerung und ihr gewaltsames Ende findet (T7, 108—114).

Die Zeitquanta (erzählte Zeit) stehen im umgekehrten Verhältnis zum Erzählumfang (Erzählzeit). Zugleich teilt die Zeitordnung die Erzählung in zwei Teile (T1—T2, T3—T7). Diese Zeitordnung ist hier gattungskonstitutiv: die episodische Reihung von Situationen (T1—T2) mit einer dramatisch zugespitzten Handlungssequenz (T3—T7) konstituiert die Erzählung als Novelle.[9] Dem entspricht der Titel, der die entscheidende Handlungskonstellation und andeutend die „unerhörte Begebenheit" (Goethe) nennt. Zugleich orientiert der Titel den Leser auf eine Situation hin, über die er erst am Ende Aufschluß erhält.

Der Erzähler berichtet das Ganze als „Erinnerung" (69), und diese Distanz zum Geschehen (sie ist der typische Habitus des Erzählers) ermöglicht die Integration beider Teile. Vor den Beginn seiner „Erinnerung" nämlich schaltet der Erzähler einen Abschnitt, der die Erzählung vom antizipierten Ende her exponiert und damit die scheinbar belanglosen Episoden zwischen T1 und T2 teleologisch auf den Hauptteil (T3—T7) hinordnet. Damit tritt der Erzähler, der auf der Handlungsebene passiver Betrachter ist, auf der Reflexionsebene als interpretationsaktive Instanz hervor. Der Erzähler ist also nicht nur vom Autor, sondern auch in sich selbst zu unterscheiden: in den Touristen, dessen Verhaltensprofil noch zu bestimmen ist, und den Erzähler, der sein „Reiseerlebnis" mit Hilfe von Deutungsmustern strukturiert.

Die teleologische Exposition der Erzählung vom Ende her bindet (1) die zunächst unzusammenhängenden Teile novellistisch zusammen, indem sie (2) die Figur Cipolla als ‚symbolische' Integrationsachse aller Sequenzen einführt („in dessen Person sich das eigentümlich Bösartige der Stimmung auf verhängnishafte und übrigens menschlich sehr eindrucksvolle Weise zu verkörpern und bedrohlich zusammenzudrängen schien",

8 Auf Grund der häufigen Behandlung der Novelle in der Schule wird nach der ‚Fischer-Taschenbuch-Schulausgabe' zitiert: Th. Mann: Tonio Kröger. Mario und der Zauberer. Frankfurt/M. 1973 (fibü 1381).

9 Matter, a.a.O. S. 593/4.

69). Der Erzähler benutzt die Antizipation dazu, (3) die Rezeption des fiktiven Lesers vorzubilden, indem er (4) die Sequenzsumme T1—T7 unter ein fatalistisches Denkmuster subsumiert („verhängnishaft", „vorgezeichnetes und im Wesen der Dinge liegendes Ende"), das dem Geschehen den Schein schicksalhafter Objektivität vermittelt.

Dadurch wird (5) der Leser, zumal ohne Kenntnis des Ganzen, in eine Lage gebracht, in der er die Verknüpfungsmechanismen von T1—T7 nur schwer als Deutungen eines subjektiv interessierten Erzählers dechiffrieren kann, sondern als in der objektiven Struktur der Handlung liegendes Schicksal anerkennen muß. Diese Reduzierung der Rezeptionsvarianz wird noch verstärkt, indem der Leser sogleich auf die atmosphärischen Eindrücke des Erzählers fixiert („Ärger, Gereiztheit, Überspannung") wie auch durch die Häufung von Vokabeln aus dem Illusionsumkreis („schien, Mißverständnis, falsche Vorspiegelung, Spektakel, Wahn, Theater") an diskursiver Urteilsbildung vorwegnehmend gehindert wird.

Damit wird im Umriß ein Erzähler sichtbar, der nicht nur seinen Stoff organisiert sondern damit zugleich seinen Leser. Der Leser ist tendenziell eine Funktion des Erzählers (und wo immer das der Fall ist, soll der Leser ‚überredet' werden), und dies legt die Hypothese nahe, daß der Erzähler ein Interesse an Selbstlegitimation verfolgt. Über die Gründe hierzu geben fünf Hypothesen eine vorläufige Antwort: (1) Der Erzähler ist die heimliche Hauptfigur der Novelle; zumindest ist er der eigentliche Gegenspieler Cipollas. (2) Das Selbstinteresse des Erzählers besteht in der Frage nach dem Status des ästhetisch-moralischen Intellektuellen gegenüber der Gewalt irrationalistischer Verführung. (3) Der Erzähler benutzt den fiktiven Leser, um eine mit ihm einverständige Rezeption vorzubilden, welche den durch Cipolla gefährdeten Status des Erzählers affirmiert. (4) In Wahrheit bricht die geistige Dominanz des Erzählers zusammen; er ist Cipolla gegenüber ohnmächtig und handlungsunfähig. (5) Der gegenüber der historischen Anekdote neueingeführte Mord Marios,[10] zu einem subjektlosen Schicksalsmechanismus (gleichsam ex machina) stilisiert, enthält genau die ‚Wende zum Guten', die den Erzähler davor schützt, seine Position in Frage stellen zu müssen. — Diese Thesen nun machen die Analyse des sozialen und ästhetischen Profils des Erzählers notwendig.

Der Erzähler gehört sichtlich der gutsituierten, bildungsbürgerlichen Oberschicht an. Elitäre Züge fallen sogleich auf: einerseits fühlt er sich durch die „florentinische und römische Gesellschaft" zum „Gast zweiten Ranges" (71) degradiert, andererseits setzt er sich nach unten von der „inländischen Mittelklasse" ab („menschliche Mediokrität und bürgerliches Kroppzeug", 75), die das ehemals „feinere" Torre („Idyll für wenige", 69) massentouristisch überläuft. Aus diesen Spannungen nach oben und unten entwickeln sich jene „Konflikte" (72), die „das Atmosphäre gebende Detail"[11] liefern — darin aber auch das Verhalten des Erzählers profilieren. So wird die Familie im Grand Hôtel zur Veranda, die dem Hochadel reserviert ist, nicht zugelassen; die Erregung einer Fürstin über die „Nachklänge" eines Keuchhustens des Erzähler-Sohnes führt zu dem Ansinnen des servilen Hotelmanagers, die Erzählerfamilie in eine Dependance um-

10 Brief an O. Hoerth, a.a.O. S. 299.
11 Ebenda, S. 300.

zuquartieren. Die Familie zieht daraufhin in die Pension der Signora Angiolieri. Am Strand aber stört die Hitze und die Masse des Strandpublikums; die Kinder haben Streit mit den italienischen „patriotischen Kindern"; die Nacktheit der 8jährigen Tochter empört das prüde wie chauvinistische Kleinbürgertum und führt zur amtlichen Bestrafung des Erzählers wegen Verletzung der „öffentlichen Moral". Ärgerlich-Privates also — nicht wert, „das Licht der Literatur'[12] zu erblicken. Doch machen die Erzählerkommentare deutlich, daß all dies Symptome des politischen Klimas Italiens sind. Damit ist der Bezug zum Faschismus locker hergestellt. In einer eingelagerten Reflexion bekennt der Erzähler,

> daß ich schwer über solche Zusammenstöße mit dem landläufig Menschlichen, dem naiven Mißbrauch der Macht, der Ungerechtigkeit, der kriecherischen Korruption hinwegkomme. Sie beschäftigten mich zu lange, stürzten mich in irritiertes Nachdenken, das seine Fruchtlosigkeit der übergroßen Selbstverständlichkeit und Natürlichkeit dieser Erscheinungen verdankt.(74)

Praktisch aber unterläßt der Erzähler jeden Widerstand, ja entschuldigt das Verhalten der Fürstin (71/2) und untersagt dem Sohn „streng", „sich auch nur zu räuspern" (74). Die Übersiedlung in die Pension Eleonora ist ein Ausweichen, das der Erzähler damit legitimiert, daß das Essen dort „viel besser" (71) und die Atmosphäre privater sei: Frau Angiolieri, früher Gesellschafterin der Duse, treibt einen „Kult ihrer interessanten Vergangenheit" (73) und weckt so „Vergnügen und Anteil" des Erzählers.

Gegen Machtmißbrauch und Korruption entstehen also im Erzähler affektive Widerstände (71—78), die nicht in Handlung umgesetzt (Handlungshemmung), sondern verinnerlicht werden: der Erzähler verfällt in fruchtlose Reflexion und kompensiert den Geltungsverlust durch Ironisierung von Direktion und Hochadel. Der Erzähler steht sichtlich unter einem Verbund von Konfliktvermeidung und Rückzugstendenzen, die beide Symptome eines handlungshemmenden Reflexionsüberhangs bei gleichzeitig hohem sozialen Geltungsanspruch sind.

Gesellschaftliche Deprivation verlangt nach Kompensation. Dazu hält die Natur her — die „Schreckensherrschaft der Sonne" (74). Entgegengesetzt der Nord-Süd-Polarität im übrigen Werk Manns wird das „klassische Wetter, das Klima erblühender Menschheitskultur, die Sonne Homers und so weiter" hier Gegenstand der „Verachtung" der „tieferen, uneinfacheren Bedürfnisse der nordischen Seele" (74). In diese Argumentation bezieht der Erzähler den fiktiven Leser mit ein (74/5), den er zuvor durch wohlmeinende Reisetips auf seine Seite gezogen hat (69—71). Er erweckt den Schein, als habe der Leser ihn, den Erzähler, bei einer „halb unbewußten" Legitimation seiner Unlust durchschaut.

Doch gerade indem der Erzähler sich als durchschaut zu erkennen gibt, bindet er den Leser an sich und erzwingt die Zustimmung, sich dennoch „gegen alle Erfahrung...nicht wohl, nicht glücklich" (75) fühlen zu können. So kann er nicht nur das „klassische Wetter", sondern auch die unterstellte Lesermeinung abtun, die Italiener

12 Ebenda.

seien ein „augenfällig erfreulicher Menschenschlag", und sich über die „inländische Mittelklasse" ergehen. Damit identifiziert er den Leser mit seinen elitären Distanzierungswünschen und verdeckt die eigene Degradierung durch die Oberschicht. Bei der Nacktheits-Episode muß der Erzähler erneut eine öffentliche Niederlage einstecken, die er durch Ironie und eine fiktive (!) Gegenrede kompensiert (76—8). Real aber versucht er, sich begütigend herauszureden.

Damit können wir erste Verallgemeinerungen über das Verhaltensprofil des Erzählers vornehmen: (1) Was dem Erzähler in Italien widerfährt, verunsichert ihn in seinem empfindlichen sozialen Geltungsanspruch. (2) Sein Selbstverständnis ist durch Reflektiertheit, mentale Distanz und individualistischen Habitus gekennzeichnet. (3) Die damit verbundene Handlungsgehemmtheit macht ihn konfliktunfähig und liefert ihn tendenziell der „übergroßen Selbstverständlichkeit" realer oder angemaßter Herrschaftsausübung aus. (4) In Konflikten bricht die für ihn konstitutive soziale Distanz zusammen. (5) Als Ersatzhandlung entwickelt er aus verinnerlichter Rückzugsposition in Ironie und kritischer Reflexion fiktive Medien der Selbstbehauptung bei realem Geltungsverlust. (6) Er benutzt den Leser, um diesen mit seiner eigenen stützungsbedürftigen Position zu identifizieren.

In einem Punkt jedoch überschreitet der Erzähler die auf eigenen Statuserhalt abgestellte Darstellungsperspektive: es ist die politische Dimension. Die privaten Mißhelligkeiten gehen auf politische Konstellationen Italiens zurück, die sich bis in die Kinderspiele hinein vermitteln. Was Konflikte zu schein scheinen, die sich aus sozialen Hierarchien (Adel—Bürgertum—Kleinbürgertum) ergeben, indizieren nun einen Nationalismus (Mann vermeidet das Wort Faschismus), der schichten- und generationsübergreifend die Gesamtlage Italiens im Spiegel von Interaktionskonflikten bestimmt. Dabei fällt ein Phänomen besonders auf: die Okkupation des Privaten durch die „öffentliche Stimmung", den Nationalismus. Im Flaggenzwist, der Nacktheit des Kindes sind immer gleich „die Idee der Nation", „Größe und Würde Italiens", „Mißbrauch der Gastfreundschaft Italiens" (76/7) mit im Spiel. Noch so privates Verhalten ist nationalistisch besetzt und zeigt eine umso größere Gruppenkohärenz, je eher eine ‚nationale' Abgrenzung, hier gegenüber der deutschen Familie, nötig erscheint. Die auf Distanz und Reflektiertheit angelegte Privatheit des Erzählers ist tendenziell eine Gefährdung des Gebots restloser Formierung, das privates und öffentliches Verhalten distinkter Gruppen (Adel, Hotelleitung, Kleinbürgertum) unter übergreifende Stereotype wie „Idee der Nation" oder „Größe und Würde" subsumiert. Dadurch wird die Sphäre ausgezehrt, in der der Erzähler Selbstverständnis und Geltungsanspruch definiert: die individuelle, zumal geistige Autonomie. Mehr stößt hier zusammen als der fremde Tourist mit inländischer Borniertheit. Auf der Ebene beiläufiger Interaktion konfligieren verschiedene Gesellschaftsstufen: im Erzähler jene Tradition liberaler Gesellschaft, in der individuelle Entfaltung, geistige Autonomie und gesellschaftlicher Fortschritt zusammenzudenken möglich schien, und im chauvinistischen Kleinbürgertum die nationalistisch integrierte Massengesellschaft, in der der einzelne Bürger seine soziale Identität nur durch Identifikation mit Superkollektiven wie Volk oder Nation findet. Der Erzähler reflektiert dies nicht ausdrücklich, sondern seine Sensibilität spürt unter dem Schein des nationalen Risorgimento eine Gesellschaftsformation, die seinen autonomen Status aufs äußerste gefährdet.

„Hätten wir nicht abreisen sollen?" fragt angesichts dieser Umstände der Erzähler, hinzufügend: „Hätten wir es nur getan!" (78) Doch fasziniert die „Merkwürdigkeit", „wenn das Leben sich ein bißchen unheimlich, nicht ganz geheuer oder etwas peinlich und kränkelnd anläßt" (79). Darin ist der Erzähler vielen Vorgängern Mannscher Novellen (z.B. Aschenbach, Tonio Kröger) verwandt, im Morbid-Unheimlichen die exzentrische Erfahrung zu suchen, noch die Gefahr genießend, die der Reflexionsdistanz des Intellektuellen/Künstlers dabei droht. Dieses ästhetizistische Moment zieht sich hier in der Formel von der „Merkwürdigkeit" zusammen, die „in sich selbst einen Wert bedeutet" (78).

Der Status des Erzählers als handlungsgehemmte Reflexionsinstanz wird in T3—T7 manifest: einmal ist er in der Veranstaltung Cipollas auch formal ‚Zuschauer', zum anderen legt er zwischen sich und das Geschehen immer wieder den habituellen Reflexionsabstand.

Dabei zeigt sein Verhältnis zu den Kindern den fortschreitenden Verfall seiner geistigen Autonomie. Ihre „drängende Neugier" ist es, die als „Art von Ansteckungskraft" den Erzähler und seine Frau motiviert, zur Vorstellung Cipollas zu gehen. Die Kinder sind von Cipolla hingerissen und „überwältigt" (94). In ihren kindlich-einverstandenen Reaktionen sind sie die unverstellte Spiegelung einer Manipulation, die die Menschen zu subjektlosen Instrumenten eines Machtwillens degradiert. Fast reduziert auf ein einfaches Reiz-Reaktions-Schema, stellen die Kinder am reinsten jenes Zusammenspiel von psychischer Identifikation einerseits und Manipulationstechnik Cipollas andererseits dar, zu dem das zunächst inhomogene Publikum erst durch längere Beeinflussung ‚verführt' werden muß. Die Kinder bilden das Grundmodell einer irrationalen, nicht durch Vernunft oder Moral vermittelten „Objektbesetzung" (S. Freud). Ihre „Unschuld" (108) ist es, die den Zauber, die eigene und die Entmächtigung des Publikums, als Lusterlebnis empfinden läßt (Klimax 85, 88, 89, 90, 100/1, 107/8). Darin bilden sie auf der Stufe der Bewußtlosigkeit jenes Syndroms von Lust und Herrschaft vor, auf dem die Durchsetzung der Herrschaft Cipollas psychologisch beruht.

Der Erzähler merkt denn auch bald: „Es war ein Fehler gewesen, sie hierherzuführen." (81) Er motiviert dies mit der fortgeschrittenen Zeit (81, 100, 107). Zugleich will er die Kinder vor Manipulationen schützen. Der Erzähler reagiert damit von der Verantwortung des Vaters her („Und doch war klar, ...daß dies gar nichts für Kinder war", 94). Er faßt den Vorsatz, mit den Kindern die Veranstaltung vorzeitig zu verlassen (zuerst: 81). In der Pause besteht die Möglichkeit, mit den Kindern aufzubrechen,zumal diese eingeschlafen sind:

> Das war einerseits trostreich, dann aber doch auch wieder ein Grund zum Erbarmen und eine Mahnung, sie in ihre Betten zu bringen. Ich versichere, daß wir ihr gehorchen wollten, dieser rührenden Mahnung, es ernstlich wollten. (100)

Der Erzähler weckt die Kinder — doch angeblich ist ihr „Widerstand" gegen den Aufbruch „nicht zu überwinden":

> Wir gaben nach, wenn auch, soviel wir wußten, nur für den Augenblick, für eine Weile noch, vorläufig. (100)

Dies ist, auch sprachlich, Selbstbeschwichtigung. Die Familie bleibt, Wissen, Wille, moralische „Mahnung", Mitleid und „Erbarmen" — alles Momente moralischer Selbstbestimmung — richten nichts aus. Auf der Höhe von Cipollas Triumph, der Unterwerfung des Herrn aus Rom, weiß der Erzähler endlich, warum schon zuvor die Umsetzung von Wille in Handlung nicht gelingt:

> Die Kinder waren wach um diese Zeit. Ich erwähne es mit Beschämung. Hier war nicht gut sein, für sie am allerwenigsten, und daß wir sie immer noch nicht fortgeschafft hatten, kann ich mir nur mit einer gewissen Ansteckung durch die allgemeine Fahrlässigkeit erklären, von der zu dieser Nachtstunde auch wir ergriffen waren. Es war nun schon alles einerlei. (107)

Der Erzähler erkennt, mit dem unterworfenen Publikum identisch geworden zu sein. Er ist derselben Suggestion erlegen, die zu durchschauen bislang das Siegel seiner mentalen Überlegenheit schien. Die Imperative der Sorge für die Kinder (Vater-Rolle) wie auch die intellektuelle Distanz (Beobachter-Rolle) sind vor der Macht Cipollas wirkungslos geworden. An dieser Stelle ist ein rein bipolares System erreicht, das idealtypische System totaler Herrschaft, in dem die restlos Beherrschten dem totalen Herrscher ausgeliefert sind.

Das soziale Versagen des Erzählers erweist die für ihn konstitutive Fernhaltung von der Wirklichkeit als Fiktion. Wo Handlung gefordert, aber nicht geleistet wird, sind Reflexivität und soziale Distanz bloßer Schein: sie brechen zusammen, wenn das Denken — über sein Subjekt, den Erzähler, konkret mit dem Handlungszusammenhang verschränkt und doch in praxisferner Abstraktheit verbleibend — schließlich zur Identifikation mit der Macht gezwungen ist. Der Reflexionshabitus ist zugleich gesellschaftsfern wie asozial, weil er eine Gesellschaft voraussetzt, die ihn durch Privilegiertheit, Statuszuweisung und soziale Sekurität positiv sanktioniert und ermöglicht. Im System Cipollas aber ist eine solche Intelligenzposition disfunktional, weil sie tendenziell im Widerspruch zur Totalität der Herrschaftsausübung steht. Die Schwundstufe vernünftiger Autonomie, die die praxisferne Reflexionshaltung des Erzählers historisch noch darstellt, weicht der gewaltsamen Ineinssetzung distinkter Gruppen und Einzelner im Herrschaftsprozeß.

Bis zur Pause (= T5) freilich zeigt sich der Erzähler in seiner Art ebenso als Herr der Lage wie Cipolla. Die überlegene Macht Cipollas findet in der Reflexionskraft des Erzählers zwar nicht praktisch, aber mental ihr Gegengewicht. Ja, fast scheint es, als sei der stigmatisierte, unter sexuellen Minderwertigkeitskomplexen leidende und Kompensationszwängen handelnde Cipolla, gemessen an der erzählerischen Reflexionspotenz, von vornherein der Schwächere, beinahe Kranke. Die erste Beschreibung und Selbstdarstellung Cipollas (82—88) präsentiert ihn als durchschaubar und zugleich den selbstsicher scheinenden Erzähler als geistig dominant. Besonders sichtbar wird diese Überlegenheit, wenn der Erzähler die merkwürdige Bekleidung Cipollas, seine „Gehässigkeit" gegen den unterstellten Erfolg des Giovanotto bei Frauen und den Widerspruch von

„Selbstgefühl" und „zäher Empfindlichkeit" damit erklärt, daß Cipolla die Deprivationen des Stigmatisierten kompensiere (83, 87/7).

Auch im übrigen zeigt sich die scharfe Beobachtungsfähigkeit des Erzählers: hatte er den Gang zur „Sala" als symbolisch verkürzten Gang der Geschichte „vom Feudalen über das Bürgerliche ins Volkstümliche" (80) beschrieben, so ordnet er jetzt das Publikum nach sozialen Schichten (81/2) und bezieht ständig das Publikumsverhalten sozial differenziert (84, 86, 88—90) in seine Beobachtung mit ein. Fast beiläufig entwickelt der Erzähler folgende Konstellation: Unterschichten (Stehplätze) — Bürgertum und Ausländer, darunter die Erzähler-Familie (Parterre) — Cipolla (Bühne) — der Erzähler, der eine Art Superposition über allem einzunehmen scheint. D.h. die Grundkonstellation Bühne—Zuschauerraum ist überlagert von einer mentalen Konstellation, in der der Erzähler reflektierend-beobachtend ebenso auf das Ganze, Publikum wie Cipolla, gerichtet ist, wie seinerseits Cipolla sich dem Publikum einschließlich des Erzählers gegenübersieht.

Es sind gleichsam zwei Bühnen, auf denen sich Dramen der Selbstbehauptung abspielen: die reale Bühne Cipollas, der in jeder Vorstellung neu die Unterwerfung des Publikums benötigt, und die fiktive Reflexionsbühne, auf der der Erzähler um den Positionserhalt seiner „freischwebenden Intelligenz" (A. Weber) kämpft. Der Erfolg Cipollas, der sich mehr und mehr des Publikums bemächtigt, wird durchweg von Kommentaren des Erzählers begleitet, die den Zauber Cipollas scheinbar wirkungslos an der Wissenpotenz des Erzählers enden lassen. Mentale Aufgeklärtheit scheint sich gegen irrationalistischen ‚Zauber' zu behaupten.

In der Pause freilich (und mit der Unfähigkeit, die Kinder nach Hause zu bringen), beginnt der Zusammenbruch des Erzählers. Jene zuvor mit Beklemmung (94) beobachteten Versuche Cipollas, einzelne Personen an der Ausführung ihres Willens zu hindern und sie seinem Diktat zu unterwerfen, hatten Gewalt auch über den Erzähler. Der aufgeklärte „Bericht"-Stil (99) der Versuchsreihe T4—T5 täuscht. Offenbar wird dies dem Erzähler auch bewußt. Zwischen dem Autonomieanspruch zwischen T4—T5 und dem Eingeständnis in der Pause, seinen Willen zum Aufbruch (100) nicht mehr durchsetzen zu können, besteht ein unaufhebbarer Widerspruch. Der Erzähler muß indirekt anerkennen, daß in dieser Willenslähmung ihm nichts anderes geschieht als dem „Freiheitskämpfer" (96) zuvor, der sich „entschlossen" erklärte, „nach klarem Eigenwillen zu wählen und sich jeder wie immer gearteten Beeinflussung bewußt entgegenzustemmen" (95) — dann aber doch die von Cipolla vorherbestimmte Karte wählte.

Der Erzähler gerät dadurch in eine offene Selbstbewußtseinskrise (100/1). Noch einmal strengt er den Prozeß der Selbstreflexion gegen die Gewalt manipulativer Suggestion an. Und obwohl er gezwungen ist zuzugestehen, seine mentale Orientierung und moralische Legitimation verloren zu haben („ich muß Ihnen die Antwort schuldig bleiben. Ich verstehe es nicht und weiß mich tatsächlich nicht zu verantworten...Zu entschuldigen ist es nicht, daß wir bleiben, und zu erklären fast ebenso schwer", 100), versucht er noch einmal, den Diffusionsprozeß durch „Erklärung" (101) aufzuhalten.

Er identifiziert nämlich die gespannte Atmosphäre von Torre (T1—T2) mit der Wirkung, die von Cipolla gebündelt ausgeht („Personifikation von alldem", 101). Warum er jetzt nicht aufbricht, ist dann „dieselbe Frage" wie die, „warum wir vorher Torre nicht verlassen hatten" (101). Damit hat er die Integrationsachse gefunden, die allererst den narrativen Zusammenhang der Teil-Episoden konstituiert.[13] D.h. der Moment der Diffusion der intellektuell-moralischen Ordnung (auf der Handlungsebene) ist zugleich der Moment der Konstituierung der erzählerischen Ordnung. Noch schärfer: in dieser Novelle tritt an die Stelle der rational-moralischen Ordnung, die zusammenbricht, die ästhetische Ordnung. Die nicht mehr rational zu verarbeitende Erfahrung mit Cipolla wird übersetzt in Narration, welche einen Rest von Ordnung und Struktur vermittelt. Unsere Textstelle ist genau der Punkt, an dem der Erzähler sich nur noch durch den Sprung aus der Rolle des sozialen Subjekts (Vater) in die des ästhetischen Organisators (Erzähler) retten kann.

Der Verlust normativer und kognitiver Orientierung einer Person ist als Anomie zu verstehen.[14] Jedoch ist hierbei der ‚Erzähler', der durch „Erinnerung" (69) vom Geschehen distanziert ist und es narrativ strukturiert, vom ‚Zuschauer' zu scheiden. Keineswegs nämlich wirkt der Orientierungsverlust des Zuschauers als Anomie der Erzählstruktur weiter: die Pause wird vom ‚Erzähler' als genau die Systemstelle benutzt, die Anomie seiner damaligen ‚Zuschauer'-Perspektive auf der Ebene der Erzählgegenwart zu einer Synthese von T1—T2 und T3ff umzustilisieren und damit die Einheit der Erzählstruktur zu sichern. So stehen in der Pause Anomie des ‚Zuschauers' und nomische Leistung des ‚Erzählers' nebeneinander.

Dabei benutzt der Erzähler jene Grundmöglichkeit von Narration, die Darstellung kollabierender Sozialsysteme in Formen zu fassen, in denen das ästhetische System seine Integrationsstruktur durchhält. Diese Grundmöglichkeit beruht auf der Differenzierbarkeit der Zeitebenen in der Narration, welche es im Sozialprozeß nicht geben kann. Die Präsenz eines fiktiven Erzählers nämlich konstituiert eine dem erzählten Gegenstandsfeld gegenüber potentiell autonome Ebene, die zu inhaltlicher Reflexion und ästhetischer Organisation des Erzählten genutzt werden kann. Insofern kann z.B. ein Handlungsverlauf (erzählte Zeit) im Zusammenbruch des normativen Orientierungssystems einer Person (Gruppe, Klasse, Gesellschaft) kulminieren — wie hier beim ‚Zuschauer' —; die ästhetische Mimesis aber dieser Desintegration kann vollständig integriert sein. Dieses Verhältnis ist in Erzählungen, in denen Erzähler und Held nicht identisch sind, nicht eigens zu betonen. Hier jedoch, wo Erzähler und Zuschauer dieselbe Person sind (der Erzähler erzählt sich selbst), ist die Spannung von Erzähl-Gegenwart und erzählter Zeit konstitutiv für die Textstruktur, weil der Erzähler seine formale Sonderstellung dazu benutzt, die Anomie seiner Person auf der Stufe der erzählten Zeit zu verdecken. Dabei hat auch die in der Pause angestrengte Erzähler-Leser-

13 Zur Geschlossenheit des Zusammenhangs fehlt nur noch der „letale Ausgang", der Mord an Cipolla.

14 Zum Begriff der Anomie vgl.: Hartmut Böhme: Anomie und Entfremdung. Literatursoziologische Untersuchungen zu den Essays Robert Musils und seinem Roman „Der Mann ohne Eigenschaften". Kronberg/Taunus 1974.

Kommunikation die Funktion, die Erzählgegenwart gegenüber dem erzählten Handlungsverlauf zu verselbständigen und damit die scheinbar intakte ästhetische Nomie des Erzählers durchzusetzen. Die auf der Ebene der Handlung verlorene Superposition (‚Zuschauer') wird auf der Ebene ästhetischer Autonomie (‚Erzähler') reinstalliert.

Literaturtheoretisch ist jedoch davon auszugehen, daß eine solche ästhetische Selbstbehauptung als Reaktionsbildung auf den Verlust psychosozialer Orientierungshierarchien nur um den Preis gelingen kann, daß in der ästhetischen Form sich die gesellschaftlichen Verletzungen, wie immer auch sublimiert oder verschleiert, abbilden. D.h. noch in der ästhetischen Form, die sich wie hier gegen die Gewalt erlittener Sozialerfahrungen autonom zu setzen versucht, wirkt die Heteronomie — die Fremdbestimmung durch Gesellschaft. Die Spannung von Kunst und Gesellschaft, die allererst durch die individuellen „Leiden an der Gesellschaft" hervorgetrieben wird, geht in die Form, die das „gesellschaftliche Leiden" (H.P. Dreitzel) aus sich auszuscheiden sucht, gleichwohl strukturbildend ein. Darum ist der Versuch des Erzählers, auf ästhetischer Ebene den Zusammenbruch seines Sozialprofils (‚Zuschauer') durch autonome Formsetzung rückgängig zu machen, aussichtslos. Es ist vorauszusetzen, daß die Anomie der Bewußtseinsformen sich auf ästhetischer Ebene als ein Drama von Formsetzung und Formzerstörung fortsetzt.

Zwischen T5 und T7 bestimmt der Ordnungsverlust des Zuschauerbewußtseins die Struktur der Darstellung insofern, als der Erzähler das Chronologie-Prinzip aufgeben muß, weil er „noch heute voll von Erinnerungen" ist und „nicht mehr Ordnung darin zu halten" weiß; die zeitliche „Reihenfolge" wird „ganz beiseite geworfen" (103). Auch der Erzähler ist in die „Auflösung der kritischen Widerstände" (105) einbegriffen. Dieses Erinnerungschaos des Erzählers ist ein Reflex auf den Distanzverlust des Zuschauers gegenüber dem von Cipolla diktierten Geschehen auf der Bühne. Die für die ästhetische Form der Erzählung konstitutive Spannung von Erzählgegenwart und erzählter Zeit wird damit angegriffen. Die Erzählerreflexion hing bislang davon ab, daß der Erinnerungsabstand dem Erzähler eine autonome Ebene sicherte; diese Autonomie muß abbröckeln, wenn die erinnernde Reproduktion selbst so vollständig unter dem verwirrenden Zauber Cipollas steht, daß sie dem Erinnerten gegenüber ihr elementarstes Ordnungsprinzip, die Zeitordnung, verliert. Damit aber ist die charakteristische Fernhaltung des Erzählers aufgelöst.

Im Handlungskontext bildet der Antagonismus von Cipolla und dem „Herrn aus Rom" den letzten Widerstandsversuch, dessen Scheitern dann „Cipollas Triumph auf seiner Höhe" zeigt (T6 = 106/7). Dieser „Kampf" (106) wird von einer Reflexion begleitet, die als letzter Ordnungsversuch des Erzählers zu gelten hat. Die Ausführungen über die „Negativität seiner Kampfposition" (106/7) sind, wie in der Forschung durchweg angenommen, als Metasätze über das Versagen des Bürgertums vor dem Faschismus zu verstehen. Auf der Textebene jedoch, auf der die aufklärungsbemühten Reflexionen des Erzählers ständig mit den autoritären Selbstdeutungen Cipollas konstelliert werden, handelt es sich um eine Identifikation des Erzählers mit der ‚Theorie' Cipollas, der bereits aus Anlaß des „jungen Herrn" (T4 = 95) auf die „Leere" eines auf nichts als Freiheit gerichteten Willens abgehoben hatte. Diese These im Dienst der autoritären

Machtausübung wird nun vom Erzähler verifiziert. Folglich hat Cipolla nicht nur die psychosuggestive, sondern auch ideologische Alleinherrschaft erlangt — er „herrschte unumschränkt" (107). Damit ist ein weiteres wichtiges Moment der Erzählform zerstört: der Antagonismus von Cipolla und Erzähler, bei dem es um die mentale Autorität der Vernunft gegenüber dem Irrationalismus geht. Der ‚theoretische' Sieg Cipollas liquidiert den Erzähler aber auch ästhetisch als strukturbildende Instanz. Gewissermaßen tritt Cipolla auch die Herrschaft über die Ästhetik der Novelle an.

Das zeigt sich deutlich am Erzählstil der Mario-Episode (= T7). Das fast völlige Zurücktreten der Erzählerfigur (und der Leserfigur) signalisiert hierbei die Diffusion der bislang als eigene Ebene (und Gegengewicht zu Cipolla) behaupteten Erzählgegenwart. Der Erzähler verschwindet hinter der von Cipolla beherrschten Szene. Der Stil ist auf nahezu reflexionslose, phänomenale Reproduktion des Bühnenvorganges abgestellt. Mit der wörtlichen Wiedergabe des längeren Gesprächs von Cipolla und Mario (109—113) verselbständigen sich erstmals größere Dialogstücke in der Erzählung. Die Direktheit, mit der Cipolla damit auch das Sprachgeschehen der Novelle beherrscht, ist Symptom seiner Verselbständigung noch gegen die letzte Bastion, die Sprachmächtigkeit des Erzählers. Die bisher vorherrschende Form der indirekten Darstellung durch den Erzähler weicht der total gewordenen Selbstinszenierung Cipollas auch auf dem Sprachsektor.

An Mario kommt Cipolla an sein Ziel und seine Grenze. Die totale Unterwerfung passiven Widerstands (Herr aus Rom) und die totale Unterwerfung ‚kritischen' Widerstands (Erzähler) führt zur Installierung eines bipolaren Systems von Herrscher und Beherrschten. Die „Preisgabe des Innigsten" von Mario, „die öffentliche Ausstellung verzagter und wahnhaft beseligter Leidenschaft" (113), pointiert die Herrschaft Cipollas an einem zentralen Punkt: der Verwandlung von Privatsphäre in Öffentlichkeit. Die Verführung Marios bedeutet exemplarisch den Verlust der letzten Intimität des Menschen. Diese öffentliche Okkupation des Privaten markiert im Erzählnexus den Zusammenfall von Erzählhöhepunkt und Höhepunkt der Macht Cipollas. Auch dies bedeutet die Kapitulation ästhetischer Autonomie vor der Macht, deren immanenten Entfaltungsnexus sich das Formgesetz der Novelle anpassen muß. In der Verdinglichung des Menschen im totalen Herrschaftsprozeß ist das Ästhetische nur noch die alternativlose Mimesis der Gewalt. Das Ende der Novelle an dieser Stelle (113) wäre Hoffnungslosigkeit: nicht nur daß auf der Handlungsebene die Möglichkeit des Widerstands gegen Gewalt widerlegt, nicht nur daß auf der Reflexionsebene die Möglichkeit der Kritik zergangen, nicht nur daß auf der psychischen Ebene die totale Manipulation des Menschen eingeräumt schiene, sondern auch daß auf der ästhetischen Ebene die künstlerische Autonomie der Herrschaft Cipollas unterliegt, machte jede Hoffnung obsolet, — wäre dies das Ende.

Freilich setzt der Autor einen anderen Schluß. Mario tötet in einer Reflexhandlung seinen Peiniger durch zwei Pistolenschüsse. Das „Schicksal" hat damit eine „unvorhergesehene und fremde Richtung" genommen: „Ein Ende mit Schrecken, ein höchst fatales Ende. Und ein befreiendes Ende dennoch", empfindet der Erzähler (114). Hier nun ist die Einbeziehung des Autors Th. Mann unumgänglich. Im Brief an O. Hoerth schreibt er:

> Der „Zauberkünstler" war da und benahm sich genau, wie ich es geschildert habe. Erfunden ist nur der letale Ausgang...Erst von diesem Augenblick an war das Erlebte eine Novelle...Um Cipolla töten zu können, brauchte ich den Hotelier — und das übrige vorbereitende Ärgernis.

Der Novelle liegt also eine weitgehend unverstellte Erfahrung des Autors zugrunde. Diese Erfahrung — der Triumph Cipollas — bedeutet für den Autor, wie am Erzählerverhalten ablesbar ist, die Niederlage seines auf intellektuelle und ästhetische Autonomie gestellten Selbstverständnisses als „freischwebende Intelligenz". Diese historische Erfahrung wird in der Novelle ästhetisch bearbeitet. Wiewohl der Autor kaschiert, daß er sich selbst zum Thema hat, tritt dabei hervor, daß er als Erzähler solange seine Autonomie nicht behaupten kann, wie er den historischen Handlungsablauf unangetastet läßt. Im Gegenteil läuft die Erzählung auf die Unhaltbarkeit der Erzählerposition hinaus. Der Autor erfindet also den Tod Cipollas, um die Zerstörung seines Autonomieprofils rückgängig zu machen. Der „letale Ausgang" ermöglicht nicht nur die Verwandlung des Erlebten in ästhetische Form und rettet damit die künstlerische Autonomie, sondern schützt zugleich vor dem Eingeständnis des Verlustes der sozialen und moralischen Autonomie, die nur auf der Handlungsebene (etwa im Schutz der Kinder vor Cipolla) hätte eingelöst werden können.

Doch der Novellenschluß kann seine Funktion für die Selbstlegitimation des Erzählers nicht verleugnen. Das dramatische Umschlagen der Handlung auf der letzten Seite ist tatsächlich eine „unerhörte Begebenheit" (Novelle) — nicht, weil die Tat unerhört ist, sondern weil mit ihr der Autor eine unerhörte Negation des Vorangegangenen betreibt. Der Druck des Hoffnungslosen ist ruckartig aufgelöst. Die reflexionslose Gewalt der Schüsse setzt der suggestiven Gewalt Cipollas ihre Grenze. Dies ist freilich nicht so zu verstehen, als wolle der Autor die Lehre von der Notwendigkeit revolutionärer Gegengewalt exemplifizieren. Vielmehr ergibt sich aus der Struktur der Mario-Tat eine ‚Theorie' über die sich selbst vernichtende Herrschaft.

Wie gezeigt, bezeichnet die Niederlage des „Herrn aus Rom" zugleich die totale Herrschaft Cipollas. Die Dialektik von Herrschaft und Widerstand ist damit stillgestellt. An dieser Stelle ist der Idealtypus des Totalitarismus, die vollständige Erfassung und Gleichschaltung aller Gesellschaftsmitglieder, erreicht. Keine Störungen, wie etwa die des Giovanotto, machen Anstrengungen Cipollas nötig, das Gleichgewicht von Herrscher und Beherrschten zu sichern.

Dieser Höhepunkt der Macht wird mit Mario überschritten. Die letzte Steigerung führt zu Peripetie und Katastrophe — man formuliert dies zu Recht in Kategorien der klassischen Tragödie. Cipolla scheitert nicht am Widerstand des Publikums, sondern an seiner eigenen Hybris („Wollte er alles haben?") (102), die ihn die ‚immanente' Schranke der Macht nicht wahrnehmen läßt. Diese Schranke aber wird gebildet von dem zutiefst bürgerlichen Moment der Intimität und Privatsphäre. Bereits bei den Erlebnissen der Familie (T1—T2) hatte sich der Zugriff der Öffentlichkeit auf die Privatsphäre gezeigt. Frau Angiolieri dann (102—5) wird durch die Suggestivkraft Cipollas ihrem Mann total entfremdet, dessen „arme Stimme der Liebe und Pflicht" nichts gegen die deutlich auch sexuelle „Behexung" (103) ausrichtet. Bereits hier stellt Cipolla die persönliche Identität dieser Frau unter seine öffentliche Gewalt. In scheinbarem Großmut (er ließ den „Siegerkranz gleichsam fallen") gibt er Frau Angiolieri sich selbst und ihrem Mann zurück, darauf anspielend, daß er auch einen sexuellen Sieg gefeiert habe. Doch hat Cipolla dokumentiert, daß in seinem Herrschaftsprozeß das Recht auf bürgerliche Privatsphäre nicht gilt. Cipolla verzichtet an der Stelle, wo die Verführung Frau Angiolieris ‚unerhört' zu werden begonnen hätte: gerade darin zeigt er sich als „Herr des Abends" (108). Die erotische Illusionierung Marios dagegen ist mehr als nur Andeutung von Verführung, sondern ihr Vollzug: mit ihr verkehrt Cipolla seine sexuelle Deprivation in sexuellen Triumph, läßt er seine abstoßende Häßlichkeit im illusionistischen Schein der Süße eines Mädchens verschwinden, pervertiert er die geheimsten Antriebe Marios und exhibitioniert sie der Öffentlichkeit.

Die kontinuierliche Steigerung zum Höhepunkt der Macht, seine hybride Überbietung, die zu Peripetie und Katastrophe führt, stellt den Handlungszusammenhang unter Mechanismen, die ein schicksalhaftes Gesetz vollziehen. Was hier nach Erzählerdeutung geschieht, sind im „Wesen der Dinge" liegende, „verhängnishafte" und „vorgezeichnete" Schicksalfügungen (69). Dieses „Wesen der Dinge" besteht in dem ‚Gesetz', daß die radikale Verletzung menschlicher Identität die Grenze der Herrschaft darstellt, die hybride zu überschreiten ‚automatisch' die Vernichtung der Herrschenden erzwingt.[15] Vorbürgerliche, fatalistische Denkmuster und bürgerliche Werte (Privatsphäre) werden hier eigenartig verschmolzen. Diese Verschmelzung aber hat eine vierfache ideologische Funktion:

(1) Sie entlastet das bürgerliche Individuum, das im Herrschaftsprozeß sich als ohnmächtig und handlungsgehemmt erfährt, von praktischem Widerstand in dem Maß, wie die Herrschaft scheinbar nur durch Schicksalsfügungen vernichtet werden kann. (2) Sie bestärkt das Individuum in seinem privatistischen Selbstverständnis, insofern die Novelle zeigt, daß innerhalb des Schicksalszusammenhangs die Okkupation der Privatheit genau jene Hybris darstellt, mit der Herrschaft ihren eigenen Untergang herbeiführt. (3) Sie affirmiert damit den elitären Individualismus als letztlich uneinnehmbares Residuum „gesellschaftloser" Identität.[16] (4) Wider die Erfahrung des Autors und wider die Struktur der Narration bis hin zu Marios Tat werden damit Erzähler wie Autor am „Ende" gleichsam durch das Schicksal selbst in ihrem längst korrumpierten Autonomieanspruch ins Recht gesetzt (Legitimationsfunktion).

Daß Ideologien aber die Widersprüche, die sie zudecken oder legitimieren sollen, dennoch nie verleugnen können, zeigt sich daran, daß der schicksalhafte Schluß zuletzt

15 Mit dieser Interpretation erübrigen sich die Spekulationen über die proletarische Bedeutung der MarioTat: Lukács, a.a.O. S. 190; Matter, a.a.O. S. 589/9/; Mayer, a.a.O. S. 188; Diersen, a.a.O. S. 171.

16 Zur Kritik ‚gesellschaftsloser' Identität als Fluchtpunkt bürgerlicher Privatheit vgl. Böhme a.a.O. Kapitel X.

doch eine Kapitulation vor Cipolla darstellt. Nachdem jede Form des Widerstands gegen Gewalt (durch Wille, Kritik, Vernunft) gescheitert ist, flüchtet der Erzähler sich vor Cipolla in genau den Irrationalismus, den dieser zum Instrument seiner Herrschaft gemacht hat. Der Fatalismus des Erzählers ist die Preisgabe seines Rationslitätsanspruchs und stellt damit eine Identifikation mit dem übermenschlich Mächtigen dar, in dessen Schein sich Cipolla ja zu bringen suchte, um herrschen zu können. Fatalismus in diesem Sinn ist Identifikation mit dem Agressor:[17] hier der Versuch der Feindabwehr durch Übernahme von dessen irrationalistischer Position. Wie jede solcher Identifkationen aber ist auch diese zugleich ein Eingeständnis der eigenen Verletztheit. Die „freischwebende Intelligenz" des Erzählers, durch den Handlungsverlauf als gescheitert erwiesen und zur Hoffnungslosigkeit getrieben, versucht zuletzt, sich durch Adaption ihres Gegenteils, durch Selbstbindung as teleologische Verhängnis zu retten. Die Anomie, die das Strukturmuster der Erzählerintelligenz bestimmt, schlägt um in das menschenfremdeste Ordnungmuster, den Fatalismus. Fatalismus — als Umkehrung des tiefgreifenden Orientierungsverlustes einer Person — ist der Übergang aus einem anomischen Zustand in den Zustand totaler Selbstentfremdung.[18] In ihr wird die normative Kontrolle über die eigene Person an die abstrakte Instanz des Schicksals abgetreten, das von dem unerträglich gewordenen Zwang zur eigenen nomischen Leistung in Denken und Handeln radikal entlastet. Dies gilt auch dann, wenn wie hier der Fatalismus handlungsmäßig positiv zur Befreiung eingesetzt ist. Noch in seinem ‚schicksalhaft' herbeigeführten Tod ist Cipolla Herr über den vermeintlich befreiten Erzähler. Der Novellenschluß ist gerade darin, daß er gegen Cipolla gesetzt ist und schicksalhaft scheint, von diesem abhängig. Das fatalistische ‚Ende' wiederholt die Selbstentfremdung des Erzählers auch auf ästhetischer Ebene.

Freilich wie Cipolla das Publikum gleichschaltet, so versucht seinerseits der Erzähler den Leser unter Kontrolle zu bringen. Das zeigen die fiktive Erzähler-Leser-Kommunikation und die darin eingespielten Rezeptionsstrukturen. In der Exposition bereits benutzte der Erzähler epische Vorausweisungen dazu, dem Leser ein Rezeptionsmuster aufzustülpen, das unauffällig bleibt, weil der Erzähler mit der Leserfigur in scheinbar gleichberechtigtem Ton verkehrt. Das Erzählende nun wird zur Verifikation der vom Erzähler zu Beginn monopolisierten Deutung des Gesamtgeschehens. Der Leser ist zur Affirmation der ‚Wende zum Guten' gezwungen, weil er in ihr die Erzähleröffnung ‚wiedererkennt'. Dieser Zusammenhang von ‚epischer Vorausweisung', ‚Verifikation' und ‚Wiedererkennen' macht die ästhetische Geschlossenheit der Novelle aus, in die der Leser in der Weise miteingebaut ist, als er es ist, der im ‚Wiedererkennen' des Anfangs im Ende zwanghaft die Geschlossenheit mitproduzieren muß, in der gleichwohl nichts anderes als die ideologische Legitimation des Erzählers sich herstellt. Die teleologische Konstruktion von T1—T6, die nur den Mord (T7) als ‚Lösung ex machina' zuläßt, ist in bezug auf das darin abgebildete Leserverhalten undialektisch. Statt zur

17 Zu diesem Mechanismus vgl. Anna Freud: Das Ich und die Abwehrmechanismen. München, 6. Aufl., o.J. S. 85 ff.

18 Vgl. hierzu Böhme, a.a.O. Kapitel III und IV.

Selbstaufklärung angeleitet zu werden, ist der Leser zur Anerkennung eines Gewaltzusammenhangs und dessen schicksalhafter Selbstaufhebung gezwungen. Dieser Lesermechanismus aber steht im Dienst des Erzählers, der darin sich der Billigung seines handlungsgehemmten Verhaltens versichert.

Die These, daß in dieser Novelle der bürgerliche (künstlerische) Intellektuelle sich selbst zum Thema hat, ist länger nicht abzuweisen. Weil hier der Autor sich verdoppelt in soziales Subjekt (Vater, Tourist) und ästhetischen Produzenten (Erzähler), überwindet Th. Mann jenen für die frühen Künstlernovellen konstitutiven Gegensatz zwischen Bürgertum und Künstlertum und ermöglicht ein Begriffskontinuum, das soziales Verhaltensprofil und ästhetische Form als differente, doch aus gleicher Wurzel gespeiste Adaptionsformen begreifen läßt. Reflexionsüberhang, Handlungshemmung und ästhetische Formsetzung sind Momente eines Verhaltens, mit dem die politischen, hier als Gewaltzusammenhang begriffenen Ansprüche der Gesellschaft abgewehrt werden. Der in Cipolla symbolisch zusammengezogene Zugriff der Herrschaft zerstört jedoch den privilegierten Status der Intelligenz. Die Novelle zeigt den Intellektuellen wie auch die Kunst ohne Alternative. Die Auflösung normativer Orientierung wie auch ästhetischer Autonomie zwingen zu einer Revision des hier zugrundeliegenden kulturellen und apolitischen Selbstverständnisses der Intelligenz. Diese Revision leistet die Novelle nicht, sondern rettet sich in die Utopie des ‚glücklichen Endes', das ihr aus der klassischen Ästhetik der Novelle tradiert ist. Gleichwohl gehört sie in den Zusammenhang, in dem Th. Mann — ohne ästhetische Versöhnung — während der Weimarer Republik eine Revision seines geistigen und künstlerischen Selbstverständnisses unter dem Gesichtspunkt der politischen Verantwortung gerade des Künstlers und Intellektuellen vornimmt.

Die Kritik, die am Erzähler und indirekt an Th. Mann zu leisten war, bedarf der Legitimation an dem Problembereich, den Th. Mann zu einem Zentrum der Novelle erklärte: „der Psychologie des Faschismus".[19] Dies macht abschließend die Behandlung Cipollas und des Publikums sowie der Mechanismen ihrer Interaktion notwendig.

Der durch „Leibesschaden" (86) stigmatisierte Cipolla entwickelt Techniken einer öffentlichen Identitätsorganisation, die vor allem darauf abzielt, sich die Anerkennung zu erzwingen, die die Gesellschaft dem Stigmatisierten gewöhnlich versagt.[20] Habitus, Kleidung, Sprachverhalten, Requisiten (wie das Herrschaftssymbol der Peitsche) sind sämtlich Inszenierungsmittel der außerbürgerlichen Rolle des „Zauberers", unter deren Tarnung (69, 88, 101) er sein einziges Interesse verfolgt: in der Macht über sein Publikum die Kompensation seiner Deprivationen zu erlangen. Das Bedürfnis nach unumschränkter Machtfülle ist die pathologische Verzerrung durchschnittlicher Ansprüche auf Sexualität, Kommunikation, positiver Positionszuweisung etc. Die durch Herrschaft erzwungene Anerkennung — und dies charakterisiert auch den faschistischen

19 Th. Mann: Autobiographisches, a.a.O. S. 361.

20 Zum Begriff des Stigmas vgl. E. Goffman: Stigma. Über Techniken der Bewältigung beschädigter Identität. Frankfurt/M. 1967.

Führertyp — muß von genau der Gesellschaft geleistet werden, die eine bürgerliche Sozialisation dem Stigmatisierten kaum erlaubt. Das verheimlichte, weil versagte Ideal der Männer wie Cipolla ist bürgerliche Integration. Er ist nicht der Nietzscheanische Übermensch (mit dem der nur Einzelzüge teilt),[21] sondern der pervertierte Rächer seiner Leiden, die die Gesellschaft im Stigmatisierungsprozeß ihm zufügt. Auch dieser latente Haß auf Gesellschaft verweist ihn auf diese: Cipolla verändert nicht das Publikum, sondern formiert es zum Medium seiner unterdrückten Triebansprüche.

Zu diesem Zweck hat er die Spielräume seiner subkulturellen Situierung als Wanderzauberer zu einem festen Arsenal von Unterwerfungsmechanismen ausgebaut. Seine Aktionen vom Betreten der Bühne, Selbstvorstellung, ersten Experimenten (die solche der Machterprobung sind), langsamer Steigerung bis zum Höhepunkt sind streng ritualisiert. Das Zentrum seiner Versuche und damit die Basis seiner Herrschaft besteht darin, den moralvermittelten Zusammenhang von Bewußtsein und Handeln zu durchschneiden. Herrschaft bedeutet also hier: vollständige Kontrolle über das Handeln anderer, was für diese anderen Selbstentfremdung bis zur Depersonalisation bedeutet.

Von der Ritualisierung der Handlungen Cipollas geht Wiederholungszwang aus. Darum auch kommt dem Eingangskonflikt mit dem Giovanotto (84/5) so zentrale Bedeutung zu: er ist der „Originalvorfall" (S. Freud), der zum Klischee verselbständigt sich in jeder Folgesituation reproduziert. Anders aber als bei neuroseerzeugenden Originalvorfällen, in denen eine lebensgeschichtlich bedeutsame Instanzenkonstellation klischiert wird, ist hier das Ritual Ergebnis bewußter Planung durch Cipolla im Dienst seiner Herrschaftsinteressen.

Hier nun wird die Konfrontation der Herrschaftstechnik und Massenbildung im „Mario" mit Teiltheorien der Freudschen Analyse notwendig; sie erst erlaubt, die der Erzählung zugrundeliegende „Psychologie des Faschismus" zu umgrenzen. Historisch ist diese Konfrontation auch deswegen gerechtfertigt, weil Th. Mann wenige Monate vor „Mario" den berühmten Freud-Essay abfaßt, also mit Freuds Werk aktuell vertraut ist.[22] Zudem hängen Freud-Aufsatz und „Mario" dadurch zusammen, daß beide in die Auseinandersetzung Th. Manns mit der Geistesgeschichte des Irrationalismus in Deutschland gehören. Cipolla — so die These — ist die Figur gewordene Einsicht Th. Manns in die (massen-)psychologische Basis von Autoritätsbildung.

Für die These werden textnahe Beobachtungen zusammengestellt, die dann mit Hilfe psychoanalytischer Theorie verallgemeinert werden.

(1) Der Herrschaft Cipollas liegen sado-masochistische Triebkomponenten zugrunde. Dazu gehören: (a) „der Stab der Kirke, diese pfeifende Ledergerte mit Klauengriff" (107), „das beleidigende Symbol seiner Herrschaft" (102). Die Formulierungen kombinieren Herrschafts- und Sexualitätssymbolik. Die Peitsche ist Instrument im ‚Unter-

21 Vgl. die Hinweise bei Hilscher, a.a.O. S. 279, Anm. 101.

22 Th. Mann: Schriften und Reden zur Literatur, Kunst und Philosophie, Bd. 1, in: Das essayistische Werk, a.a.O. S. 367 ff. — H. Bürgin/H. O. Mayer: Thomas Mann. Eine Chronik seines Lebens. Frankfurt/M. 1965, S. 84.

werfungsritual'; sie deutet auf sadistische Wünsche Cipollas und zugleich — durch das Kirke-Motiv — auf masochistische Wünsche der Unterworfenen. (b) Sadistische Sexualwünsche Cipollas sind bei der Verführung Frau Angiolieris wie Marios im Spiel. Dieser Sadismus ist dadurch verursacht, daß dem stigmatisierten Cipolla narzistische Befriedigungen versagt sind. Hypertrophe Selbstbilder (86 u. ö.) und der selbstgefällige Habitus (83) sind narzistische Ersatzbefriedigungen. Diese „Äußerungen seines Selbstgefühls" (87) kompensieren narzistische Verarmung, ja den versteckten Selbsthaß des „Krüppels". Als sadistischer Alleinherrscher, wenn Cipolla das Ich des Gegenspielers auslöscht und das Publikum gleichgeschaltet hat, ist er schließlich der einzige, der narzistische Befriedigung erfährt.[23] Er wird „gravitätisch und gebläht" (105); „etwas Sattes und Paschahaftes, etwas von Räkelei und Übermut" (110) markiert auf der Höhe des Triumphs den sexuellen Lustgewinn durch Herrschaft. (c) Dabei trägt Cipolla auch masochistische Züge. Die Anlehnung an Autoritäten („Bruder des Duce", „Größe des Vaterlandes", „italienische Geschichte", 86, 90, 93, u.ö.) ist kennzeichnend für den autoritären Charakter, der seine Ich-Schwäche durch Identifikation mit unerreichbaren Machthabern oder ideologischen Größen kompensiert. Dazu gehört auch die mediumistische Unterwerfung Cipollas unter den „in der Luft liegenden Gemeinschaftswillen": „Die Fähigkeit..., sich seiner selbst zu entäußern, zum Werkzeug zu werden" (97), ist genau der masochistische Mechanismus, bei dem Unterwerfung als Lust erfahren wird. Bezeichnend ist, daß Cipolla von sich behauptet, er sei es, „der das alles duldet" (103) — was nämlich er seinen Gegnern zufügt. (d) Auch das Publikum erfährt seine Entmündigung als Lust. Frau Angiolieri und Mario erleben ihre Verführung als hypnotisch gebanntes Glück. Der kataleptisch gemachte Jüngling (102) scheint sich „in der Hörigkeit ganz zu behagen und seine armselige Selbstbestimmung gern los zu sein" (105). Seine Depersonalisation im Tanz erlebt er als „wohlgefällige Ekstase", die weitere „Tänzer" anzieht (105/6). Und selbst der Herr aus Rom, der gegen Cipolla die „Ehre des Menschengeschlechts", u.d.h. die „Willensfreiheit" „heraushauen" (106) will, verwandelt sich in seiner Niederlage in den Ausdruck masochistischer Lust. Die moralische Vernunft ist zuletzt schwächer als die unbewußten masochistischen Triebansprüche:

> Man sah nun das Gesicht des Unterworfenen, es war dort oben veröffentlicht. Er lächelte breit, mit halbgeschlossenen Augen, während er sich ‚vergnügte'. (107)

In der Novelle besteht das Elend des Widerstands gegen Gewalt nicht darin, daß Selbstbestimmung, Aufklärung, moralische Vernunft der Übermacht einer etablierten Herrschaft unterliegen; sondern diese Herrschaft entsteht mitursächlich daraus, daß das Ich als Instanz der „Vernunft und Besonnenheit" (S. Freud) gegen die mächtigeren masochistischen Triebkomponenten nicht durchhält. Cipolla herrscht, weil er gegen die Rationalisierungs-Potenzen des Ich[24] die latenten masochistischen Bedürfnisse des Pu-

23 Vgl. dazu S. Freud: Massenpsychologie und Ich-Analyse. Frankfurt/M. 1967, S. 63, 41 f (fibü 851).

24 Zum psychologischen Begriff der Rationalisierung vgl. E. Fromm: Sozialpsychologischer Teil: In: E. Fromm, M. Horkheimer, H. Marcuse, H. Mayer: Studien über Autorität und Familie, Bd. 1, Paris 1936, S. 99 f.

blikums entfesselt und den kollektiven Selbstverlust als Lustgewinn umzustilisieren versteht.

(2) Das zweite Moment ist die hypnotische Wirkung Cipollas. Der Erzähler nennt ihn den „stärksten Hypnotiseur" (101). Hypnose ist die wesentliche Technik der Herrschaftsausübung Cipollas, wiewohl was das Ziel, nämlich „Willensentziehung und -aufnötigung" (102), wie auch was die hypnotisierenden Mittel angeht: „der Blick" (85, 91/2, 106), der Gestus („winkende und ziehende Bewegungen gegen seine Opfer"; 104/8/9), die angsterzeugende Peitsche (85, 91, 102/3/4 u. ö.), die Befehle („du wirst jetzt..."; 85; „Krümme dich!"; 92) und das suggestive „Zureden" (107, 91/2, 112/3). Die „Opfer" sind durchweg hypnotisiert: der „kataleptische" junge Mann ist „in Tiefschlaf" gebannt (102); Frau Angiolieri gehorcht Cipolla „mondsüchtigen Ausdrucks" (104); eine Dame erzählt „in Trance" fiktive Reiseerlebnisse; ganze Gruppen in „Ekstase" führen eine „Tanzorgie" (105) auf. In dieser Hypnose bilden sado-masochistischer Charakter, Massenbildung und Autorität eine Struktureinheit, auf der die psychologische Durchsetzung von Herrschaft beruht. Th. Mann bringt die Hypnose keineswegs nur im Zusammenhang mit Okkultismus (95/6), sondern sieht sie im Kontext von Befehlen und Gehorchen (97), Willensfreiheit (95, 97, 102/3/5) und Fremdbestimmung, Führer-Autorität und Masse (97 f, 105). Die Hypnose wird also zum Modell von Herrschaft, oder: die Polarisation von „Autorität" (105) und Ich-Abbau in der Unterwerfung ist eine „hypnoide Situation".[25]

Dieses Material genügt, um den Handlungszusammenhang um Cipolla zu systematisieren. Dies geschieht in zwei Schritten: (1) S. Freud entwickelt in „Massenpsychologie und Ich-Analyse" das Führer-Masse-Verhältnis als kollektive Hypnose. (2) E. Fromm untersucht in „Autorität und Familie" Bedingungen des Funktionierens von Herrschaft unterhalb ihrer Erhaltung durch direkte Gewalt wie Justiz, Militär, Terror. Indem diese Theorien in Konfrontation mit dem Text entwickelt werden, werden Leistungsfähigkeit und Grenze des Mannschen Herrschaftsmodells sichtbar.

Nach Freud handelt es sich in dieser Novelle um eine Masse, die durch einen Führer (Cipolla) integriert ist. Das Publikum, das sein differenziertes Klassenprofil (80, 81/9) verliert, steht in der Morphologie der Massen der spontanen, kurzfristigen Massenbildung nahe. Das Publikum wird zur Masse erst durch libidinöse Bindung an den „Führer" Cipolla, und darum beendet — bei Cipollas Tod — das Ende der „Bindungen an den Führer" zugleich auch „die gegenseitigen Bindungen der Massenindividuen".[26] Die Panik, die beim Tod Cipollas ausbricht („Der Tumult war grenzenlos"; 114) ist typisch für die Auflösung einer Masse bei Zusammenbruch ihrer führerbezogenen „libidinösen Struktur".[27] Die Phäomenologie einer unorganisierten, nicht funktionsdifferenzierten, suggestiv gebannten Masse ist dem Erscheinungsbild „primitiver" Massenbildungen durch „primitive sympathetic response" (was Freud und Mann „Gefühlsansteckung"

25 Fromm, a.a.O. S. 108.
26 Freud, a.a.O. S. 36.
27 Ebenda, S. 35 f.

nennen)[28] ähnlich. Bereits Le Bon hatte den Status des Individuums in der Masse („Schwund der bewußten Persönlichkeit, Vorherrschaft der unbewußten Persönlichkeit, Orientierung der Gedanken und Gefühle in derselben Richtung, ...willenloser Automat")[29] als einen hypnotischen beschrieben. Freud knüpft daran an, indem er die hypnotische Situation als „Massenbildung zu zweien"[30] identifiziert. Damit ist die Konstellation von Hypnotiseur und Hypnotisierten homolog der von Führer und Masse. Kollektive Hypnose ist das entscheidende Integrationsmedium der Massenbildung auch bei Th. Mann.

Die Hypnose organisiert sich nach Freud in Analogie zur Verliebtheit. Wie hier das Objekt idealisiert wird, bis es im Grenzfall „an die Stelle des Ichs oder Ich-Ideals gesetzt wird",[31] so tritt dort der Hypnotiseur „an die Stelle des Ich-Ideals": „Die hypnotische Beziehung ist eine uneingeschränkte verliebte Hingabe bei Ausschluß sexueller Befriedigung."[32] Das erkärt sowohl die libidinöse Bindung an den Hypnotiseur (Frau Angiolieri, Mario) als auch den totalen Ich-Abbau des Hypnotisierten (z.B. Tänzer; 105 ff, der Colonello; 103). Cipolla baut seine Herrschaft darauf, daß er in der Unterwerfung das Opfer zur Aufgabe seiner bewußten Ich-Organisation zwingt („Willensentziehung und -aufnötigung"), wie auch zugleich sich selbst an die Stelle des Ich-Ideals des Opfers setzt: „Ich bin es, der das alles duldet!" (103) „...die Leistung...sei jedenfalls seine, des Führers und Veranstalters, in welchem der Wille Gehorsam, der Gehorsam Wille werde, dessen Person die Geburtsstätte beider sei" (97). Diese Okkupation des (kollektiven) Über-Ich funktioniert durch kollektive Introjektion des Objekts (Cipolla):

> Eine solche primäre Masse ist eine Anzahl von Individuen, die ein und dasselbe Objekt an die Stelle ihres Ich-Ideals gesetzt und sich infolgedessen in ihrem Ich miteinander identifiziert haben.[33]

Die Massenbildung durch Hypnose zeigt aber, daß dieser Ich-Abbau zwangsweise vollzogen wird — gegen den Widerstand z.B. Giovanottos, des Herrn aus Rom, des Colonello, des Erzählers. Dabei sind Identifizierung und Regression wichtigste Mechanismen.

Identifizierung heißt hier: „Bindung der Massenindividuen...durch eine wichtige affektive Gemeinsamkeit", die „Bindung an den Führer".[34] In der Veranstaltung Cipollas heißt das ferner, daß das Publikum die „gewöhnlich durch Zensur verdrängt gehaltene Neigung zu blindem Glauben und kritiklosem Gehorsam — ein Rest infantil-erotischen Liebens und Fürchtens der Eltern — auf die Person des Hypnotisierenden oder Suggerierenden unbewußt übertragen...kann" (S. Ferenczi).[35] Beispielhaft findet eine solche

28 Der Terminus stammt von McDougall, zit. bei Freud, a.a.O. S. 22 f, 35. Th. Mann redet von „Ansteckung" (107) bzw. „Krankheit" (76).

29 G. Le Bon: Psychologie der Massen, Leipzig, 1. Aufl. 1912, S. 17.

30 Freud, a.a.O. S. 54.

31 Ebenda, S. 33.

32 Ebenda, S. 54.

33 Ebenda, S. 55.

34 Ebenda, S. 47.

35 Zitiert bei Fromm, a.a.O. S. 106.

hypnotische Entsublimierung etwa bei dem jungen Mann statt, der „ein besonders empfängliches Objekt" (102) ist, seine „Selbstbestimmung" los sein will und ein „Musterbeispiel prompter Entseelung und Willenslosigkeit" (105) abgibt. Ebenso ist die „ätherische Widerstandlosigkeit" Frau Angiolieris zu verstehen, wenn „Liebe und Pflicht", „Vernunft und Tugend" der Hingabe an die „Macht des Cavaliere" (103/5) weichen. In dem Zitat Ferenczis wird dieser Ich-Abbau in der Hypnose als „Rest" frühkindlicher Einstellung zu den Eltern bezeichnet. Diese Gefühlsstufe des Ich ist ambivalent („Lieben und Fürchten"). Das Regressionsmoment wird dadurch markiert, daß die Kinder des Erzählers die ungeschütztesten Opfer Cipollas sind. Die Rückverwandlung in kindähnliche Abhängigkeit wird im übrigen so beschrieben, daß sie am leichtesten dort fällt, wo von der Klassenlage her Abhängigkeit vorauszusetzen ist, d.h. bei der „Sphäre der Stehplätze", den Unterschichten. Umgekehrt ist die „moralische Versteifung" (105) gegen Cipolla dort am dauerhaftesten, wo sie vom kulturellen Bewußtsein der „Willensfreiheit" getragen ist (Herr aus Rom, Erzähler).[36] Die Regression des Hypnotisierten im Führer-Masse-Verhältnis sieht Freud als „ein Stück...archaischer Erbschaft"[37] an, in der sich das Verhältnis von Urvater und Urhorde reproduziert. Weil nun Vaterautorität und Kindabhängigkeit selbst ein Stück dieser Erbschaft darstellen, läßt sich eine Homologie von Urvater-Urhorde, Vater-Sohn, Führer-Masse konstruieren. In allen drei Verhältnissen ist die Autorität so unumschränkt, daß die Einstellung zu ihr „nur passiv-masochistisch"[38] sein kann.

> Der unheimliche, zwanghafte Charakter der Massenbildungen, der sich in ihren Suggestiverscheinungen zeigt, kann also wohl mit Recht auf ihre Abkunft von der Urhorde zurückgeführt werden. Der Führer der Masse ist noch immer der gefürchtete Urvater, die Masse will immer noch von unumschränkter Gewalt beherrscht werden, sie ist im höchsten Grade autoritätssüchtig, hat nach Le Bons Ausdruck den Durst nach Unterwerfung. Der Urvater ist das Massenideal, das an Stelle des Ich-Ideals das Ich beherrscht. Die Hypnose hat ein gutes Recht auf die Bezeichnung: Masse zu zweit...[39]

Die Polarisation von Führer und Masse (Cipolla und Publikum) ist also aus den libidinös-masochistischen Verhältnissen onto- und phylogenetisch früher Autoritätsstrukturen herzuleiten. Die ambivalente Einstellung des Publikums erklärt sich aus dem Widerstreit zwischen „kritischen Widerständen" (105) der Rationalität und der unbewußten Aktualität masochistischer Unterwerfungslust unter eine ‚mythische' Superautorität. Der Erzähler rätselt von Beginn an über die Reaktion des Publikums (85/7, 92/4/6/8, 102/5/6), weil ihm nicht entgeht, daß Bewunderung und libidinöse

36 Hierin liegt ein Stück kulturelitären Bewußtseins von Th. Mann, das historisch durchaus nicht gerechtfertigt ist, weil sich gerade beim Übergang zum Faschismus gezeigt hat, daß hohes Kulturniveau nicht vor Faschismus schützt, wie umgekehrt das Proletariat relativ wenig Nähe zum Faschismus zeigte.

37 Freud, a.a.O. S. 65 und 67.

38 Ebenda, S. 67.

39 Ebenda.

Hingabe kontrapunktiert sind von „Abneigung und Aufsässigkeit" (95), „Antipathie und stiller Empörung" (96), „widerspenstigem Gefühl für das eigentümlich Entehrende..., das für den Einzelnen und für alle in Cipollas Triumphen lag" (102). Das hier angelegte Konfliktpotential ist an den latenten Haß der Urhorde auf den Urvater, des Sohnes auf den Vater anzuschließen.[40] Doch bleibt die „Revolte im Unterirdischen" (95), der kollektive Aufstand findet nicht statt. Die Widerstände von einzelnen sind Rückzugsgefechte nicht gegen Cipolla allein, sondern auch gegen die eigene Verlockung, sich diesem lustvoll hinzugeben. Das Publikum, im „Zwiespalt" zwischen „dem Wunsch, der anspruchsvolle Mann möchte eine Niederlage erleiden", und dem „Interesse am Gelingen des Wunderbaren" (98), applaudiert bei der Niederlage seiner Repräsentanten seinem eigenen Untergang. Es ist die Lust an der Entlastung von moralischer Selbstbestimmung, „Flucht aus der Freiheit" (E. Fromm). Cipolla weiß dies, wenn er dem Herrn aus Rom zuruft:

> „Nennst du es Freiheit — diese Vergewaltigung deiner selbst?...Es reißt dir ja an allen Gliedern...Da, du tanzest ja schon! Das ist bereits kein Kampf mehr, das ist bereits das Vergnügen!" (107)

Die Schwäche des Freudschen Modells und der Mannschen Narration liegt in dem unhistorischen Charakter der Autoritätsableitung, ferner aber auch — und das ist die Erbschaft Le Bons — in der Reduktion der Masse auf „willenlose Automaten". Als überzeitliches Modell von Herrschaft geht die Novelle an den historischen Bedingungen vorbei, die allererst die psychischen Konstellationen bei bestimmten Schichten der Gesellschaft bereitstellen, von denen hier die Rede ist. Für die „Psychologie des Faschismus" bleibt jedoch wichtig, daß Cipolla verdrängte Affektpotenzen gegen die in Kulturarbeit erworbene Rationalität mobilisiert, daß er gleichsam dem Es unbegrenzte Befriedigung um den Preis der Unterwerfung unter seine Gewalt verspricht. Faschistisch ist sein Konzept deswegen, weil er dabei „Volk und Führer", „Befehlen und Gehorchen", „Wille und Gehorsam" zu einer „unauflöslichen Einheit" (97) erklärt. Damit schließt er zwar an die analytische Konstellation an, in der der Führer anstelle des Über-Ich das Ich beherrscht, doch verklärt er diese zum ewigen, metaphysischen „Prinzip" (97).

Erich Fromms Herleitung nun des autoritär-masochistischen Charakters pointiert die gesellschaftlichen Hintergründe, vor denen die Macht eines Cipolla allererst verständlich wird. Das Unhistorische des Mannschen Modells muß dem ideologischen Schluß vorbauen, der einen „ewigen Unterwerfungstrieb" annimmt, wo in Wahrheit ein „historisch bestimmter seelischer Tatbestand"[41] vorliegt. Die fatalistische Teleologie der Erzählstruktur insgesamt ‚mythisiert' die Gewalt Cipollas ebenso wie sie umgekehrt die passiv-masochistische Haltung als einzig denkbare Abwehrreaktion offenläßt. Die Erzählstruktur als Mimesis unverfügbarer Schicksalsgewalt ist selbst das rationalisierte Ergebnis masochistischer Grundzüge, deren sich der Erzähler nicht bewußt ist.

Dagegen ist an der soziogenetischen Konstruktion der sado-masochistischen Trieb-

40 Ebenda, S. 62 ff, 74 ff.
41 Fromm, a.a.O. S. 110.

struktur festzuhalten. Nach Fromm ist der autoritäre Charakter mit dem bürgerlichen Menschen soweit identisch, daß er sozial unauffällig geworden ist.[42] Dieser Charakter des Bürgers ist jedoch seinerseits Ergebnis der Anpassung von Triebstrukturen an die Bedingungen der bürgerlichen Gesellschaft zum Zweck der Herstellung sozialkonformen Verhaltens. Der autoritäre Masochismus ist offensichtlich die bestangepaßte Triebmodellierung gemäß den Erfordernissen der bürgerlichen Gesellschaft im Übergang zum Faschismus.

> In der autoritären Gesellschaft wird der sado-masochistische Charakter durch die ökonomische Struktur erzeugt, welche die autoritäre Hierarchie notwendig macht.[43]

Dieser Theorieansatz erweitert das Freudsche und Mannsche Herrschaftsmodell an genau den Stellen, wo analytische bzw. narrative Darstellung über historische Verursachungszusammenhänge nicht mehr verfügt. Fromm geht davon aus, daß der masochistische Charakter eine Anpasssung des Individuums an seine ökonomische und soziale Unterdrückung ist, eine Folge der subjektiven „Undurchschaubarkeit des gesellschaftlichen...Lebens und (der) daraus erwachsenen Zufälligkeit und Hilflosigkeit des individuellen Lebens"; der Unbeeinflußbarkeit der relevanten Entscheidungs- und Herrschaftsprozesse; der verselbständigten, angsterzeugenden „Strafpotenz" des Staates; der „unüberbrückbaren ökonomischen Distanz zwischen der kleinen Schicht der Wirtschaftsführer und der großen Masse".[44] Der Status solcher Ausführungen ist weitgehend theoretisch; doch ist denkbar, die Herleitung des masochistischen Charakters aus der Vorgeschichte des deutschen Untertans und Obrigkeitsstaates nicht nur geistesgeschichtlich,[45] sondern auch sozialgeschichtlich vorzunehmen. Entscheidend ist, daß Fromm gleichwohl einleuchtend macht, daß die autoritäre Gesellschaft genau „jene Bedürfnisse schafft und befriedigt, die auf der Basis der Sadomasochismus erwachsen".[46] Autoritäre Gesellschaften sind durch strenge Hierarchisierung der Machtkompetenzen so organisiert, daß „die masochistischen wie sadistischen Strebungen ihre Befriedigungen"[47] finden. Insofern bilden beide in der Tat ein Syndrom, eine „unauflösliche Einheit" wie Cipolla sagt, weil Lust am Gehorsam der Lust am Befehlem komplementär zugeordnet ist. Die psychische Komplementarität ist jedoch kein „Prinzip" (95), sondern historisches Ergebnis der sich verschärfenden Klassenpolarisation in der bürgerlichen Gesellschaft.

Die Widerstände etwa Giovanottos, des jungen Herrn (95/6), des Herrn aus Rom sind nach Fromm dem Typ der Rebellion zuzurechnen. Sie ist durch „autoritätsfeindliche Haltung" gekennzeichnet, freilich so, daß der Rebell „seine Liebe" zur Autorität ebenso verdrängt wie der manifest masochistische Charakter seine feindselige Haltung

42 Ebenda, S. 113.
43 Ebenda, S. 117.
44 Ebenda, S. 110-135.
45 So Horkheimer und Marcuse in „Autorität und Familie", a.a.O. S. 3-76, 136-228.
46 Fromm, a.a.O. S. 122.
47 Ebenda, S. 117, vgl. 115.

zu dieser.[48] Der Widerstand ist darum ziellos und tendenziell anarchistisch („Negativität der Kampfposition", „Nichtwollen"; 106/7). Die Niederlage der Mannschen „Freiheitskämpfer" ist darin verursacht, daß sie eine Autorität bekämpfen „unter Beibehaltung der autoritären Charakterstruktur mit ihren spezifischen Bedürfnissen und Befriedigungen".[49] Cipolla zielt bei allen Konflikten denn auch folgerichtig auf diese latente Unterwerfungslust, von der die antiautoritäre Haltung seiner Gegner schließlich übermächtigt wird.

Der Erzähler hat diesen Zuammenhang nicht gestalten, sondern nur beobachtend konstatieren können. Von der Novelle her gesehen, muß gesagt werden, daß der Sadist Cipolla zur Herrschaft gelangt, weil das Publikum autoritär strukturiert ist. Insofern ist die Befreiung von Cipolla durch das Schicksalhafte seines Todes nicht zugleich die Befreiung vom autoritär-masochistischen Charakter des Publikums, das diesen Cipolla erst ermöglicht hat. Nur der Unaufgeklärtheit des Erzählers über seine eigenen masochistischen Strebungen wie diejenigen des Publikums kann das Ende Cipollas als „befreiendes Ende" (114) erscheinen. Der klassisch-ästhetische Schluß der Novelle dokumentiert hier zugleich den Mangel an sozialpsychologischem Wissen, so sehr gerade hierin die Stärke der Erzählung liegt. Die wirklich grauenhafte Totalität, mit der sie das Zusammenspiel von Sadismus und Masochismus zeichnet, läßt als Prognose über das „Ende" hinaus eher eine kollektive „Mythisierung" des Quasi-Urvaters Cipolla als eine Emanzipation des Publikums erwarten. Ein Stück dieser Mythisierung stellt die Novelle selbst dar, deren Erzähler trotz seiner humanistischen Position in seiner Wahrnehmungsperspektive zu eingegrenzt ist, um nicht selbst zwangsweise zum Zeugen des „schrecklichen Cipolla" (69), „des Gewaltigen" (109) zu werden.

48 Ebenda, S. 131 f.

49 Ebenda, S. 131.

Manfred Dierks

Die Aktualität der positivistischen Methode – am Beispiel Thomas Mann

Das derzeit prinzipielle Problem, wie theoretisch neu fundierte Methoden die Ergebnisse einer wissenschaftslogisch anders reflektierten „älteren" Literaturwissenschaft sich nutzbar machen könnten, wird an einem Beispiel aus der Thomas-Mann-Forschung angesprochen.

Verf. stellt zu Hartmut Böhmes sozialpsychologischer Interpretation von *Mario und der Zauberer* (Orbis Litterarum 1975, H. 4) fest, daß diese Interpretation um eine entscheidende Erkenntnisdimension verkürzt bleibt, weil sie Thomas Manns primäre Gedankenmodelle außer acht läßt. Dies wird in drei Schritten unternommen:

1. Das den Ereignissen im *Mario* tatsächlich unterlegte Strukturierungs- und Deutungsmodell Thomas Manns wird nach seiner Entstehung im Werk rekonstruiert.
2. Die Novelle wird in dieser Hinsicht neu interpretiert.
3. Es wird dabei nachgewiesen, inwiefern eine rein sozialpsychologische Textanalyse sich in der Einschätzung Thomas Manns verfehlt. Dieser steht in entscheidender Differenz zum symbolisch unterliegenden Ich-Erzähler, seine eigenen Deutungsmuster bleiben stabil.

I

In der Thomas-Mann-Forschung ist offenbar die positivistische Explorationsphase, die mit der Eröffnung des Zürcher Nachlaßarchivs begann, zu einem vorläufigen Abschluß gelangt. Neuentwickelte Konzepte der Literaturwissenschaft sind in dieser Phase nicht zum Zuge gekommen, was durchaus kein Nachteil gewesen sein muß. Gerade der erkenntnistheoretisch vergleichsweise naive Zugriff auf philologisch Bestimmbares, biographisch detailliert Rekonstruierbares, schaffenspsychologisch durch längere Erfahrung „plausibel" Gewordenes bewirkt auf der Ebene der Faktenbeschreibung methodische Transparenz und damit Kontrollierbarkeit. Voreilige Konfundierung dieser positivistischen Erkenntnisziele etwa mit rezeptionsästhetischen oder sozialhistorischen Fragestellungen hätte zu Selektion und Heteronomie in der Faktensicherung geführt. Gerade dieser Sachverhalt der umfänglichen positivistischen Aufarbeitung der Texte Thomas Manns macht für neuere literaturwissenschaftliche Konzepte die Chance der Bewährung aus: Hier widersteht etwas dem theoretisch dominierten Vorgehen beim ersten Zugriff, einem Vorgehen, das sich gewöhnlich nicht an Texten „abarbeitet", sondern sie sich zur Exemplifizierung des Vorgefaßten auswählt.[1] – Im folgenden soll an-

1 Eine Diskussion der Erkenntnischancen, die die Forschungslage insbesondere rezeptionswis-

läßlich einer vorliegenden sozialpsychologisch orientierten Analyse eines Thomas Mann-Textes demonstriert werden, welcher Erkenntnismöglichkeiten man sich begibt, wenn man auf verfügbare positivistisch verifizierte Feststellungen zu (hier) Thomas Manns primären Interpretationsmodellen von Realität verzichtet; dies, obschon die betreffende Analyse sich intensiv auf den Text richtet. Dabei nehme ich Gelegenheit, einige Korrekturen und Ergänzungen zum vorliegenden Forschungsstand anzubringen.

Hartmut Böhme hat der Novelle *Mario und der Zauberer* eine eindrucksvolle, mikrologisch den Text bearbeitende, sozialpsychologisch vorgehende Interpretation gewidmet.[2] Faßt man die darin verifizierten Einzelhypothesen zu zwei Grundaussagen zusammen, ist zu referieren:

1. Der „Erzähler" (Zuschauer) in der Novelle agiert als Typus der bürgerlichen „freischwebenden Intelligenz". Er vermag den in Cipolla verkörperten faschistischen Herrschaftsanspruch nicht auszuhalten und flüchtet sich aus der Position des realen sozialen Subjekts in die des „ästhetischen Organisators", des weiterhin autonomen Narrators. Böhme zeigt, daß auch diese Position aufgegeben werden muß: Cipolla beherrscht über die von ihm dominierten Dialoge noch selbst die ästhetische Struktur. Der Narrator vermag schließlich nur (hier fällt er mit dem Autor in eins) über die Erfindung von Cipollas Erschießung sein „Autonomieprofil" fragwürdig zu restituieren. Diese Gegeneinanderbewegungen der beiden Formationen „scheinautonome Intelligenz/ästhetische Bewältigungstechniken" versus „Macht" werden prozessual recht plausibel vorgeführt. (Dem Wirkungszusammenhang Autor — Zuschauer/Erzähler fehlen allerdings zumindest produktionspsychologisch einige konstitutive Glieder, die die reale Ohnmacht auch des Autors vor dem Schicksal seines Erzählers begründeten. Es handelt sich um eben die gewohnten *missing links* in der Ableitung ästhetischer Phänomene aus primär gesellschaftlich bestimmten Prozessen.)

2. In einem zweiten Abschnitt untersucht Hartmut Böhme Cipolla als „Figur gewordene Einsicht Thomas Manns in die (massen-)psychologische Basis von Autoritätsbildung". Dieser Untersuchungskomplex interessiert hier vordringlich. Böhme geht folgendermaßen vor:

a) Herrschaftstechnik und Massenbildung im *Mario* werden mit Teilstücken der Freudschen Analyse konfrontiert. Böhme sieht sich dazu berechtigt, weil Thomas Mann 1929 (April/Mai schreibt er die erste Freud-Rede) „mit Freuds Werks aktuell ver-

senschaftlichen und sozialhistorischen Ansätzen bietet, mußte aus Platzgründen zurückgestellt werden.

2 Hartmut Böhme: Thomas Mann: Mario und der Zauberer. Position des Erzählers und Psychologie der Herrschaft. In: *Orbis Litterarum* XXX, 1975, H. 4 (hier abgedruckt). Daß diese Interpretation in ihrer Frage- und Folgerungsmethodik nicht mit den von Sautermeister 1975 (bes. 179-182, 187) programmatisch angeführten Begründungen für die Disziplin Sozialpsychologie übereinstimmt, mag an deren von Sautermeister wissenschaftsgeschichtlich selbst herausgestellten Konstituierungsschwierigkeiten liegen (182 ff); Gert Sautermeister: Sozialpsychologische Textanalyse. In: Kimpel/Pinkerneil (Hg.) Methodische Praxis der Literaturwissenschaft. (Kronberg/Ts 1975).

traut ist". Ziel ist es, „die der Erzählung zugrunde liegende ‚Psychologie des Faschismus' zu umgrenzen" (182). Aus dem Novellentext wird abgelesen

– „Der Herrschaft Cipollas liegen sado-masochistische Triebkomponenten zugrunde", sowohl auf seiner wie auf seiten des Publikums (182);

– in Cipollas „Hypnose bilden sado-masochistischer Charakter, Massenbildung und Autorität eine Struktureinheit" (184).

b) In einem weiteren Schritt wird Freuds *Massenpsychologie und Ich-Analyse* mit Thomas Manns Faschismuspsychologie zusammengestellt:

– Mit Freud und Mann werden die massenpsychologischen Phänomene als „kollektive Hypnose" definiert (184) mit allen Implikationen, die in Freuds Aufsatz gesetzt sind;

– darunter die Entsprechung von „Masse: Hypnotiseur" zu „Urvater: Urhorde" und die zugehörige Ambivalenz von libidinöser Hingabe und Aggression (186).

c) Schließlich wird, in negativer Abgrenzung gegen Ernst Fromm, summiert: „Die Schwäche des Freudschen Modells und der Mannschen Narration liegt in dem unhistorischen Charakter der Autoritätsableitung, ferner aber auch... in der Reduktion der Masse auf ‚willenlose Automaten'. Als überzeitliches Modell von Herrschaft geht die Novelle an den historischen Bedingungen vorbei, die allererst die psychischen Konstellationen bei bestimmten Schichten der Gesellschaft bereitstellen..." Cipolla schließe zwar an die von Freud bestimmte analytische Konstellation an, „doch verklärt er diese zum ewigen, metaphysischen ‚Prinzip'" (187).

Sämtlichen von Böhme erarbeiteten Grundbefunden kann hier zugestimmt werden (mit dem Teilvorbehalt gegenüber 1). Gegen die psychoanalytischen Erklärungen auf dem Hintergrund reziproker sado-masochistischer Triebkonstellation ist nichts einzuwenden. Es gibt genug Textindikatoren dafür und kein Indiz, daß Thomas Mann dies nicht auch mitgemeint hat; er war zureichend psychopathologisch informiert. Daß weiterhin es sich um hypnotische Wirkungen handelt, ist textevident. Als wichtigste Einsicht Böhmes gilt mir, daß er die Ahistorizität des Mannschen Deutungsparadigmas erkennt und die Tendenz, es als „ewiges, metaphysisches ‚Prinzip'" erscheinen zu lassen. Es bleibt jedoch ein Vorbehalt, dessen methodologische Relevanz im folgenden entfaltet werden soll: Thomas Manns psychologisches Erklärungsmodell für die Vorgänge in der Sala (und in der darüberliegenden Bedeutungsschicht für die Beziehung „Führer: Volk/Masse") setzt sich keineswegs primär aus den von Böhme angenommenen psycholoanalytischen Elementen zusammen.

Es wird zu zeigen sein:

1. daß die in der Novelle geschilderten Vorgänge und ihre scheinbar improvisierten Beurteilungen präzise bestimmten Erörterungen Arthur Schopenhauers folgen;

2. daß sich diese Erklärungsmuster mit einem Nietzsche verdankten Psychologem verschränken, so daß sich ein metaphysisch-psychologisches Erklärungsmodell herstellt, das Thomas Mann auch zur Denunzierung des deutschen Faschismus einsetzt.

Anschließend wird am vorliegenden Beispiel erörtert, was eine sozialpsychologisch vorgehende Interpretation an Konkretheit dazugewinnen könnte, würde sie die von der Thomas-Mann-Forschung angebotenen Einsichten nutzen.

II

Das den Ereignissen in *Mario* unterlegte Strukturierungs- und Deutungsmodell hat „lange Wurzeln", entsprechend der Aneignungsgeschichte Schopenhauers und Nietzsches bei Thomas Mann. Um seine ursprüngliche Funktion für Thomas Mann herauszuarbeiten, suchen wir es dort auf, wo sich seine Elemente schon so konsolidiert haben, wie wir es in der Novelle dann vorfinden: im *Zauberberg* und dazugehörigen essayistischen Arbeiten. Es ist zu fragen, warum und wie es mit dem Psychoanalytiker Krokowski und auch Hans Castorp schließlich zu *Fragwürdigstem* — der Séance — kommen kann und welche Rolle die Psychoanalyse dabei spielt.

1. Die kardinalen thematischen Pole des *Zauberberg*: „Lebensdienst" — „Sympathie mit dem Tod" (unter die dann ale Partialthematik subsumiert wird) werden mit Gedankenmaterial aus Schopenhauer und Nietzsche systematisch aufgebaut. Es ist Schopenhauers Metaphysik, die die Zeit-Philosophie des Romans strukturiert (und damit alle davon abhängigen Bedeutungsebenen); es ist Nietzsches Metaphysik-Kritik, die den „Lebensbefehl" dagegensetzt (und an die sich die zugehörigen thematischen Dimensionen anschließen).[3] Mit Schopenhauer erfährt Hans Castorp den Illusionscharakter von Zeit und Raum, wird ihm platonische *Anamnesis* zuteil — erlebt er schließlich aber auch die „fragwürdige" naturmagische „praktische Metaphysik" des „Geistersehns". Diese Einsichten werden als Initiation sukzessive herbeigeführt. Die Person des Psychoanalytikers Krokowski begleitet diesen Weg.

Der Hippe-Traum, der Hans Castorp auf die erste Vorlesung des „Seelenzergliederers" vorbereitet, hat einen Vorläufer: Noch unbewußt identifiziert Hans Castorp anamnestisch Clawdia Chauchats Züge mit denen des früh geliebten Hippe; die sexuelle Symbolik ist recht deutlich, auch Krokowski ist bedrohlich zugegen (III, 130). Hans Castorp nimmt eine grundlegende Einsicht aus dem Traum in den Tag mit, was denn also „die Zeit sei: nämlich nichts anderes als einfach eine Stumme Schwester, eine Quecksilbersäule ganz ohne Bezifferung" (III, 131).

Als er wieder von Clawdia und Hippe träumt, wird die *Anamnesis* bereits aus der platonischen in die Schopenhauersche Konzeption überführt: Hans Castorp erinnert sich nicht nur, sondern es war so, als ob er selbst sich drunten in der Vergangenheit befinde (die Ubiquität des „Willens" wird zitiert): „so bis zur Aufhebung des Raumes und der Zeit war er ins Dort und Damals entrückt, daß man hätte sagen können, ein lebloser Körper liege hier oben beim Gießbache auf der Bank, während der eigentliche Hans Castorp weit fort in früherer Zeit und Umgebung stünde..." (III, 169).

Die thematische Verklammerung zwischen diesem intentional (III, 164f) der Krokowskischen Conférence vorangestellten, auf Schopenhauersche Metaphysik anspielenden Traum mit der Psychoanalyse ist eine angemessen erotische. Hans Castorp trifft beim Vortrag auf Clawdia Chauchat und bedenkt sein Interesse für sie im Lichte der neuen Erkenntnis, daß dies Interesse in einer anderen frühen Verliebtheit wurzelt. Kro-

3 Nähere Erläuterungen zu den angesprochenen Ideenformationen finden sich weiter unten S. 199 ff in der Interpretation des *Mario*.

kowski trägt im wesentlichen dabei aus Freuds *Drei Abhandlungen zur Sexualtheorie* vor, die Hans Castorp träumerisch mit Schopenhauers „Metaphysik der Geschlechtsliebe" zusammengehen (III, 182f). Schließlich ist wichtig zu erinnern, daß Krokowski hier als Nietzsches „asketischer Priester" denunziert wird, der der „kranken Herde" ein Ideal predigt, das „im Dienste einer Absicht auf Gefühls-Ausschweifung"[4] steht und der andererseits der Neigung zur Metaphysik höchst verdächtig ist.[5]

2. Der Hippe-Traum hatte dem zentralen Schnee-Traum präludiert. Hier hat Hans Castorp jetzt seine große *Anamnesis* von der Idee des Menschen. Und eingeweiht in das Mysterium der Allgegenwart des Willens, weiß er mit Schopenhauer:

> III, 684:
> „Man träumt nicht nur aus eigener Seele... man träumt anonym und gemeinsam, wenn auch auf eigene Art. Die große Seele, von der du nur ein Teilchen, träumt wohl mal durch dich..."
> Schopenhauer:[6]
> „... daß das Subjekt des großen Lebenstraumes in gewissem Sinne nur Eines ist, der Wille zum Leben, und daß alle Vielheit der Erscheinungen durch Zeit und Raum bedingt ist. Es ist ein großer Traum, den jenes Eine Wesen träumt: aber so, daß alle seine Personen ihn mitträumen."

Übrigens muß bemerkt werden, daß Hans Castorp zu dieser Auflösung seiner Individuation mit einigem Alkoholgenuß beigetragen hat.

3. Mit Krokowski nimmt es eine ähnliche metaphysische Wendung. Nietzsche hatte das für seinen „asketischen Priester" vorausgesehen, wenn er zu philosophieren beginne: „er wird zum Beispiel... die Leiblichkeit zur Illusion herabsetzen... die Vielheit, den ganzen Begriffs-Gegensatz ‚Subjekt' und ‚Objekt'".[7] So münden auch Krokowskis Forschungen über den „sekundären Charakter organischer Krankheit" in Schopenhauers Willens-Metaphysik, wofür er „nicht nur Folgerechtheit, sondern geradezu Notwendigkeit in Anspruch nehmen durfte" (III, 908). Aus seinen Conférencen werden Séancen. Bekanntlich hat Thomas Mann dabei auf eigene „okkulte Erlebnisse" zurückgegriffen, die er auf spiritistischen Sitzungen im Dezember 1922 / Januar 1923 bei dem Münchener Parapsychologen Schrenck-Notzing gehabt hat. In seinen Berichten darüber hält sich Thomas Mann eng an Schopenhauers *Versuch über Geistersehn*, in dem die Somnambulie als empirischer Beweis seiner Philosophie von der metaphysischen Identität allen Seins interpretiert wird.[8].

Im *Zauberberg* dann werden diese Erklärungen systematisch an die Schopenhauer-

4 Nietzsche II, 880 (zit. nach Friedrich Nietzsche: Werke in drei Bänden. Hg. von Karl Schlechta). (München 1954).

5 Der Nachweis findet sich in: Manfred Dierks: Thomas Manns psychoanalytischer Priester. In: G. Großklaus (Hg.): *Geistesgeschichtliche Perspektiven*. (Bonn 1969), 238.

6 Schopenhauer wird zitiert nach: Arthur Schopenhauer: Sämtliche Werke, Wiesbaden 1946 ff, mit den üblichen Siglen: W_1 = Bd. 2, W_2 = Bd. 3, P_1 = Bd. 5, P_2 = Bd. 6. Hier: P_1, 233.

7 Nietzsche II, 860.

8 Zur Entlastung des Textes verweise ich auf die ausführlichen Explikationen S. 199 ff. — Vgl. hierzu: P_1, 285, X, 138, X, 139, X, 137, P_1, 321, X, 169, P_1, 317 f.

schen Ideenstrukturen angeschlossen. Für Krokowski wird entwickelt, wie sich aus der psychoanalytischen Konzeption des Unterbewußtseins notwendig das eines „Überbewußtseins" ergeben habe, „das das Bewußtseinswissen des Individuums bei weitem übersteigt und den Gedanken nahelegt, es möchten Verbindungen und Zusammenhänge zwischen den untersten und lichtlosen Gegenden der Einzelseele und einer durchaus wissenden Allseele bestehen" (III, 909). Die Séancen sind eine ethisch zweifelhafte Form der *Nekyia*, aber sie haben dasselbe Erklärungsmuster wie Hans Castorps Schneetraum, sie sind das „magische" (III, 918) Gegenstück zur *Anamnesis*. Schließlich kommt es unter der Anleitung Krokowski zu jenem „Akt voll organischer Mystik" (III, 940), der „Geburt" des toten Joachim.[9] Der Denkweg des Psychoanalytikers war folgerecht dort eingemündet, wo Schopenhauer in seinem *Versuch über Geistersehn* zugesteht: „so läßt sich a priori nicht geradezu die Möglichkeit ableugnen, daß eine magische Wirkung... nicht auch sollte von einem bereits Gestorbenen ausgehn können" (P_1, 325). Mit Nietzsche gewertet: Der „asketische Priester" ist an seinem philosophischen Ziel.

Für die angemessene Gewichtung der bezeichneten Ideenstrukturen ist der Einfluß der Psychoanalyse einzuschätzen. Thomas Manns Kentnisse der Psychoanalyse zur *Zauberberg*-Zeit sind umfänglicher, als bisher zu überblicken war. Er kennt und nutzt (spätestens 1919) Freuds *Drei Abhandlungen zur Sexualtheorie*, eine zwar komprimierte, doch fundamentale Einführung in die libidotheoretischen Annahmen der Psychoanalyse, die jedoch Thomas Manns Urteil vorerst einseitig prägte. Er hatte auch Hans Blühers *Die Rolle der Erotik in der männlichen Gesellschaft* (1917, 1919) gelesen, die auf den *Drei Abhandlungen* basiert. Schließlich ist anzunehmen, daß Thomas Mann Freuds Kriegsschrift *Zeitgemäßes über Krieg und Tod* (1915) studiert und zitiert hat.[10]

Prinzipiell verteilt Thomas Mann psychoanalytische Aneignungen auf zwei Positionen: In den *Betrachtungen eines Unpolitischen* weist er sie der Sphäre des „Zivilisationsliteraten" zu, im *Zauberberg* dagegen integriert er sie der Themalinie „Mystisches-Metaphysik". Diese Themalinie wird jedoch völlig von Schopenhauerschen Ideenstrukturen dominiert und von Nietzsches Kritik kommentiert.

4. Im *Zauberberg* wird bei Thomas Mann also endgültig ein systematisches Denkmodell textexplizit, das Individualpsychologie in metaphysischen Kollektivismus überführt. Es ist zu ergänzen durch weitere Bestimmungen, die Thomas Mann von Nietzsche nimmt, aus der *Geburt der Tragödie*. Hier erscheint das „Dionysische" als Weltprinzip (und Kunsttrieb) der griechischen Kultur; auf der quasi-philosophischen Ebene ist es mit Schopenhauers Willens-Definition identisch: Es ist das Gegenprinzip zu Individuation, Bewußtsein und phänomenaler Welt; es wirkt empirisch — übersetzt ins griechische Paradigma — durch Ekstase, Rausch, „asiatische" Auflösungsmystik. Das

9 Eingehendere Nachweise zum Schopenhauerschen Hintergrund in: Manfred Dierks, *Studien zu Mythos und Psychologie bei Thomas Mann*. (Bern, München 1972), 133-135.

10 Der Nachweis für Freuds *Drei Abhandlungen* (sie geben das Material für das „Analyse"-Kapitel) findet sich in: Jean Finck: Thomas Mann und die Psychoanalyse. (Paris 1973), 57-67. — Weiterführende Beobachtungen zum Freud-Einfluß in *Zauberberg* und *Betrachtungen* lege ich an anderer Stelle vor.

„Dionysische" ist, nach der *Geburt der Tragödie*, in der Menschheitsgeschichte als Potenz immer gegeben.

Thomas Mann hat den von Nietzsche statuierten Konflikt „Dionysisches" vs. „Apollinisches" schon im Frühwerk psychologisch genommen. Der „dionysische" Zusammenbruch der kunstvoll-künstlerisch „apollinisch" eingefriedeten Einzelexistenz wiederholt sich im Werk (Friedemann, Aschenbach, Mut). Im *Tod in Venedig*, programmatisch dann im *Zauberberg*, weitet Thomas Mann Nietzsches Kategorien zur Kulturformel aus: „Asien vs. Europa".[11] — Oft wird dabei der psychologische Sachverhalt — „dionysische Ekstase" — in die eigentliche metaphysische Wirklichkeit überführt: in der Somnambulie entschwinden Raum und Zeit.[12] Allerdings wird auch mit dem späteren Nietzsche der Metaphysikkritik und des Subjektivismus der ethische Gegenakzent gesetzt, der Rausch als „Intoxikation" denunziert."[13] Dies geistesgeschichtlich abgeleitete Denkmuster mit all seinen Implikationen setzt Thomas Mann schließlich zur Analyse des heraufkommenden Faschismus ein: „Das dionysische Erlebnis... finden wir erniedrigt wieder im kollektivistischen Rausch ... Der Zweck ... ist der Rausch, die Befreiung vom Ich, vom Denken, genaugenommen vom Sittlichen und Vernünftigen überhaupt" (XII, 769).[14]

Hier soll nun das Kernstück der Novelle *Mario und der Zauberer* — Auftreten, Wirkungen und fatales Ende des Hypnotiseurs Cipolla — unter zwei Aspekten neu interpretiert werden. Es soll

1. gezeigt werden, daß die Konstruktion des Geschehens und seine Erklärungen präzise dem oben herausgearbeiteten Gedankenmodell folgen.

2. soll damit an diesem von einer zwar sensiblen, doch scheinbar semantisch flächigen Erzählstrategie bestimmten Text paradigmatisch erkennbar werden, wie Thomas Mann sich zu aktuellen Zeiterscheinungen aus früh erworbenen Grundorientierungen verhält (hier zum italienischen und implizit zum deutschen Faschismus).

I. Entstehungsgeschichtlicher Kontext.

Die Fabel der Erzählung geht in vielen Zügen auf Realerlebnisse Thomas Manns im Sommer 1926 in Forte dei Marmi zurück. Diese blieben damals literarisch folgenlos. Aktualisiert hat er dieser Erlebnisse dann wieder 1929 auf einem Ferienaufenthalt an der Ostsee; *Ein tragisches Reiseerlebnis* (ursprünglicher Titel) entstand in relativ kurzer Frist. Thomas Mann Arbeitsweise war insofern ungewöhnlich, als er ohne die üblichen Vorarbeiten (Anlage eines Realienfundus zu Milieu, Personen, Gegenständen etc.) an die Abfassung ging. Er rekonstruiert aus der Erinnerung, erfindet, „greift aus der Luft"

11 Siehe hierzu Dierks 1972, 41-47, 55-59, 195-206 und passim.

12 Siehe hierzu *Der Kleiderschrank, Der Tod in Venedig, Krull*; dazu Dierks 1972, 42-47, 50-54.

13 Dierks 1972, 45, 47 f, 53, 124, 196.

14 Vgl. X, 694 f, IX, 244, XI, 880, 887, XII, 702 u.ö. — Thomas Mann wird zitiert nach den *Gesammelten Werken in dreizehn Bänden*. (Frankfurt/M. 1974).

(XI, 140). Gleichwohl erhält die Erzählung durch sowohl den werkbiographischen wie durch den zeitgeschichtlichen Kontext eine bestimmte Struktur, durch die sie sich bruchlos dem Gesamtwerk einfügt:

— Thomas Mann hatte für die Ferientage die Arbeit an den *Geschichten Jaakobs* unterbrochen (XI, 140), dem zentralen Unternehmen seit 1926, das in der semantischen Basis eine systematische Umsetzung Schopenhauerscher und Nietzschescher Welterklärungsversuche in literarische Fiktion bedeutete. — Die nicht-fiktionale Produktion des Jahres ist, wie seit einiger Zeit, gekennzeichnet durch direkte oder implizite Zeitkritik: Die Weimarer Republik wird zunehmend bedroht durch mancherlei Spielarten „irrationalistischer" Reaktion, von denen parteipolitisch der Nationalsozialismus gefährlich zu erstarken beginnt. Die April/Mai 1929 verfaßte Rede *Die Stellung Freuds in der modernen Geistesgeschichte* — auch sie Unterbrechung (und teilweise Ausfluß) der Arbeit am *Joseph* — ist eine programmatische Absage an den deutschen Faschismus.

— Einen besonderen Anreiz für die Rekapitulation der italienischen Reiseerinnerung und ihre auch politische Thematisierung mag Bruno Franks *Politische Novelle* (1928) gegeben haben. Frank hatte hier die Konstellation der europäischen Versöhnungspolitiker Briand — Stresemann idealtypisch für ihre Völker gefaßt. Am Mittelmeer läßt Frank zwei Protagonisten Gespräche führen, die die gemeinsame abendländische Tradition beschwören und in denen die paneuropäische Krise auf die Konfliktformel „Asien-Europa" gebracht wird; „es sei immer noch einmal die Schlacht von Salamis, die geschlagen werden muß".[15] Frank aktualisiert hier jene Kulturformel Nietzsches aus der *Geburt der Tragödie*, wie sie in der Kulturkritik (v.a. in der „Lebensphilosophie") der Zeit gängig war, Orientierungsmuster auch Thomas Manns. Er schreibt denn auch (1928) eine engagierte Rezension zu Franks Novelle, die diesen Themenkomplex besonders akzentuiert: die „Ausschweifung" des italienischen Faschismus, die „bedrohliche narkotische Aufpulverung" des Volkes und, dagegengesetzt, den Willen, „die Gesittung Europa-Griechenlands gegen das von allen Seiten... herandringende ‚Persertum' zu erhalten" (X, 694-697). Diese metaphorischen Bestimmungen sind einerseits rückführbar auf die oben umrissenen Denkmodelle, zum anderen weisen sie präzise auf den *Mario* voraus. — Einen Kausalnexus zwischen der *Politischen Novelle* und der Konzeption des *Mario* will ich nicht konstruieren. Es reicht aus zu erkennen, daß diese spezifische Form von in Fiktion übersetzter aktuell politischer Kulturkritik Thomas Mann aus der Nähe bekannt war und sie für dessen eigenen Novellenplan affirmativen Wert gehabt haben könnte. Interessant ist vor allem der Nachweis, daß Thomas Mann unmöglich zeittypische Tendenzen (Erscheinungsformen des Faschismus) in einem fiktionalen Text verarbeiten konnte, ohne zu wissen, daß er damit öffentlich eine tagespolitische Aussage machte (wenn diese dann auch nicht als solche erkannt wurde).[16]

— Thomas Manns öffentliche Selbstinterpretationen zum *Mario* schwanken näm-

15 Bruno Frank: *Politische Novelle*. (Stuttgart 1951), 144.

16 Im Brief an Otto Hoerth (12.6.1930) stellt er zwar heraus: „Etwas Kritisch-Ideelles, Moralisch-Politisches ist mir freilich im Laufe der Erzählung aus dem Privaten und zunächst Unbedeutenden erwachsen, was eine bestimmte Abneigung erkennen läßt..." Eine explizite

lich. 1930 beansprucht er die allgemeineren Kategorien des „Ethisch-Symbolischen" (XI, 140) als Substanz des *Mario*; 1948 erst betont er ausdrücklich ihre politische Relevanz (XI, 672). Zwischen diesen Polen bewegen sich alle Selbstinterpretationen zur Novelle.

II. Die zwei Ebenen des Textes.

Es liegt eine hervorragende werkimmanente Analyse des *Mario* durch Walter Weiss vor, deren Ergebnisse ich durch meine eigenen Einsichten zu Kompositionstechnik und Themenhierarchie bei Thomas Mann nur bestätigen kann. Die von Hartmut Böhme gewählten Rekonstruktionsebenen (Zeitphasen, psychosoziale Prozesse) sind damit kompatibel.

a) Vordergrundthematik ist die neue politische Erweckungsbewegung des italienischen Faschismus. Dessen ideologisch-politischen Leitideen des Nationalismus und Imperialismus (versuchte Anknüpfung an altrömische Tradition) werden in der Exposition karikiert und geben dann den Wirkungen Cipollas aktuell-paradigmatischen Hintergrund.

b) Auf einer darunter angesetzten Bedeutungsebene, die das politische Paradigma zum „Ethisch-Symbolischen" (XI, 140) überhöht, geht es um Bewertung und Erklärung der magischen Vorgänge unter dem Aspekt der menschlichen Würde, dem der Individualität und dem der Willensfreiheit. Diese Bedeutungsebene wird uns vorrangig interessieren, obschon sie sehr häufig mit der ersten interferiert. Es soll dabei systematisch auf Böhmes sozialpsychologische Analysen vergleichend hingewiesen werden, um die hier methodologisch interessierende Differenz zwischen Textintention und sozialpsychologischem Befund herauszustellen.

III. Okkulte Erlebnisse.

Der Zusammenhang zwischen der Exposition (faschistisch-nationalistisches Sozialklima) und der Kondensierung und Ausführung des „Themas" in den magisch-hypnotischen Wechselwirkungen zwischen „Zauberer" und „Publikum" wird durch „Thematisierung" (Weiss) von beschreibendem Wortmaterial hergestellt. Das scheinbar Heterogene des expositorischen Teils wird durch polysemantische Verweise an die Thematik „Übernatürliches-Krankhaftes" angeschlossen: Die öffentliche Stimmung drohte, den Aufenthalt als „nicht geheuer" zu verleiden; Politisches „ging um"; patriotische Kinder werden als „eine unnatürliche... Erscheinung" erfahren (666); man bleibt, obschon „das Leben sich ein bißchen unheimlich, nicht ganz geheuer" (669) anläßt, und erlebt so die „Erscheinung Cipollas" (669) — der Anspielungskomplex „Okkultes" ist

Benennung ist das allerdings nicht, das Moment des „Kritisch-Ideellen" schwächt die konkret politische Intention auch hier.

aufgebaut. Das Verhalten des italienischen Badepublikums wird den Kindern, vermittelt über deren Keuchhustenerfahrung, erklärt: „Diese Leute... machten soeben etwas durch... etwas wie eine Krankheit... nicht sehr angenehm, aber wohl notwendig" (666f); „Ansteckungskraft" bewährte die Neugier der Kinder schließlich (671) — das bereitet auf das Epidemische der „allgemeine(n) Fahrlässigkeit" in der Sala vor, die auch eine „gewisse Ansteckung" (703) des Erzählers als möglich erscheinen läßt.

Es wird diesem ja zunehmend bewußt, daß die Vorführungen des Cavaliere Cipolla keine Taschenspielerkunststücke sein können, sondern daß die Vorgänge „auf über- oder untervernünftigen Fähigkeiten der menschlichen Natur, auf Intuition und ‚magnetischer' Übertragung, kurzum auf einer niedrigen Form der Offenbarung beruhen" (690). Der Erzähler spekuliert über den „unerforschten Weg, der von Organismus zu Organismus" (690) gehe und der so Willensübertragung und Hellsehen jenseits der Individualitätsgrenzen ermöglicht. Es stellt sich schließlich heraus, daß es sich bei Cipolla um einen „Illusionista" (670) besonderer Art handelt. Er ist niemand, der Vorspiegelungen erzeugt, sondern jemand, den seine „mit ihm geborenen Gaben" (690) zu solcher „phänomenalen Unterhaltung" (690) befähigen, sich eine a-priori-Illusion der Menschheit überhaupt zunutze zu machen: die Illusion, daß diese Welt und unsere individuelle Existenz Realität seien und *nicht* etwa nur ein „Gehirnphänomen", das durch die menschlichen Denkformen „Raum" und „Zeit" erzeugt, eine Welt der Erscheinungen darstellt, hinter der sich das „Ding an sich", die wahre Realität also, verbirgt. Nach der Metaphysik Schopenhauers verhält es sich allerdings so, und diese Erkenntnis bedeutet „eigentliche Einsicht in das Wesen der Dinge" (686; vgl. 658).[17]

Thomas Mann hat sich daran gehalten. Wieder einmal folgt er präzise Erklärungen okkulter Phänomene, die Schopenhauer als „praktische Metaphysik" aus seinem metaphysischen System ableitet: Er hält sich an den *Versuch über Geistersehn und was damit zusammenhängt*. Damit führt er das (oben II, 3) herausgestellte Deutungsmuster aus dem *Zauberberg* ein. Es müssen hier einige Elemente des Schopenhauerschen Systems referiert werden, um sie als Basisstruktur des *Mario* voll einsichtig zu machen.

> Ein „Ding an sich" existiert. Es ist der „Wille", ein metaphysisches *ens realissimum*. Dieser Wille, an sich eigenschaftslos und richtungslos, „objektiviert" sich, um sich selbst zu erfahren. Er produziert die „Welt der Erscheinungen".
>
> Dazu bedarf er des menschlichen Intellekts. Dessen Denkformen „Raum" und „Zeit" konstituieren die phänomenale Welt der „individuierten" d.h. voneinander scheinbar abgegrenzten und vergänglichen Formen von Existenz.
>
> So existiert der „Wille" einerseits metaphysisch-real, andererseits als seine eigene „Vorstellung" im Intellekt des menschlichen Individuums. Dieses ist also ebenfalls einerseits metaphysisch-real, insoweit es der Wille selbst und ungeteilt ist (wobei es

17 Böhmes Deutung der Wendung „Wesen der Dinge" ist sachlich durchaus verträglich, verfehlt aber Thomas Manns Erklärungsdimension: „Dieses ‚Wesen der Dinge' besteht in dem ‚Gesetz', daß die radikale Verletzung menschlicher Identität die Grenze der Herrschaft darstellt, die hybride zu überschreiten ‚automatisch' die Vernichtung der Herrschenden erzwingt." (s.o. S. 179).

> freilich eben nicht Individuum ist), andererseits gehört es durch seine Denkformen der Erscheinungswelt an; nur letztere Existenzform ist dem Individuum bewußt und erscheint ihm als seine eigentliche. Von der „Welt als Wille und Vorstellung" kennt es die Welt nur als Vorstellung.
>
> So undurchdringlich jedoch sind die Schranken zwischen den beiden Welten (= Existenzformen des Willens) nicht. Dort, wo sich die durch Raum und Zeit beschränkten Gehirnfunktionen des Individuums lockern, werden die phänomenalen Grenzen der Individuation durchlässig: Im Hellsehen, in der telekinetischen Fernwirkung vermag das Individuum einzutauchen in den metaphysischen Urgrund und sich einwirkend über die Bewußtseinsschranken anderer Individuen hinwegzusetzen. Schopenhauer erkennt diese Möglichkeit in der Somnambulie. Er erklärt sie als Eintauchen des Individuums in das organische Leben aller unterhalb des Ichs und nimmt die — in seiner Zeit vielfältig gesammelten — Beispiele „magnetischer" Fernwirkungen als Zeugnisse „praktischer Metaphysik", als empirischen Beweis seiner Philosophie. Schopenhauer muß dabei das Extrem zulassen: „so läßt sich a priori nicht geradezu die Möglichkeit ableugnen, daß eine magische Wirkung... nicht auch sollte von einem bereits Gestorbenen ausgehen können." (P_1, 325).

Es ist nun dieser Satz, vor dem eine der eindrucksvollsten Argumentationen Friedrich Nietzsches gegen Schopenhauer kulminiert. Er nennt ihn eine der „*Ausschweifungen* und Laster des Philosophen", wozu er auch das Willens-Philosophem rechnet und die Leugnung des Individuums.[18] Diese Wendung Nietzsches gegen Schopenhauers Metaphysik und deren Konsequenzen ist nun nicht mehr systematisch philosophisch, sondern ethische Volution, die Nietzsches anthropozentrischer Umorientierung entspricht; sie verwirft, aber widerlegt nicht. Thomas Mann hat diese gedankliche Grundspannung zwischen Schopenhauer und Nietzsche zu einer semantischen Kernstruktur seines Gesamtwerkes gemacht. Im *Zauberberg* wird sie zum wichtigsten Orientierungsmodell. Dessen Antinomie beherrscht auch die hier zu interpretierenden Partien des *Mario*.

Wenn es nun von Cipolla heißt, daß er eine „phänomenale Unterhaltung" (690) bot, so haben wir es wieder mit einem polysemantischen Verweis zu tun, der aus der Textoberfläche den tiefer situierten, „eigentlichen" Charakter des Erzählten indiziert. Gemeint ist auch, daß diese Unterhaltung aufgrund von Phänomenalität, also des reinen Erscheinungscharakters der Dinge, vonstatten geht. Cipolla, so also stellt sich im Laufe des Abends heraus, ist eine Art Eingeweihter des Willens, der sich, wie die von Schopenhauer beschriebenen Magnetiseure und Somnambulen, seiner Fähigkeit bedient, die Grenzen der Individuen zu durchbrechen und „seinen" Willen anstelle des „ihren" zu setzen; denn: „Der Wille als Ding an sich liegt aber außerhalb des principii individuationis (Zeit und Raum), durch welches die Individuen gesondert sind: die durch dasselbe entstehenden Schranken sind also für ihn nicht da. Hieraus erklärt sich... die Möglichkeit unmittelbarer Einwirkung der Individuen auf einander, unabhängig von ihrer Nähe oder Ferne im Raum..." (P_1, 322). „Es ist der Weg durch das Ding an sich" (P_1, 322), den die Einwirkungen Cipollas nehmen.

18 Nietzsche II, 104 f.

Man kann es sich wohl ersparen, alle Experimente vor dem oben bezeichneten Erklärungsmodell zu analysieren. Von jenem ersten parodierenden „Ich war's", mit dem der Cavaliere andeutet, daß es eigentlich „sein" Entschluß war, der den Burschen im Baumwollhemd die Zunge herausstrecken ließ (677), bis zum „Ich bin es, der das alles duldet" (698) wird immer wieder auf jene „actio in distans" verwiesen, die Schopenhauer in seiner angeführten Abhandlung erklärt.

Ein Paradigma soll hier dafür ausführlicher analysiert werden. Cipolla kehrt die Positionen um. Jetzt ist er Medium; er hat einige vom Publikum getroffene Vereinbarungen zu befolgen.

Mario (691 ff)
„Er ging an der Hand eines wissenden Führers, der angewiesen war, sich körperlich rein folgsam zu verhalten, aber seine Gedanken auf das Verabredete zu richten... Die Rollen schienen vertauscht, *der Strom ging in umgekehrter Richtung*, und der Künstler wies in *immer fließender Rede* ausdrücklich darauf hin. Der leidende, empfangende, der ausführende Teil, dessen Willen ausgeschaltet war, und der einen stummen in der Luft liegenden Gemeinschaftswillen vollführte, war nun er, der so lange gewollt und befohlen hatte; aber er betonte, *daß es auf eins hinauslaufe*. Die Fähigkeit, sagte er, sich seiner selbst zu entäußern, zum Werkzeug zu werden, im unbedingtesten und vollkommensten Sinn zu gehorchen, sei nur die Kehrseite jener anderen, zu wollen und zu befehlen; es sei ein und dieselbe Fähigkeit... (Er, Cipolla, sei es), in dem der Wille Gehorsam, der Gehorsam Wille werde, *dessen Person die Geburtsstätte beider* sei..."
(Meine Hervorhebungen)

Versuch über Geistersehn (P_1, 279f)
Schopenhauer gibt hier eine Hypothese über den Vorgang bei — allerdings aktivem — „Magnetisieren"; es ließe sich „daraus... ableiten, wie, in den höheren Graden des Somnambulismus, der Rapport so weit gehen kann, daß die Somnambule aller Gedanken, Kenntnisse, Sprachen, ja aller Sinnesempfindungen des Magnetiseurs theilhaft wird, *also in seinem Gehirn gegenwärtig ist*, während hingegen sein Wille unmittelbaren Einfluß auf sie hat... *Es ginge der positive Strohm der Lebenskraft, als Wille des Magnetiseurs, von dessen Gehirn zu dem der Somnambule*, sie beherrschend und ihre, im Gehirn das Bewußtseyn hervorbringende Lebenskraft zurücktreibend zum sympathischen Nerven... dann aber ginge der selbe Strohm von hier weiter in den Magnetiseur zurück... *dem Gehirn desselben*, woselbst er dessen Gedanken und Empfindungen antrifft, *deren dadurch jetzt die Somnambule theilhaft wird.*"

Berücksichtigt man die Tatsache, daß Thomas Mann an dieser Stelle einen passiven, Schopenhauer einen aktiven Vorgang beschreibt, wird aus der Konkordanz wohl deutlich, wie eng sich Thomas Mann an Schopenhauers Erklärung hält. Es ist herauszustellen:

— Thomas Mann verwendet Schopenhauers Annahme eines organischen „Strohms der Lebenskraft", der unterhalb der „principii individuationis" die Organismen verbindet.

— Das Verhältnis von Cipolla zum „stummen in der Luft liegenden Gemeinschaftswillen" seines Publikums entspricht dem zwischen der Somnambulen und ihrem Magnetiseur.

— Thomas Mann macht einen charakteristischen Zusatz zu Schopenhauer, wenn dieser auch dort implizit ist: Cipollas Person ist „Geburtsstätte beider", des Willens und des Gehorsams, auch als Medium ist er „Führer und Veranstalter" (692), wird als „unser Gebieter" (694) bezeichnet. Einmal will Thomas Mann damit natürlich das einseitige Machtverhältnis zwischen „Volk und Führer" (691) bezeichnen. (Daß dabei psychologisch — wie es Böhme mit psychoanalytischen Beschreibungsmitteln herausstellt [S. 306-8] — ein Zusammenspiel sado-masochistischer Triebkomponenten angenommen werden kann, ist durchaus zuzugeben. Nur greift Thomas Mann auch hier in seiner Erklärung auf anderes zurück: auf das Konzept der lustvoll erlebten „dionysischen" Ich-Auflösung, mit der Nietzsche sich die Durchbrechung des „principii individuationis" übersetzt hatte.) In unserem primären Ideenzusammenhang jedoch ist es wichtig, daß Thomas Mann mit Cipolla den Sonderfall eines „Eingeweihten des Willens" vorführt, der sich dessen metaphysische Qualitäten zunutze zu machen versteht (vergleichbar in diesem aktiven Verhältnis nur Felix Krull).[19]

Thomas Manns primäre Ideenkonstruktion müßte jetzt klar erkennbar sein. Im folgenden sollen einzelne Elemente der Novelle auf diesem Hintergrund noch etwas genauer untersucht werden.

IV. Cipolla

Die quasi-philosophische „Begründung" dieser Figur haben wir rekonstruiert. Was sie, damit zusammenhängend, vordergründig „bedeuten" soll, ist evident: eine Denunziation faschistischen Demagogentums in seiner Mischung aus Dämonie und Gaukelei, wie Thomas Mann sie sah. Die vexatorische Anlage dieses Typus sollte hier jedoch einmal herausgearbeitet werden.

Walter Weiss hat zutreffend erkannt, in welchem Umfang Thomas Mann hier sich selbst zitiert hat. Thomas Mann schließt an die eigene Tradition der Denunzierung des Künstlers an: „der Künstler", „der Zauberkünstler", „der Gaukler" wird Cipolla, alternierend zwischen parodischem Respekt und Ablehnung genannt. Es fehlt nicht der vom „Leben" ausschließende Defekt (680) und das (scheinbar) sentimentalische Verhältnis zur „Liebe" (709). „Cipolla ist der typische Thomas Mann'sche Held der Schwäche, der sich zusammennimmt und so über sich hinauswächst und mehr leistet als die anderen, gerade, weil er es nötig hat... Er versetzt sich in die anderen; er erleidet, was sie unter seinem Willensbefehl tun: ‚Ich bin es, der das alles duldet'."[20] Es sei — mit Weiss — erinnert an die Notwendigkeit des Rausches für diesen Künstlertyp („Stärkungsgläschen"; 697), der so in einer Reihe mit Aschenbach und Adrian Leverkühn steht. Schließlich erkennen wir seine Verbindung zum (aus Nietzsches Wagner-Kritik überkommenen) dionysischen Komödiantentum (Selbstzitat: „altmodischer Zirkusdirektor" aus dem *Tod in Venedig*, VIII, 680, 458), das seinerseits den ganzen Problemkomplex „Publikum und Popularität" evoziert.[21]

19 Siehe hierzu Dierks 1972, 52 f.

20 Walter Weiss: *Thomas Manns Kunst der sprachlichen und thematischen Integration* (= „Wirkendes Wort", Beiheft 13). (Düsseldorf 1964), 93.

21 Dierks 1972, 48.

Nimmt man die Novelle als in ihrer Wirkungsintention vordergründig politisch gemeint — woran eigentlich kaum zu zweifeln ist — wird an der Figur Cipollas bereits exemplarisch deutlich, wie Thomas Mann die politische Dimension in seinen Gedankenzusammensetzung einbringt: Er schließt sie an seine individualistische Kernproblematik an und erklärt sie mit den für diese ausgebildeten Kategorien. Das soll mit einigen Nachweisen noch erhärtet werden. Was Thomas Mann später als „Psychologie des Faschismus" (XI, 672) ausgeben kann, ist erst einmal weiterhin Kritik und Erklärung der Künstlerexistenz mit den Mitteln Schopenhauers, Nietzsches (und Wagners). Das wird von ihm selbst im Aufsatz *Bruder Hitler* (1939) dargestellt, der „humoristisch-asketische Ansätze zum Wiedererkennen" (XII, 846) der eigenen Selbstinterpretationen im gescheiterten Künstler Adolf Hitler macht (und in dem konsequent die Qualifizierungen aus *Mario* wiedererscheinen).

V. Intoxikation, Ekstase.

„Il boit beaucoup" wird festgestellt (685). Cipolla bedarf häufig des „Stärkungsgläschens"; der Kognak „mußte immer wieder dazu dienen, seiner Dämonie einzuheizen, da sonst, wie es schien, Erschöpfung gedroht hätte" (697). Hier also taucht das Motiv „dionysischen" Rausches auf, das Thomas Mann in die Vita Aschenbachs und Leverkühns als Bedingung für Ich-Auflösung oder auch mit ihr verbundene produktive „Illumination" einbringt. Es ist nicht, wie es hier scheint, rein physiologisch gemeint. Der Kognak als Intoxikationsmittel, das die Bewußtseinsschranken senkt, tritt schon früh auf im bereits erwähnten *Kleiderschrank* und tut auch dort eine metaphysische Wirkung: Die Individuation entgrenzt sich in eine Hinterwelt, ekstatisch oder in der Somnambulie taucht das Individuum ein in den gemeinsamen organischen Urgrund des Seins. Es geht den „Weg durch das Ding an sich" (P_1, 322); eben dies erklärte uns ja die Wirkungen Cipollas. Nietzsches korrigierende Polemik gegen die zugrunde liegenden Annahmen Schopenhauers als „*Ausschweifungen* und Laster" wurde oben bereits in einen systematischen Zusammenhang gebracht. An anderer, für Thomas Mann wichtiger, Stelle erscheinen Nietzsche die Metaphysiker als die wahren „Giftmischer" für jene, die „der Erde treu" bleiben wollen, sich zu einem autonomen Ich bekennen.[22] Hier ist ein ethischer Gegenakzent gesetzt, den Thomas Mann immer mit aufnimmt. Der Rausch ist Cipollas Bedingung, seine Kräfte zu bewähren. Thomas Mann zeigt damit an, daß er, bei Anerkennung ihrer Existenz (694), sie als Korrumpierung humaner Bewußtseinsklarheit begreift. Er folgt damit dem bezeichneten Denkmodell aus dem *Zauberberg*.[23]

22 Vgl. Dierks 1972, 46.
23 Siehe oben, S. 195 und Abschnitt II, 4. Wie die in Anmerkung 13 genannten Belege zeigen, steht die Anspielung auf korrumpierende „Intoxikation" regelmäßig als scheinbar beiläufiges Signal in solchem Zusammenhang. Hier mag aus Thomas Manns Bericht über die bei Schrenck-Notzing erlebten „okkulten Phänomene" erinnert werden, daß diese „auf meine Phantasie und auf meinen Intellekt einen... fuselartigen Reiz ausüben" (X, 136) und auch der

Eine weitere Form der Ekstase wird in der Novelle vorgeführt. Auf Cipollas Befehl macht ein „schwächlicher und zur Entgeisterung geneigter Jüngling" in einem „Zustand von militärischem Somnambulismus" für das Publikum den Anfang, „armselige(r) Selbstbestimmung" zu entsagen und „in einer Art von wohlgefälliger Ekstase mit geschlossenen Augen und wiegendem Kopfe seine... Glieder nach allen Seiten zu schleudern" (701). Infolge solch „trunkene(r) Auflösung der kritischen Widerstände" (700) kommt es zur „Tanzorgie" (701). Cipolla läßt sein Publikum als „Zappelkorps" (708) tanzen. Die politische Anspielung ist klar, Thomas Mann hatte sie schon einmal vorformuliert anläßlich der *Politischen Novelle* Bruno Franks: Sie geht auf die „bedrohliche narkotische Aufpulverung eines gesunden, naiven und liebenswürdigen Volkes" (X, 695) durch den Faschismus. In der *Deutschen Ansprache* (1930) evoziert Thomas Mann geradezu diese Szene aus *Mario* gegen den zur „bacchischen Ausschweifung" (XI, 877) neigenden Neo-Nationalismus mit der Metapher von seiner „gliederwerfende(n) Unbesonnenheit" (XI, 880). Wieder ist hier das Orientierungsmuster aktiv geworden, das aus Nietzsches Schopenhauer-„Übersetzung" stammt. Als Potenz ist — nach der *Geburt der Tragödie* — das „Dionysische" in der Menschheitsgeschichte immer gegeben:

> „... durch den Einfluß des narkotischen Getränkes, von dem alle ursprünglichen Menschen und Völker in Hymnen sprechen... erwachen jene dionysischen Regungen, in deren Steigerung das Subjektive zu völliger Selbstvergessenheit hinschwindet. Auch im deutschen Mittelalter wälzten sich unter der gleichen dionysischen Gewalt immer wachsende Scharen, singend und tanzend, von Ort zu Ort: in diesen Sankt-Johann- und Sankt-Veittänzern erkennen wir die bakchischen Chöre der Griechen wieder, mit ihrer Vorgeschichte im Kleinasien... Es gibt Menschen, die, aus Mangel an Erfahrung oder aus Stumpfsinn, sich von solchen Erscheinungen wie von ‚Volkskrankheiten' abwenden..." (Nietzsche I, 24)

Referat und Zitat werden die gedankliche Dimension deutlich gemacht haben, in die Thomas Manns Faschismus-Parodie („Zappelkorps", „militärischer Somnambulismus") reicht. Cipolla, Eingeweihter des Willens, bewirkt eine „dionysische" Verfassung, die als menschliche Möglichkeit immer gegeben ist: auch „der Römer", der die „Ehre des Menschengeschlechtes heraushauen" (702) möchte, birgt sie in sich und erliegt Cipollas „Willen". Einmal mehr ist mit ihm „Europa" (Griechenland/Rom = abendländische Humanität) „Asien" (der Urheimat des Dionysischen) erlegen.

Thomas Mann setzt in seiner Wertung des Vorganges wieder den ethischen Gegenakzent („Stab der Kirke", 703). Auch diese Setzung geschieht wieder mit Nietzsche. In seiner späten, gegen den „asketischen Priester" als Erscheinung der depravierten europäischen Kultur gerichteten Kritik analysiert er jene früh von ihm gepriesenen „dionysischen" Ekstasen anders. Jetzt sind sie ihm tatsächliche „Volkskrankheiten", Folgen einer paneuropäischen Depression und ihrer falschen „Behandlung".

Hinweis, daß die Fähigkeiten des Mediums „charakteristischerweise im Frühjahr am wirksamsten" (XIII, 40) seien; letzteres eine Bezugsherstellung zum Nietzsche verdankten Denkmuster: „bei dem... Nahen des Frühlings erwachen jene dionysische Regungen, in deren Steigerung das Subjektive zu völliger Selbstvergessenheit hinschwindet" (Nietzsche I, 24).

„Wir finden... ungeheure epileptische Epidemien... wie die der St.-Veit- und St.-Johann-Tänzer des Mittelalters... insgleichen jene todsüchtigen Massen-Delirien, deren entsetzlicher Schrei ‚evivva la morte!' über ganz Europa weg gehört wurde..."[24]

Es soll deutlich werden: Thomas Mann nimmt die quasi-philosophische Begründung für den von Cipolla erregten „Veitstanz" von Schopenhauer und dem frühen Nietzsche der *Geburt der Tragödie*; in der ethischen Wertung folgt er der späten Kulturkritik des „der Erde treu" gewordenen Nietzsche. (Dessen Analyse des „europäischen Menschen" folgt Thomas Mann in seiner Faschismus-Kritik überhaupt.) Zweifellos ist das eine Form massenpsychologischer Analyse, doch Thomas Manns Nähe zu Freuds Konzeptionen — wie sie Böhme nahelegt (S. 308 f) — ist erst einmal eine unabhängige, über Nietzsche vermittelte.[25]

Abschließend sollen noch zwei Verbindungen von der semantischen Oberflächen- zur Tiefenstruktur primärer Orientierungen hergestellt werden.

VI. Mitleidsethik — „Tat twam asi" — Allsympathie.

Cipolla belehrt sein Publikum, daß nicht seine Versuchspersonen, sondern er es ist, der zu bedauern sei (698). Wir haben uns bereits die metaphysische Natur seiner „Duldertaten" (698) erklärt. Die hierzu gehörige Frage des Erzählers geht auf einen anderen Bereich des Schopenhauerschen Systems: „Beanspruchte er auch noch unser Mitgefühl? Wollte er alles haben?" (697). Man wird hier natürlich zuerst einmal an den Mannschen Künstertypus denken, ausgeschlossen vom „Leben", sich nach Gefühl und Zuneigung sehnend. Für die Motivkonfiguration, in der Cipolla als solcher erscheint (s. o. S. 15), trifft das auch zu. Es ist aber mehr gemeint.

Aus Schopenhauers Lehre, daß die Welt der Einzelerscheinungen nur Vorstellung und realiter metaphysisch nur der „Wille" sei, folgt das Grundprinzip seiner *Ethik*: Wenn „eigentlich" alle Individuen nur das Eine sind, so ist der durchgängige Kampf aller gegen alle ein furchtbarer Irrtum. Es folgt aus dieser metaphysischen Identität aller Wesen die „Brahmanenformel *Tat twam asi*, ‚Dies bist Du'" und damit als „Grundlage der Moral" das Mitleid (W_2, 690).

Es hat Konsequenz, wenn sich der Erzähler fragen muß, ob Cipolla sogar sein Mitgefühl noch wolle. Tatsächlich steht es ihm zu, und der Erzähler macht sich zu Recht

24 Nietzsche II, 883 („Was bedeuten asketische Ideale").

25 Auch, daß Thomas Mann hierbei im Bilde der „ansteckenden Krankheit" (667, 671, 703) bleibt, hat seinen Grund sowohl in Schopenhauers Versuch, die „Ansteckung des Somnambulismus" (P_1, 279) zu erklären wie in der o.a. Nietzsche-Passage; überdies zitiert sich Thomas Mann dabei noch selbst aus dem *Tod in Venedig*, wo das Motiv der „erkrankten Stadt" (VIII, 501), ihrer Ausartung (VIII, 514) in „umlaufender Krankheit" (VIII, 517) genau die oben bezeichnete „dionysische" Bedeutung und ebendenselben gedanklichen Hintergrund hat (s. Dierks 1972, 28 f). Auch hier wieder Rückbezug Thomas Manns auf primäre Orientierungen und unabhängige Nähe zu Freud (vgl. zu „Ansteckung" Böhme s.o.S. 184 f).

diese Gedanken. Nur der „Augenschein sprach dagegen“ (698) derer, denen es an „eigentlicher Einsicht in das Wesen der Dinge“ (686) mangelte.

Ich setze die zentrale Stelle aus Schopenhauers *Ethik* hierher, die *in nuce* alle mit Cipolla zusammenhängenden Ereignisse erklärt:

> „Auf dieser metaphysischen Identität des Willens, als des Dinges an sich, bei der zahllosen Vielfalt seiner Erscheinungen, beruhen überhaupt drei Phänomene, welche man unter den gemeinsamen Begriff der *Sympathie* bringen kann: 1) das *Mitleid*, welches, wie ich dargethan habe, die Basis der Gerechtigkeit und Menschenliebe, *caritas*, ist; 2) die *Geschlechtsliebe* mit eigensinniger Auswahl, *amor*, welche das Leben der Gattung ist, das seinen Vorrang vor den Individuen geltend macht; 3) die *Magie*, zu welcher auch der animalische Magnetismus und die sympathetischen Kuren gehören. Demnach ist *Sympathie* zu definieren: das empirische Hervortreten der metaphysischen Identität des Willens, durch die physische Vielheit seiner Erscheinungen hindurch ...“(W_2, 691 f)

So wird schließlich auch der merkwürdige und nach „Augenschein“ unglaubwürdige Anspruch Cipollas recht legitim: „Du wirst meinen, was versteht der Cipolla von der Liebe, er mit seinem kleinen Leibesschaden? Irrtum, er versteht gar viel davon, er *versteht sich auf eine umfassende und eindringliche Weise auf sie...* “ (709; meine Hervorhebung).

In der Perversion der Schopenhauerschen Bestimmung von „Sympathie“ bleibt hier durchaus die Substanz des Gedankens erhalten. Cipollas Wirkungen beruhen auf solcher Form von „Sympathie“, und sehr wohl wird er sich auf die „Liebe“ „umfassend und eindringlich“ verstehen. In dieser Hinsicht besitzt er verzerrt das, was auf glücklichere Weise Felix Krull als „Allsympathie“ bewähren darf. — Es mag noch einmal deutlich werden, wie die individual- und sozialpsychologische Dimension des Geschehens — die Böhme einleuchtend analysiert (S. 179, 182) — primär begründet ist durch ein metaphysisches Deutungsmuster.

III

Nach einer Zusammenfassung der Untersuchungsergebnisse ist auf die methodologische Ausgangsfrage zurückzukommen:

1) Zu *Mario und der Zauberer* wurden verdeckte Ideenformationen herausgearbeitet, die die semantische Basis der Novelle konstituieren.

Es lassen sich grundsätzlich zwei Strata des Textes konstatieren:

a) In einer mehr an der Oberfläche liegenden, stark an die Narration gebundenen Bedeutungsschicht läuft ein semantischer Verdichtungsprozeß von der Exposition über die Vorgänge in der Sala, in dem sich (jedenfalls für den heutigen Leser) ein Erklärungsmodell für die faschistische Konstellation „Führer: Masse: ideologisch ‚verspätetes‘ Individuum“ herstellt. Richtet man, wie Hartmut Böhme das tut, das psychoanalytische Instrumentarium auf diese Zusammenhänge wie auf ein Realgeschehen, muß es sich daran bewähren, da es sich hier um primäre Konstellationen (Führer/Masse =

Vater/Urhorde) und primäre Reaktionsbildungen (Cipolla: „Überkompensation", fiktiver Erzähler: Ich-Schwäche) handelt. Überdies ist ja anzunehmen, daß Thomas Mann einige psychoanalytische Kenntnisse auch eingebracht hat, nur darf man diese nicht hoch veranschlagen. *Massenpsychologie* und *Ich-Analyse* etwa hat Thomas Mann 1929 mit großer Wahrscheinlichkeit nicht gekannt. Die Annahme Böhmes, daß Thomas Mann durch die Abfassung der ersten Freud-Rede „mit Freuds Werk aktuell vertraut ist" (S. 182), läßt sich nicht stützen, wenn man mit „vertraut" eine eindringliche, systematische Rezeption implizieren wollte. Freud wurde für Thomas Mann keine neue Orientierung; er assimiliert einiges von ihm an ältere Erklärungsmuster.[26] Hinzu kommt, daß Thomas Mann die politische Thematik anschließt an ureigene ältere Problemkomplexe, insbesondere des „Künstlertums", deren unabhängige Nähe zur Psychoanalyse sie natürlich zu deren Gegenstand machen kann.

b) Unter der narrativen Oberfläche — also der psychologischen und aktuell-politischen Dimension des Textes — werden semantische Grundmuster wirksam, die dem Erzählten erst seine „eigentliche" Bedeutung zusprechen. Die psychologischen Erscheinungen werden zurückgeführt auf ihre grundsätzlich „praktisch-metaphysischen" Bedingungen (Schopenhauer); zugleich werden Nietzsches frühe Exemplifizierungen eben dieser metaphysischen Verhältnisse und zugleich seine späteren Wertungen daran angeschlossen. Sowohl das konkrete Geschehen in der Sala wie die von ihm bedeutete politische Zeiterscheinung werden in ihr Paradigma überführt; als menschheitstypisch („Dionysisches"), als „praktische" Erweise eigentlicher metaphysischer Realität („Ubiquität des Willens"). Das antagonistische Orientierungsmodell, wie es hier für den *Zauberberg* rekonstruiert wurde, bildet die semantische Basis der Novelle.

2) Damit erweist sich eine sozialpsychologische Interpretation wie die Hartmut Böhmes, die sich nicht zureichend auf die faktenorientierte Detailforschung zu Thomas Mann einläßt, als verkürzend.

a) Böhme erkennt zu Recht, daß Thomas Mann ein „überzeitliches Modell von Herrschaft" vorführt, „verklärt... zum ewigen, metaphysischen ‚Prinzip'" (S. 187), das eine historisch-soziogenetische Begründung nicht leistet. Da Böhme die Gedankenelemente des Modells jedoch nicht kennt, hat er es leicht, psychologisch von der fatalistischen Erzählstruktur rückzuschließen, sie sei „selbst das rationalisierte Ergebnis masochistischer Grundzüge, deren sich der (vorgeschobene) Erzähler nicht bewußt ist" (S. 187).

Der Sachverhalt ist ein anderer. Thomas Mann (und seines Erzählers) Rekurs auf das „Willens"-Paradigma, mit dem er seinen „Mangel an sozialpsychologischem Wissen" (Böhme, 189) überspringt, ist zweifellos fatalistisch — doch kein Dokument der Schwäche.

Der prototypische Charakter des *Mario* — Vorgänge und Personen stehen für menschliche Grundverhältnisse überhaupt, wie sie sich im Faschismus wieder einmal aktualisieren — ist Folge des Schrittes zum „Mythisch-Typischen" im *Joseph*, der sich

26 Zu diesem Sachverhalt s. Dierks 1972, 138-144, insbes. 146-152. Allerdings kann man durchaus eine Fernwirkung der umfänglicheren Freud-Rezeption von 1925/26 annehmen und aktuelle Wirksamkeit von *Totem und Tabu*, das für die *Geschichten Jaakobs* ja eine Rolle spielt.

im *Zauberberg* vorbereitet hatte. Was objektiv eskapistisch erscheinen mag, hatte „Epoche gemacht" für Thomas Mann; die nun voll artikulierte Rückbeziehung alles Zeitlichen und Individuellen auf grundsätzliche Muster hatte neue Sicherheit und Erkenntnisdistanz eingebracht (XI, 656 f u.ö.). Wenn in der Novelle die „Psychologie des Faschismus" in dessen Metaphysik übergeht, ist das nicht als Abdankung vor der „Forderung des Tages" einzuschätzen, bekanntermaßen kam Thomas Mann ihr ja nach.

b) So vermag ich auch Böhmes Nachweis der fortschreitenden „Anomie" des fiktiven Erzählers, die die Hilflosigkeit der „freischwebenden Intelligenz" vor Macht und Masse abbilde, nur bis zu jenem Punkt zu folgen, wo auf den Autor selbst zurückgeschlossen wird, der sich von der erinnerten eigenen Ohnmacht nur durch die Erfindung von Cipollas Tod zu salvieren vermöge (S. 177 f). Böhme übersieht hier, daß der Autor sich auf ein Orientierungsmodell verlassen kann, das Cipollas Tod in ethisch bestimmter Wertungsreaktion fordert: als stereotyp (mit Nietzsche) gesetzter Gegenakzent zu „Metaphysik" und „dionysischem" Rausch. So bezahlt Aschenbach die *Ekstasis* mit dem Untergang; Hans Castorp schaltet gegen das „Geistersehn" das Weißlicht an; Mut-em-enet wird im bacchischen Rausch sich selbst verlieren. Es ist eine produktionspsychologische Frage (und daher wohl nicht zu beantworten), warum bei Thomas Mann diese Gegenakzentuierung so regelhaft einsetzen kann. Sicherer Befund aber ist ihr stereotypes Auftreten, ihre ständige Verfügbarkeit. Deshalb kann ich die „Erfindung" von Cipollas Tod nur als die vom Denkmodell erforderte Ergänzung des biographischen Erfahrungsmaterials werten, die sich den *stabilen Orientierungen* verdankt, die der Autor seinem Erzähler voraus hat.

c) Der „Status der bürgerlich-humanistischen Intelligenz" (167) bleibt schließlich bei Böhme sozialpsychologisch überhaupt im Falle Thomas Manns unterbestimmt. Zutreffend werden die Schwächen analysiert, der „Mangel an sozialpsychologischem Wissen", die Ausblendung insbesondere der ökonomischen Grundbedingungen für Entstehung und Verlauf psycho-sozialer Prozesse, schließlich (binnentextlich, aber auf den Autor extrapoliert) bestimmte Fehlreaktionen dieses „verspäteten" Sozialcharakters.

Was der sozialpsychologischen Analyse nicht zugänglich wurde, sind die folgenden Einsichten:

— Der Typus „bürgerlich-humanistischer Intelligenz", so wie ihn Thomas Mann vertritt, vermag seine Autonomie durchaus zu behaupten, während und über den Faschismus hinaus.

— Er verdankt dies stabil bleibenden ideellen Grundorientierungen (hier: Schopenhauer, Nietzsche). Diese sind so beschaffen, daß sie zutreffende psychologische Erkenntnisse über politische Erscheinungen sehr wohl ermöglichen und subjektiv auch befriedigend erklären (Konzepte des „Dionysischen", der „praktischen Metaphysik").

— Der Widerspruch zwischen den beibehaltenen Denkgrundmustern und ihrer objektiven Unzeitgemäßheit wird durch Amalgamierung aktuell angemessener Erklärungskonzepte von Realität aufgelöst. Wie spurenweise im *Mario*, deutlicher im *Zauberberg* und in den beiden Freud-Reden feststellbar, gelingt das Thomas Mann mit der Psychoanalyse. Es wäre sozialpsychologisch insbesondere zu analysieren, welche Bedeutung die Schopenhauer-Rezeption (im Kontext Nietzsches) für den von Thomas Mann vertretenen Typus des „bürgerlichen Humanisten" zukommt. Es handelt sich bei Mann ja um eine augenfällige Ungleichzeitigkeit der mit Schopenhauer ein für allemal orientierten psychischen Strukturen zu den sich rasch verändernden Vermittlungsinstanzen des Wirtschaftsprozesses wie Kulturapparat und politische Verhältnisse.[27] Thomas Mann war sich zeitlebens im klaren über seine „vitale", „erotische" Aufnahme des metaphysischen Systems;[28] es hatte Triebstrukturen „erklärbar" gemacht, legitimiert — auf solch früher und damit bleibender Basis hielt sich Schopenhauer als Lebens- und Weltorientierung. Sicherlich ist sie als „affektiv besetztes falsches Bewußtsein" bestimmbar. Es kann jedoch nicht allein Aufgabe der Sozialpsychologie sein, zu denunzieren. Will sie über Lukács' Schopenhauer-Verdikt erklärend hinaus, muß sie beschreiben, wie Schopenhauersche Denkmuster in der psychischen Ökonomie des hier infrage stehenden Intellektuellentypus funktioniert haben — wie sie sowohl Realitätsflucht als auch gesellschaftlich fortschrittliche Selbstbestimmung ermöglichten. Letztere realisiert sich vor und nach dem *Mario* im Josephsroman, in dem Schopenhauers System ganz in Narration umgesetzt wird. Ein Zeugnis für die hier bezeichnete Wirksamkeit Schopenhauers kommt aus der deutschen Sozialpsychologie selbst:

„Das Werk des Philosophen Schopenhauer ist nicht überholt... Im Gegensatz zur heutigen Gesinnung bietet seine Metapyhsik die tiefste Begründung der Moral, ohne mit exakter Erkenntnis in Widerspruch zu geraten..." (Horkheimer 1972).[29]

27 Zu diesen Kategorien s. Sautermeister 1975, 189 f.

28 Vgl. IX, 560 f: „daß die organische Erschütterung, die er bedeutete, nur mit der verglichen werden kann, welche die erste Bekanntschaft mit der Liebe und dem Geschlecht in der jungen Seele erzeugt".

29 Max Horkheimer: *Sozialphilosophische Studien* (Frankfurt/M. 1972), 152, 154; passim.

Hermann Kurzke

Ästhetizistisches Wirkungsbewußtsein und narrative Ethik bei Thomas Mann

Thomas Mann ist ein seiner Wirkung bewußter, ein Wirkungen planender Künstler. Dieses Wirkungsbewußtsein ist ihm selbst gelegentlich moralisch verdächtig, erscheint ihm, gesehen unter der Optik der Wagnerkritik Nietzsches, als demagogisches Inszenieren von Effekten, als pharisäisches Gesehenwerdenwollen. Es lenkt den Blick vom Kunstwerk ab auf den beifallheischenden Künstler. Thomas Mann ist Ästhetizist mit dem Willen zum Moralischen. Im Frühwerk bis zum *Zauberberg* verfällt jedoch alles Moralische der Kritik des Ästheten, der schopenhauerianisch die Moral als diejenige Art entlarvt, in der der Intellekt dem jeweiligen Willen dienstbar ist: Auch das Moralische ist nichts als ein Reiz, eine besonders sublime Art ästhetischen Genießens. Erst seit *Joseph und seine Brüder* gibt es vorbildhafte Moralität im Roman, gibt es eine Art „narrative Ethik". Ihr ästhetizistisches Dementi, also ihre Reduktion auf einen bloßen Effekt, wird in die Tagebücher abgedrängt. Der Aufsatz schließt mit einer Interpretation des Verhältnisses von Tagebuch und dichterischem Werk: die Tagebücher sind das ästhetizistische Therapeutikum zur Ermöglichung eines moralischen Werks.

I

Volks- und Jugenderziehung durch die Kunst, so läßt Thomas Mann seinen Helden Gustav von Aschenbach monologisieren, sei ein gewagtes, zu verbietendes Unternehmen, und er höhnt über den Zusammengebrochenen, der Liebe und dem Tode Verfallenen, von der Cholera Infizierten, der doch Schulautor ist wie er selbst, am Ende des *Tod in Venedig:*

> Er saß dort, der Meister, der würdig gewordene Künstler, der Autor des ‚Elenden', der in so vorbildlich reiner Form dem Zigeunertum und der trüben Tiefe abgesagt, dem Abgrunde der Sympathie gekündigt und das Verworfene verworfen hatte, der Hochgestiegene, der, Überwinder seines Wissens und aller Ironie entwachsen, in die Verbindlichkeiten des Massenzutrauens sich gewöhnt hatte, er, dessen Ruhm amtlich, dessen Name geadelt war und an dessen Stil die Knaben sich zu bilden angehalten wurden, —[1]

Der Versuch des Künstlers Aschenbach, Ethiker, Erzieher, Moralist zu werden, scheitert, wir Dichter, so heißt es an gleicher Stelle, „vermögen nicht, uns aufzuschwingen,

1 Gesammelte Werke in 13 Bänden (= GW), (Frankfurt 1974), Band VIII, 521.

wir vermögen nur auszuschweifen"[2]. *Der Tod in Venedig* erzählt den Verfall einer zäh, kunstvoll und mühsam der Versuchung des Sich-Gehen-Lassens abgerungenen Persönlichkeit. Das Ethische gehört zum Bereich der Mühe um Haltung und Form, das Künstlerische hingegen zum Bereich der „Ausschweifung", der Verführungskraft des Chaos. Der Künstler ist daher als Moralist unzuverlässig, der Moralist andererseits ästhetisch unerträglich. Ethik und Ästhetik sind im frühen Werk Thomas Manns unversöhnlich. Es ist einer Betrachtung wert, wie im einzelnen die ästhetische Demontage moralischer Entschlüsse erfolgt. Zwei Beispiele, aus *Gladius Dei* von 1902 und aus dem *Zauberberg* von 1924 mögen zugleich die Konstanz in der Behandlungsart moralischer Situationen dokumentieren.

In *Gladius Dei* läßt Thomas Mann den Ethiker Hieronymus den Kampf gegen die sittenlose ästhetizistische Künstlerwelt des Fin de siècle aufnehmen. Angesichts einer sehr sinnlich gemalten Madonna im Schaufenster einer Münchener Kunsthandlung karikiert der Erzähler zunächst das irreligiöse Kulturgeschwätz der Betrachter und läßt dann in Hieronymus einen kulturkämpferischen Entschluß aufkeimen:

> Aber das Bild der Madonna ging mit ihm. Immerdar, mochte er nun in seinem engen und harten Kämmerlein weilen oder in den kühlen Kirchen knien, stand es vor seiner empörten Seele, mit schwülen, umränderten Augen, mit rätselhaft lächelnden Lippen, entblößt und schön. Und kein Gebet vermochte es zu verscheuchen.
>
> In der dritten Nacht aber geschah es, daß ein Befehl und Ruf aus der Höhe an Hieronymus erging, einzuschreiten und seine Stimme zu erheben gegen leichtherzige Ruchlosigkeit und frechen Schönheitsdünkel. Vergebens wendete er, Mosen gleich, seine blöde Zunge vor; Gottes Wille blieb unerschütterlich und verlangte laut von seiner Zaghaftigkeit diesen Opfergang unter die lachenden Feinde.[3]

Ironie und Parodie sind in diesen Zeilen Techniken der Entlarvung. Der Wortsinn der Passage beschreibt die Genese eines hohen moralischen Entschlusses. Ihr Hintersinn aber enthüllt banale Wahrheiten. Der erste Absatz verdächtigt den Moralismus unverhohlen verdrängter Sinnlichkeit. Die biblisch-archaische Sprachpose des zweiten Absatzes lenkt in ihrer Unangemessenheit kontrastiv den Blick auf ihr banales Gegenteil. Lächerlich ist bereits der Kontrast pompöser Gottesaufträge zur Lappalie des Konterfeis einer sinnlichen Putzmacherin. Der Mangel eines öffentlichen und allgemeinverbindlichen Glaubens, wie ihn das Alte Testament in seiner Sphäre voraussetzt, macht das Pro-

2 GW VIII, 522.

3 GW VIII, 204. — Eine gute literarhistorische Orientierung über den Kontext, in dem der ästhetizistische Immoralismus des frühen Thomas Mann steht, findet sich in *Der ‚Dilettantismus' des Fin de siècle und der junge Heinrich Mann* von B.A. Sørensen (OL 24, 1969, 251—270), der bei Bourget, Huysmans, Barrès, Hofmannsthal, Bahr, Heinrich und Thomas Mann eine Reihe gemeinsamer Züge ausmacht. Bourgets Charakteristik des Dilettanten trifft exakt für den Autor von *Gladius Dei* zu: „Le bien et le mal, la beauté et la laideur, les vices et les vertus lui paraissent des objets de simple curiosité. L'âme humaine tout entière est, pour lui, un mécanisme savant et dont le démontage l'intéresse comme un objet d'expérience. Pour lui, rien n'est vrai, rien n'est faux, rien n'est moral, rien n'est immoral. C'est un égoiste subtil et raffiné." (Sørensen 252 f.).

phetseinwollen zur privaten Marotte, die eine liberale Gesellschaft mit einem „Chaqu' un à son goût" auf das auch ihr inhärierende Moment des Selbstgenusses reduziert.

Aus welchem Interesse heraus vollzieht Thomas Mann diese Entlarvung, die ja im Grunde billig zu haben war? Will er wirklich den Ästhetizismus Schwabings gegen seine Bedrohung durch Moralisten wie Hieronymus verteidigen? Offenbar nicht. Es geht ihm weder um die eine noch um die andere Partei, sondern nur um den ästhetischen Effekt ihrer Konfrontation, um die Komik, die im Scheitern des Moralisten angesichts der Sinnlichkeit liegt. Eine Emanzipation des Effekts von den Inhalten findet statt. Der Künstler, der selbst an gar nichts glaubt, entlarvt den Glauben der anderen um des Effektes willen, ohne Partei zu nehmen und ohne Alternativen zu zeigen.

Mag dies der reinste l'art-pour-l'art-Ästhetizismus sein, so ist doch in allem Ästhetischen ein Ethisches latent, auch ungewollt. Was die Entlarvungstechnik bloßlegte, waren die unterbewußten Triebkräfte Hieronymus', schopenhauerisch gesprochen der „Wille", dem die scheinbar autonomen „Vorstellungen" (die Moral) hörig sind. Das gleiche widerfährt den übrigen Personen der Erzählung. Sie alle, der geschäftstüchtige Kunsthändler, der über Erotica meckernd lachende Kunde, der schlechternährte empfindsame Angestellte und schließlich der Fleischkloß und Rausschmeißer Krauthuber werden demontiert, reduziert auf ihre Vitalität, ihre Schwäche und Lächerlichkeit, auf ihr nacktes Interesse. Der ästhetische Effekt, der um seiner selbst willen da zu sein schien, verweist seinerseits auf diese traurige Wahrheit.

Auch im *Zauberberg* wird Moralisches als sublimer Egoismus enttarnt. Im Sanatorium Berghof besteht der Brauch, die Sterbenden vor den anderen Patienten zu verstecken. Hans Castorp als Bildungsreisender in Sachen des Todes durchbricht dieses Tabu und besucht die Moribunden. Diese scheinbar edle Regung wird jedoch nicht erzählt, um dem Leser seine vorbildliche Moralität als Exempel vor Augen zu stellen, sondern, um die Wirkungen des Todes auf sein Gemüt zu zeigen. Über die vorgebliche Moralität dieses Verhaltens macht sich der Erzähler sogar lustig. Bei Castorps Besuch im Sterbezimmer des Herrenreiters heißt es:

> Sachkundig und in mehr als einer Beziehung in seinem Elemente stand Hans Castorp am Lager, bewandert, aber fromm. „Er scheint zu schlafen", sagte er aus Menschlichkeit, obgleich große Unterschiede vorhanden waren. Und dann begann er mit schicklich gedämpfter Stimme ein Gespräch mit der Witwe des Herrenreiters...[4]

Das Ethische wird hier desillusioniert als nur gespielter Habitus, seine Rollenhaftigkeit und Konventionalität entlarvt. Castorp reagiert nicht wirklich moralisch, sondern ästhetisch. Die Szene endet denn auch mit der Bemerkung:

> Hans Castorp zeigte sich befriedigt von dem Besuch und geistlich angeregt durch die empfangenen Eindrücke.

Eine Bemerkung, die offenkundig auf die Bereicherung seines Innenlebens und nicht auf die gute Tat am Moribunden zielt. Ethik im traditionellen Sinn wird hier zerstört

4 GW III, 408.

um ästhetischer Effekte willen. Die empfangenen Eindrücke sind der Sinn der Szene, nicht die gute Tat, also wieder ein Egoistisches, nicht ein etwaiger Trost für Sterbende.

Indem sich der Erzähler mit hintergründiger Ironie am Kontrast von moralischem Schein und subtilem Egoismus ergötzt, öffnet er im komischen Effekt zugleich den Blick auf die von Moral unbeeinflußten Triebkräfte des menschlichen Seins. Der Ästhetizismus öffnet den Blick auf eine Metaphysik. Der Effekt ist gar nicht autonom, er bringt vielmehr den „Willen" zur Erscheinung.

Doch sollte eine solche Situation nicht auch Thomas Mann selber betreffen? Muß er dann nicht auch sich selbst und sein Künstlertum als sublimen Egoismus entlarven, als die Art, wie eben gerade sein Intellekt dem Willen dienstbar ist? In der Tat liegt hier ein fundamentaler Selbstwiderspruch. Das Entlarven und Durchschauen nährt den Wunsch, zu zerfließen, der täuschenden Vorstellungswelt zu entsagen, Wille zu werden, also den Wunsch nach Entindividuation. Sofern das Durchschauen jedoch ästhetizistischer Effekt ist, gemacht und geplant, lenkt es den Blick auf die Einmaligkeit des Autors, der in jedem gekonnten Stückchen Bewunderung für seine Individualität heischt. Dieses Gesehenwerdenwollen, Erkanntseinwollen ist ein Grundhabitus bei Thomas Mann, den er mit seinem in das Leben verliebten Tonio Kröger teilt, der nach seinem Mißgeschick mit Inge Holm im Tanzsaal vor sich hin denkt:

> Sie müßte kommen! Sie müßte bemerken, daß er fort war, müßte fühlen, wie es um ihn stand, müßte ihm heimlich folgen, wenn auch nur aus Mitleid, ihm ihre Hand auf die Schulter legen und sagen: Komm herein zu uns, sei froh, ich liebe dich.[5]

Die gleiche Situation entsteht in der Erzählung *Die Hungernden*, wo ein Künstler namens Detlef seiner Lilli seine reiche Seele bekannt machen möchte:

> Würde sie es bemerken? Er kannte es so wohl, dies Fortgehen, dies schweigende, stolze und verzweifelte Entweichen aus einem Saale, einem Garten, von irgendeinem Orte fröhlicher Geselligkeit, mit der verhehlten Hoffnung, dem lichten Wesen, zu dem man sich hinübersehnt, einen kurzen Augenblick des Schattens, des betroffenen Nachdenkens, des Mitleidens zu bereiten…[6]

Dieses Gesehenwerdenwollen mischt sich in jede Gefühlsregung und in jede Zeile, so daß eine ursprünglich ergreifende Situation immer in der Gefahr pharisäischer Verfälschung steht. Wer kennt es nicht, dieses Bedürfnis, gesehen, anerkannt zu werden, wenn einem einmal eine gute Tat, ein ehrliches Gefühl, ein richtiges Wort gelingt! Und doch verfälscht dieses Bedürfnis alles: schon im Moment der Tat, des Gefühls, des Wortes schleicht sich der Stolz ein: Das wird wirken!, die Tat erscheint damit nicht mehr als um einer Sache willen getan, sondern als Mittel zum Zwecke einer Wirkung, also egoistisch, narzißtisch, getan für ihren Urheber selbst.

Der entindividualisierenden, lösenden, von der Welt der Vorstellungen befreienden Wirkung des Mannschen Erzählens steht daher eine individualisierende entgegen, die vom ästhetischen Effekt einen Tribut an den Autor abführt. Stilistisch ist dieser Tribut

5 GW VIII, 286.
6 GW VIII, 267.

erkennbar an der manchmal allzu bewußten Wirkungsplanung, die auf der Klaviatur der Emotionen des Lesers so geschickt zu spielen weiß, daß dieser sich doch hin und wieder zur Gegenwehr veranlaßt sieht. Noch die ergreifendsten Passagen sind oft „Literatur", also Gemachtes, Inszeniertes, in seiner Wirkung Vorausgeplantes.[7] Sie weben am Schleier der Maja, statt ihn zu zerreißen.

II

Der zweite Ausgangsbegriff unserer Fragestellung, der Begriff „narrative Ethik", stammt aus einem jüngst erschienenen Buch des Moraltheologen Dietmar Mieth mit dem Titel *Epik und Ethik. Eine theologisch-ethische Interpretation der Josephromane Thomas Manns.*[8] Thomas Mann hätte sich gefreut, *Joseph und seine Brüder* von einem katholischen Theologen ernstgenommen zu sehen, hatte er doch seinerzeit geklagt, daß „die katholische Kirche das Werk nicht mag, weil es das Christentum relativiert".[9] Noch mehr hätte er sich gefreut, daß dieses Ernstnehmen sich nicht auf lehrsatzartige Wandschmuck-Weisheiten über Josephs Weg vom Individuellen zum Sozialen beschränkt, sondern die ethische Struktur des Mannschen Erzählens selbst, seine „narrative Ethik" freilegen will. Hatte er sich doch selbst zeitlebens nach dem ethischen Wert seiner Arbeiten gefragt, wenn auch die Antwort sehr unterschiedlich ausfiel: 1907 findet er, ein Dichter sei ein unnützer, einzig auf Allotria bedachter Kumpan[10], 1918 sprich er in einem Brief an Heinrich Mann von „Tausende(n), denen ich leben half"[11], und 1954 heißt es wieder skeptisch: „Man ergötzt mit Geschichten eine verlorene Welt, ohne ihr je die Spur einer rettenden Wahrheit in die Hand zu geben"[12]. Man erwartet also eine Antwort auf die Frage nach den ethischen Wirkungen des Erzählens, und ist darauf besonders gespannt im Falle Thomas Manns, bei dessen Erzählkunst ja zum Kummer mancher Interpreten „nichts herauskommt", wenigstens nichts im üblichen Verständnis Moralisches.

Was heißt also „narrative Ethik"? Mieth geht aus von einem Gegensatz zwischen „Normethik" und ‚Modellethik", d.h. zwischen systematischer Gesetzlichkeit und der Intensität der einzelnen sittlichen Erfahrung. Ein ethisches Modell ist ein konkretes Allgemeines, eine vorbildhafte sittliche Erfahrung, ein Appell zur Moralität ohne Gesetzescharakter. Eine Quelle solcher ethischen Modelle, so Dietmar Mieth, sei die erzählende Dichtung:

> Das Erzählen (...) geschieht in anamnetischer und therapeutischer Absicht. Epik ist daher immer schon eine genuine Form der Ethik gewesen.[13]

7 Rachels Tod im Joseph-Roman oder das Echo-Kapitel im *Doktor Faustus* sind solche Kabinettstückchen.

8 Tübingen 1977.

9 *Die Entstehung des Doktor Faustus,* GW XI, 240.

10 *‚Im Spiegel'* GW XI, 332.

11 Am 3.1.1918, *Thomas Mann — Heinrich Mann — Briefwechsel 1900—1949,* Frankfurt 1975, 114.

12 *Versuch über Tschechow*, GW IX, 869.

13 Mieth, a.a.O., 8

Im *Joseph* gehe es „um die Evokation einer lebensfördernden Praxis mit Hilfe eines epischen Strukturalismus"[14]; das Ästhetische und das Moralische seien kongruent, sofern Wahrheit zwar theoretisch nicht aussagbar sei (daher die allesumfassende Ironie), wohl aber durch erzählerische Praxis evozierbar (daher der allesumfassende Humor).

> Die Gestaltfindung der Kunst dient der Gestaltfindung der Praxis. Aus dem dichterischen Bild entsteht das ethische Modell. Was ästhetisch gelungene Gestalt ist, evoziert auch moralisch Gelungenes.[15]

Am Text des *Joseph* macht Mieth vier Strukturkomplexe aus, die seine Anforderungen an den Begriff „ethisches Modell" erfüllen: 1. die Verbindung von ästhetischer und ethischer Praxis (Josephs Leben als Kunstwerk), 2. die Umkehrung der Korrelation von Christentum und Humanismus: das Christliche muß sich am Humanen messen lassen, ist nicht einfach seine unüberbietbare Erfüllung, 3. die synergetische Theologie des *Joseph*, in der Gott und Mensch aufeinander angewiesen sind, und 4. das Modell der „sozialen Selbsterwirkung", womit Josephs zugleich mythischer und selbstbewußter Weg vom Narziß zum sozial integrativen Ernährer gemeint ist.

Unseren kritischen Eingangsthesen über das ästhetizistische Wirkungsbewußtsein steht hier also ein extrem optimistisches Modell narrativer Ethik gegenüber. Leistet es, was es verspricht? Zweifel scheinen angebracht. Sie betreffen besonders die Umsetzung der schließlich nur fiktiven Modelle in die wirkliche Lebenspraxis. Macht die Lektüre der Josephsromane den Leser zu einem besseren Menschen? Die Beziehung von narrativer und lebenspraktischer Modellethik ist mit Begriffen wie „strukturelle Entsprechung" oder „Analogie"[16] wohl kaum ausreichend erklärt. Zwischen der Ethik Josephs und ihrer Rezeption beim Leser muß nicht einfach ein Verhältnis der Nachfolge bestehen. Erst nach einer rezeptionsästhetischen Erörterung der narrativen Ethik könnte Mieths Anliegen voll zum Tragen kommen. Während seine Methodik letztlich doch nur aus dem Romaninhalt modellhafte Haltungen herausfiltriert, würde ein wirkungsästhetischer Ansatz die beim Leser real erreichte, nicht eine aus den Texten interpretierend destillierte Moralität zu ermitteln suchen. Das erst wäre narrative Ethik im Unterschied zu einer doch wieder nur theoretischen. Mieth hat zwar das Ethische im dichterischen Werk nicht lehrsatzmäßig, sondern evokativ, modellhaft und gestalthaft zu verstehen gesucht. Das ist ein wirklicher Fortschritt. Er bleibt jedoch auf halbem Wege stehen, wenn er nicht das wirklich beim Leser Evozierte, sondern einige strukturanalytische Abstrakta als Ergebnis präsentiert. Da es jedoch keine ausreichend entwickelte empirische Rezeptionsanalytik gibt, die zur Messung moralischer Wirkungen beim Leser geeignet wäre, bleibt kein anderer Weg, als von der produktionsästhetischen Seite auszugehen und die Wirkungsästhetik des Autors freizulegen. Der folgende Abschnitt geht daher zunächst der Frage nach, was Thomas Mann als Theoretiker zum Problem der Moralität seines Wirkungsbewußtseins und der seinem Erzählen impliziten Ethik zu sagen hat.

14 ebd., 56.
15 ebd.
16 ebd. 11 u. ö.

III

Was Wirkung ist, und wie man sie erzielt, hat Thomas Mann nach eigenem Geständnis bei Richard Wagner gelernt. Wagner ist ihm der Prototyp des wirkungsbewußten Künstlers, mit Nietzsches Worten „der moderne Künstler par excellence":

> Was ich vom Haushalt der Mittel, von der Wirkung überhaupt (...), vom epischen Geist, vom Anfangen und Enden, vom Stil (...), von der Symbolbildung, von der organischen Geschlossenheit der Einzel-, der Lebenseinheit des Gesamtwerkes, — was ich von alledem weiß und zu üben und auszubilden in meinen Grenzen versucht habe, ich verdanke es der Hingabe an diese Kunst.[17]

Die Rückhaltlosigkeit, mit der Thomas Mann seine Ästhetik hier auf Wagner baut, ist erstaunlich, wenn man bedenkt, daß er gleichzeitig Nietzsches Wagner-Kritik akzeptiert. Nietzsche hatte dem Wagnerschen Oeuvre ja gerade den Charakter der organischen Geschlossenheit abgesprochen und seine Wirkung als nur gemachte, berechnete, in Wahrheit aus kleinsten Einheiten schlau komponierte entlarvt:

> Womit kennzeichnet sich jede *literarische décadence*? Damit, daß das Leben nicht mehr im Ganzen wohnt. Das Wort wird souverän und springt aus dem Satz hinaus, der Satz greift über und verdunkelt den Sinn der Seite, die Seite gewinnt Leben auf Unkosten des Ganzen. Aber das ist das Gleichnis für jeden Stil der *décadence*: jedesmal Anarchie der Atome, Disgregation des Willens, „Freiheit des Individuums", moralisch geredet — zu einer politischen Theorie erweitert „gleiche Rechte für alle". Das Leben, die *gleiche* Lebendigkeit, die Vibration und Exuberanz des Lebens in die kleinsten Gebilde zurückgedrängt, der Rest *arm* an Leben. Überall Lähmung, Mühsal, Erstarrung *oder* Feinschaft und Chaos: beides immer mehr in die Augen springend, in je höhere Formen der Organisation man aufsteigt. Das Ganze lebt überhaupt nicht mehr; es ist zusammengesetzt, gerechnet, künstlich, ein Artefakt.[18]

Der Charakter der organischen Geschlossenheit ist also nur Trug, eine durch geschickten Einsatz der Kunstmittel inszenierte Wirkung beim Betrachter. Wie war es möglich, nach dieser Kritik noch am Vorbild Wagners festzuhalten? Thomas Mann lernt aus Nietzsche, wie Wagner gearbeitet hat. Aus einer Kritik macht er eine Rezeptur. Hatte Nietzsche den Glauben an Wagner zerstört durch die Analyse der Mittel, mit denen Wagner solchen Glauben zu erzielen wußte, so lernt Thomas Mann daraus die Bewußtheit des Gebrauchs artistischer Mittel zur Erreichung bestimmter Wirkungen beim Pu-

17 *Betrachtungen eines Unpolitischen*, GW XII, 79 f. — Einige der folgenden Passagen über das Zusammenwirken der Einflüsse Nietzsches, Wagners und Schopenhauers sind auch Teil der Einleitung zu Band 3 der von Michael Mann und mir herausgegebenen kommentierten Auswahledition der Essays. Zu dem skeptischen Thomas-Mann Bild dieses Aufsatzes hat die genaue Prüfung der Quellen der Essays anhand der Ermittlung der Zitatfundorte vieles beigetragen, sofern die Machart dieser Texte weit mehr noch als die der Romane im gekonnten Zusammenmontieren wirkungsträchtiger Details besteht.

18 *Der Fall Wagner*, Werke (hrg. v. K. Schlechta), München [6]1969, Band II, 917. Nietzsches Wagner-Kritik bezeichnet Thomas Mann in seinem Tagebuch als „das geistesgeschichtlich Wichtigste und Repräsentativste in seinem Werk" (3.7.1934) — eine Rechtfertigung für den hier gewählten Problemausschnitt.

blikum. Eine Kritik der Décadence liest er als Anleitung zur Verfertigung dekadenter Kunstwerke. Auch er baut ja Wirkung aus klug berechneten kleinsten Details. Sein Gustav von Aschenbach ist geständig: Sein Werk sei nicht das Erzeugnis gedrungener Kraft, sondern „in kleinen Tagewerken aus aberhundert Einzelinspirationen zur Größe emporgeschichtet".[19] Er habe sich durch Willensverzückung und kluge Verwaltung — nicht Größe, sondern „die Wirkungen der Größe" abgewonnen[20]. Es ist daher kein Wunder, daß der Artefakt-Vorwurf, wenn man ihn denn als Vorwurf anerkennen will, auch sein eigenes Werk mit voller Breitseite trifft.

An den Urteilen über Wagner läßt sich deutlich erkennen, daß Thomas Mann sich des Unerledigten und Unwiderlegten der Nietzscheschen Kritik bewußt blieb. Seine Wagner-Verehrung ist eine Liebe mit schlechtem Gewissen, weil sie genau das bewundert und nachahmt, was Nietzsche als eine Art Betrug demaskiert hatte. Das Lob des Artisten Wagner ist durchsetzt mit einem untergründigen Schuldbewußtsein. Was Nietzsche an Wagner kritisiert, die mangelnde Unschuld und Echtheit, wird von Mann als Effekt einer gekonnten Artistik bewundert. Er nennt Wagners Kunst „eine nicht eben unschuldige Kunst", „sehnsüchtig und abgefeimt", „betäubende und intellektuell wachhaltende Mittel" vereinigend.[21] Ihre Wirkungen bezeichnet er als „zugleich narkotischer und aufpeitschender Art"[22]. Ihre Irrationalität verdankt sich also der betrügerischen Schönheit des Rausches, der einem überfeinerten Bewußtsein die Rückkehr zur Einfalt für einen Moment vorgaukelt, nicht wirklicher Unschuld. Im Gegensatz zur naiv-gläubigen Wagner-Verehrung, die subjektiv „unschuldig" ist, empfindet sich die an Nietzsche geschulte Verehrung als moralisch verwerflich, als eine Art Masochismus des Geistes:

> Aber die Beschäftigung mit ihr [der Kunst Wagners] wird beinahe zum Laster, sie wird *moralisch*, wird zur rücksichtslos ethischen Hingabe an das Schädliche und Verzehrende, wenn sie nicht gläubig-enthusiastisch, sondern mit einer Analyse verquickt ist...[23]

— einer Analyse, von der Thomas Mann, um sein schlechtes Gewissen zu beruhigen, annimmt, sie sei auch bei Nietzsche letztlich eine „Form der Verherrlichung"[24] gewesen. Sein Geist unterliege, so heißt es an anderer Stelle, noch immer „dem klugen und sinnigen, sehnsüchtigen und abgefeimten Zauber" dieser Musik[25].

Wie Nietzsche nennt er Wagners Musik „gedacht, berechnet, hochintelligent, von ausgepichter Klugheit": „Aufgelöst in ihre Urelemente muß die Musik dazu dienen, mythische Philosopheme ins Hochrelief zu treiben"[26]. Aber er ist nicht bereit, dies als

19 *Der Tod in Venedig*, GW VIII, 452.
20 ebd. 454.
21 *Betrachtungen eines Unpolitischen*, GW XII, 74 f.
22 *Leiden und Größe Richard Wagners*, GW IX, 406.
23 *Betrachtungen eines Unpolitischen*, GW XII, 75.
24 ebd.
25 *Über die Kunst Richard Wagners*, GW X, 842.
26 *Leiden und Größe Richard Wagners*, GW IX, 381.

Volksbetrug zu verurteilen, sondern nimmt es mit der Lässigkeit des Ästheten, der fachmännisch die Wirkungsmittel eines Kollegen begutachtet, und zwar nicht im Hinblick auf ihre Moral, sondern ausschließlich auf ihre Gekonntheit. Wagner ist ihm

> ein genauso kluger wie seelenvoll-sinniger Regisseur des Mythos, dessen unbändiger Begeisterungsdrang alle emotionellen Elemente seines Jahrhunderts, das revolutionär-demokratische sowohl wie das nationalistische, in sein Wirkungssystem einbezog.[27]

In Fachkreisen gilt es offenbar als Können, die Wirkungen mythischer Gläubigkeit oder der Demokratie oder des Nationalismus zu erzielen, ohne daß diese Haltungen in Wirklichkeit vorhanden sind. Das wirklich „gläubige Volk" wird sehr von oben herab behandelt. Nietzsche hatte geschrieben: „der Massen-Erfolg ist nicht mehr auf Seite der Echten, man muß Schauspieler sein, ihn zu haben!"[28] Thomas Mann liest dies wieder als Anleitung. Er übernimmt zwar an vielen Stellen den Vorwurf schauspielerischer Demagogie gegenüber Wagner[29], anstatt aber die Konsequenz neuer Ehrlichkeit daraus zu ziehen, lernt er das Inszenieren demagogischer Wirkungen. Seinen Roman *Königliche Hoheit* nennt er selbst „ein bischen demagogisch, ein bischen populär verlogen" und erinnert sich, bei der Arbeit zu Wagners *Meistersingern* emporgeblinzelt zu haben[30]. An Hesse schreibt er im gleichen Zusammenhang:

> Oft glaube ich, daß das, was Sie ‚Antreibereien des Publicums' nennen, ein Ergebnis meines langen leidenschaftlich-kritischen Enthusiasmus für die Kunst Richard Wagners ist, — diese ebenso exklusive wie demagogische Kunst, die mein Ideal, meine Bedürfnisse vielleicht auf immer beeinflußt, um nicht zu sagen, korrumpiert hat. Nietzsche spricht einmal von Wagners ‚wechselnder Optik': bald in Hinsicht auf die gröbsten Bedürfnisse, bald in Hinsicht auf die raffinirtesten. Dies ist der Einfluß, den ich meine, und ich weiß nicht, ob ich je den Willen finden werde, mich seiner völlig zu entschlagen. Die Künstler, denen es nur um eine Coenakel-Wirkung zu thun ist, war ich stets geneigt, gering zu schätzen. Eine solche Wirkung würde mich nicht befriedigen. *Mich verlangt auch nach den Dummen.*[31]

Die doppelte Optik, „bald in Hinsicht auf die gröbsten Bedürfnisse, bald in Hinsicht auf die raffinirtesten"[32], die bei Nietzsche noch als eine Art Betrug erschien (Virtuosentum gegenüber dem „Coenakel", also der Kennergemeinde, aber Charlatanerie gegenüber dem Volk), wird ihres negativen Akzents entkleidet und ins Affirmative gewendet. Was Nietzsche für unvereinbar hält, Artistik und Unschuld, Psychologie und Mythos, Echtheit und Schauspielerei[33], Demagogie und Volkstümlichkeit, Virtuosentum und

27 *Zu Wagners Verteidigung*, GW XIII, 353.

28 *Der Fall Wagner*, a.a.O., 925.

29 Z.B. in *Geist und Kunst*, passim (Abdruck in *Thomas-Mann-Studien I*, Bern/Frankfurt 1967, 152—227).

30 In einem Brief vom 28.1.1910 an Ernst Bertram (in *Thomas Mann an Ernst Bertram*, Pfullingen 1960). In *Geist und Kunst* wird für *Meistersinger* das Wort „Künstler-Demagogie" oder gleich „Meistersinger-Demagogie" gebraucht (a.a.O. 175, 196).

31 Am 1.4.1910, *Hermann Hesse — Thomas Mann — Briefwechsel*, Frankfurt 1968, 6.

32 Nietzsche, *Der Wille zur Macht*, Aph. 825, Werke III, 515.

33 Daß zwischen Echtheit und Schauspielerei im Fall Wagners kein Gegensatz sei, behauptet be-

Popularität, versucht Thomas Mann intellektuell wieder zusammenzuzwingen[34]. Er hält die „Vereinigung von Frivolität und Moralismus" für möglich: „daß Einer in der Kunst ein erquickendes Blendwerk sehe, hervorzubringen mit den feinsten sinnlichen und intellektuellen Zaubermitteln" (Frivolität also als wirkungsbewußter Einsatz der Kunstmittel), daß er aber zugleich „an künstlerischer Strenge und Gewissenhaftigkeit beinahe zu Grunde gehe" (dies der Moralismus)[35]. Das von Nietzsche aufgedeckte Moment von Betrug und Charlatanerie akzeptiert er wohl als objektive Beschreibung, nicht aber als subjektiv-moralischen Vorwurf an den Künstler.

Letztere Unterscheidung findet in Thomas Manns Augen ihre Legitimation bei dem dritten großen Kronzeugen: bei Schopenhauer. Dessen Überzeugung, daß jeder im Handeln nur sein Sein zur Entfaltung bringe, ist die Grundlage für die folgende Passage aus den *Betrachtungen eines Unpolitischen*:

> Ein unehrliches Künstlertum, welches Wirkungen berechnete und erzielte, die ihm selber ein Spott, denen es selbst überlegen wäre und die nicht zuerst auch Wirkungen auf ihren Urheber wären, ein solches Künstlertum gibt es nicht. Und draus folgt, daß die objektiven Wirkungen eines Künstlers, auch die breit bürgerliche Wirkung Wagners, immer für sein eigenes Sein und Wesen beweisend sind.[36]

Schopenhauers Philosophie, die dem Geiste gegenüber dem Sein im Guten wie im Bösen keine Chance laßt, ermöglicht es, das Demagogische und Histrionische, in seiner Wirkung Kalkulierte in das Wesen des Künstlers aufzunehmen und ihm somit moralisch die Last der Veränderung abzunehmen. Mag das Wesen des Künstlers objektiv unmoralisch sein, so ist er doch subjektiv gerettet. Der zitierte Brief an Hesse fährt in diesem Sinne fort:

> Aber das ist nachträgliche Psychologie. Bei der Arbeit bin ich unschuldig und selbstgenügsam.

Die Arbeit des analytischen Geistes, der die Feststellung der Unmoral trifft, ist „nachträgliche Psychologie", nur passiv verstehend, nicht eingreifend, das Handeln, das We-

sonders paradox eine Passage der *Betrachtungen*: „Aber *außerdem,* daß dieses Werk eine eruptive Offenbarung deutschen Wesens ist, ist es auch eine schauspielerische Darstellung davon" (GW XII, 77, wiederaufgenommen IX, 422). Ein solches Paradox bedarf der Auflösung. Entweder wird nur der Schein einer solchen Offenbarung erzeugt, oder das Schauspielerische müßte selbst eruptiv aus Wagners Wesen hervorbrechen, also Erscheinungsform eines selbst wieder Echten sein.

34 Auch in diesem Sinne gilt also Koppens Feststellung, daß Thomas Mann hinter Nietzsches Dekadenzkritik zurückgeht (vgl. E. Koppen, *Vom Décadent zum Proto-Hitler*, in: P. Pütz (Hrg.), *Thomas Mann und die Tradition,* Frankfurt 1971, 208, hier S. 233).

35 Brief vom 13.6.1910 an S. Lublinski, zitiert nach *Thomas-Mann-Studien I,* a.a.O. 213.

36 GW XII, 110. — Eine Parallelstelle findet sich in *Geist und Kunst*: „Die Kritiker nehmen die Künstler viel zu bewußt, viel zu moralisch. Sie glauben nicht genug an die Notwendigkeit und Verantwortungslosigkeit des künstlerischen Thuns. Sie nehmen an, daß es einem Künstler freigestanden hätte, ein Werk nicht oder anders zu schaffen, — ein immer wiederkehrendes Mißverständnis." (*Thomas-Mann-Studien I,* a.a.O. 211).

sen nicht verändernd: „Bei der Arbeit bin ich unschuldig". Im Sinne Nietzsches „schuldige" Wirkungsmittel werden schopenhauerisierend entlastet als notwendige Ausfaltung eines seinerseits unschuldigen Seins:

> Jede Kritik, auch die Nietzsche's, neigt dazu, die Wirkungen einer Kunst als bewußte und berechnende Absicht in den Künstler zurückzuverlegen und die Idee des Spekulativen zu suggerieren — sehr fälschlich, ganz irrtümlich und gerade als ob nicht jeder Künstler genau das machte, was er *ist*, was ihn selber gut und schön dünkt —, als ob es ein Künstlertum gäbe, dessen Wirkungen ihm selber ein Gespött und nicht zuletzt auch Wirkungen auf ihn, den Künstler, gewesen wären! Möge Unschuld das letzte Wort sein, das auf eine Kunst anwendbar sei, — der Künstler ist unschuldig.[37]

Wagner als Vorbild des modernen Künstlers, gesehen in der Optik Nietzsches, dessen Kritik um ihrem Wirkungen gebracht durch das Palliativ Schopenhauer: dies scheint nach den bisherigen Analysen die Grundkonstellation. Das Wirkungsbewußtsein des Künstlers wird als objektiv unmoralisch erkannt, weil er, selbst Nihilist, allen Glauben, alle Hoffnung und alle Liebe nur als mit ästhetischen Techniken erzielbare Effekte kennt.

Dennoch soll ernst genommen werden, daß Thomas Mann sich bei alldem subjektiv unschuldig fühlte, ja, daß er eine Notwendigkeit empfand, gerade so und nicht anders zu dichten. Diese Notwendigkeit soll mit einem erneuten Blick auf Schopenhauer als Manns wichtigsten Gewährsmann in Sachen Ethik ergründet werden.

Thomas Manns künstlerische Methode des Entlarvens, Durchschauens und Desillusionierens hängt zusammen mit Schopenhauers Konzeption von Wille und Vorstellung, wonach die Vorstellung, also die Erkenntnis, der Geist, der Intellekt, in der Regel nicht das Leben und den Willen bestimmt und führt, sondern nur nachträglich die vitalen Interessen des Lebenswillens mit Argumenten ausstattet, rationalisiert, bemäntelt, mit Rechtfertigungsideologien schmückt. Der Künstler erkennt dieses, seine Methode ist daher das Entlarven alles scheinbar Geistigen als bloßer Dienstbarkeit gegenüber den vitalen Interessen. Thomas Mann formuliert im Nietzsche-Essay:

> Der Intellekt als dienendes Werkzeug des Willens: das ist der Quellpunkt aller Psychologie, einer Verdächtigungs- und Entlarvungspsychologie...[38]

Die Autonomie des Effekts ist also nur Schein, wie schon unser erster Abschnitt zeigte, und legt in Wahrheit den Blick auf die Tiefenstruktur der Welt als Wille frei.

Die Untersuchung scheint im Augenblick zwei widersprüchliche Richtungen zu verfolgen. Unter „Wirkung" wurden einerseits Effekte der Entlarvungstechnik verstanden, andererseits, von Nietzsches Wagnerkritik her, die Erzeugung des Scheins von organischer Geschlossenheit, also im ersten Fall Demontage, im zweiten Aufbau. Die Wirkung Thomas Manns setzt sich in der Tat aus beiden Komponenten zusammen. Nietzsches Wagnerkritik macht ihm das Verfahren zur Erzeugung organischer Geschlossenheit bewußt. Er wendet dieses Verfahren in seiner eigenen Kunstpraxis den-

37 *Leiden und Größe Richard Wagners*, GW IX, 414 f.
38 *Nietzsche's Philosophie im Lichte unserer Erfahrung*, GW IX, 691, par. IX, 577; IX, 539.

noch an, aber versteckt die Bewußtheit nicht. Er baut die organische Totalität auf, läßt aber den Montagecharakter erkennbar und entlarvt damit zugleich sein eigenes Werk. Er ist ein ironischer Wagner. Wagner liefert die Mittel der Kunst, Nietzsche ihre Entlarvung und Schopenhauer die Grundkonzeption, die es möglich macht, sowohl die Mittel als auch ihre Entlarvung beizubehalten, indem die Entlarvung der Mittel nur als ironisches Selbstdementi des eigenen Willens verstanden wird. Der Geist macht also Kunstwerke, an die er gar nicht glaubt, aber er tut dies nicht zum Zwecke des Betrugs, sondern um in der Form der Ironie zugleich von dem in ihren Inhalten ausgedrückten Willen zum Leben Abstand zu gewinnen. Mittels Ironie wird jenes Freiwerden vom Willen erzielt, das nach Schopenhauer die Leistung der Kunst ist.[39]

Die „Wirkung“ ist also schuldig und unschuldig zugleich. Sie ist schuldig, sofern sie auch nach den Dummen verlangt, die die Charlatanerie der doppelten Optik nicht erkennen. Sie ist unschuldig, weil sie ihre Schuld gesteht, weil sie mit einer Hand niederreißt, was sie mit der anderen aufbaute, weil ihre Struktur notwendig immer die Erkenntnis mitliefert, daß auch Thomas Manns artistischer Intellekt auf seine Weise dem Willen dienstbar sein muß.

Bis hierhin bleibt also wenig Raum für eine „narrative Ethik“, die Modelle zur Nachfolge anbietet. Die implizite Ethik des frühen Erzählens enthält keine partialen Appelle, die in irgendeine konkrete Richtung weisen.

Nach Schopenhauer liegt das Ethische im Sein, nicht im Handeln und nicht im Geist. Man kann sich und die Welt nicht ändern, bestenfalls zur Erkenntnis seiner selbst und der Welt kommen. Diese Erkenntnis bewirkt aber kein meliorisierendes Handeln im Einzelnen, sondern nur die durchschauend-wissende Distanz vom Ganzen. Dieses durchschauende Freimachen von allem Partialinteresse ist ein Grundgestus des Mannschen Erzählens. In ihm sind komplementär Verachtung und mitleidende Liebe enthalten: die desillusionierende Struktur der Welt macht zugleich böse, zynisch und aggressiv, aber auch trauernd und mitleidig. Die Einheit beider Haltungen liegt in der Unveränderlichkeit der Welt begründet, zu der man sich aufbegehrend und trauernd zugleich verhalten kann. Versucht Thomas Mann sich zu ethischem Handeln im Einzelnen aufzuschwingen, folgt in der Regel sogleich die schopenhauerische Selbstkritik in dem Sinne, daß er die Ethik als diejenige Art entlarvt, in der eben sein Intellekt gerade seinem Willen als Künstler dienstbar ist.

39 Vgl. die von Mann gern zitierte Passage *Die Welt als Wille und Vorstellung* § 38 (Werke, hrg. v. Löhneysen, I, 280): „Uns ist völlig wohl. Es ist der schmerzenslose Zustand, den Epikuros als das höchste Gut und als den Zustand der Götter pries: denn wir sind, für jenen Augenblick, des schnöden Willensdranges entledigt, wir feiern den Sabbath der Zuchthausarbeit des Wollens, das Rad des Ixion steht still.“ (Hier zitiert nach Thomas Mann, *Schopenhauer*, GW IX, 546).

IV

Die bisherigen Befunde wurden hauptsächlich, wenn auch keineswegs ausschließlich, am Frühwerk bis hin zu den *Betrachtungen eines Unpolitischen* entwickelt. In den Jahren bis 1918 hat Thomas Mann sich auch stets als Ästheten verstanden, der ein Sein zur Entfaltung zu bringen habe, nicht aber eine Moral verkünde. Die implizite Ethik seines frühen Erzählens ist schopenhauerisch. Mit dem 1924 erschienenen *Zauberberg* brechen neue Probleme auf. Thomas Mann macht hier erstmals den Versuch, seinen neugewonnenen Republikanismus als „Lehre" in einen Roman zu integrieren. Obgleich diese Lehre für den Autor Thomas Mann zweifellos den Charakter eines gültigen moralischen Postulats hat, wird sie von der Struktur des Romans dementiert[40]. Das konnte nicht anders sein, da das Verfahren der Moralkritik, das im ersten Abschnitt beschrieben wurde, im *Zauberberg* noch in voller Gültigkeit ist. Das Prinzip der Demontage jeder Individuation bleibt keiner Person erspart, auch Hans Castorp nicht. Die neueste *Zauberberg*-Analyse[41] zeigt mit seltener Konsequenz, wie sich die widersprüchlichen Elemente dieses Romans zu einem Ganzen fügen, wenn man ihn nicht als Bildungsroman betrachtet, der seinen Helden individuiert, ihm Form und Halt und Moral gibt, sondern als Entbildungsroman, in dem alle Mentoren, Chauchat, Naphta, Settembrini, Peeperkorn auf je verschiedene Weise das notwendige Scheitern jedes Versuchs zur „Form" illustrieren. Form ist bloßes Wollen, dem das Sein nicht entspricht.

Die Wirkungsplanung des Romans beruht wieder auf der doppelten Bewegung von Totalitätsaufbau und Desillusionstechnik. Die epische Großform, der umfassende Horizont, die Bildungsromanattitüde, der überlegene Erzähler u.a.m. wirken aufbauend, geben dem Leser Hoffnung auf Orientierung, Halt und Form. Die Desillusionstechnik entlarvt effektvoll eben jene Hoffnung als Täuschung und nährt die Sehnsucht nach Auflösung aller Form. Diese Strukturen weisen den *Zauberberg* eindeutig dem Frühwerk zu. Eine narrative Ethik im Sinn Mieths gibt es in diesem Roman nicht; sie verfällt unnachsichtig der ästhetischen Kritik.

Nun stammte die Konzeption des *Zauberberg* noch aus der vorrepublikanischen Epoche. Die neuen Meinungen konnten die Struktur nicht mehr verändern und beeinflußten nur eine oberflächliche Schicht des Romans[42]. Erst *Joseph und seine Brüder*, seit 1925 in Arbeit, ermöglicht die Probe aufs Exempel, wie weit sich die Wandlung auch ins Ästhetische erstreckt. Es gilt, sich dem Joseph-Roman zu stellen, wenn man die Moralität des Mannschen Erzählens zum Gegenstand hat. Wir wählen wieder eine „morali-

40 Ich habe das näher ausgeführt in meinem Beitrag *Wie konservativ ist ‚Der Zauberberg'?* (in der von R. Wiecker herausgegebenen *Thomas Mann Gedenkschrift*, Kopenhagen 1975, 137—158), einer umgearbeiteten Fassung des Schlußkapitels meiner bei Königshausen und Neumann in Würzburg erschienenen Dissertation *Auf der Suche nach der verlorenen Irrationalität. Thomas Mann und der Konservatismus.*

41 Børge Kristiansen, *Unform-Form-Überform. Thomas Manns Zauberberg und Schopenhauers Metaphysik*, Kopenhagen 1978.

42 Wie weit das Einschreiben neuer Bedeutungen in die alten Strukturen gelingt, beschreibt T.J. Reed in seinem Beitrag *‚Der Zauberberg'. Zeitenwandel und Bedeutungswandel 1912-1924* (in: Sauereßig, *Besichtigung des Zauberbergs*, Biberach 1974, hier abgedruckt).

sche Situation" als Beispiel: Josephs Widerstand gegen Mut-em-Enets Werbung. Hier zeigt nun das Kapitel *Von Josephs Keuschheit* eine gänzliche Umkehrung alles bisher Gewohnten. Der Versuchung zu Tod, Ausschweifung, Auflösung und Formverlust wird begegnet aus Kräften der Tradition, der Vernunft, des Identitäts- und Individualitätsbewußtseins, — aus Kräften der Form. Die sieben Gründe für Josephs Keuschheit erteilen den Tadzios und Chauchats eine klare Absage: „sie war nur das Erbgebot seines Blutes, diesem Gebiete die Gottesvernunft zu wahren und ihm die gehörnte Narrheit, das Aulasaukaula, fernzuhalten, das für ihn mit dem Totendienst eine untrennbare seelischlogische Einheit bildete"[43]. Halt gibt Joseph das Bewußtsein seiner Herkunft, seiner Aufgabe und seiner Besonderheit, das nicht verspielt werden darf in der alle Bindungen auflösenden Hingabe ans Totenreich. Damit ist die Schopenhauer-Basis verlassen. Es gibt jetzt wirkkräftige individuelle Moral aus der Kraft der „Vorstellung", die sich gegen die Triebmächte des Willens durchzusetzen vermag.

Josephs Lebensgang hat zweifellos eine gewisse Vorbildlichkeit und soll sie auch nach dem Willen seines Autors haben[44]. Insoweit gibt es in der Tat eine narrative Ethik, die seinen Lernprozeß zur Nachfolge empfiehlt. Es gibt aber daneben noch immer das ästhetizistische Wirkungsbewußtsein, das noch das Moralische als Effekt einer gekonnten Technik erscheinen läßt. Joseph ist nicht nur Ernährer, sondern auch Künstler, der Gott „zu ‚behandeln' weiß", der „auf eine witzig-vergeistigte und verspielte, zweckhaft-bewußte Art" am Mythischen teilhat. Der Gegensatz von Künstlertum und Bürgerlichkeit (= von Ästhetik und Ethik) hebt sich in ihm allerdings „im Märchen auf"[45]. Aus dem „im Märchen" schließen wir: nicht in der Wirklichkeit. Für die Wirklichkeit Thomas Manns während der Joseph-Zeit haben wir seit kurzem eine neue Quelle zur Verfügung: die Tagebücher der Jahre 1933—1936.

V

Die Tagebücher verzeichnen eine Reihe von Urteilen über Wirkungen des *Joseph*. Es sind stets solche des Lobes und der Bewunderung: „the best book I ever read" ist ihr Tenor.[46] Sie dokumentieren die seelische Bewegung der Leser als solche, nirgends aber die Richtung dieser Bewegung. Sie notieren mit Befriedigung, *daß* die Joseph-Romane Erregung, Rührung, Ergriffenheit auslösen, lassen aber nirgends erkennen, ob diese Bewunderung auch der etwaigen Intention des Werks gemäß ist. Thomas Mann schwelgt in der Balsamwirkung dieser Bewunderung. Um ihrer willen scheint das Werk geschrieben, liest man nur die Tagebücher. In ihnen ist allein derjenige Teil der Wirkung, der die Gekonntheit goutiert, also der nur ästhetizistische repräsentiert. Für eine etwaige moralische Wirkung als Folge einer narrativen Ethik fehlt es gänzlich an Zeugnissen.

Das Sich-Sonnen im Selbstgefühl der eigenen Lebensleistung ist von fast allen Kriti-

43 GW V, 1143.

44 Vgl. Thomas Manns Vortrag *Joseph und seine Brüder*, GW XI, 666f.

45 ebd.

46 30.6.1935, weitere Stellen 26.6.35, 3.8.35 u.ö. Bisher erschienen die Bände *Tagebücher 1933-1934* (Frankfurt 1977) und *Tagebücher 1935-1936* (Frankfurt 1978).

ken als hervorstechender Zug der Tagebücher empfunden worden. Aufzeichnungen wie die über die Verstimmung angesichts der zu geringen Zahl der Vorhänge bei einem öffentlichen Auftritt[47], über die Unaufmerksamkeit eines Dampferkapitäns, der die Mitreisenden nicht auf den berühmten Mann eingestimmt hatte[48] oder Notizen des Typs „Wir wurden sehr erkannt"[49] sind in der Tat prägend. „Bewunderung" wäre, geht man allein von diesen Stellen aus, der vom Autor geplante Rezeptionsgestus. Sein produktionsästhetisches Pendant ist Ästhetizismus. Ästhetizistisch, nicht moralisch sind auch Manns eigene Urteilskriterien in den Tagebüchern. Die Stimmigkeit seines Lebens als Kunstwerk ist das Kriterium, das zu den bösen Äußerungen über den Tod Theodor Lessings und über den des Jugendfreunds Grautoff führt. Daß ein solcher Tod „einem Lessing anstehen mag, aber nicht mir", schreibt er über die Ermordung seines alten Intimfeinds durch die Nationalsozialisten[50]. Von Grautoff meint er, „daß er nur zu meinem Leben gehörte und dann selbst etwas sein wollte, tölpelhaft"[51]. Ein „schwerer Stil- und Schicksalsfehler meines Lebens" sei das Emigrantendasein, so urteilt der Ästhet[52]. Auch im Politischen gelten Kriterien der Identität und persönlich-ästhetischen Stimmigkeit, nicht solche der sachlichen Gebotenheit. Die öffentliche Absage an den Nationalsozialismus läßt ihn zweifeln, ob er „natürlich-persönlich" gehandelt habe oder sich „zu Fremdem hätte treiben lassen."[53]

Alle Mitmenschlichkeit geht, nimmt man die Tagebücher wörtlich, an diesem Ästhetizismus kaputt. Alle Menschen werden, so Günter Blöcker, „ziemlich pauschal entweder nach ihrem Nützlichkeits- oder nach ihrem Unterhaltungswert eingeschätzt"[54]. Mitmenschliche Empfindungen werden in einer Weise inszeniert, die Thomas Mann seinen eigenen Romanfiguren nicht ohne Ironie durchgelassen hätte. Ida Herz habe er mit „einige[r] allgemein zuredende[r] Gutmütigkeit" bedacht, so versichert er sich selbst[55]. Er notiert, „daß freundliche Haltung schwer aufrecht zu halten war"[56] und läßt damit die Freundlichkeit als gespielte Rolle erkennen. An Bertram habe er „freundlich ironisch" geschrieben[57]. Das deutsche Volk wolle „auf eine warme, wahrhafte Weise" gewarnt werden[58]. Das gleiche Verhalten hatte er seinem Zeitblom gegenüber dem

47 „Dichter Beifall am Schluß, der aber nicht vorhielt, um mich nach dem Abgang in den Saal zurückzurufen, was mich jedesmal kindischerweise verstimmt." (2.2.34).

48 „Schuld an dem Unbehagen ist vor allem das besonders niedrige geistige Niveau unserer Tischgenossenschaft. Ich kann mich gewisser Empfindungen der Beschämung angesichts der herrschenden völligen Unbekanntschaft mit meiner Existenz nicht entschlagen. Es fehlt an jeder orientierten Aufmerksamkeit auch vonseiten des Kapitäns." (28.5.34)

49 21.1.35, 19.8.35 u.ö.

50 1.9.33.

51 15.7.35.

52 14.3.34

53 1.2.36.

54 G. Blöcker, *Ein breit ausschwingendes Hochgefühl*, FAZ 30.9.1978.

55 19.6.35.

56 5.7.35.

57 16.6.35.

58 19.6.35.

kleinen Echo nicht durchgehen lassen und sein gönnerhaftes „Nun, mein Sohn?! Immer brav derweilen?! Was treiben wir denn da?!“ der gleichen peinlichen Lächerlichkeit preisgegeben, die vielen Äußerungen des Tagebuchs anhaftet, hier aber gänzlich ungemildert durch Ironie.

Es soll hier jedoch nicht darum gehen, das Privatverhalten des Menschen Thomas Mann zu kritisieren. Wohl aber ist zu fragen, welche Aufschlüsse die Tagebücher für das Verständnis des dichterischen Werks geben. Der Verdacht drängt sich auf, daß ein solcherart ästhetizistisches Privatverhalten nicht ohne Einfluß auf das gleichzeitige dichterische Geschäft geblieben sein könne.

Wenn es dieser Mann war, der den *Joseph* schrieb, ist dann nicht auch dieser Roman nur eine Inszenierung, die mit äußerster Virtuosität eine breite Skala von Leseremotionen für sich zu stimmen weiß?

Marcel Reich-Ranicki hat in einer ausgezeichneten Besprechung des ersten Tagebuchbands auf einen sehr wesentlichen Unterschied zwischen Werk und Tagebüchern hingewiesen:

> Was den Charme seiner Prosa ausmacht (...) wird man in den Tagebüchern vergeblich suchen: also Thomas Manns makellose Gepflegtheit, seine elegante Umständlichkeit und Gelassenheit, seinen zärtlichen Spott und sein vielsagendes Augenzwinkern.[59]

Die Tagebücher sind, das ist manchen anderen Besprechungen zu entgegnen[60], also kein literarisches Werk, sie kokettieren nicht mit der Öffentlichkeit. Sie bieten aber auch nicht einfach die Innenwelt der Außenwelt, nicht „die Wahrheit über Thomas Mann“. Wenn das die Wahrheit wäre, dann wäre sein Werk widerlegt. Im Werk dieser Jahre, dem Josephsroman, finden sich jedoch kaum Spuren dieser „Wahrheit“. Der private Thomas Mann mag seinen Bewunderungstribut einfordern („machte mit dem Sterbekapitel schönen Eindruck“, notiert er nach einer Lesung...[61]), aber das ist nicht die Hauptsache. Auch wenn die Gestalt des Joseph einiges von seinem Verfasser mitbekommt – auch Josephs Sozialverhalten als Ernährer beruht auf gut gespielter und beifallheischender „Güte“ und Freundlichkeit – so bleibt der Roman doch ein Werk der Humanität. Während der Ästhetizismus des Tagebuchschreibers unsittlich ist (im Verständnis Kants), weil er andere Menschen nur als Mittel zu seinen Zwecken kennt, läßt Joseph andere neben sich bestehen, benützt sie nicht, sondern hat Achtung vor ihnen, selbst vor dem verschnittenen Potiphar. Der Gestus sorgender Güte wird nicht, wie es im Frühwerk unweigerlich geschehen wäre, als *seine* Art von Egoismus demontiert, sondern bleibt als Ergebnis seines Lebens stehen. Für das „von oben herab“ dieser Güte zahlt Joseph den Preis der Einsamkeit: es wird ihm auch auf dem Gipfel des Erfolges nicht erlaubt, seine Erwähltheit hemmungslos zu genießen. Verzicht wird ihm abver-

59 M. Reich-Ranicki, *Die Wahrheit über Thomas Mann*, FAZ 11.3.1978.

60 „Was hier steht, ist dazu bestimmt, gelesen zu werden ... und zwar nicht zu spät“, so urteilt Walter Jens über den ersten Tagebuchband (*Mittler zwischen den Fronten*, ZEIT 7.4.1978).

61 27.8.35.

langt: „Joseph war der Gesonderte, der zugleich Erhöhte und Zurückgetretene, – vom Stamme abgetrennt war er und sollte kein Stamm sein.“[62]

Nach dem Modell „Welt als Wille und Vorstellung“ präsentiert der Roman eine Welt als Vorstellung, eine Welt also, in der der Geist, sei es auch erst nach einem zähen Guerillakrieg, gegen den Willen eine Chance hat[63]. Das Dementi dieser Welt, die Gültigkeit des „Willens“, ist ins Tagebuch abgedrängt. Wo der *Zauberberg* noch im Werk selbst Vorstellung und Wille, Sonnenleute und Blutmahl einander aussetzte und die Unform siegen ließ, zweigt *Joseph und seine Brüder* die Macht des Willens ins Tagebuch ab. Das Dementi der Moral Josephs erfolgt nicht mehr wie im Falle Castorps im Werk selbst, sondern wird heimlich im Tagebuch untergebracht, um das Werk davon freizuhalten. Eine im *Zauberberg* noch ganz ins Werk aufgenommene Doppelstruktur wird auf Werk und Tagebuch aufgeteilt.

Die Tagebücher sind somit ein ästhetizistisches Therapeutikum zur Ermöglichung eines moralischen Werks. Das Werk ist Vorstellung, Pflicht, Sittlichkeit. Es ist zwar auch inszeniertes Rollenspiel, aber Sittlichkeit im neuen Verständnis ist stets Rolle: dem Willen abgerungene Form, Entschluß des Ästheten zum Guten, Inszenierung von Güte und Freundlichkeit. Es gibt keine Sittlichkeit des Seins selber, es gibt nur eine dem Sein abgerungene. Gerade im Rollenspiel liegt daher die Moralität. Das Rollenspiel hat Thomas Mann zwar als Ästhetizist gelernt, aber das betrifft nur die Technik. Diese Technik wird nun in den Dienst der Moralität gestellt. Das Moralische ist zwar „nur“ eine Rolle, aber moralisch ist daran, daß Thomas Mann nur noch diese Rolle spielt und keine andere mehr.

Man liest die Tagebücher also falsch, wenn man sie als realistisches Protokoll liest, das endlich die Wahrheit über Thomas Mann enthüllt. Man folgte mit dieser Lesung der Demaskierungspsychologie des Frühwerks, die sich nicht zufriedengab, solange sie nicht in allem scheinbar Geistigen das vitale Interesse aufgedeckt hatte. Die Tagebücher aber dementieren nicht die Moralität des Josephromans, sondern ermöglichen sie. Sie sind nicht „wahr“, sicher auch als Dokument nicht „realistisch“. Sie sind kein repräsentativer Querschnitt, kein gleichmäßiges Protokoll aller Ereignisse des Tages, sondern sie sammeln den seelischen Müll, den Thomas Mann niemandem zumuten wollte. Aus der Tatsache, daß Frau Katja nur als Krankenschwester und Sekretärin auftritt, braucht man nicht zu schließen, daß sonst nichts stattfand. Nur das in der Pflicht des ganzen Tages Verdrängte, nicht das Gute und Gelungene kommt ins Tagebuch. Das Verdrängte ist aber nicht das Wahre, sondern das mit Recht Verdrängte.

So kann man also den Josephroman doch lesen ohne Angst, auf den Leim geführt zu

62 GW V, 1772

63 Unter den Essays der Joseph-Zeit belegt das besonders *Die Stellung Freuds in der modernen Geistesgeschichte*. Als Maxime werden die Sätze Freuds zitiert: „Wir mögen noch so oft betonen, der menschliche Intellekt sei kraftlos im Vergleich zum menschlichen Triebleben, und recht damit haben. Aber es ist doch etwas Besonderes um diese Schwäche; die Stimme des Intellekts ist leise, aber sie ruht nicht, ehe sie sich Gehör verschafft hat. Am Ende, nach unzählig oft wiederholten Abweisungen, findet sie es doch.“ (GW X, 277).

werden, nur funktionierendes Objekt einer vom Autor vorgeplanten Wirkung zu sein. So gesehen ist es auch nicht schade, die Tagebücher zu kennen („besser, sie wären nicht erschienen", meinte Gerd Bucerius[64]). Sie zeigen das „Blutmahl", dem die „Sonnenleute" abgerungen sind, zeigen den Blick ins „Gedärm des großen Mannes" (Bucerius). Der konservative Ästhetizist und Schopenhauerianer, der zum liberalen Moralisten und Aufklärer wurde, vermochte dies nur auf der Ebene der Meinungen und Absichten, nicht auf der des Seins. Die Tapferkeit, mit der er seine neue Rolle spielte und mit der er alles ihr Widerstehende ins streng geheimgehaltene Tagebuch verwies, verdient nicht unseren Hohn, als hätten wir's ja immer schon gewußt, sondern unseren Respekt. Die narrative Ethik des Josephromans ist nicht von der freundlichen Harmlosigkeit, die Dietmar Mieth uns vorstellte. Sie überspannt Abgründe. Gerade darum aber gewinnt *Joseph und seine Brüder* im Licht des Tagebuchs.

64 G. Bucerius, *Die Leiden des Helden*, ZEIT 7.4.78.

Erwin Koppen

Vom Décadent zum Proto-Hitler

Wagner-Bilder Thomas Manns

Die Spuren, die Wagner in der europäischen Literatur, insbesondere des ausgehenden 19. und beginnenden 20. Jahrhunderts hinterlassen hat, sind so zahlreich und so mannigfaltig, daß man vergeblich in der Geschichte der musikalisch-literarischen Beziehungen nach einem vergleichbaren Phänomen sucht. Es wäre beispielsweise eine gewiß reizvolle, aber letzten Endes doch recht abseits liegende Aufgabe, den literarischen Spuren eines Johann Sebastian Bach, Ludwig van Beethoven oder Giuseppe Verdi nachzugehen; wer aber die literarische Rezeption Richard Wagners untersucht, befindet sich im Zentrum der europäischen Literaturgeschichte der Jahrhundertwende und sieht sich einer Erscheinung von kaum zu überblickenden Ausmaßen gegenüber. So haben sich die Literaturhistoriker bereits vor Jahrzehnten dieses kaum zu übersehenden Phänomens angenommen, und in einer Reihe von Monographien, die meist in den dreißiger Jahren erschienen, z.T. aber auch jüngsten Datums sind, zu diesem Thema ein überaus reichliches Material zusammengetragen und interpretiert.[1] Es muß freilich hinzugefügt werden, daß wohl eine ganze Reihe substantieller Arbeiten zum Thema „Wagner und die französische Literatur" vorliegen, wir auch eine fleißige, wenngleich nicht ganz lückenlose Gesamtdarstellung der englischen Wagner-Rezeption besitzen, daß es indessen bisher an einem ähnlichen Überblick über Wagner-Spuren in der deutschen Literatur fehlt: Die gewiß solide und gut dokumentierte Dissertation Anna Jacobsons „Nachklänge Wagners im Roman" beschränkt sich auf die erzählende Literatur. Dieser Mangel ist ärgerlich, ein Zufall ist er nicht. Die Wagner-Rezeption der deutschen Literatur hat nämlich, verglichen mit entsprechenden Vorgängen in Frankreich und England, einen eher beiläufigen Charakter. Dies gilt freilich nicht für die pure Quantität, die auch kühne Schätzungen übertreffen dürfte: Auch in Deutschland haben Person und Werk Richard Wagners die Anregung zu Hunderten von Gedichten, Romanen und Dramen geliefert, von Essays, Huldigungen und ähnlichem ganz zu schweigen. Aber dieser Strom von Wagner-Literatur, zu dem immerhin auch Autoren wie Nestroy, Fontane,

1 Von den älteren Forschungen seien hier besonders erwähnt Kurt Jäckel, *Richard Wagner in der französischen Literatur*, 2 Bde. Breslau 1931/32; Anna Jacobson, *Nachklänge Richard Wagners im Roman*, Heidelberg 1932, und Max Moser, *Richard Wagner in der englischen Literatur des 19. Jahrhunderts*, Bern 1938. An neueren Arbeiten liegen vor: André Coeuroy, *Wagner et l'esprit romantique*, Paris 1965; Léon Guichard, *La musique et les lettres en France au temps du wagnérisme*, Paris 1963, und meine Habilitationsschrift: *Dekadenter Wagnerismus, Studien zur europäischen Literatur des Fin de siècle*, Berlin 1973 (zitiert als Koppen).

Schnitzler und Annette Kolb beigetragen haben, ist hierzulande gleichsam spur- und wirkungslos versickert. Insbesondere fehlt in Deutschland eine folgenreiche Variante der Wagner-Verehrung, wie sie sich vor allem in der französischen und englischen Literatur beobachten läßt. Dort nämlich bemühten sich einzelne Dichter und schließlich ganze Gruppen und Schulen darum, ihre eigenen Gedankenmodelle, Empfindungen und poetologischen Prinzipien an Wagnerschen Musikdramen zu klären. Es handelt sich hierbei um einen Vorgang, der weit mehr darstellt als einfache Rezeption. Wagner war vielmehr, so etwa für die Herausgeber und Mitarbeiter der französischen „Revue Wagnérienne", für einige Vertreter der englischen Yellow Nineties oder für D'Annunzio eine Art von Zielpunkt, in den man hineinprojizierte, was einen selbst bewegte.[2] Nicht zu Unrecht haben dann auch schon die Zeitgenossen aus dieser literarischen Abart des Wagnerianertums einen Ismus gemacht: seit Beginn der achtziger Jahre kursiert in Frankreich die Vokabel Wagnérisme, die auch ins Englische und Italienische, bezeichnenderweise aber nicht ins Deutsche überging. (Die Wagner-Ideologie der „Bayreuther Blätter", die aus den beschränktesten, philiströsesten und politisch reaktionärsten Fragmenten der widersprüchlichen Wagnerschen Gedankenwelt zusammengestückelt war und konsequenterweise dann in die NS-Weltanschauung einmündete, wäre für eine solche Vokabel ohnehin nicht in Frage gekommen.)

Immerhin gibt es auch in Deutschland zwei hervorragende Beispiele für einen Wagnerismus europäischen Zuschnitts, Männer, die Eigenes in Wagner hineinprojizierten und sich gleichzeitig an Wagner über sich selbst orientierten: Nietzsche und Thomas Mann. Daß diese beiden Namen auch in diesem Zusammenhang gemeinsam auftauchen, ist alles andere als zufällig: Bis weit über die Mitte seines Lebens hinaus hat Thomas Mann Wagner-Bilder gezeichnet, deren Züge unmißverständlich darauf hinweisen, daß der Verfasser der „Buddenbrooks", des „Tristan", von „Wälsungenblut", des „Tod in Venedig" und auch noch von „Leiden und Größe Richard Wagners" durch die Schule des „Fall Wagner" und von „Nietzsche contra Wagner" gegangen ist. In diesen polemischen Spätschriften Nietzsches, brillanten, aber auch heute noch beklemmenden Zeugnissen eines säkularen Freundschaftsbruchs, hat Nietzsche den Komponisten zum verabscheuten Prototypen dessen stilisiert, was er als das Grundübel der modernen conditio humana ansah, also der Vitalitätsschwäche und Lebensverarmung. Hierbei war ihm zustatten gekommen, daß er während der Arbeit am „Fall Wagner" in Paul Bourgets „Essais de psychologie contemporaine" auf ein zeitgenössisches Schlagwort gestoßen war, das ihm wie kein anderes geeignet schien, als Kürzel für dieses von ihm gehaßte und bekämpfte Phänomen zu dienen: das der Décadence.[3] Dieses Wort, in Frankreich teils Klageruf von Kulturpessimisten und politischen Schwarzsehern, teils provozierendes Feldgeschrei avantgardistischer Literatenzirkel, wurde bei Nietzsche zur funkelnden Verbalinjurie, mit deren Hilfe er den einstigen Freund zu „exekutieren" gedachte: „Dem Künstler der Décadence: da steht das Wort"[4] Das „Wort" fungiert hier —

2 Hierzu vgl. Koppen, Kap. B II.
3 Zu dieser Frage vgl. Koppen, Kap. A I, Anm. 110.
4 Friedrich Nietzsche: *Werke in drei Bänden.* Hrsg. von Karl Schlechta.

Nietzsche selbst hat im Vorwort zum „Fall Wagner" darauf verwiesen — zunächst einmal als Synonym einiger für ihn charakteristischer Formeln: „Das verarmte Leben, der Wille zum Ende, die große Müdigkeit".[5] Darüber hinaus nennt und beschreibt Nietzsche eine ganze Reihe abstoßender und beängstigender Symptome physischer und psychischer Morbidität, die er bei Wagner, in seiner Kunst und bei seinen Anhängern zu diagnostizieren glaubt: „Wagners Kunst ist krank"; „Die Probleme seiner Musikdramen sind lauter Hysteriker-Probleme"; „Wagner est une névrose" und „Unsere Ärzte und Physiologen haben in Wagner ihren interessantesten Fall". Man finde bei ihm die „Spätheit und Überreiztheit der nervösen Maschinerie" oder „die drei großen Stimulantia der Erschöpften, das Brutale, das Künstliche und das Unschuldige".[6] In dieser Tonlage geht es über Dutzende von Seiten hinweg. Fast monoton wird Wagner als Nervenkranker dargestellt, dann wieder als Mensch, dessen künstlerische Fähigkeiten erst durch physische Degeneration freigesetzt wurden.[7] Selbst die auch vom späten Nietzsche nie geleugneten Qualitäten seiner Musik erscheinen fragwürdig, so etwa sein „Reichtum an Farben, an Halbschatten, an Heimlichkeiten, absterbenden Lichts", sein „Raffinement ein Bündnis von Schönheit und Krankheit".[8] Als verwerflich erscheint vor allem der rauschhafte Charakter dieser Musik, die Nietzsche in immer neuen pejorativen Vergleichen zu beschwören versucht: Sie wirkt wie „Philtren", wie „Alkohol", man braucht sie wie „Haschisch".[9]

In diesem von Haß eingegebenen, aber gleichwohl faszinierenden Porträt Wagners erkennt man unschwer manche Züge, die das Wagner-Bild des jungen Thomas Mann charakterisieren. Es handelt sich hier um die erste Phase der literarischen Auseinandersetzung Thomas Manns mit Wagner, die sich von den Anfängen bis zum „Tod in Venedig" erstreckt und im Gegensatz zu den späteren Studien weniger von essayistischer Reflexion als von der „epischen Integration" Wagnerschen Musikerlebnisses und Wagnerscher Motive gekennzeichnet ist. Sie scheint Thomas Mann nicht selten zu einer erzählerischen Demonstration des „Fall Wagner" zu geraten: Läßt man die Reihe Wagnerianischer Helden in den Werken dieser Zeit Revue passieren, so wird man feststellen, daß sie stets und immer im Lager der an Lebensschwäche Leidenden, der Kranken, Sensiblen und Nervösen stehen, nie aber in dem der Robustheit und des „Lebens". Daß der kleine Herr Friedemann sich in Gerda von Rinnlingen unter dem Eindruck einer Lohengrin-Aufführung verliebt, könnte noch eine mehr zufällige Erzählsituation sein. In den „Buddenbrooks" hingegen ist kein Mißverständnis möglich: Hanno, der „Verfallsprinz", der „décadent", wie ihn Thomas Mann später genannt hat,[10] ist nicht nur

5 Ebd., 903.

6 Ebd., 913 und passim.

7 Worte wie Nerven, Nervosität, Neurose finden sich im Fall Wagner fast auf jeder Seite. Über Degeneration vgl. insbesondere 913 und 916.

8 Nietzsche, II, 918, 930.

9 Ebd. 930, 931, 1091. Der aktuell wirkende Vergleich Wagnerscher Musik mit Haschisch war bereits im 19. Jahrhundert geläufig. (Vgl. Koppen, Kap. BV, Abschnitt „Der Rauschgiftvergleich".)

10 „Zu einem Kapitel aus Buddenbrooks", X, 555 f.

Wagnerianer, sondern seine Liebe zur Musik Wagners ist eines der wichtigsten Symptome seiner sich im Laufe der letzten Kapitel immer stärker offenbarenden Lebensschwäche, die von einer gegenläufigen künstlerischen Sensibilisierung begleitet wird. Ich habe an anderer Stelle nachgewiesen[11], daß Wagnersche Musik für Hanno Buddenbrook nichts anderes darstellt als ein auf Dauer tödliches Rauschmittel, mit dessen Hilfe er sich ekstatische Ausbrüche aus der Realität gönnt, das ihn aber gleichzeitig weiter schwächt und dem Tode näher bringt. In diesem Zusammenhang sind besonders die freien Klavierphantasien Hannos erwähnenswert, die von Thomas Mann als „zügellose Orgie" (I, 750) dargestellt werden: die exakt beschriebenen Melodien und Harmonien lassen sich in den meisten Fällen genau auf bestimmte Wagnersche Vorbilder zurückführen.

Bleibt hier Wagner noch ungenannt, so gibt sich die Novelle „Tristan" schon in ihrem Titel als wagnerianisch zu erkennen.[12] Wagner ist in dieser Erzählung allgegenwärtig, vom Namen des Sanatoriums (Einfried = Wahnfried) bis zur entscheidenden Szene, in der sich die beiden Protagonisten, überwältigt und verführt von der Macht Wagnerscher Musik, einer unausgesprochenen Neigung bewußt werden und die der Autor mit einer sich über mehrere Seiten erstreckenden Paraphrase ganzer Teile des „Tristan" untermalt. Bezeichnend auch hier, daß Wagnerianer wie Wagnerianerin als Prototypen der Schwäche und der Krankheit auftreten: Detlev Spinell, der physisch degenerierte und willensschwache Ästhetizist und dekadente Modeliterat und die todgeweihte und ätherische „femme fragile" Gabriele Klöterjahn. Schließlich ist auch hier wie in den „Buddenbrooks" die Wagner-Musik das rauschhafte Präludium zum Tode. Auch das Protagonisten-Paar der nächsten großen Wagner-Novelle „Wälsungenblut" trägt Züge, die trotz des von Thomas Mann dick aufgetragenen semitischen Kolorits bekannt erscheinen. Siegmund und Sieglinde Aarenhold sind wie Hanno Buddenbrook „durch Entartung sublimierte" (XII, 24) Spätlinge eines reichen Kaufmannsgeschlechts, deren Lebensschwäche sich nur notdürftig hinter Arroganz und Zynismus verbirgt. Im übrigen wird auch in „Wälsungenblut" die Wirkung Wagnerscher Musik als fragwürdig und gefährlich entlarvt. Die erotische Bindung, deren sich auch hier das Protagonisten-Paar durch das Erlebnis dieser Musik bewußt wird, führt nicht zum Tode, sondern zur sexuellen Perversion.[13] Auch die letzte der großen Erzählungen der ersten Periode zeigt Spuren einer literarischen Anverwandlung Wagners: „Der Tod in Venedig". Daß zu den zahlreichen Personen, die Thomas Mann für Aschenbach Modell gestanden haben, auch Wagner gehört, kann nach den Untersuchungen, die heute zu dieser Frage vorliegen,[14] als sicher gelten: Ganz abgesehen von der evidenten, fast billigen Parallele, daß

11 Koppen, Kap. B IV, letzter Abschnitt.

12 Dem Verhältnis des Thomas Mannschen *Tristan* zu Wagners Musikdrama sind insbesondere nachgegangen Jacobson, 47 ff., Berendsohn, Fourrier, 128 f., schließlich Koppen, Kap. B II, Abschnitt „Wagners ‚Tristan' bei Thomas Mann'".

13 Auf die seltsamen Querverbindungen zwischen Wagnerscher Musik und Sexualität hatte bereits — neben vielen anderen Kritikern des 19. Jahrhunderts — Nietzsche im „Fall Wagner" hingewiesen: II, 108, 22, 931.

14 Insbesondere Vordtriede, auf ihm aufbauend Koppen, Kap. B III.

Wagner in der Tat in Venedig gestorben ist, mangelt es auch sonst nicht an philologischen und biographischen Beweisen: einzelne Teile des „Todes in Venedig" zeigen dem Kenner deutliche Hinweise auf Wagners fragmentarische Autobiographie, die zum ersten Mal im Druck erschien, während Thomas Mann am „Tod in Venedig" arbeitete. Auch eine Anspielung auf den — teilweise in Venedig entstandenen — „Tristan" hat Thomas Mann an entscheidender Stelle in seine Novelle „hineingeheimnist".[15] Aschenbach trägt also unter anderem auch die Züge Wagners. Das bedeutet nichts anderes, als daß Wagner auch hier wieder in der Maske des gebrochenen, des fragwürdigen, des histrionischen Künstlers auftritt, als den ihn Nietzsche beschrieben hat.

Aus unserem Befund, daß Thomas Mann in seinen frühen Novellen Wagner und seiner Musik Züge verleiht, die uns aus den Anti-Wagner-Polemiken des späten Nietzsche vertraut sind, bietet sich die naheliegende, aber falsche, oder zumindest verzerrende und simplifizierende Schlußfolgerung an, es handele sich hier um einen „Einfluß" Nietzsches auf Thomas Mann. Hiervon kann indessen, zumindest im Sinne einer naiven Nachfolge, nicht die Rede sein. Wie bei allen Fragen, die die Nietzsche-Rezeption Thomas Manns betreffen, muß der kritische Beobachter auch hier von der Prämisse ausgehen, daß Thomas Mann von Nietzsche zwar gewisse Kategorien, Perspektiven und Denkmuster übernommen hat, nicht aber das Wertsystem. Wenn also in frühen Erzählungen und Romanen Thomas Manns die Musik Wagners als Symptom des Verfalls, der Neurose und der Lebensmüdigkeit fungiert, so ist hier doch von der schneidenden Verachtung, die das Wagner-Bild des späten Nietzsche bestimmt hat, nichts zu spüren. Die „Décadence" der Wagnerschen Musik gilt in diesen Werken nicht nur als eine ästhetisch reizvolle Erscheinung, sondern wird auch in jene für den frühen Thomas Mann charakteristische Perspektive gerückt, in der sich Verfall, Krankheit und Tod als unverzichtbare Bedingungen humaner Existenz ausnehmen. Auch die ironische Behandlung, die der Erzähler zuweilen dem Werk Wagners und den Wagnerianern angedeihen läßt (erinnert sei hier nur an die Walküren-Aufführung in „Wälsungenblut" oder an Detlev Spinell, dessen spöttische Porträtierung Thomas Mann die anhaltende Feindschaft seines Modells, Arthur Holitschers, eintrug[16]), haben mit den Sarkasmen und Zynismen des „Fall Wagner" nichts gemein. Thomas Manns Ironie ist nicht höhnische Aggression, sie ist auch nicht nur reine Erzählhaltung, sondern im frühromantischen Sinne Distanz durch Reflexion.[17]

Schließlich verbietet ein anderer, besonders gewichtiger Grund, Thomas Mann in Sachen Wagner als Jünger Nietzsches anzusehen: Das Bild des kranken, neurotischen und dekadenten Wagner, das Thomas Mann zur Kenntnis nahm, ist nämlich keineswegs eine originelle Schöpfung Nietzsches. Dieser hat, wie ihm traditionelle Wagneria-

15 Das Schlußdekor der Novelle (Meereshorizont) entspricht dem des Wagnerschen „Tristan".

16 Hierzu vgl. etwa Schröter, 16 ff. und 478.

17 Diese rationale Distanz ist auch dann für Thomas Manns Verhältnis zu Wagner charakteristisch, wenn sie nicht in Ironie einmündet. Thomas Mann war nie ein naiver Wagnerianer. Selbst einige seiner frühen Erzählungen lesen sich wie Exemplifizierungen der essayistischen Analysen aus späteren Jahrzehnten. Hierzu s. u. S. 233 ff.

ner nicht ohne hämische Befriedigung vorwerfen, seinerseits nur eine Wagner-Auffassung reproduziert, die die französische Literatur bereits seit den sechziger Jahren entwickelt hatte. Eine „dekadente" Wagner-Rezeption ist in Frankreich seit Baudelaires Richard Wagner-Essay nachzuweisen. Diese Wagner-Schrift, Huysmans Paraphrase des Tannhäuser-Vorspiels und eine ganze Zahl von Romanen und Gedichten derer, die Nietzsche im „Fall Wagner" als „die kleinen Pariser Dekadents"[18] bezeichnet hatte, also der Catulle Mendès, Jean Lorrain, Joséphin Péladan und Elémir Bourges, ist das Bild des „Künstlers der Décadence" bereits vorgezeichnet, erscheint Wagners Musik als krankhaft, neurotisch, als sexuelle Libertinage, als Rauschmittel und Todespräludium, als Symptom der Hysterie und Neurose, als Produkt eines „dégénéré supérieur".[19] Nietzsche spielte also für Thomas Mann nicht die Rolle des Lehrers, sondern nur die des Vermittlers: indem er als erster und einziger in Deutschland dieses seltsame und faszinierende Wagner-Bild aufgriff, eröffnete er Thomas Mann den Zugang zu einem europäischen kosmopolitischen Wagner-Verständnis, das weit entfernt von der Bayreuther Hagiographie oder gar dem spießigen Wagner-Nationalismus des wilhelminischen Untertanen war.[20] Es war eine Wagner-Konzeption von wahrhaft europäischer Verbreitung. Von Paris aus war sie nach England ausgestrahlt, wo wir sie in der Lyrik der Yellow Nineties, in den Romanen George Moores und vor allem in den zahlreichen Wagner-Zeichnungen Aubrey Beardsleys wiederfinden, dessen Illustrationen des „Tristan", des „Tannhäuser", des „Ring" und dessen gesellschaftskritisches Blatt „The Wagnerites" beredte Zeugnisse des dekadenten Wagnerismus darstellen, ganz zu schweigen von dem einzigen Roman des Künstlers, „Venus und Tannhäuser". In diesem Zusammenhang verdient schließlich auch Gabriele D'Annunzio genannt zu werden, der zwar in einer weithin unbekannt gebliebenen Polemik gegen den „Fall Wagner" den Komponisten vor Nietzsche in Schutz nahm, aber dann in seinen Romanen „Trionfo della morte" und „Il Fuoco" Wagner und seine Musik in einer Weise darstellt, die dem Wagner-Image der Baudelaire, Huysmans, Beardsley entspricht. Übrigens hatte für all diese europäischen Wagnerianer die „Dekadenz" ihres Meisters nichts Ehrenrühriges. Erst Nietzsche hat diese Eigenschaft mit einem negativen Vorzeichen versehen, während Thomas Mann nichts anderes tat, als sich dem ursprünglichen Urteil der europäischen Fin-de-siècle-Literatur über den décadent Wagner wiederanzuschließen.

In der besonderen Art seiner Behandlung Wagnerscher Musik und Wagnerscher Motive ist das erzählende Werk des jungen Thomas Mann also weniger als das Resultat einer, wenn auch kritischen, Nietzsche-Nachfolge denn als typisches Zeugnis der europäischen Décadence-Literatur des Fin de siècle zu betrachten. Dies beweisen auch einige verblüffende physiognomische Ähnlichkeiten: so nimmt etwa Elémir Bourges' Roman „Le Crépuscule des Dieux" (1884) Grundmotive sowohl der „Buddenbrooks" wie auch von „Wälsungenblut" vorweg: auch hier vollzieht sich unter Wagner-Klängen der „Ver-

18 Nietzsche, II, 923.

19 Hierzu vgl. Koppen, passim.

20 Eine Karikatur des wilhelminischen Wagnerismus findet sich bekanntlich in Heinrich Manns *Untertan* (Diederich Heßlings Besuch einer „Lohengrin"-Vorstellung).

fall einer Familie", und vor allem: auch hier wird durch eine „Walküren"-Aufführung ein Geschwisterpaar zum Inzest getrieben. (Thomas Mann hat den Roman übrigens *nicht* gekannt!). Auch das am Flügel sitzende und sich an der Musik des „Tristan" berauschende Paar ist fast ein Gemeinplatz der europäischen Wagner-Literatur. Thomas Mann mochte es aus D'Annunzios „Trionfo della morte" (1894) kennen, wo ähnlich wie in seiner „Tristan"-Novelle Handlung und Musik des Wagnerschen Dramas durch ein über mehrere Seiten gehendes Prosastück beschworen werden, das aus Zitat-Montagen und verbalen Paraphrasen Wagnerscher Musik besteht. Schließlich war Thomas Mann auch nicht der einzige, den das Motiv des im verrotteten Venedig dahinsiechenden und sterbenden Künstlers interessiert hat.[21]

Es ist anzunehmen, daß bereits der Thomas Mann der Jahrhundertwende erkannt hat, daß Nietzsches Wagner-Deutung ihm einen europäischen Horizont eröffnet hat, und man darf sogar davon ausgehen, daß sich der junge Erzähler in diesen Horizont bewußt hineingestellt hat. Schlüssigere Zeugnisse für ein solches europäisches Wagner-Bewußtsein stellen aber erst Thomas Manns essayistische Auseinandersetzungen mit Wagner in den 20er und beginnenden 30er Jahren dar. Allerdings hatte Thomas Mann schon vor dem ersten Weltkrieg versucht, sich auch diskursiv über Wagner zu äußern. Nur am Rande erwähnenswert scheint hier der „Versuch über das Theater" aus dem Jahre 1908, in dem Thomas Mann seine These vom Vorrang der epischen Kunst vor der dramatischen unter anderem auch am Beispiel Wagners demonstrieren möchte, bei diesem Versuch aber wenig überzeugend wirkt. Von größerem Interesse ist die 1911 in der Wiener Zeitschrift „Der Merker" erschienene „Auseinandersetzung mit Richard Wagner". Bemerkenswert sind zunächst einmal Ort und Zeit der Entstehung; die Miszelle entstand im Jahre 1911 am Lido di Venezia, also eben während jenes Aufenthalts, der für die Genese des „Tod in Venedig" von so großer Bedeutung werden sollte.[22] Das Problem des Theater-Essays löste Thomas Mann hier mit einem Taschenspielertrick: er ernennt Wagner kurzerhand zum „großen Epiker" und schränkt seine eigene literarische Rezeption Wagners auf die Übernahme einiger erzähltechnischer Kunstgriffe ein:

> Das Motiv, das Selbstzitat, die symbolische Formel, die wörtliche und bedeutsame Rückbeziehung über weite Strecken hin, — das waren epische Mittel nach meinem Empfinden, bezaubernd für mich eben als solche; und früh habe ich bekannt, daß Wagners Werke so stimulierend wie sonst nichts in der Welt auf meinen jugendlichen Kunsttrieb wirkten, mich immer aufs neue mit einer neidisch-verliebten Sehnsucht erfüllten, wenigstens im kleinen und leisen, auch dergleichen zu machen.[23]

Bemerkenswert an diesem Versuch Thomas Manns, sein poetisches Verhältnis zu Wagner mit formalistischen Kategorien zu beschreiben,[24] ist auch das Tempus des Satzes. Wie man dieses Imperfekt zu deuten hat, erhellt aus dem nun folgenden Abschnitt:

21 Vgl. Koppen, Kap. B III.

22 Vgl. Lehnert, 99 f.

23 X, 840 (Die Herausgeber der Fischer-Ausgabe haben den Titel der Miszelle unverständlicherweise in *Über die Kunst Richard Wagners* abgeändert).

24 Dieser formale Einfluß Wagners auf Thomas Mann wird von der Kritik im allgemeinen als

> Meine Liebe zu ihm war eine Liebe ohne Glauben — denn stets schien es mit pedantisch, nicht lieben zu können, ohne zu glauben. Es war ein Verhältnis, — skeptisch, pessimistisch, hellsichtig, fast gehässig, dabei durchaus leidenschaftlich und von unbeschreiblichem Lebensreiz. Wunderbare Stunden tiefen, einsamen Glückes inmitten der Theatermenge, Stunden voller Schauer und kurzer Seligkeiten, voll von Wonnen der Nerven und des Intellekts, von Einblicken in rührende und große Bedeutsamkeiten, wie nur diese nicht zu überbietende Kunst sie gewährt!
> Heute jedoch glaube ich nicht mehr, wenn ich es jemals glaubte, daß die Höhe eines Kunstwerks in der Unüberbietbarkeit seiner Wirkungsmittel bestehe. Und ich meine zu wissen, daß Wagners Stern am Himmel deutschen Geistes im Sinken begriffen ist.[25]

Dieses Imperfekt ist nicht nur das Imperfekt des Rückblicks, es bedeutet hier den Schlußstrich, den Thomas Mann, knapp 36 Jahre alt, unter sein enthusiastisches Wagner-Verhältnis zieht — bzw. zu ziehen glaubt oder eventuell auch nur zu ziehen vorgibt. Wagner soll einer Vergangenheit angehören, in die man nunmehr nicht ohne peinliche Empfindungen zurückblickt und von der man geniert Abschied nehmen möchte. Ist es bloßer Zufall, daß in den kommenden Monaten Thomas Mann seinen Aschenbach-Wagner den Tod in Venedig sterben läßt?

Dieser „Abschied" von 1911 bedeutete natürlich nicht die Trennung von Wagner, sondern nur den Übergang in ein neues Stadium seiner Rezeption. Immerhin fällt auf, daß in allen dem „Tod in Venedig" folgenden erzählenden Werken Thomas Manns Wagner-Reminiszenzen nur mehr in der Form beiläufiger Anspielungen oder gelehrter Chiffren für den Kundigen auftauchen,[26] nicht aber mehr als Handlung und Bedeutsamkeit eines Werkes erhellendes episches Funktionselement. Settembrini und Naphta diskutieren nicht über Wagner; Hans Castorp berauscht sich an der großen Oper des 19. Jahrhunderts — von einer Wagner-Platte ist nur einmal am Rande die Rede. Dennoch kein Zweifel: auch dem Thomas Mann der „Zauberberg"-Periode, dem Verfasser von „Unordnung und frühes Leid", „Mario und der Zauberer", dem sich vom bürgerlichen Nationalisten zum ebenso bürgerlichen Demokraten wandelnden „Weimarer" Thomas Mann, ist Richard Wagner und sein Werk stets gegenwärtig.[27]

selbstverständlich angenommen, doch ist das Problem noch nicht exakt und ausführlich untersucht worden. (Vgl. z.B. Ronald Peacock, *Das Leitmotiv bei Thomas Mann,* Bern 1934, sowie Jung, 44 ff.) Da auch wir im Rahmen dieses Beitrages eines solche Untersuchung nicht leisten können, sehen wir von einer Behandlung des formalen Einflusses Wagners auf Thomas Mann ganz ab.

25 X, 841.

26 Vgl. *Zauberberg* (III, 890. Nur dem Kenner des *Tannhäuser* verständlich.) Über Anspielungen im *Doktor Faustus* s. u. 244. In den meisten Essays und Gelegenheitsschriften dieser Zeit taucht Wagners Name in irgendeinem Zusammenhang auf.

27 Der Kuriosität halber sei auf ein besonders eigentümliches Wagner-Zitat Thomas Manns hingewiesen: in *Okkulte Erlebnisse* (1924) vergleicht er sein mit Entsetzen gepaartes Erstaunen angesichts eines gelungenen okkulten Experiments mit der „Stelle im *Lohengrin*, erster Akt, wenn nach Elsa's Gebet der Chor mit einer Einzelstimme einsetzt: ‚Seht! Welch seltsam Wunder!'" (X, 158).

In diesem Zusammenhang können wir die vielfältigen Variationen über das Thema Wagner nicht unterschlagen, die die „Betrachtungen eines Unpolitischen" durchziehen. Die Versuchung dazu wäre groß, denn die Lektüre dieser Seiten ist aus der Sicht des Jahrs 1970 oft nicht weniger quälend und peinlich als die des ganzen Werks, jenes typischen Zeugnisses eines Intellektuellen, der in der freiwillig angelegten Zwangsjacke einer politischen Ideologie in geistige Atemnot gerät. Immerhin hat Thomas Mann in diesem Werk zum ersten Mal den Versuch unternommen, sein Verhältnis zu Wagner ausführlicher darzustellen. Beinahe unausweichlich gerät er hierbei in ein Dilemma: Er weiß einerseits nur zu gut, daß das Wagner-Bild seiner frühen Jahrzehnte europäisch-dekadente Züge trägt, andererseits verbietet ihm seine intellektuelle Redlichkeit, diesem Wagner-Bild aus ideologischem Systemzwang abzuschwören. So ist einmal in den „Betrachtungen eines Unpolitischen" mancher Satz zu finden, der sich wie eine nachträgliche Anmerkung zu Erzählungen wie „Tristan" und „Wälsungenblut" liest:

> Die Kunst Wagners [...] ist klug und sinnig, sehnsüchtig und abgefeimt, sie weiß betäubende und intellektuell wachhaltende Mittel und Eigenschaften auf eine für den Genießenden ohnehin strapaziöse Weise zu vereinigen. Aber die Beschäftigung mit ihr wird beinahe zum Laster, sie wird *moralisch*, wird zur rücksichtslos ethischen Hingabe an das Schädliche und Verzehrende, wenn sie nicht gläubig, enthusiastisch, sondern mit einer Analyse verquickt ist, deren gehässigste Erkenntnisse zuletzt eine Form der Verherrlichung und wiederum nur Ausdruck der Leidenschaft sind (XII, 74f.).

Es fehlt sogar nicht an Huldigungen an den französischen Wagnerismus. „Baudelaire und Barrès", so schreibt Thomas Mann im letzten Jahr des ersten Weltkriegs, „haben bessere Dinge über Wagner gesagt, als in irgendwelchen deutschen Wagner-Biographien und -Apologien zu finden sind" (XII, 76). Wie aber soll der Verfasser der „Betrachtungen eines Unpolitischen" diesen dekadenten, „abgefeimten", „betäubenden", von der Aura des Kosmopolitismus (ein böses Wort damals) umgebenen, vom französischen Erbfeind geliebten und klug interpretierten Helden seinem national-konservativen Leserpublikum schmackhaft machen? Daß Thomas Mann sich bei der Lösung dieser Frage nicht scheute, auf das Arsenal der reaktionären und chauvinistischen Sprüche zu verweisen, die der Wagner der letzten Jahrzehnte bei jeder Gelegenheit zu klopfen liebte, lohnt näherer Betrachtung ebensowenig wie die Seitenhiebe, die der ältere Bruder ob seiner Wagner-Karikatur im „Untertan" erhält. Interessant hingegen sind die Versuche Thomas Manns, den dekadenten und kosmopolitischen Wagner für das Deutschtum zu „retten":

> Wagners Deutschtum also, so wahr und mächtig es sei, ist modern gebrochen und zersetzt, dekorativ, analytisch, intellektuell, und seine Faszinationskraft, seine eingeborene Fähigkeit zu kosmopolitischer, zu planetarischer Wirkung stammt daher. Seine Kunst ist die sensationellste Selbstdarstellung und Selbstkritik deutschen Wesens die sich denken läßt, sie ist darnach angetan, selbst einem Esel von Ausländer das Deutschtum *interessant* zu machen, und die leidenschaftliche Beschäftigung mit ihr ist immer zugleich eine leidenschaftliche Beschäftigung mit diesem Deutschtum selbst, das sie kritisch-dekorativ verherrlicht (XII, 77).

Aus diesem Gedankengang könnte auch ein gutwilliger Interpret den Schluß ziehen, das Deutschtum sei nur dann interessant und „leidenschaftlicher Beschäftigung“ wert, wenn es wie bei Wagner „gebrochen und zersetzt“ sei. Der Thomas Mann von 1918 hatte einen solchen Schluß vermutlich nicht beabsichtigt; immerhin bekennt er wenige Abschnitte darauf, er sei in der Kunst Wagners „des Deutschtums als eines überaus merkwürdigen, zu leidenschaftlicher Kritik anreizenden europäischen Elementes ansichtig“ geworden und als Folge dessen habe sich in ihm „eine Art von psychologisch orientiertem Patriotismus“ herausgebildet (XII, 78). Auch aus dieser Formulierung läßt sich letzten Endes doch wieder der Satz ableiten, daß Wagners Deutschtum deswegen so attraktiv sei, weil es im Grunde doch recht undeutsch bei ihm hergehe. Eine solche Argumentation grenzt an Rabulistik, und es liegt auf der Hand, daß Thomas Mann an der Aufgabe scheitern mußte, einer nationalen Leserschaft weiszumachen, daß Wagner deswegen ein großer Deutscher sei, weil es sich bei ihm um einen europäischen Décadent handele. Bemerkenswert ist jedenfalls, daß sein Wagner-Bild selbst unter dem Zwang der selbstauferlegten Ideologie keine allzu starken Verzerrungen oder Brüche erlitten hat. Unter der unbeholfen angebrachten deutschnationalen Drapierung sind bis in alle Einzelheiten die Umrisse desjenigen Wagner auszumachen, der Thomas Mann zu „Wälsungenblut“, zum „Tristan“ und zum „Tod in Venedig“ inspirierte.

Fünfzehn Jahre später entsteht dann unter völlig veränderten politischen Vorzeichen — was sowohl für die Situation in Deutschland wie auch für unseren Autor gilt — die über 60 Druckseiten lange Studie „Leiden und Größe Richard Wagners“, die Thomas Mann als ein „mit inniger Hingebung“ verfaßtes „Resümee“ (sic!) seines „Wagner-Erlebnisses“ (XI, 786) bezeichnet hat. In der Tat unterscheidet sich dieses die Grenzen eines Essays durch seine Dimension sprengende Prosawerk von den bisherigen Auseinandersetzungen Thomas Manns mit Wagner nicht nur durch seine Länge und Ausführlichkeit. Es ist in der Tat eine wahre Summe des Mannschen Wagnerismus. Während er sich Wagner in der „Abschiedsmiszelle“ aus dem Jahre 1911 oder in den Wagner-Exkursen der „Betrachtungen eines Unpolitischen“ nur unter zwei oder drei Gesichtspunkten nähert, wirkt die Studie von 1933 eher wie ein Kaleidoskop. Hier visiert Thomas Mann sein Objekt aus mindestens einem Dutzend verschiedener und oft abrupt wechselnder Perspektiven an. Der Studie mangelt so leider der logische Bau und die konsequente gedankliche Durchführung, die etwa die großen Schopenhauer- und Nietzsche-Essays auszeichnen. Auch hat man oft den Eindruck, als ob der Autor der Fülle seines Materials und seiner Gesichtspunkte nicht mehr recht Herr geworden sei, und die Lektüre ist nicht immer mühelos. Manche seiner Einfälle sind „neu“ in dem Sinne, daß sie spezifische Entwicklungen Thomas Manns in den zwanziger Jahren widerspiegeln: es bedürfte nicht des ausdrücklichen Hinweises auf eine „intuitive(n) Übereinstimmung“ (IX, 370) Wagners mit Sigmund Freud, um den Leser davon zu verständigen, daß Thomas Mann inzwischen durch die Schule des Psychoanalytikers gegangen ist: In Siegfried erkennt er einen „ahnungsvollen und aus dem Unterbewußtsein heraufschimmernden Komplex von Mutterbindung, geschlechtlichem Verlangen und *Angst*“ (ebd.). Auch in der Verführungsszene des zweiten „Parsifal“-Akts entdeckt er einen „Mutterkomplex“ (IX, 371). Es ist auch nicht zu verkennen, daß die Wagner-Studie zu einer Zeit entstanden ist, da Thomas Mann am Josephs-Roman arbeitete. Die intensive Beschäftigung mit der Welt vorchristlicher Mythen verleiht ihm einen besonderen Scharfblick, verbunden mit dem Thomas Mann eigenen philologischen Gespür, verhilft ihm etwa zu einer Deutung von Siegfrieds Tod, die großartig und plausibel zugleich ist: Er geht hierbei davon aus, daß im Wagnerschen Text Hagen zweimal mit einem Eber verglichen wird, „der diesen Edlen [= Siegfried] zerfleischte".[28] Thomas Mann fährt fort:

> Die Perspektive reißt auf bis ins Erste und Früheste menschlichen Bildträumens. Tammuz, Adonis, die der Eber schlug, Osiris, Dionysos, die Zerrissenen, die wiederkehren sollen als der Gekreuzigte, dem ein römischer Speer die Seiten wundreißen muß, auf daß man ihn erkenne, — alles, was war und immer ist, die ganze Welt der geopferten, von Wintergrimm gemordeten Schönheit umfaßt dieser mythische Blick (IX, 372).

Erkenntnisse dieser Art legt Thomas Mann gleichsam beiläufig vor. Er denkt nicht daran, solche Spuren weiter zu verfolgen, denn der „Resümee-Charakter" seines Aufsatzes zwingt ihn zu immer neuem Themenwechsel, und nicht alles ist überraschend und neu. Was er etwa über Ibsen und Wagner verlautet, hätte man — fast wörtlich! — fünf Jahre vorher schon in der Vossischen Zeitung nachlesen können: ein weiterer Beweis für Thomas Mann eingestandene Neigung zum Selbstplagiat. Übrigens wird auch der Kenner der „Betrachtungen eines Unpolitischen" in der Wagner-Schrift von 1933 so manche vertraute Formulierung begrüßen dürfen, und mit den Formulierungen tauchen auch bestimmte Fragen aus dem fünfzehn Jahre früher erschienenen Werk auf, die nunmehr freilich, befreit von ideologischer Verkrampfung, recht gelöst diskutiert werden: die nach Deutschheit und Europäertum Wagners und erneut das Problem seiner „décadence". Bezeichnenderweise ist dieses Thema das einzige des Aufsatzes, bei dem Thomas Mann etwas länger verweilt, ja, das beinahe leitmotivisch an mehreren Stellen der Studie anklingt. Dem Terminus selbst ist Thomas Mann allerdings, wohl in der vergeblichen Hoffnung, Mißverständnisse zu vermeiden, aus dem Wege gegangen. Vielmehr tauchen Vokabeln auf, die — wenigstens in dieser Verwendung — auf den ersten Blick verwirrend wirken: Romantik und romantisch. Daß Romantik und Décadence durch mancherlei Fäden miteinander verknüpft sind, mochte er bei Nietzsche gelesen haben, der Wagner als „Romantiker" bekämpft hatte, ehe er den Terminus décadent bevorzugte.[29] Im übrigen könnte man fast annehmen, Thomas Mann habe die kurz zuvor in erster Auflage erschienene komparatistische Untersuchung von Mario Praz: „La carne, la morte e il diavolo nella letteratura romantica" gekannt, in der der italienische Anglist anhand einer genauen Deskription und Analyse der erotischen Sensibilität in der Lite-

28 So Gunther in der *Götterdämmerung* (vgl. Richard Wagner, *Gesammelte Schriften und Dichtungen,* hrsg. von W. Golther, Berlin—Leipzig o.J., Bd. 6, 249).

29 So ist etwa in der Vorrede zum ersten Band von *Menschliches Allzumenschliches* (1879) von der „unheilbaren Romantik" Wagners die Rede, während die Vorrede zum 2. Band den immer wieder zitierten Satz enthält: „Richard Wagner, ein morsch gewordener verzweifelnder Romantiker, sank plötzlich, hilflos und zerbrochen, vor dem christlichen Kreuze nieder" (Nietzsche, I, 438 bzw. 739).

ratur des 19. Jahrhunderts nachzuweisen versucht hatte, daß die Décadence-Literatur des Fin de siècle in direkter Linie die europäische Romantik fortgesetzt habe. Manche Abschnitte aus „Leiden und Größe Richard Wagners" lesen sich so, als habe Thomas Mann nichts anderes gewollt, als diese These mit Hilfe Wagners zu exemplifizieren. Bezeichnend sind zum Beispiel die Vorstellungen, die er bei seiner „Parsifal"-Interpretation mit dem Begriff des Romantischen verknüpft:

> Das Kindliche mit dem Erhabenen zu vereinen, mag großer Kunst auch sonst wohl gelungen sein; die Vereinigung aber des Märchentreuherzigen mit dem Ausgepichten, der Kunstgriff, das Höchstgeistige als Orgie des Sinnenrausches zu verwirklichen und „populär" zu machen, die Fähigkeit, das Tiefgroteske in Abendmahlsweihe und klingenden Wandlungszauber zu kleiden, Kunst und Religion in einer Geschlechtsoper von größter Gewagtheit zu verkoppeln und derlei heilige Künstlerunheiligkeit mitten in Europa als Theater-Lourdes und Wundergrotte für die Glaubenslüsternheit einer mürben Spätwelt aufzutun, — dies alles ist *nur* romantisch (IX, 404).

Zu einer direkten und gewiß voll beabsichtigten Identifikation der Begriffe romantisch und décadent kommt es dann am Ende des Aufsatzes:

> Eine farbige und phantastische, tod- und schönheitsverliebte Welt abendländischer Hoch- und Spätromantik tut sich auf bei seinem Namen, eine Welt des Pessimismus, der Kennerschaft seltener Rauschgifte und einer Überfeinerung der Sinne, die allerlei synästhetischen Spekulationen schwärmerisch nachhängt, den Träumen Hoffmann-Kreislers von der Entsprechung und innigen Verbindung zwischen den Farben, Klängen und Düften, von der mystischen Wandlung der einsgewordenen Sinne...(IX, 424)

Und so steht Thomas Mann nicht an, zu behaupten, daß Richard Wagner einen Teil dieser Welt der „Hoch- und Spätromantik" dargestellt habe, daß er „der glorreiche Bruder und Genosse all dieser am Leben leidenden und dem Mitleid zugetanen, die Verzückung suchenden, die Künste vermischenden Symbolisten und Anbeter des ‚art suggestif' gewesen sei (ebd.).

In dieses Bild paßt, daß das Motto von „Leiden und Größe Richard Wagners" („Il y a là mes blâmes, mes éloges, et tout ce que j'ai dit") von Maurice Barrès stammt und daß Thomas Mann an mehreren Stellen seines Aufsatzes auf Baudelaire hinweist, dessen Tannhäuser-Schrift er als „das erste, entscheidende und bahnbrechende Wort über Wagner" wertet. Die dekadente Dominante der Thomas Mannschen Wagner-Rezeption ist also auch in dieser vielseitig facettierten Studie von 1933 deutlich auszumachen. Sie konnte selbst den ungeübten Augen der Kulturfunktionäre des Regimes nicht verborgen bleiben, das zu der Zeit, da Thomas Manns Aufsatz in der „Neuen Rundschau" erschien (April 1933) und er eine gekürzte Fassung als Vortrag in München, Amsterdam, Brüssel und Paris hielt, gerade dabei war, sich in Deutschland häuslich einzurichten und das deutsche Geistesleben unter seine Fuchtel zu bringen. Die Folgen blieben nicht aus. In einem plumpen „Protest der Richard-Wagner-Stadt München" war von der „Verunglimpfung Wagners" die Rede und wurde der „ästhetisierende Snobismus" Thomas Manns attackiert.[30] Man ist überrascht, daß zu den Unterzeichnern nicht nur Parteigrö-

30 Veröffentlicht in Münchener Neueste Nachrichten, 16./17. April 1933; Neuabdruck bei Schröter, 199 f.

ßen wie Hans Schemm sondern auch Hans Knappertsbusch, Richard Strauss, Hans Pfitzner und Olaf Gulbransson zählten. Einer der bekannteren Unterzeichner, der Komponist und Dirigent Siegmund von Hausegger, hat später in einem polemischen Brief an die „Neue Rundschau" seinen Protest mit aufschlußreichen Argumenten begründet:

> Wenn Herr Mann die Frauengestalten Richard Wagners in nahe Beziehung zu Sigmund Freuds Psychoanalyse bringt und in ihnen eine, allerdings „Edel"-Hysterie feststellen zu müssen vermeint, so muß eine solche Betrachtungsweise, die das Gesund-Natürliche mit dem Perversen, das Hohe mit dem Niedrigen zu vermengen sich bemüht, schärfsten Widerspruch aller derer hervorrufen, welche in der Kunst nicht mit Lombroso die Ausgeburt krankhafter Überreizung, also eine Entartung, sondern die schöpferische Urkraft des menschlichen Geistes erblicken, die uns aus dem tierisch-triebhaften Zustand in den der Freiheit im Kantschen Sinne erhebt [...] Danach würde Wagners Kunst zwar genial, aber zersetzt und unwahr, äußerst kitschig, dilettantisch sein. Mag Herr Mann in solcher Morbidität etwas Bewundernswertes sehen, für uns ist in dem Artikel die objektive Tatsache denkbar schwerster Herabsetzung des großen Meisters gegeben, dessen Bild Thomas Mann zur verzerrten Fratze verwandelt.[31]

Dieser Text mag demonstrieren, daß Thomas Manns Wagner-Bild mit seinen dominanten dekadenten Zügen auf manche Zeitgenossen, die die hagiographische und nationalistische Bayreuther Wagner-Interpretation als selbstverständlich und alleingültig ansahen, ganz abgesehen von der aktuellen politischen Situation, wie ein Schock wirken mußte. Daß man auch aus ganz anderen Gründen Wagnerianer sein konnte als aus Begeisterung für die in seinem Werk gefundene „beglückende Bestätigung unserer ursprünglichen, nordisch-germanischen Art"[32], war für manche offensichtlich nicht zu fassen. Thomas Mann seinerseits stand einem solchen Protest zunächst ratlos gegenüber. In einer „Erwiderung", die damals in der „Vossischen Zeitung" noch erscheinen konnte, heißt es:

> Ich bin der deutschen Öffentlichkeit und mir selbst die Feststellung schuldig, daß dieser Protest aus einem schweren Mißverständnis hervorgegangen ist und mir nach Inhalt und Ausdrucksweise schweres, bitteres Unrecht zufügt. Kaum einer der ehrenwerten und sogar hervorragenden Männer, die ihren Namen darunter setzten, kann den Aufsatz 'Leiden und Größe Richard Wagners' überhaupt gelesen haben, denn nur vollkommene Unkenntnis der Rolle, die Richard Wagners gigantisches Werk in meinem Leben und Dichten seit jeher gespielt hat, konnte sie bestimmen, an dieser bösen Handlung gegen einen deutschen Schriftsteller teilzunehmen (XI, 786).

Offenbar hatte Thomas Mann damals noch nicht begriffen, daß es sich keinesfalls um ein Mißverständnis handelte, sondern um die Konfrontation zweier miteinander unvereinbarer Wagner-Bilder, deren eines nunmehr staatlich sanktioniert worden war und

31 Hausegger nimmt insbesondere auch an dem Zitat auf S. 404 Anstoß („das Kindliche mit dem Erhabenen zu vereinigen"). Abdruck des Briefes bei Wulf, *Musik im Dritten Reich*, Hamburg—Reinbek 1966. Die Zitate 315 f.

32 Dieses für die Wagner-Rezeption des Dritten Reiches typische Zitat entnehme ich ebenfalls Wulf, 309.

nicht mehr in Frage gestellt werden durfte. Die drastischen Folgen dieser Konfrontation sind bekannt: Die Angriffe, die von offizieller wie inoffizieller Seite gegen ihn wegen seines Wagner-Aufsatzes geführt wurden, sah Thomas Mann zu Recht als Menetekel an, und er beschloß zu emigrieren bzw. von einer Vortragsreise nicht mehr nach Deutschland zurückzukehren.

Daß Thomas Mann diesen tiefen Einschnitt in sein Leben gelegentlich Wagners erfahren mußte, war natürlich ein Zufall. Seine Emigration war unausweichlich, und es hätte sich gewiß alsbald ein anderer Anlaß gefunden. Dieser Zufall besaß allerdings beträchtliche Signifikanz. Thomas Mann konnte dies nicht verborgen bleiben, und so ist die neue Phase seines Lebens und seiner politischen Entwicklung auch von einer Änderung seines Verhältnisses zu Wagner begleitet. Die Akzente verschieben sich nun beträchtlich. Das Wagner-Bild seiner Jugend, das er in „Leiden und Größe Richard Wagners" noch einmal in so leuchtenden Farben gemalt hatte, scheint zu verblassen und tritt nur noch gelegentlich, so etwa am Rande der großen Schopenhauer- und Nietzsche-Essays, in Erscheinung. In den Vordergrund schiebt sich hingegen immer stärker die Frage nach den politischen Qualitäten und Wirkungen des Wagnerschen Werks. Ein erstes Dokument der Beschäftigung mit dieser Frage ist der Vortrag „Richard Wagner und der ‚Ring des Nibelungen'", mit dem Thomas Mann im November 1937 eine Gesamtaufführung des „Ring" im Zürcher Stadttheater einleitete. Es war kein politischer Vortrag im engeren Sinne, und er konnte es angesichts seiner Bestimmung auch nicht sein. Thomas Mann bringt in erster Linie Informationen über seinen Gegenstand, Analysen, auch Anekdotisches. Wie in der großen Studie von 1933 finden sich auch einige Seiten über das Verhältnis von Drama, Musik und Mythos. Aber selbst bei diesem Thema, das keinen Platz für politische Kategorien zu bieten scheint, drängt sich unverkennbar der politische Aspekt in den Vordergrund:

> [Wagners] produktive Vertiefung ins Romantisch-Sagenhafte kommt der Eroberung des Rein-Menschlichen gleich, das er, im Gegensatz zum Historisch-Politischen, als die eigentliche Heimatsphäre der Musik empfindet; sie bedeutet ihm aber zugleich die Wendung hinweg von einer bourgeoisen Welt der Kulturverrottung, der falschen Bildung, der Geldherrschaft, sterilen Gelehrtheit und gelangweilten Seelenlosigkeit — zu einer Volkhaftigkeit, Volkstümlichkeit, die ihm mehr und mehr als das sozial und künstlerisch Zukünftige, das Erlösende und Reinigende erscheint.

Oder:

> Man muß sich darüber klar sein, daß ein Werk wie ‚Der Ring des Nibelungen', das Wagner nach dem ‚Lohengrin' konzipierte, im Grunde gegen die ganze bürgerliche Kultur und Bildung gerichtet und gedichtet ist, wie sie seit der Renaissance herrschend gewesen war, daß es sich in seiner Mischung aus Urtümlichkeit und Zukünftigkeit an eine inexistente Welt klassenloser Volksdichtung wendet (IX, 509, 510).

Sätze wie diese könnten einen oberflächlichen oder unkundigen Leser zu der Meinung verführen, Thomas Mann wolle seinem Leser hier das Konterfei eines „linken Wagner" suggerieren, gewissermaßen als Korrektur seiner früheren Wagner-Bilder oder gar als Gegenbild zu dem des nationalen Ölgötzen im Bayreuther Heiligtum. Dies ist indessen nicht beabsichtigt. Zwar war Thomas Mann das aus Wagners Biographie wie auch aus seinen frühen Prosaschriften sich deutlich abzeichnende revolutionäre und utopisch-sozialistische Profil des jungen Wagner aufgefallen, wie er übrigens auch G.B. Shaws Schrift „The Perfect Wagnerite" gelesen hatte, die den „Ring des Nibelungen" als Allegorie des Kapitalismus und seiner Überwindung gedeutet hatte.[33] Es lag ihm aber ganz ferne, diese Seite Wagners zu verabsolutieren. Wenn er sie an dieser Stelle hervorhebt, dann um den Leser überhaupt erst darauf aufmerksam zu machen, daß Wagner es auch politisch in sich hatte. Auch fand er in dem revolutionären und antibourgeoisen Wagner eine Bestätigung für einen ihm lieb gewordenen und mehrfach geäußerten Gedanken: Wagners geistige Gestalt stelle ein Muster, einen „vollkommenen Ausdruck" des 19. Jahrhunderts dar, sei „zerfurcht von allen seinen Zügen, überladen mit allen seinen Trieben" (IX, 363). Daß die sozialistischen „Züge" und „Triebe" des 19. Jahrhunderts für Wagner nicht gerade determinierend waren, hat Thomas Mann noch in dem gleichen Vortrag zu verstehen gegeben. Wagner, so heißt es, sei insofern eine typische deutsche Erscheinung, als „der deutsche Geist [...] sozialpolitisch wesentlich uninteressiert" sei und „daß in Zeiten, wo das gesellschaftliche Problem dominiert, wo die Idee sozialen und ökonomischen Ausgleichs , einer gerechteren wirtschaftlichen Ordnung in jedem wachen Bewußtsein als die lebendigste, ihre Verwirklichung als die dringlichste sittliche Aufgabe empfunden wird, — daß unter solchen Umständen dieser oft so fruchtbare Ausfall nicht zum glücklichsten hervortritt und zur Disharmonie mit dem Willen des Weltgeistes führt" (IX, 526).

Auch dieses Denkmuster ist nicht neu: die Idee vom „unpolitischen" und das heißt konservativen Wesen des Deutschen stellt die Grundthese der „Betrachtungen" von 1918 dar. Nur zeigt sie sich aus der Sicht des Jahren 1937 in verändertem Licht: was 1918 als selbstgefälliges Eigenlob konzipiert war, wird nun zur unnachsichtigen Kritik. Die von ihm einige Seiten vorher konstatierten Versuche Wagners, mit Hilfe des Mythos die Mißlichkeiten des bourgeoisen Gesellschaftssystems zu überwinden, nennt er nun „Ausweichungen", die „das Gepräge mythischer Surrogate für das wirklich Soziale" trügen (ebd.). Und er fährt fort: „Es ist nicht schwer, im heutigen deutschen Staats- und Gesellschaftsexperiment ein solches mythisches Surrogat zu erkennen" (ebd.). Dennoch zeigt sich Thomas Mann noch nicht bereit, Wagner als direkten Vorläufer dieser anderen „Ausweichung" zu sehen. Er spricht schließlich doch von einem „Mißbrauch", der gegenwärtig in Deutschland mit „Wagners großer Erscheinung" getrieben werde, und polemisiert gegen „schnöde Entwendungen aus dem Vokabular von Wagners Künstler-Idiom" (IX, 527).

Drei Jahre später verschärft sich der Ton. In einem (bisher nur in englischer Sprache publizierten)[34] Leserbrief an den Herausgeber der in New York erscheinenden Zeitschrift „Common Sense" reagiert Thomas Mann auf einen in dieser Zeitschrift erschienenen Aufsatz Peter Vierecks über „Hitler and Richard Wagner". Der Text dieser Ar-

33 Diese Schrift hatte Thomas Mann bereits in *Leiden und Größe Richard Wagners* (IX, 407) erwähnt.

34 Th. Mann: *Wagner und unsere Zeit. Aufsätze, Betrachtungen, Briefe.* Hrsg. von Erika Mann, Frankfurt/M. 1963, 153 ff.

beit war mir nicht zugänglich, aber nach der Lektüre von Peter Vierecks Werk „Metapolitics, From the Romantics to Hitler“ (New York 1941), das ein ausführliches Kapitel über Wagner enthält, glaube ich schließen zu dürfen, daß Thomas Manns Résumé des Artikels: „...the intricate and painful interrelationships which undeniably exist between the Wagnerian sphere and the National Socialist evil here undergo a sharp and inexorable analysis“[35], korrekt sein dürfte. Thomas Mann versichert zu Beginn dieses Leserbriefes, er habe Vierecks Arbeit „with nearly complete approval“ gelesen und betrachte sie „as extraordinarily meritorious“. Das wäre also der Widerruf der im Zürcher Vortrag aufgestellten „Mißbrauch-These“. Jedenfalls versieht Thomas Mann die These Vierecks, Wagner sei ein direkter Vorläufer Hitlers, mit seinem Signum. Indessen erweist sich im Verlauf des recht langen Leserbriefes, daß dieser „complete approval“ cum grano salis zu nehmen ist. Zumindest versucht Thomas Mann, Vierecks Polemik zu entschärfen und zu differenzieren. Seine Argumentation entspricht im wesentlichen der des Zürcher Vortrags, und manche Absätze des Leserbriefes sind, wie ein Textvergleich ergibt, schlicht aus diesem Vortrag übersetzt.[36] Wie im Zürcher Vortrag, so geht auch hier Thomas Mann von der Beobachtung aus, Wagner sei insofern ein typischer Vertreter des deutschen Geistes, als er sich an politischen Dingen und der gesellschaftlichen Aktualität desinteressiert zeige. Die Formulierungen, mit denen er diesen deutschen Wesenszug kennzeichnet, sind hier nun allerdings so, wie man sie aus den politischen Polemiken des späten Thomas Mann kennt: „This often so productive deficiency may truly take a fateful, indeed disastrous character“.[37] Und während er sich im Zürcher Vortrag geweigert hatte, zwischen der Wagnerschen Wirklichkeitsflucht und dem Wagnerkult des Dritten Reiches einen ursächlichen Zusammenhang zu sehen, liest es sich nun anders: Über dem Hochgefühl, das Wagners Musik zweifellos vermittle, dürfe man nicht vergessen, „that this work, created and directed ‚against civilization‘, against the entire culture and society dominant since the Renaissance, emerges from the bourgeois-humanist epoch in the same manner as does Hitlerism. With its *Wagalaweia* and its alliteration, its mixture of roots-in-the-soil and eyes-toward-the-future, its appeal for a classless society, its mythical-reactionary-revolutionism — with all these, it is the exact spiritual forerunner of the ‚metapolitical‘ movement today terrorizing the world.“[38] Dies alles klingt wieder außerordentlich eindeutig; aber ganz ohne Apologie geht es merkwürdigerweise auch hier nicht ab: Thomas Mann hat einige Seiten vorher seiner Anlage bereits im voraus einige Spitzen abgebrochen, indem er behauptet, daß die Vorliebe der Nazis für Wagner im Grunde genommen für diesen selbst nichts besage: „If two people like the same thing and one of them is inferior, is the object of their affection inferior too?“ Und wieder einmal müssen Nietzsche und Baudelaire herhalten,

35 Ebd. 153.

36 Vgl. etwa ebd. 157: „It is a German contribution to nineteenth Century creative art in the monumental tradition“ usw. mit IX, 525, „Sein Werk ist der deutsche Beitrag zur Monumentalkunst des 19. Jahrhunderts“ usw.

37 Ebd. 158.

38 Ebd. 158 f.

um Wagners europäische Größenordnung zu veranschaulichen, wird Wagner mit dem Argument entschuldigt, er sei eben eine typische Erscheinung des 19. Jahrhunderts gewesen, das nicht nur demokratisch-revolutionär, sondern halt auch nationalistisch gewesen sei.[39]

Dennoch hat die hellsichtige Kritik, die Thomas Manns Wagnerbegeisterung von Anfang an begleitet hat, noch nie so erbarmungslose Züge gezeigt und auch noch nie so starke politische Akzente erhalten wie in diesem Brief. Es ist merkwürdig, daß Thomas Mann diese politische Auseinandersetzung mit Wagner nicht in seinem erzählenden Werk fortgesetzt hat, obwohl sich der nun entstehende „Doktor Faustus" dazu angeboten hätte. Die Gestalt Adrian Leverkühns trägt nicht die Züge Wagners, und es scheint auch so, als habe Thomas Mann Wagner aus dem „Doktor Faustus" geradezu herausgehalten. Selbst die beiden Hinweise, die er in der „Entstehung des Doktor Faustus" auf Wagner-Anspielungen in dem Roman gegeben hat, sind eher geeignet, den Leser zu mystifizieren, als ihn auf die rechte Spur zu bringen: da ist zunächst einmal Adrian Leverkühns oft berufene karikierende Paraphrase des Vorspiels zum dritten „Meistersinger"-Akt, die dieses Musikstück so undeutlich und verzerrt wiedergibt, daß es keinem Uneingeweihten möglich ist, das Vorbild zu identifizieren.[40] Und Thomas Manns Andeutung, Rudi Schwerdtfegers Tod „in seinem Verhältnis zu allem Vorhergehenden" dränge den Vergleich mit dem „Parsifal" auf[41], stellt ein philologisch nicht aufzulösendes Rätsel dar.[42] Für den Musikerroman eines Autors, dessen Leben und Werk von Jugend an im Zeichen Wagners gestanden hat, ist die Ausbeute also recht spärlich. Andererseits ist das Bedürfnis auch des späten Thomas Mann, sich ausführlich und öffentlich über Wagner zu äußern, unvermindert: „Wagner und kein Ende", unter diesem Titel erscheint in der „Süddeutschen Zeitung" 1950 ein Brief an Emil Preetorius, dessen ausschließliches Thema Wagner ist. Auch einen weiteren Brief zum Thema Wagner (diesmal an den Baseler Theaterintendanten Friedrich Schramm) läßt Thomas Mann veröffentlichen, und die Rezension einer Ausgabe von Briefen Wagners gerät ihm unter der Hand zu einem zehnseitigen Aufsatz. Jene letzten Zeugnisse sind, so Thomas Mann, „Ausdruck einer enthusiastischen Ambivalenz, von der mein Verhältnis zu Wagner nun einmal bestimmt ist und die man schlecht und recht Leidenschaft nennen könnte." Diesen letzten Verlautbarungen sei „jeder Ausdruck recht: der kritisch-skeptische und der lobpreisend-gehobenste."[43] Der Brief an Preetorius zeigt, wie richtig diese Selbsteinschätzung ist. Hier wird Wagner einerseits geradezu zerstampft. Er wird nicht nur er-

39 Ebd. 154.

40 Vgl. *Doktor Faustus* (VI, 178 f.) und die *Entstehung des Doktor Faustus* (XI, 213). Aus letzterem Beleg geht auch hervor, daß nicht einmal Adorno in der Lage war zu erkennen, auf welches Musikstück die Beschreibung im *Doktor Faustus* zielte.

41 Vgl. *Die Entstehung des Doktor Faustus* (XI, 293).

42 Parallelen zwischen der Schwerdtfeger-Handlung im *Faustus* und dem Wagnerschen *Parsifal* sind einfach nicht vorhanden. Entfernte Motivähnlichkeiten ließen sich hingegen im *Tristan* finden (z.B. Brautwerbungsmotiv). Möglicherweise handelt es sich also bei dieser Angabe um einen Lapsus Thomas Manns.

43 X, 928 (der Schramm-Brief erscheint in der Fischer-Ausgabe unter dem Titel ‚Meistersinger').

neut in peinlicher Vereinfachung zum Vorläufer Hitlers abgestempelt[44], es finden sich auch Urteile über die dramatischen und musikalischen Qualitäten Wagners, die von der Unbarmherzigkeit Nietzsches sind: die Pariser „Venusberg"-Musik ist „zuweilen unappetitlich", in den „Meistersingern" findet er eine „mystagogische Selbstinszenierung", der zweite „Tristan"-Akt, Thema einer der frühen Novellen, ist jetzt „mehr etwas für junge Leute, die mit ihrer Sexualität nicht wo ein und aus wissen." Ja, der ganze „Tristan" sei „nicht mehr auszuhalten" (X, 926). Dazwischen dann aber wieder — seltsam genug — enthusiastisches Lob. Selbst einzelne Teile der so geschmähten „Meistersinger" sind „einfach glänzend", „ganz herrlich", eine Szene aus dem „Tristan" „schlägt an Ausdruckskraft schlechthin *alles*", eine „Lohengrin"-Arie versetzt ihn in „helles Entzücken", und im „Parsifal" steckt „großartigste Musik" (X, 926 f.). Diese Formulierungen klingen fast schwärmerisch, jünglingshaft, und in der Tat heißt es in dem Preetoriusbrief, „ich werde eben wieder jung, wenn es mit Wagner anfängt" (X, 927). In der Briefrezension die gleiche Widersprüchlichkeit. Wieder weist Thomas Mann einerseits darauf hin, daß in Wagner „zu viel Abstoßendes, zu viel ‚Hitler', wirklich zuviel latentes und alsbald auch manifestes Nazitum" sei (X, 797), beschwört aber auf der anderen Seite wieder das dekadente Wagnerbild seiner Jugend und zieht schließlich die Summe, Wagners Leben sei ein „wundervolles, erstaunliches, ewig faszinierendes Schöpferleben" (X, 798).

Die Widersprüchlichkeit dieser letzten Zeugnisse ist nicht nur für die Wagner-Rezeption des späten Thomas Mann kennzeichnend. Immer war deren Hauptmerkmal eine unberechenbare „Polyvalenz". Zwar hat Thomas Mann in einem oft angeführten Satz Wagner zu dem „Dreigestirn ewig verbundener Geister" (XII, 69 f.) gezählt, das er nennen müsse, wenn man ihn nach den Fundamenten seiner Bildung frage. Aber dieser Vergleich, der dem Leser ein unverrückbares System von Fixsternen permanent gleichbleibender Lichtstärke suggeriert, hinkt in mancher Hinsicht — zumindest was Wagner betrifft. Wenn man schon Thomas Manns Verhältnis zu Wagner mit Hilfe einer Sternmetapher demonstrieren will, dann wäre Wagner als ein Wandelstern zu kennzeichnen, der Leben und Werk des Autors in wechselndem Abstand und mit stark fluktuierender Leuchtkraft begleitet hat. Allerdings würde kein Himmelskörper je eine so unberechenbare, sich jeder Formel entziehende Bahn durchlaufen wie die, die wir in dieser Arbeit nachzuzeichnen versucht haben. Die merkwürdigen Oszillationen dieser Kurve dürften sich nur dadurch erklären lassen, daß sich das Wagner-Erlebnis Thomas Manns sein ganzes Leben hindurch zwischen zwei Polen abgespielt hat. Auf der einen Seite stellten Wagner und sein Werk für ihn ein Reaktionsmittel dar, mit dessen Hilfe er die ihn jeweils bewegenden Fragen und Erscheinungen zu klären und demonstrieren versuchte: Décadence, das Verhältnis von Deutschtum und Europäertum und schließlich den Faschismus und seine geistigen Wurzeln. Parallel zu diesem „Wagnerismus" aber, durch den sich Thomas Mann übrigens eher als Zeitgenosse der europäischen denn der deutschen literarischen Entwicklungen seiner Zeit ausweist, findet sich ein von der Jugend

44 „Es ist da, in Wagners Bramarbasieren, ewigem Perorieren, Alleinreden-Wollen, über alles Mitreden-Wollen eine namenlose Unbescheidenheit, die Hitler vorbildet [...]" (X, 926).

bis in die letzten Jahre hin fortwirkender Enthusiasmus von der Art, die man bei jedem anderen als Thomas Mann naiv nennen würde.

(Sekundärliteratur)

Anna Jacobson: *Nachklänge Richard Wagners im Roman*, Heidelberg 1932. (Beiträge zur neueren Literaturgeschichte, NF, XX).

Peter Viereck: *Metapolitics, From the Romantics to Hitler*, New York 1941, [2]1961 (Geänderter Titel: *Metapolitics. The Roots of the Nazi Mind*).

Walter A. Berendsohn: *Ein Blick in die Werkstatt*, in: *Die Neue Rundschau*. Thomas Mann-Sondernummer 1945, 177—180.

Werner Vordtriede: *Richard Wagners Tod in Venedig*, in: *Euphorion* 52, 1958, 378-395.

Viktor Zmegac: *Die Musik im Schaffen Thomas Manns*, Zagreb 1959 (Zagreber Germanistische Studien, Heft 1).

Georges Fourrier: *Thomas Mann. Le message d'un artiste-bourgeois (1896—1924)*, Paris 1960.

Jürgen Mainke: *Eine Polemik um Thomas Manns Wagnerbild*, in: *Beiträge zur Musikwissenschaft*, 5, 1963, 231—234.

Wilhelm Emrich: *Mythos des 19. Jahrhunderts. Zu Thomas Manns „Leiden und Größe Richard Wagners"*, in: *Zeugnisse, Theodor W. Adorno zum sechzigsten Geburtstag*. Hg. von Max Horkheimer. Frankfurt/M. 1963, 222—224.

Willi Schuh: *Zum Geleit*, in: *Thomas Mann, Wagner und unsere Zeit*, Frankfurt/M. 1963, 5—10.

Herbert Lehnert: *Thomas Mann — Fiktion, Mythos, Religion*, Stuttgart/Berlin/Köln/Mainz 1965.

Andreas Oplatka: *Thomas Mann und Richard Wagner*, in: *Schweizer Monatshefte*, 45, 2, 1965, 672—679.

Joseph Wulf: *Musik im Dritten Reich. Eine Dokumentation*, Reinbek 1966.

Ute Jung: *Die Musikphilosophie Thomas Manns*, Regensburg 1969 (Kölner Beiträge zur Musikforschung, Bd. 53).

Thomas Mann im Urteil seiner Zeit. Dokumente 1891—1955. Hrsg. mit einem Nachwort und Erläuterungen von Klaus Schröter, Hamburg 1969. (Zitiert als Schröter).

Erwin Koppen: *Dekadenter Wagnerismus. Studien zur europäischen Literatur des Fin de siècle*. Berlin 1973.

Herbert Lehnert

Bert Brecht und Thomas Mann im Streit über Deutschland

Als sich 1943 ein Ende des Krieges abzuzeichnen begann, gewann die Frage, was mit Deutschland nach dem Siege zu geschehen habe, im Lager der Alliierten neue Aktualität. In England erschien im Oktober 1943 ein neues Buch von Robert Gilbert Lord Vansittart, *Lessons of my Life*, in dem er seine Vereinfachung der europäischen Geschichte mit dem Ziel einer Verurteilung des deutschen Volkes fortsetzte. In einer Reihe von Rundfunksendungen, die 1941 unter dem Titel *Black Record* erschienen waren, hatte Vansittart die Unterscheidung zwischen einem Nazi-Deutschland und Deutschland überhaupt als sentimentale Germanophilie bezeichnet. In der großen Masse der schlechten militaristischen Deutschen verschwinde die kleine Zahl der guten[1]. Hitler und Kaiser Wilhelm seien im Grunde identische Verkörperungen einer langen Geschichte von Aggressivität. Selbsterlebte Geschichten von den merkwürdigen Auswüchsen des Ehrenkodexes vor 1914, Zitate aus den Schriften deutscher Kritiker Deutschlands, die komische Nacherzählung einer Mischung von *Nibelungenlied* und Wagners *Ring* beleben die sonst monotonen Tiraden über die moralische Verwerflichkeit und Unverbesserlichkeit des Deutschen mit dem implizierten Gegenbild des zivilisierten, humorvollen, menschlichen Briten. Einige der Anklagen waren natürlich nur zu berechtigt, besonders die über die Nazi-Greuel, das ändert aber nichts daran, daß das primitive, aber wirkungsvolle Feindbild Vansittarts eine fatale Ähnlichkeit mit den Feindbildern der Nazis selbst hat.

Zur Ehre des freien Meinungsaustausches im kriegsbedrängten Großbritannien muß gesagt werden, daß Vansittarts Schwarzmalerei nicht unwidersprochen blieb. Der sozialistische Verleger Victor Gollancz ließ 1942 eine Schrift mit dem bezeichnenden Titel erscheinen: *Shall our Children Live or Die?* Sie wies sich im Untertitel als Antwort auf Lord Vansittart aus. Gerade um der britischen Kriegsziele willen macht Gollancz seinen Landsleuten eine differenzierte Sicht zur Pflicht. Gegenüber Vansittarts chauvinistischer Erklärung der Weltkriege setzt Gollancz eine sozialistische Theorie des Imperialismus als Kriegsursache. Die einseitige Beschränkung auf Konstatierung einer deutschen Schuld lenke von der Hauptbedingung für einen dauerhaften Frieden ab, nämlich von einem internationalen Sozialismus, der die herrschende kapitalistisch-imperialistische Profitgier zu ersetzen habe. In dieser neuen Weltordnung habe aber natürlich kein

1 Lord Robert Vansittart, „Preface to this Edition", in *Black Record: Germans Past and Present* (London: H. Hamilton, 1941), S. viii.

restauriertes Deutschland Platz, sondern nur eines, in dem das alte militärisch-nationalistisch-imperialistische Herrschaftssystem durch eine Revolution von unten ersetzt werde. „Die ganz neuere Geschichte beweist, daß das deutsche Volk seine Freiheit nur gewinnen wird, wenn es sie für sich selbst gewinnt, indem es die Macht erobert[2]." Nach 1918 habe der Druck der Alliierten daran mitgewirkt, daß die Sozialdemokratie im Verein mit der kaiserlichen Armee „Gesetz und Ordnung" gegen die Revolutionäre aufrechterhielt und damit die Revolution verhinderte. Mit gegenüber Vansittart erstaunlicher Sachkenntnis stellt Gollancz den Weg zu Hitler nicht als Erfüllung des deutschen Charakters, sondern als konkrete Folge von politischen und ökonomischen Fehlentscheidungen dar, an der die kapitalistischen führenden Kreise der Westmächte ihren Anteil hatten. All dies werde sich nur dann nicht wiederholen, wenn die alliierte Politik die Möglichkeit einer deutschen Revolution offenhalte.

Diese Position des nicht-kommunistischen Sozialisten Gollancz ist der Brechts sehr nahe; großen Teilen der Schrift von Gollancz hätte, wie wir sehen werden, auch der Thomas Mann der Rede „Schicksal und Aufgabe" zustimmen können. Die Mitschuld der konservativen Kreise in den westlichen Ländern an Hitlers Machtbehauptung hatte er schon seit 1938 behauptet (*Dieser Friede*). Dennoch einigten sich die beiden Großen der deutschen literarischen Emigration nicht über die Frage, ob die Exilierten die künftige alliierte Deutschlandpolitik zu beeinflussen versuchen sollten.

Auf Gollancz und andere Kritiker antwortete Vansittart in der schon erwähnten Schrift *Lessons of my Life*, die bei Manns amerikanischem Verleger Knopf erschien. Vansittart fuhr darin fort, seine Gegner als unverbesserliche, naive Germanophilen zu verspotten und völlige Entmachtung Deutschlands zu fordern. Wie übrigens auch in seinem früheren Buch warnte er vor Exildeutschen, in denen stets Pangermanisten versteckt seien. Das hinderte ihn nicht, Thomas Mann zum Zeugen anzurufen. Er zitierte ihn mehrfach, sei es, um den fragwürdigen Begriff „Kultur" auszugraben, wie Mann ihn in den *Betrachtungen eines Unpolitischen* beschrieben hatte, sei es, um zu behaupten, daß Mann jetzt mit Vansittart übereinstimme, insbesondere darin, daß Hitler kein Zufall sei, sondern Ausdruck einer wesensmäßig deutschen Lust an Gewalt und Versklavung[3]. Aus der englichen Übersetzung von Thomas Manns *Dieser Krieg* zitiert Vansittart mit Zustimmung einen Satz über die, wie es im Original heißt, „jammervolle Tatsache", daß das deutsche Volk seine nationalsozialistischen Machthaber unterstütze und fügt hinzu: „Das ist das Urteil des führenden Exildeutschen[4]."

Sosehr wir heute die moralische Überlegenheit der Gegner Vansittarts bewundern, so verständlich ist es, wenn der Lord im kriegsentscheidenden Amerika als Stimme des bedrängten England angesehen werden konnte. Obwohl die öffentliche Diskussion in

2 Victor Gollancz, *Shall our Children Live or Die?* (London: V. Gollancz, 1942), S. 33.
3 Lord Robert Vansittart, *Lessons of my Life* (NY: Knopf, 1943), S. 274.
4 Ebda., S. 164. Vgl. Thomas Mann, *Gesammelte Werke* (Frankfurt/M.: S. Fischer, 1965), XII, S. 864. Von nun an zitiert als TM mit Band- und Seitenzahl. Die englische Übersetzung von *Dieser Krieg* erschien 1940 (*This War*. London: Secker & Warburg. 61 SS). Siehe Hans Bürgin, *Das Werk Thomas Manns. Eine Bibliographie* (Frankfurt/M.: S. Fischer, 1959), IV, Nr. 123, S. 80.

Amerika bemerkenswert frei und differenziert war, mußte die Ansicht Deutschlands als Aggressornation unter Führung Hitlers als Repräsentanten eines brutalen Deutschland doch im Kriege große Überzeugungskraft besitzen. Das amerikanische Äquivalent Vansittarts war Henry Morgenthau junior, dessen Plan einer Entmachtung Deutschlands durch Teilung und Entindustrialisierung allerdings erst im Spätsommer 1944 entstand.[5] Da Morgenthau, im Gegensatz zu Vansittart, der 1941 aus dem britischen auswärtigen Dienst ausgeschieden war, als Secretary of the Treasury zu Franklin Roosevelts Kabinett gehörte, war sein Plan mehr als ein Diskussionsbeitrag. Daß er dann doch nicht zur offiziellen Besatzungspolitik wurde, ist auf eine Reihe von Faktoren zurückzuführen: das sowjetische Bestehen auf Reparationen, die ohne deutsche Industrie nicht zu erhalten waren und eine, durch Indiskretion bewirkte, öffentliche Diskussion des Planes in Amerika, aus der Roosevelts politische Gegner, die Republikaner, Vorteil zu ziehen hofften (mit dem Argument, der Morgenthau-Plan versteife den deutschen Widerstand und führe darum zu unnötigen amerikanischen Verlusten.) Auch hatte der Morgenthau-Plan von Anfang an entschiedene Gegner im Kabinett, vor allem den Secretary of War, Henry Stimson, der darauf hinwies, daß ein auf landwirtschaftliche Produktion reduziertes Deutschland erst einmal 30 Millionen Menschen verhungern lassen müsse.

Es muß den politisch interessierten Kreisen des deutschen Exils in USA als nationales Verdienst angerechnet werden, daß sie sich schon im Jahre 1943 zusammenzuschließen versuchten, um in den künftigen Diskussionen eine Stimme zu haben. Wie wichtig das war, zeigt eben der (spätere) Morgenthau-Plan und der Anteil, den die öffentliche Diskussion daran hatte, daß er niemals ernstlich in Angriff genommen wurde. Ein politischer Zusammenschluß des politisch interessierten Exils war jedoch erschwert und zuletzt unmöglich wegen des lebhaften Mißtrauens der bürgerlichen und vor allem der sozialdemokratischen Gruppen gegen die Möglichkeit, von Kommunisten für deren Zwecke ausgenützt zu werden. Konferenzen einer „Deutschen Volksfront gegen Hitler“ in Pariser Exilkreisen waren vor dem Ausbruch des Krieges nicht sehr ermutigend verlaufen. Die Schwenkung der sowjetischen Politik 1939, der „Nichtangriffspakt“ Molotows und Ribbentrops, die gemeinsame Besetzung Polens waren noch frisch in Erinnerung[6].

Ein Zusammenschluß deutscher Exilpolitiker konnte nur unter einer repräsentativen, respektgebietenden Persönlichkeit, die in der amerikanischen Öffentlichkeit be-

5 Darstellung des Morgenthau-Plans und seiner Geschichte in John Morton Blum, *From the Morgenthau Diaries. Years of War 1941-1945* (Boston: Houghton-Mifflin, 1967), III, S. 327-374.

6 Siehe die folgenden auf Erinnerungen basierenden Artikel: Karl O. Paetel, „Deutsche im Exil. Randbemerkungen zur Geschichte der politischen Emigration“, *Außenpolitik*, VI, Nr. 9 (1955), S. 572-585; ders., „Zum Problem einer deutschen Exilregierung“, *Vierteljahreshefte für Zeitgeschichte*, IV, Nr. 3 (1956), S. 286-301; Michael Kuehl, „Die exilierte deutsche demokratische Linke in USA“, *Zeitschrift für Politik*, N. F. IV, Nr. 3 (1957), S. 273-289. – Eine zusammenhängende Darstellung der deutschen Emigrationspolitik jetzt in Joachim Radkau, *Die deutsche Emigration in den USA. Ihr Einfluß auf die amerikanische Europapolitik 1933-1945*, Studien zur modernen Geschichte, 2 (Düsseldorf: Bertelsmann Universitätsverlag, c1971).

kannt war, Aussicht auf einigen publizistischen Erfolg haben. Der Nobelpreisträger Thomas Mann, dessen Reden im ganzen Lande großen Zulauf hatten, mußte jedem Beteiligten als der geeignetste erscheinen. Spekulationen über eine politische Rolle im Exil, die zu einer politischen Rolle im Nachkriegsdeutschland hätte führen können, muß es schon vor der Gründung des Nationalkomitees „Freies Deutschland" in Moskau gegeben haben. Wir erfahren davon aus Briefen Thomas Manns an Agnes Meyer, der Gattin des Verlegers der *Washington Post*, die selbst eine einflußreiche Publizistin war und die einige Zeit lang Thomas Mann protegierte. Am 8. Juli 1943 schreibt er an sie, es sei Unsinn, aus ihm einen Masaryk oder Paderewski machen zu wollen, zumal da Deutschland nach dem Kriege politisch entmündigt sein werde. Noch entschiedener am 21. Juli: „Nur unter stärkstem Druck würde ich mich jemals dazu verstehen, eine politische Rolle zu spielen und mir dabei bewußt sein, das schwerste Opfer zu bringen[7]."

Der Thomas Mann, der dies schreibt, arbeitet am *Doktor Faustus*, dem auf die fiktionale Ebene gebrachten Dokument der Teilnahme am deutschen Schicksal dieser Jahre. Diese Teilnahme fand damals auch eine aktivere Form in den monatlichen Rundfunksendungen nach Deutschland. In der Rundfunkrede vom 27. Juni 1943 sprach er von dem Widerstand gegen die Nationalsozialisten in allen europäischen Ländern, auch vom deutschen Widerstand. Er erwähnte die deutschen Insassen der Konzentrationslager und die nahezu täglichen Todesurteile in politischen Prozessen, als besonderes Beispiel den Prozeß gegen Studenten und Professoren der Universität München, die wir heute als die Gruppe der „Weißen Rose" kennen. In diesem Zusammenhang steht eine Äußerung über die Frage, ob man zwischen dem deutschen Volk und den Nationalsozialisten unterscheiden könne oder müsse. „Ehre und Mitgefühl auch dem deutschen Volk! Die Lehre, daß man zwischen ihm und dem Nazitum nicht unterscheiden dürfe, daß deutsch und nationalsozialistisch ein und dasselbe seien, wird in den Ländern der Alliierten zuweilen, nicht ohne Geist, vertreten; aber sie ist unhaltbar und wird sich nicht durchsetzen. Zu viele Tatsachen sprechen dagegen. Deutschland hat sich gewehrt und fährt fort sich zu wehren, so gut wie die anderen[8]." Auf den ersten Blick sieht es so aus, als ob sich Thomas Mann hier für eine Trennung von Nationalsozialismus und deutschem Volk einsetze. Sieht man genauer hin, so bezweifelt er nur Meinungen anderer und behauptet sogar, die Theorie, daß deutsch und nationalsozialistisch einerlei seien, habe „Geist", eine allzu freundliche Beschreibung der Position Vansittart. In seiner nächsten Rundfunkrede vom 27. Juli forderte Thomas Mann die Deutschen zum Handeln auf. Sie sollten es den Italienern nachtun, die gerade ihren Faschismus beseitigt hatten. Auf die Frage, ob man den Nationalsozialismus als Verkörperung des politischen Willens der Mehrheit der Deutschen ansehen solle oder vielmehr als System, das ihren politischen Willen unterdrückt, fällt Thomas Mann eine eindeutige Antwort schwer. Nur ein erfolgreicher Widerstand, eine Revolution gegen Hitler würde die Frage durch-

7 Unveröffentlicht. Die Originale in der Beinecke Library, Yale Univ. Zitate mit freundlicher Genehmigung der Yale Univ. und Dr. Golo Manns im Namen der Erbengemeinschaft.

8 TM XI, S. 1076.

schlagend beantworten. Bert Brecht in seinem Gedicht gegen Thomas Mann, von dem noch die Rede sein wird, bemerkte mit Bitterkeit, dieses Verlangen bedeute die Aufforderung, „seine bewaffneten Peiniger mit bloßen Händen anzufallen".

Obwohl Stalin auf der Konferenz von Teheran Ende 1942 eine Teilung Deutschlands diskutiert hatte, entstand im Juli 1943 in deutschen Kriegsgefangenenlagern mit Hilfe von in der Sowjetunion lebenden deutschen kommunistischen Emigranten das Nationalkomitee „Freies Deutschland", das eine „starke demokratische Staatsmacht" forderte. Würde Deutschland bis zum Ende kämpfen, würde Hitler, wie das Manifest des Nationalkomitees es formulierte, „durch die Waffen der Koalition gestürzt", dann bedeute das „das Ende unserer nationalen Freiheit und unseres Staates, das wäre die Zerstückelung unseres Vaterlandes". Da der Krieg verloren sei und niemand mit Hitler verhandeln werde, sei „die Bildung einer wahrhaft deutschen Regierung die dringendste Aufgabe unseres Volkes". Die Prinzipien, die einer solchen Regierung zugrunde liegen sollten, waren eine entschiedene Entnazifizierung, „Wiederherstellung und Erweiterung der politischen Rechte und sozialen Errungenschaften der Schaffenden", was wohl im Sinne kommunistischer Herrschaft zu verstehen ist, aber auch Wiederherstellung der bürgerlichen „Freiheit der Wirtschaft, des Handels und des Gewerbes". Neben der „Sicherung des Rechtes auf Arbeit" wurde auch die „des rechtmäßig erworbenen Eigentums" verkündet, freilich nicht das „der Kriegsschuldigen und der Kriegsgewinnler", deren Vermögen zu beschlagnahmen sei. Angesichts der totalen Kriegswirtschaft hätte diese Bestimmung zur Begründung von weitgehenden Sozialisierungen dienen können. Auch die „starke demokratische Staatsmacht", die „nichts gemein hat mit der Ohnmacht des Weimarer Regimes", läßt sich so auslegen. Dennoch ist das Bedürfnis, bürgerlich Eingestellte zu gewinnen, unverkennbar. Das Manifest des Nationalkomitees wurde am 13. Juli 1943 auf einer Konferenz in Moskau unterschrieben von 21 Kriegsgefangenen vom Major bis zum Soldaten und 12 deutschen kommunistischen Emigranten, darunter Johannes R. Becher, Willi Bredel, Wilhelm Pieck, Walter Ulbricht und Erich Weinert, dem Organisator des Komitees, der vermutlich der Verfasser des Manifestes ist. Es wurde am 19. Juli 1943 in *Freies Deutschland: Organ des Nationalkomitees „Freies Deutschland"* in Moskau veröffentlicht[9]. Dasselbe Organ brachte am 6. August eine Erklärung von Thomas Mann, datiert New York 26. Juli 1943 (der Ort könnte sich auf einen vermittelnden Presseagenten beziehen; Thomas Mann befand sich in seinem Hause in Pacific Palisades):

9 Erich Weinert, *Das Nationalkomitee „Freies Deutschland" 1943-1945: Bericht über seine Tätigkeit und seine Auswirkung* (Berlin: Rütten & Loening, 1957), S. 19-23: „als Manuskript abgeschlossen Moskau, im Dezember 1945". Das Originalmanifest, abgedruckt in *Freies Deutschland*, III, Nr. I (19. Juli 1943)" mit einer Photographie des ursprünglichen Typoskripts mit Unterschriften, weist nur 33 Namen statt 38 (in Weinerts Buchfassung) auf. Ich verdanke den Hinweis auf Weinerts Buch dem Herausgeber, meinem Kollegen John Spalek. Für eine Photographie der Erstveröffentlichung des Manifests danke ich Herrn Horst Halfmann, Deutsche Bücherei, Leipzig.

> Der führende deutsche Schriftsteller Thomas Mann gab folgende Erklärung ab: Das Manifest des Nationalkomitees „Freies Deutschland" scheint mir die natürliche und gesetzmäßige Fortsetzung des Aufrufes zu sein, mit dem sich die westlichen Demokratien unlängst an Italien gewandt haben, damit es sich vom faschistischen Regime befreie und auf diese Weise die Möglichkeit erhalte, Mitglied des auf Gesetzlichkeit und Freiheit begründeten Bundes der Nationen zu werden. Ich habe stets den Standpunkt vertreten und verfochten, den ich wiederholt in meinen Rundfunkreden für Deutschland zum Ausdruck gebracht habe, wonach nur eine echte und aufrichtige Umkehr Deutschland von den Mächten des Übels säubern kann, die es in diesen unglückseligen Zustand gestürzt haben. Nur sie kann das deutsche Volk vor der ganzen Welt und vor der Weltgeschichte rehabilitieren und auch Deutschland das Tor in die Zukunft öffnen. In diesem Sinne bin ich mit dem Manifest des Nationalkomitees völlig einverstanden.[10]

In dieser Erklärung gibt Thomas Mann sich alle Mühe, seine Zustimmung weder als deutschen Patriotismus noch als Unterstützung einer kommunistischen oder sowjetischen Aktion erscheinen zu lassen. Er hatte das amerikanische Bürgerrecht beantragt, wohnte in einem eigenen Hause in Südkalifornien, das er nicht mehr zu verlassen gedachte, hatte Feunde in Amerika und wollte im Kriege gegen Hitler nichts tun, was als Illoyalität gedeutet werden konnte.

Bertolt Brecht war im Juli 1941 in Südkalifornien angekommen. In der Sowjetunion hatte er nicht bleiben wollen, offenbar weil er sich der dort herrschenden Realismus-Theorie nicht unterwerfen wollte. Mit Lukács, der die deutsche kommunistische literarische Emigration dominierte, hatte er sich in Aufsätzen und Eintragungen in seinem *Arbeitsjournal* auseinandergesetzt, die erst viel später aus dem Nachlaß zugänglich wurden. Schon als Mitherausgeber der Lukács unbequemen Zeitschrift *Das Wort*, die 1939 eingestellt wurde, war er in Moskau mißliebig. Brechts Modernismus wurde, so vermutete er wohl mit Recht, als Formalismus verdächtigt. Lukács Realismus-Theorie, am bürgerlichen Roman des 19. Jahrhunderts ausgerichtet, hatte auch Thomas Manns Werk rechtfertigen wollen. Das hatte Brecht erbittert, denn sein Bewußtsein einer Überlegenheit über die bürgerliche Geisteskultur begründete er mit seinem marxistisch-theoretischen Wissen von den ökonomischen Grundlagen des Kapitalismus. Nach Lukács sollte zum Gestalten des bürgerlichen Verfalls ein solches Wissen nicht nötig sein[11].

Daß ausgerechnet das hochkapitalistische Amerika ihm zur Gewährleistung der Freiheit seines Wortes nötig wurde, muß sein Verhältnis zu diesem Lande von Anfang an belastet haben, denn zum Renegaten wollte er nicht werden. Sein *Arbeitsjournal* gibt

10 Zitiert in Günter Hartung, „Bertold Brecht und Thomas Mann: Über Alternativen in Kunst und Politik", *Weimarer Beiträge*, XII (1966), S. 402-435. Das Zitat aus *Freies Deutschland*, III, Nr. 3 (1943), S. 430, Anm. 60.

11 Bertold Brecht, *Arbeitsjournal 1938-1955*, 2 Bände durchlaufend paginiert (Frankfurt/M.: Suhrkamp, 1973), S. 13-15, 22, 25-27, 38-39. Bertold Brecht, *Gesammelte Werke* (Frankfurt/M.: Suhrkamp, 1967), XIX, S. 286-382. Von nun an zitiert als BB mit Band- und Seitenzahl.

auf vielen Seiten die nackte Kommerzialität der Filmindustrie wieder, die ihre Drehbuchschreiber künstlerisch emaskuliert. Die brutale Offenheit dieser Kommerzialität hinderte Brecht an der Fortsetzung seines „Tui-Romanes", in dem er die Selbsttäuschungen deutscher Intellektueller hatte enthüllen und verspotten wollen[12]. Andererseits traten ihm in den geflüchteten Häuptern des Frankfurter Instituts für Sozialforschung linke Exemplare seiner Tuis entgegen, die er gelegentlich (für sich) mit Lukács assoziierte[13]. Thomas Mann, dem Adorno am *Doktor Faustus* freundschaftliche Hilfe leistete, fügte sich diesem Typus ein. Thomas' Bruder Heinrich stand Brecht weltanschaulich näher; den Unterschied im Lebensstandard der Brüder nahm er mit Erbitterung zur Kenntnis, nicht ohne Übertreibung und offenbar in Unkenntnis der Rente, die Thomas seinem Bruder ausgesetzt hatte[14]. Wenn Brecht Thomas Manns Hausbau von Heinrichs Armut absetzte, so hinderte ihn das keineswegs, seinerseits in ein größeres Haus zu ziehen, das einen ausreichend großen Arbeitsraum hatte und einen Garten, in dem „der Lukrez wieder lesbar" wurde[15]. Sosehr Brecht „Tuismus" und Ästhetizismus verachtete, er war imstande, in sein Journal zu schreiben, in der Schlacht um Smolensk tobe „der Kampf um die Würde des Menschen". Dieselbe Schlacht gehe auch um die Lyrik, das heißt, er erhoffte sich deren Befreiung aus dem „Elfenbeinturm", in den der Kommerzialismus Hollywoods sie gesperrt hatte[16]. In den Gedichten dieser Zeit spiegelt sich seine Stimmung und seine scharfe Kritik an dem Leben in Südkalifornien und an der Lügenhaftigkeit der Filmindustrie. Immerhin stammt aus dieser Zeit auch das Gedicht *Die freiwilligen Wächter*, in dem Brecht seine persönlichen ästhetischen Ansprüche und Abweichungen vom proletarischen Puritanismus ironisch verteidigt.

So sympathisch er den Kampf der Roten Armee verfolgte und in jeder Kampfpause der Royal Air Force Verrat der Tories witterte, so sehr er seiner Kritik an der amerikanischen „Scheindemokratie" die Zügel schießen ließ, so sehr er die Intellektuellen und Ästheten verachtete, so ist all dies doch nicht frei von einer halb geheimen Ambivalenz. In Brechts Marxismus steckte auch avantgardistischer Künstlerehrgeiz, der es besser wußte als die Alten. Wenn er sich dem Proletariat verbunden fühlte, so diente ihm die Arbeiterklasse auch zur Legitimation eines Stils, den nur er selbst zu bestimmen hatte, eine Notwendigkeit, die ihn zwang, aus der Sowjetunion abzureisen und Asyl dort zu suchen, wo man „Lügen kauft"[17]. Es ist vielleicht diese geheime Ambivalenz, diese letzte Dominanz des Artistischen, die sein Verhältnis zu dem damals ungleich berühmteren deutschen Künstler der Ironie vergiftete, zumal da Thomas Mann sich offensichtlich erfolgreich an seine neue Umwelt angepaßt hatte. Die Gelegenheit zum Konflikt kam, als

12 *Arbeitsjournal*, S. 418. — Vgl. James K. Lyon, „Bertolt Brecht's Hollywood Years. The Dramatist as Film Writer", *Oxford German Studies*, VI (1971-1972), S. 145-174.

13 Ebda., S. 443, Vgl. u. a. S. 468, 517 und 295 mit der Berichtigung Horkheimers in den Anmerkungen. Dort auch weitere Hinweise.

14 Ebda., S. 325, 643. Vgl. auch Golo Mann, in *Die Zeit*, Nr. 9, 23. Feb. 1973, S. 17 (nordamerikanische Ausgabe Nr. 9, 2. März 1973, S. 9).

15 *Arbeitsjournal*, S. 513.

16 Ebda., S. 411 und 406.

17 BB X, S. 848. Vgl. auch BB X, S. 866 f., „Die freiwilligen Wächter".

Thomas Mann aufgefordert wurde, sich an einer gemeinsamen Erklärung zu beteiligen, die das Moskauer Nationalkomitee begrüßte.

Am 1. August 1943 kamen im Hause Berthold Viertels in Santa Monica Brecht, Lion Feuchtwanger, Bruno Frank, Heinrich und Thomas Mann, Ludwig Marcuse, Hans Reichenbach und natürlich der Gastgeber zusammen. Viertel war Schriftsteller und Regisseur. Reichenbach, ursprünglich Physiker, lehrte Philosophie an der University of California, Los Angeles. Der Kritiker Ludwig Marcuse lehrte deutsche Literatur an der University of Southern California. Der Schriftsteller Bruno Frank stand Thomas Mann besonders nahe. Nach langer Beratung kam die folgende Erklärung zustande, die von den Beteiligten unterschrieben wurde:

> In diesem Augenblick, da der Sieg der Alliierten Nationen näher rückt, halten es die unterzeichneten Schriftsteller, Wissenschaftler und Künstler deutscher Herkunft für ihre Pflicht, folgendes öffentlich zu erklären:
>
> Wir begrüßen die Kundgebung der deutschen Kriegsgefangenen und Emigranten in der Sowjetunion, die das deutsche Volk aufrufen, seine Bedrücker zu bedingungsloser Kapitulation zu zwingen und eine starke Demokratie in Deutschland zu erkämpfen.
>
> Auch wir halten es für notwendig, scharf zu unterscheiden zwischen dem Hitlerregime und den ihm verbundenen Schichten einerseits und dem deutschen Volk andererseits.
>
> Wir sind überzeugt, daß es ohne eine starke deutsche Demokratie einen dauernden Weltfrieden nicht geben kann.[18]

Nach Brechts Bericht fand Thomas Mann die Erwähnung der Sowjetunion anfangs bedenklich und fügte deshalb den ersten Satz hinzu. Am nächsten Tag distanzierte er sich wieder. Brecht, offenbar von Feuchtwanger informiert, notiert sich folgendes:

> 2.8.43
>
> und heute morgen ruft TH[OMAS] MANN feuchtwanger an: er ziehe seine unterschrift zurück, da er einen „katzenjammer" habe, dies sei eine „patriotische erklärung", mit der man den alliierten „in den rücken falle", und er könne es nicht unbillig finden, wenn „die alliierten deutschland zehn oder zwanzig jahre lang züchtigen". die entschlossene jämmerlichkeit dieser „kulturträger" lähmte selbst mich wieder für einen augenblick, der modergeruch des frankfurter parlaments betäubt einen heute noch. mit goebbels behauptung, hitler und deutschland sei eins, stimmen sie überein, wenn hearst sie übernimmt. ist dem deutschen volk, sagen sie, nicht zumindest knechtseligkeit vorzuwerfen, wenn es sich goebbels so unterwarf, wie sie sich hearst unterwerfen? und waren die deutschen nicht schon vor hitler militaristisch? th[omas] mann erinnert sich, wie er selber 1914 den einfall der kaiserlichen armeen in belgien zusammen mit 91 anderen intellektuellen gut befunden hat. solch ein volk muß gezüchtigt werden! wie gesagt, für einen augenblick erwog sogar ich, wie „das deutsche volk" sich rechtfertigen könnte, daß es nicht nur die untaten des hitlerregimes, sondern auch die romane des herrn mann geduldet hat, die letzteren ohne 20-30 ss-divisionen über sich.[19]

18 *Arbeitsjournal*, S. 597.
19 Ebda., S. 599.

Die Formulierung der Worte Manns in Brechts Journal ist aus zweiter Hand. Obwohl sie im großen und ganzen Thomas Manns Meinung wiedergibt, wie wir sehen werden, ist es jedoch nicht sicher, ob Thomas Mann das Wort „züchtigen" wirklich gebraucht hat. Dieses Wort wurde zur Keimzelle des Gedichtes von Brecht, von dem schon die Rede war und das wir unten noch näher betrachten werden. Hier genügt der Titel: *Als der Nobelpreisträger Thomas Mann den Amerikanern und Engländern das Recht zusprach, das deutsche Volk für die Verbrechen des Hitlerregimes zehn Jahre lang zu züchtigen.*

Thomas Manns Schwanken ist erklärlich. Brechts Erklärung des Falles ergibt sich aus seiner Sehweise, nach der Thomas Mann, in hoffnungslos veralteter Ideologie befangen, den Mut zur Wahrheit nicht hat. Man muß aber bedenken, daß eine Erklärung, die als Unterstützung der Sowjetunion verstanden werden konnte, in Südkalifornien nicht ungefährlich war. Brecht wußte das sehr wohl, wie wir sehen werden. Auch er war kein Märtyrer; er empfahl das schlaue Überleben. Schweyk war sein Held. Brecht mutete Thomas Mann mehr Risiko zu, vielleicht weil er ihn durch Prominenz für gedeckt hielt. Aber Prominenz exponiert auch. Überdies ging Thomas Mann immer wieder Risiken ein. Er hatte dem Moskauer Nationalkomitee ja schon eine Begrüßung zukommen lasse. Das gleiche hatte er schon früher getan, als er das Programm der Bewegung „Freies Deutschland" in Mexico City mit einigen freundlichen Worten begrüßte. Diese zahlenmäßig schwache Gruppe hatte seit Anfang 1942 an die Pariser deutsche Volksfront anzuknüpfen versucht. Sie hatte sich an alle antifaschistischen Deutschen in der westlichen Hemisphäre gewandt, stand aber eindeutig unter der Führung der KPD im Exil und propagierte spezifisch sowjetische Ziele wie die Errichtung einer zweiten Front in Europa. Die KPD in Mexico (wohin Spanienkämpfer entkommen waren) wurde von den deutschen Sozialdemokraten in New York mit stets wachem Mißtrauen verfolgt[20]. Thomas Mann kannte Gerhart Seger, den Herausgeber der *Neuen Volkszeitung* in New York persönlich. Er las dieses Wochenblatt der Exil-Sozialdemokraten zumindest gelegentlich, denn 1944 beschwerte er sich bei Seger über die „Russenfresserei" der *Neuen Volkszeitung*[21]. Auch hier also suchte er einen Rechtsdrall in der sozialdemokratischen Exilpolitik zu vermeiden; grundsätzliche Übereinstimmung im Mißtrauen gegen die KPD darf man jedoch voraussetzen. Die Sozialdemokraten der New Yorker *Volkszeitung* wie die Thomas Mann nahestehenden Angehörigen des Frankfurter Instituts für Sozialforschung (Adorno half ihm im Musiktheoretischen beim *Doktor Faustus*, Horkheimer war sein Zeuge bei der Einbürgerung) wollten die bürgerliche Kultur bewahren und weiterführen, während Brecht (dessen Verhältnis zur Tradition in Wahrheit komplizierter war) sich den „Alten" gegenüber als Bilderstürmer gab. Thomas

20 Wolfgang Kießling, „Zur Tätigkeit der von der KPD geführten Bewegung ‚Freies Deutschland' in Mexiko in der Anfangsperiode ihres Wirkens", *Beiträge zur Geschichte der deutschen Arbeiterbewegung*. X (1968), S. 1008-1032. Alexander Abusch, „Thomas Mann und das freie Deutschland", *Sinn und Form*, Sonderheft Thomas Mann (1965), S. 65. Die Kenntnis des Artikels von Kießling verdanke ich John Spalek.

21 Thomas Mann, *Briefe 1937-1947*, hrsg. Erika Mann (Frankfurt/M.: S. Fischer, 1963), S. 360. Von nun an zitiert als *Briefe* II mit Seitenzahl. Vgl. auch den Dank für ein „Geburtstags-Symposium" Segers in der *Neuen Volkszeitung* vom 4. Juni 1940, ebda., S. 142-143.

Manns politische Haltung war die eines reformistischen Sozialdemokraten, der sich nach links hin nicht verschließen wollte, aber zugleich sich davor hütete, kommunistisch manipuliert zu werden.

Wie sich Brecht in einen Haß gegenüber Mann hineinsteigerte, bezeugt eine Eintragung im *Arbeitsjournal*, acht Tage nach den Ereignissen vom 1. und 2. August geschrieben:

> 9.8.43
> als THOMAS MANN vorigen sonntag, die Hände im schoß, zurückgelehnt sagte: „ja, eine halbe million muß getötet werden in deutschland", klang das ganz und gar bestialisch. der stehkragen sprach. kein Kampf war erwähnt, noch in anspruch genommen für diese tötung, es handelte sich um kalte züchtigung, und wo schon hygiene als grund viehisch wäre, was ist da rache (denn das war ressentiment von dem tier).[22]

In Wahrheit litten Brecht und Mann gleichermaßen an dem Zwiespalt, mit der Niederlage Hitlers die Leiden so vieler Landsleute wünschen zu müssen[23]. Daß Brecht in Mann statt dieses Konflikts nur Ressentiment sieht und ihn „Tier" nennt, kann man wohl als psychologische Projektion erklären. Der Stehkragen sollte wenigstens eindeutig im Unrecht sein.

Die Aufregung dauerte auf beiden Seiten fort. Einen Monat später finden wir ein Gerücht über eine Äußerung Manns im *Arbeitsjournal*:

> 9.9.43
> THOMAS MANN, höre ich von einem ohrenzeugen, erzählt jetzt herum, „diese linken wie brecht" führten befehle von moskau aus, wenn sie versuchten, ihn zu erklärungen zu veranlassen, daß man einen unterschied zwischen hitler und deutschland machen müsse. das reptil kann sich nicht vorstellen, daß man ohne befehle von irgendwo etwas für deutschland (und gegen hitler) tun kann und daß man überhaupt ganz von sich aus, sagen wir aus überzeugung, in deutschland etwas anderes erblicken kann als ein zahlkräftiges leserpublikum. bemerkenswert ist die perfidie, mit der das paar mann — seine Frau ist sehr aktiv dabei — solche verdächtigungen ausstreut, die, wie sie wissen, jedem großen schaden tun können.[24]

Nimmt man das Gerücht als ungefähr richtig an, was durchaus möglich ist, dann hatten Thomas Mann und seine Frau offenbar das Gefühl, sich gegen eine Manipulation wehren zu müssen. Die „Befehle von Moskau" sind ein Ausdruck für dieses Gefühl. Zweifellos war dieser Ausdruck gefährlich, besonders in Südkalifornien. Aber wenn es Brecht um Sicherheit vor dem Vorwurf der Illoyalität gegenüber dem Gastland ging, wozu die ganze Aktion zugunsten des Moskauer deutschen Komitees „Freies Deutschland" und wozu das Bestehen auf der Unterschrift des exponierten Nobelpreisträgers? Doch wohl, weil nur so die Erklärung eine Chance hatte, in die Presse zu kommen und

22 *Arbeitsjournal*, S. 602.

23 Vgl. unter vielen anderen Zeugnissen Thomas Manns Briefe vom 4. und 5. Mai 1942 nach dem Beginn der britischen Luftoffensive, in *Briefe* II, S. 252-253.

24 *Arbeitsjournal*, S. 621.

zugleich durch den berühmten Namen gedeckt war. Thomas Mann hätte das als Sicherheit auf seine Kosten auffassen dürfen. Brechts vergifteter Verdacht, Thomas Manns Interesse an Deutschland sei ausschließlich kommerziell, richtet sich gegen einen Autor, der im *Doktor Faustus* sich selbst in seine kritische Darstellung des deutschen Bildungsbürgertums einbezog, indem er autobiographische Züge auf Zeitblom und Leverkühn verteilte. Manns Grenze war, daß er dazu neigte, Deutschland mit dem Bildungsbürgertum zu verwechseln. Brechts Grenze war seine Ideologie, die ihn dazu verführte, bei seinen Feinden das ökonomische Interesse an die Stelle der vieldeutigen Person zu setzen, während er sich selber eine personale „Überzeugung“ zubilligte. Für ihn wiederum war das deutsche Volk ausschließlich die Arbeiterklasse.

Brechts häufige Auseinandersetzungen mit der Frage des Unterschiedes zwischen Hitler und Deutschland, den er einmal „Lesebuchfabel“ nennt, lassen übrigens erkennen, daß das Problem ihn selbst nicht frei von Zweifeln ließ. Auch Wiederaufbau-Dienst deutscher Arbeiter in der Ukraine faßte er unter gewissen Bedingungen im August 1943 ins Auge[25]. Daß Brecht eine „nationale Friedens- und Freiheitsfront gegen Hitler“ tatsächlich als „taktische Position“ verstand, beweist eine Polemik gegen Becher im *Arbeitsjournal*[26].

Brechts Abneigung gegen Thomas Mann hatte eine Vorgeschichte, die in die Zeit der Republik zurückreichte. 1926 hatte er sich öffentlich über Thomas Mann und dessen Sohn Klaus lustig gemacht. Noch 1934 verdächtigte eine Strophe in der *Ballade von der Billigung der Welt* den Dichter des *Zauberbergs* des Bestochenseins[27]. Hanns Eisler, der wie Feuchtwanger gute Beziehungen zu beiden unterhielt, was gelegentlich seine Schwierigkeiten hatte, berichtet, Brechts Kenntnis des *Zauberbergs* sei durch ihn, Eisler, vermittelt gewesen. Auch Mann hatte offenbar wenig von Brecht gelesen[28].

Am gleichen 9. August 1943, an dem die oben zitierte haßerfüllte Eintragung Brechts in sein *Arbeitsjournal* geschrieben wurde, äußerte sich Thomas Mann über die Ereignisse vom 1. und 2. August in einem unveröffentlichten Brief an Agnes Meyer. Er habe die Bewegung einer Gruppe deutscher Schriftsteller aufgehalten, die die Erklärung

25 Ebda., S. 604 — S. 446 bezeichnet er die Unterscheidung zwischen Hitler und Deutschland als „Lesebuchfabel“, die die Kampfkraft der deutschen Armeen in Rußland nicht recht erklärt. Eine andere ideologische Antwort S. 475. Brecht führt jedoch immer wieder die nationalsozialistische Gewalt und die Zerschlagung der Arbeiterorganisationen an.

26 *Arbeitsjournal*, S. 641.

27 BB IX, S. 472. In der Interpretation folge ich dem Aufsatz von Günter Hartung (siehe Anm. 10), der sie mit den Entwürfen aus dem Brecht-Archiv belegt. Auf seine (marxistische) Darstellung sei ausdrücklich hingewiesen. Die Glosse über Thomas und Klaus Mann von 1926, in BB XVIII, S. 40-42; vgl. 43-44. 1933 hatte Brecht Mann freilich brieflich seinen Respekt für seine „Stellungnahme für die deutsche Arbeiterschaft“ ausgesprochen. Gemeint war „Bekenntnis zum Sozialismus“ (TM XII, S. 678-684). Der Brief in *Blätter der Thomas-Mann-Gesellschaft*, Nr. 13, 1973, S. 10 f.

28 Hans Bunge, *Fragen Sie mehr über Brecht: Hanns Eisler im Gespräch* (München: Rogner und Bernhard, 1970), S. 60-63. Für Thomas Mann bezeugt Unkenntnis sein Sohn Golo Mann in *Die Zeit*, Nr. 9, 23. Feb. 1973, S. 17 (nordamerikanische Ausgabe Nr. 9, 2. März 1973, S. 9).

aus Moskau, man müsse zwischen „Hitler und Deutschland" unterscheiden, hatte begrüßen wollen. Er hielt die Initiative des Nationalkomitees nicht für spontan, sondern für einen russischen politischen Schachzug. Auch habe ihm die Zusammensetzung des Komitees aus kriegsgefangenen Leutnants und ehemaligen kommunistischen Reichstagsabgeordneten nicht gefallen. Was ihn aber vor allem störte, war dies: „Dazu ist die Unterscheidung von Deutschtum und Nationalsozialismus ein sehr weites Feld, mit dem man in einem Buche nicht fertig würde, geschweige in einer Erklärung." Hier ist der Wortlaut zu beachten. Während die im Hause Berthold Viertels verfaßte Erklärung unterschied zwischen „dem Hitlerregime und den ihm verbundenen Schichten einerseits und dem deutschen Volk andererseits", unterscheidet Mann hier einmal zwischen „Hitler und Deutschland", ein anderes Mal zwischen „Deutschtum und Nationalsozialismus". In der Erklärung wird das deutsche Volk von seiner Regierung und deren Trägern abgesetzt. Thomas Mann spricht von „Deutschland" und „Deutschtum". Seit den *Betrachtungen eines Unpolitischen* hatte Thomas Mann „Deutschland" und das „Deutschtum" als mythische, personifizierte Größen gesehen. Nach 1933 hatte er eine Art Gegenstück zu den *Betrachtungen* schreiben wollen[29], diesen Plan zwar aufgegeben, aber vieles von den damaligen Gedanken in die Pläne zum *Doktor Faustus* übernommen. Deutschland bestand für ihn nach wie vor aus den Kulturbürgern (oder Bildungsbürgern), die mit dem repräsentativen Künstler, dem führenden Schriftsteller in Verbindung standen. Der Grund seines „Leiden an Deutschland" war es, daß ein großer Teil dieser Kulturbürger sich dem Nationalsozialismus zugewandt hatte oder ihn duldete. Eine repräsentative Rolle in der Emigration zu spielen, hielt er für unrealistisch. Außerdem war er dabei, ein Buch zu schreiben, in dem er die Repräsentantenrolle einem „deutschen Tonsetzer" zuschreibt, der sie im politschen Sinne verfehlt.

Im gleichen Brief an Agnes Meyer fährt Thomas Mann mit der Begründung seiner Abneigung gegen die „Free Germany"-Bewegung fort:

> Und schließlich finde ich, daß man es dem liberalen Amerika überlassen muß, vor der Vernichtung Deutschlands zu warnen; es kommt meiner Meinung nach uns Emigranten nicht zu, Amerika Ratschläge wegen der Behandlung unseres Landes nach dem schweren und noch fernen Siege zu geben. Es gibt unter deutschen Links-Sozialisten eine Art von patriotischer Mode, darauf zu bestehen, daß Deutschland ‚nichts geschehen darf'. Das ist gar nicht mein Gefühl. Nach allem, was geschehen, werde ich mir über *nichts* die Haare raufen, was die Alliierten mit Deutschland anfangen, wenn es endlich bezwungen ist. Natürlich ist zu wünschen, daß nicht irreparable, die Zukunft belastende Torheiten begangen werden. Aber rein moralisch und pädagogisch gesehen, können zunächst einmal der Fall und die Buße gar nicht tief genug sein nach dem lästerlichen Übermut, der wüsten Superioritätsraserei und Gewaltphantasterei, die dieses Volk sich rauschvoll geleistet hat. Übrigens glaube ich, daß diesmal Rußland den Protektor Deutschlands machen wird, wie nach 1918 England.

29 Siehe die Briefe an Karl Kerényi vom 4. Aug. 1934, in Thomas Mann, *Briefe 1889-1939* (Frankfurt/M.: S. Fischer, 1961), S. 369 f., sowie die darauf folgenden Briefe. An Hermann Hesse, 7. Aug. 1934, in *Hermann Hesse – Thomas Mann: Briefwechsel*, hrsg. Anni Carlsson (Frankfurt/M.: Suhrkamp, 1968), S. 48.

Diese Briefstelle bestätigt nicht, daß Thomas Mann die „Züchtigung" des deutschen Volkes aktiv verlangt habe, jedoch ist deutlich, daß er eine harte Behandlung durch die Alliierten erwartete und nicht glaubte, ihr widersprechen zu dürfen. Die moralische Begründung, die er gibt, personifiziert Deutschland, behandelt es als eine mythische Einheit, die Buße zu tun habe für Übermut und den Rausch der Überheblichkeit, man könnte sagen, für das oberflächliche Verständnis Nietzsches in der nationalsozialistischen Gewaltanbetung. Die andere Auffassung Brechts und seiner Freunde, der „deutschen Links-Sozialisten" in der amerikanischen Emigration, bezeichnet er als „Patriotismus". Er verstand deren Motive offensichtlich nicht, weil für ihn „das deutsche Volk" eine mythische Einheit war und nicht wie für Brecht die Masse der Ausgebeuteten, deren Oberschicht allein die Schuld trug. Für Thomas Mann mußte diese schuldige Oberschicht nahezu identisch mit dem kulturellen Deutschland sein. Der letzte Satz der zitierten Briefstelle schließlich reflektiert sein politisches Mißtrauen gegen die ganze Aktion, in der er, wie manche Pressekommentare, eine mögliche Anknüpfung der Sowjetunion an ein Nachkriegsdeutschland sich vorbereiten sah. Man kann diese Auffassung nicht als unrealistisch und von der Geschichte widerlegt betrachten. Sie bestand 1943 nur als Möglichkeit, aber als solche war sie auch noch nach 1945 vorhanden.

Thomas Mann schreibt an Mrs. Meyer gleichsam wie an sein amerikanisches Gewissen. Brechts Bitterkeit gegenüber Thomas Mann, die man auch bei anderen Exilautoren findet, rührte zu einem großen Teil daher, daß sie einen Unterschied spürten zwischen der Aufnahme Thomas Manns in Amerika und ihrer eigenen. Meistens wurde Manns Wohlhabenheit überschätzt. Er hatte den größeren Teil seines Vermögens 1933 verloren, teils durch Beschlagnahme, teils durch die sogenannte „Reichsfluchtsteuer". Das Einkommen aus den englischen Übersetzungen seiner Bücher war nicht groß genug, um seinen Lebensstil aufrechtzuerhalten, zumindestens nicht bis zu dem Erfolg der Übersetzung von *Joseph der Ernährer*. Zeitweise bezog Thomas Mann ein Gehalt als „Consultant" der Library of Congress, das tatsächlich von Mrs. Meyer gestiftet wurde. Dieses Gehalt war notwendig für die Aufrechterhaltung seines Lebensstils, an dem er nicht nur aus Gewohnheit festhielt, sondern auch weil er dessen materielle Senkung als Sieg Hitlers und Goebbels' empfunden hätte. Zwar kann man sagen, daß seine Bindung an Amerika auch eine materielle Seite hatte, eine Seite, für die Brecht selbst nicht unempfindlich war. Es wäre jedoch ungerecht, ihn als abhängig und gekauft hinstellen zu wollen. Nicht nur hatte er andere Verbindungen, auch zu liberaleren und sozialistischen Kreisen in Amerika (während Mrs. Meyer gemäßigte Republikanerin war), es bestand auch nicht immer ein harmonisches Verhältnis zwischen ihm und Agnes Meyer. Gelegentlich traten Spannungen auf. Die materielle Seite ist überhaupt nicht dominant in ihrem Verhältnis. Agnes Meyer verkörperte ihm die amerikanischen Kreise, die Thomas Manns Werk schätzten und ihm das dankten, auch mit materiellen Vorteilen. Nennt man das Gekauftsein, dann müßte man die materielle Existenz des Berufsschriftstellers überhaupt so bezeichnen. Sicher ist jedoch, daß Mann auf seine Aufnahme beim amerikanischen Publikum reagierte, zumal sie sich auf seinen großen Vortragsreisen durch das ganze Land auch persönlich auswirkte.

So ziemlich die einzige reguläre Pflicht als Consultant der Library of Congress war ein jährlicher Vortrag, den Thomas Mann in der Bibliothek in Washington hielt. Am 1. Juli 1943 hatte er Agnes Meyer über seine Pläne für den diesjährigen Vortrag geschrieben. Wohl angeregt durch die Arbeit am *Doktor Faustus* wollte er über Europa sprechen, über die Städte und Landschaften, die er kannte, ausgehend von seiner Heimatstadt Lübeck und endend mit Betrachtungen über Geist und Schicksal des Kontinents. Die Vorträge, die Thomas Mann im Spätherbst 1943 in Washington, New York und an anderen Orten hielt, sind gekürzte englische Versionen des deutsch geschriebenen Aufsatzes „Schicksal und Aufgabe“. Eine englische Version wurde im Mai 1944 in *Atlantic Monthly* unter dem Titel *What ist German* gedruckt. Vortragstitel waren „The War and the Future“, „The Order of the Day“ oder „The New Humanism“. Der Text des zugrundeliegenden Aufsatzes wurde im Spätsommer 1943 geschrieben, und seine Tendenz ist von den hier beschriebenen Ereignissen beeinflußt. Er wurde weit weniger als ursprünglich geplant eine kulturell-autobiographische Plauderei, sondern vielmehr eine politische Botschaft. Offenbar suchte Mann seine bürgerlichen amerikanischen Hörer zu beeinflussen, was er aufgrund seiner deutschen Erfahrungen für notwendig hielt. Damit vermittelte er, wie er wohl meinte, zugleich zwischen den bürgerlichen und sozialistischen deutschen Emigranten. Thomas Mann warnt seine konservativen, wohlhabenden Zuhörer vor Haltungen, die dem Faschismus geholfen hatten, emporzukommen, Gefahren, die dem Deutschen bekannter waren als den Amerikanern. Am Anfang des Aufsatzes spricht Thomas Mann von dem „Hochmut Intellektueller gegen traditionelle bürgerliche Werte wie Freiheit und Fortschritt“, dann von der Täuschung durch den irrationalen Anti-Kommunismus. Beide Gefahren sah Thomas Mann in seiner neuen amerikanischen Umgebung wie früher in seiner deutschen. „Schicksal und Aufgabe“ wirkt für eine Versöhnung der wirtschaftlich und kulturell staatstragenden Schichten in Amerika (die dem deutschen Bürgertum ähnlich sind) mit dem sozialistischen Gedanken. Diese Versöhnung hatte er in Deutschland schon 1925 begonnen in der revidierten Fassung des Aufsatzes „Goethe und Tolstoi“, als er verlangte, daß Karl Marx Hölderlin lese[30] und 1928, als er hinzufügte, daß das Verhältnis von Kulturbürgertum und Sozialismus ein gegenseitiges sein müsse[31]. In „Schicksal und Aufgabe“ erklärt er die soziale Demokratie für eine unvermeidbare Notwendigkeit und nennt den „Schrecken der bürgerlichen Welt vor dem Kommunismus, [diesen] Schrecken, von dem der Faschismus so lange gelebt hat, etwas Abergläubisches und Kindisches ..., die Grundtorheit unserer Epoche“. Auf der anderen Seite distanziert er sich, im selben Atemzug, von der russischen Form des Sozialismus „in dem die Idee der Gleicheit die der Freiheit vollkommen überwiegt“. Die Grundlage des Aufsatzes ist „die Idee bürgerlicher Freiheit“[32]. Das Wort vom Antikommunismus als „Grundtorheit unserer Epoche“ konnte zwar in kommunistischen Propagandabroschüren verwendet werden, aber nicht der Aufsatz „Schicksal und Aufgabe“ als ganzer, weil dieser ausdrücklich den „Ausgleich

30 TM IX, S. 170.
31 TM XII, S. 639-649, besonders S. 649.
32 TM XII, S. 934.

von Sozialismus und Demokratie"[33] anstrebt. Scherzend bezieht Mann sich auf seinen Aufsatz, während er noch daran diktiert, in einem Brief an seinen früheren Sekretär Konrad Kellen, der inzwischen zur amerikanischen Armee eingezogen wurde: „Vielfach äußere ich erschreckend ‚linkse' Dinge, hoffe es aber durch das Darüberstreuen von ziemlich viel konservativem und traditionalistischem Puderzucker vor skandalöser Wirkung zu schützen[34]." An Agnes Meyer schreibt er ernster: „Eine große Rolle spielt das Bekenntnis zu dem elementaren Bedürfnis nach Gleichgewicht (‚Natur und Geist'), aus dem all mein Reden und Raten kommt: Ich setze mich aus Instinkt auf die *hohe* Bank des schief liegenden Segelboots und nicht auf die, die sowieso schon beinahe im Wasser hängt, und auf der die Conformisten der Zeit sich drängen[35]."

Ein Gleichgewicht zwischen Gegensätzen war schon von jeher ein Denkspiel, das Thomas Mann liebte: Nord und Süd, Leben und Kunst, Leben und Geist, Geist und Kunst, das Apollinische und das Dionysische, Natur und Geist, Ost und West waren solche Gegensätze. Deutschland in der Mitte zwischen Geist und Leben, West und Ost war ein Hauptthema des *Zauberbergs* geworden. Die Synthese zwischen Leben und Geist ist die in der Hauptfigur gestaltete Utopie des Josephsromans. In einer halb historischen Form zeigte die Synthese sich als bürgerlicher Dichter Goethe in *Lotte in Weimar*, nicht ohne Selbstparodie. Mit dem unmöglichen, märchenhaften Charakter der Synthese von Geist und Leben spielt das Antimärchen *Die vertauschten Köpfe*.

Der ästhetische Charakter dieses Spiels mit Gegensätzen und ihrer Synthese wird deutlich in dem Gleichnis, das Mann in „Schicksal und Aufgabe" verwendet, um zu zeigen, daß die bürgerliche Gesellschaft sich sozialistische Ideen aneignen kann. Sie kann das seiner Meinung nach ebenso wie sie sich ihren musikalischen Geschmack durch ihre großen Komponisten hat verändern lassen. Die Musik von Mozart, Beethoven, Verdi, Wagner, Mahler wurde zuerst als gesetzeswidrig empfunden, jedoch hat das bürgerliche Ohr sich angepaßt. Ebenso hat sich auch das soziale Gewissen verändert.

Die Musik dient ihm auch zur Exemplifizierung seines eher konservativen Verhältnisses zur Demokratie. „Ich verstehe Demokratie nicht hauptsächlich als einen Anspruch und Sichgleichstellen von *unten*, sondern als Güte, Gerechtigkeit, Sympathie von *oben*.[36]" Wenn Beethoven nicht auf dem Ausnahmerecht des Genies bestehe, sondern Schillers „Seid umschlungen Millionen..." komponiere, das sei Demokratie. Die Stelle ist vielleicht das deutlichste Zeugnis für Manns eigenes aristokratisches Kulturbürgertum, das sich durch die Propagierung des Ausgleichs von Sozialismus und Demokratie durchhält. In einer Hinsicht hatte Brecht also recht, wenn er Thomas Mann in das 19. Jahrhundert verwies. Brechts Ungerechtigkeit hatte seine Wurzel darin, daß er

33 TM XII, S. 932; zur Verwendung von Teilen von „*Schicksal und Aufgabe*" als Propaganda vgl. Hans Bürgin, *Das Werk Thomas Manns. Eine Bibliographie* (Frankfurt/M.: S. Fischer, 1959), Titel V, Nr. 573, S. 200, und I, Nr. 73, S. 40.

34 *Briefe* II, S. 329, Brief vom 19. Aug. 1943.

35 Die Stelle ist in dem Druck des Briefes vom 27. Aug. 1943, *Briefe* II, S. 331, gekürzt. Siehe Anm. 7.

36 TM XII, S. 933.

Manns sozialdemokratische Vermittlungsorientierung unter den kulturbürgerlichen Zügen verschwinden läßt.

Auch die Frage der Einheit oder Verschiedenheit von Nationalsozialismus und dem deutschen Volk behandelt Thomas Mann aus einer literarisch-ästhetisch-kulturbürgerlichen Sicht. Der darauf bezügliche Abschnitt in „Schicksal und Aufgabe" beginnt mit dem Satz: „Der Fall Deutschland ist darum so verwirrend und kompliziert, weil Gutes und Böses, das Schöne und das Verhängnisvolle sich darin in der eigentümlichsten Weise vermischen.[37]" Diese These demonstriert er mit dem Werk Richard Wagners, das er als romantischen Aufstand gegen „die ganze bürgerliche Kultur und Bildung" darstellt, gegen die europäische Tradition seit der Renaissance und besonders gegen die Bildungswelt des deutschen Klassizismus und Humanismus.[38] Von der archaischen Kunstrevolution Wagners meint Thomas Mann zwar, daß sie sich auf „unvergleichlich höherer Ebene" abgespielt habe, sie sei aber dennoch dem Nationalsozialismus verwandt. Von dieser Überlegung ausgehend bespricht er die romantische Neigung des „deutschen Geistes" und sein mangelndes Interesse am Sozialen und Politischen. Damit setzt er den deutschen Geist ab von dem westlichen. Diese Reflexionen hängen aufs engste zusammen mit der Konzeption des *Doktor Faustus*. In diesem Roman, den Thomas Mann als Summe seiner Zeit konzipierte, wird das deutsche Problem als artistisches dargestellt. Das Buch ist eine Selbstkritik und Selbstanklage; es setzt gerade darum voraus, daß der Künstler ein heimlicher Volksführer ist. Deutschland wird durch seine ästhetisch raffinierte Kunst, spezifisch durch seine Musik, definiert.

Das ist eine einseitige und nicht haltbare These, was aber nicht besagt, daß sie völlig falsch ist. Das deutsche Bürgertum war von einer Ideologie beeinflußt, die ihrerseits von der deutschen Kultur abhängig war. Der Nationalsozialismus und seine „Weltanschauung" hat sich diese Ideologie zunutze gemacht. Der gefährliche Vorteil der ästhetischen Theorie von der deutschen Schuld ist, daß sie sich leicht manipulieren läßt. Der durch seine Kultur, seinen „Geist" definierte Deutsche ist durch beide schuldig, was ja beinahe ehrenvoll ist. Er muß Buße tun für die Schuld seiner Kultur, wodurch die Schuld etwas Symbolisches wird. Daß die Buße konkret sein kann, während die Schuld nur abstrakt ist, ebenso wie auch der umgekehrte Fall möglich ist, daß ein konkreter Schuldiger in der abstrakten Kollektivschuld zu verschwinden sucht, ist durch viele Beispiele belegt. Der „deutsche Geist" und die faschistischen Neigungen des deutschen Bürgers sind in heutiger Sicht bei weitem nicht so außerordentlich, weder im bösen, noch im guten Sinne.

Daß die marxistische Forschung nach der ökonomischen Basis als dem eigentlichen Antrieb fragt, führt offensichtlich zu Einsichten, zu denen kulturell-geistige Spekulation nicht gelangen kann. Brechts Mißtrauen gegen ideologische Abstraktionen veranlaßte ihn dazu, an den einzelnen Menschen zu denken, an den Arbeiter, der, wie immer, die „Buße" auszubaden hat. Auch Mann dachte an das Schicksal des einzelnen. An Wilhelm Herzog, der ihm aus Anlaß der Rundfunkbotschaft vom 27. Juni 1943 ge-

37 TM XII, S. 924.
38 TM XII, S. 924 f.

schrieben hatte, antwortet er am 20. August 1943: „...Deutschland hält nicht mehr lange, ich kann es nicht glauben. Die Menschen leiden zu sehr — man hält es von weitem kaum aus; wie sollen sie es noch Jahr und Tag aushalten. Man muß aber zugeben: nie war die Geschichte gerechter.“[39] Dieser letzte Satz bezieht sich nicht mehr auf den leidenden einzelnen, sondern wieder auf das mythisierte Volk, das gesündigt hat und bestraft werden muß.

Auch bei Brecht finden wir das Ineinanderfließen von Mitgefühl für den einzelnen und Ideologie. Sein Gedicht „An die deutschen Soldaten im Osten“ von 1942 führt dem Leser sterbende deutsche Soldaten in Rußland vor Augen. Ihre Schuld ist, in die sozialistische Sowjetunion eingebrochen zu sein:

> In das friedliche Land der Bauern und Arbeiter
> Der großen Ordnung, des unaufhörlichen Aufbaus ...

Sie haben sich vor ihren Ausbeutern unterwerfen lassen und sind Hitler gefolgt.

> Nur weil ich ein Knecht war
> Und es mir geheißen ward
> Bin ich ausgezogen zu morden und zu brennen
> Und muß jetzt gejagt werden
> Und muß jetzt erschlagen werden.

In diesem Zusammenhang findet sich eine biblische Anspielung:

> Der Fuß, der die Felder der neuen Traktorenfahrer zertrat
> Ist verdorrt.
> Die Hand, die sich gegen die Werke der neuen Stadtbauer erhob
> Ist abgehauen.[40]

Die Worte „verdorren“ und „abgehauen“ spielen auf biblische Metaphern für die Vergänglichkeit, Gras und Blumen an, wie sie in Jesaja 40, 6-8 (zitiert Petr. I,24) und Psalm 90,5-6 erscheinen und durch Brahms' *Deutsches Requiem* popularisiert wurden. Wenn Brecht hier zur biblischen Sprache greift, so um das konkrete Geschehen mit einem poetisch-metaphysischen Akzent zu versehen. Auch hier wird eine Schuld ins Metaphysische gehoben. Die Schuld, die Brecht meint, ist nicht, wie bei Mann, die Überheblichkeit der Kulturbürger, inspiriert von dem falsch verstandenen Nietzsche, nicht die mangelnde Führung durch introvertierte bloß ästhetische Künstler, die in *Doktor Faustus* dargestellt ist, sondern das Versäumnis der deutschen Arbeiter, sich rechtzeitig von ihren Ausbeutern zu befreien, eine Ansicht Brechts, wie sie in einem Gedicht der *Kriegsfibel* ganz deutlich wird. Es handelt sich um einen gereimten Kommentar zu einem Bild aus der Zeitung, dem Grab eines deutschen Soldaten.

> Ihr Brüder, hier im fernen Kaukasus
> Lieg ich nun, schwäbischer Bauernsohn, begraben
> Gefällt durch eines russischen Bauern Schuß.
> Besiegt ward ich vor Jahr und Tag in Schwaben.[41]

39 *Briefe* II, S. 330.
40 BB X, S. 838-843, die Zitate S. 839 und 843.
41 BB X, S. 1041.

In einem Artikel, den Brecht ebenfalls 1943 für ein amerikanisches Publikum schrieb und dessen deutsches Original verloren ist, heißt es ganz ähnlich wie bei Gollancz: „To complain that the German people allows its government to wage a frightful war of aggression is actually to complain that the German people does not make a social revolution[42]." Den Artikel konnte der Übersetzer, Erick Bentley, übrigens damals nicht in Amerika unterbringen. Der Antikommunismus bestand auch während des Bündnisses mit der Sowjetunion.

Thomas Mann ist in „Schicksal und Aufgabe" von dem Argument der versäumten sozialen Revolution beeinflußt. Vielleicht ist das ein Ergebnis des Gesprächs mit Brecht, Feuchtwanger und Viertel vom 1. August 1943. Mann schrieb im Laufe des August an dem Text, er konnte also sehr wohl unter dem Eindruck des Gesprächs gestanden haben. Das Argument war ihm vielleicht schon durch Gollancz bekannt. Die Stelle fällt geradezu aus dem Rahmen des sonst vorwiegend ausgleichenden Essays:

> Was zerstört werden muß, ist die unglückselige Machtkombination, das weltbedrohende Bündnis von Junkertum, Generalität und Schwerindustrie. Man soll das deutsche Volk nicht etwa daran hindern, sondern ihm behilflich sein, die Herrschaft dieser Schicht ein für allemal zu brechen, die längst überfällige Agrarreform durchzuführen, kurz, die echte, aufrichtige und reinigende Revolution ins Werk zu setzen, die allein Deutschland in den Augen der Welt, der Geschichte und in den eigenen Augen rehabilitieren und ihm den Weg in die Zukunft öffnen kann, in die neue Welt der Einheit und Zusammenarbeit, der zu dienen der deutsche Geist durch seine höhere Tradition durchaus vorbereitet ist.[43]

Hier sondert Thomas Mann einige Gruppen aus dem Kulturbürgertum aus und macht sie zu Hauptverantwortlichen. Er lenkt aber schnell in seine Denkweise zurück. Das geschieht schon am Ende des Zitats, wo von der „höheren Tradition" des „deutschen Geistes" die Rede ist. Diese Tradition, so fährt er fort, sei der „Universalismus", der durch „Machtpolitik" verdorben sei.

> Wir wollen Psychologen genug sein, zu erkennen, daß der ungeheuerliche deutsche Versuch der Weltunterwerfung, den wir jetzt katastrophisch scheitern sehen, nichts anderes ist als ein verzerrter und unglückseliger Ausdruck jenes dem Deutschtum eingeborenen Universalismus, der ehemals so viel höhere, reinere, edlere Gestalt hatte und diesem bedeutenden Volk die Zuneigung, ja die Bewunderung der Welt erwarb.[44]

Mit Universalismus ist die deutsche politische Tradition gemeint, die durch das Heilige Römische Reich überkommen war und durch den deutschen Humanismus der Goethezeit vergeistigt wurde. Diese Tradition befähige die Deutschen besonders, an übernationalen Organisationen teilzunehmen, jedoch sei sie unter Hitler zum bewaffneten Hegemoniestreben verkommen. Daher seien das böse und das gute Deutschland im Grunde identisch, wobei Deutschland durch seine geistigen Traditionen bestimmt ist. Obwohl die Begründung weniger primitiv ist, ist dies dennoch die gleiche Position wie die Vansittarts.

42 BB XX, S. 285 ff.
43 BB XII, S. 928 f.
44 TM XII, S. 929.

Eben dies würde Brecht Tuismus genannt haben, im Sinne seines geplanten „Tui-Romanes". Thomas Mann wiederum glaubte denjenigen sozialistischen Tendenzen, die er für berechtigt hielt, mehr als zur Hälfte in „Schicksal und Aufgabe" entgegengekommen zu sein. Er blieb dabei immer ein Vertreter der bürgerlichen Gesellschaft, der zwar die Nationalsozialisten, ihre Machtpolitik und ihre ultrakonservativen Helfer ablehnte, aber eine Erneuerung darin sah, daß bürgerliche Kultur, sozialer Gedanke, traditioneller Universalismus, westliche Weltläufigkeit, eine erneuerte Moral auf christlicher Grundlage, mit Rechtssicherheit und Freiheit des Individuums, sich zu einem „neuen Humanismus" vereinigten[45].

Thomas Mann begann seine Vortragsreise am 9. Oktober. Am 13. Oktober sprach er in Washington. Er wohnte, wie immer, bei Agnes Meyer. Er muß von den Bemühungen einer Gruppe deutscher Emigranten in New York gewußt haben, die unter Führung des Theologen Paul Tillich und mit Beteiligung Brechts ein Free Germany Committee gründen wollten. Möglicherweise hat er mit Agnes Meyer, die Beziehungen zum Regierungsapparat hatte, die Möglichkeiten seines Vorgehens besprochen, denn Agnes Meyer hatte den Kontakt mit Adolf Berle, Assistant Secretary of State, vermittelt, den Thomas Mann wenig später aufnehmen sollte[46]. Er drängte sich nicht vor. In *Die Entstehung des Doktor Faustus* berichtet er, aufgrund seiner Tagebücher, daß er nicht zum Begräbnis von Max Reinhardt (gestorben am 30. Oktober 1943) gegangen sei, teils wegen einer Erkältung, teils um zu vermeiden, in den Gründungsausschuß gezogen zu werden. Eine Sitzung mit Thomas Mann fand schließlich doch statt, und es wurde vereinbart, daß dieser einen Kontakt zum Department of State herstellen sollte. Er fuhr am 25. November nach Washington und sprach mit Adolf Berle. Nach seinem Bericht in *Entstehung* fand er seine Erwartung bestätigt, daß das State Department der Idee einer Art von Exilregierung keinerlei Neigung entgegenbrachte. Dieses Ergebnis berichtete er dem Gründungsausschuß in New York und teilte mit, daß er unter diesen Umständen an der Arbeit eines Free Germany Committee nicht teilnehmen wolle[47].

Manns Brief an Berle vom 18. November 1943 ist in den Akten des Department of State erhalten. Thomas Mann berichtet darin von der Absicht politisch interessierter Gruppen unter den deutschen Emigranten, ein Free Germany Committee zu gründen. Ein solches Komitee könne einerseits die Deutschen innerhalb Deutschlands beeinflussen und andererseits die amerikanische Regierung beraten. Es werde, soweit möglich, aus allen politischen Gruppen von rechts und links zusammengesetzt sein. Er selbst werde an ihm nur unter Bedingungen teilnehmen, von denen die wichtigste die sei, daß das Komitee die offizielle Billigung der amerikanischen Regierung habe. Dies ergebe sich aus seiner Loyalität als angehender amerikanischer Bürger; auch glaube er, daß das

45 TM XII, S. 938. Zu Thomas Manns Rede vor dem „Writers Congress", die z. T. auch aus *„Schicksal und Aufgabe"* stammt und von seiner Absicht, in Amerika zu bleiben spricht, siehe den Aufsatz von Ehrhard Bahr in dem Band Spalek/Strelka (Hrsg.), *Deutsche Exilliteratur seit 1933. Kalifornien.* Bern/München 1976, Band I.

46 Dies geht aus einem unveröffentlichten Brief an Agnes Meyer hervor, Kansas City, Missouri, 5. Dez. 1943. Siehe Anm. 7.

47 TM XI, S. 184.

Komitee nur so sinnvoll arbeiten könne. Daran schließt er noch die Bemerkung, daß seiner Ansicht nach Deutschland nach der Niederlage wohl Verwaltungsfachleute, aber keine eigentlichen politischen Führer brauche. Er sei der Meinung, daß „personalities with whose names hopes are connected for a leading part in a reorganized democratic Germany" nicht vorzeitig in einer schwierigen Situation „verbraucht" werden sollten. Der ganze Ton des Briefes ist voller Skepsis gegen das „Free Germany-Unternehmen, dessen Präsidentenschaft Thomas Mann nur dann übernehmen wolle, wenn ein wirklich aktives amerikanisches Interesse bestünde.

Solch ein aktives Interesse war im Department of State nicht vorhanden. Adolf Berle lud Thomas Mann am 25. November zum Lunch ein. Er gab danach ein „Memorandum of Conversation" zu den Akten, dessen wesentlicher Text folgt:

> I had lunch with Mr. Thomas Mann ... He stated that he had difficulty in accepting the chairmanship of any committee designed to intervene in German politics because he had applied for American citizenship and expected to spend the rest of his life here. I told him I thought indeed that would place him in a difficult position, I told him also that his own name was very highly regarded in German circles and that I rather felt that he might not wish to enter the tangled and controversial field until the issues became considerably clearer. With this he agreed. A. A. B., Jr.[48]

Aus dem Gedächtnis gab Dr. Berle 1961 noch folgende ergänzende Darstellung:

> I said that this was a free country and he was entirely free to enter into this activity if he so desired. I added, however, that his was perhaps the greatest single name outside Nazi Germany and that he might therefore wish to be very careful when und how he used ist. At that time it was impossible to say what forces would appear when Hitler was conquered and clearly impossible to determine what intra-German forces were represented by any committee functioning outside. He might very well wish to maintain an independent position until he could be more certain, but it was entirely his decision whether to enter the somewhat sterile complexities of exile politics, or await better oppertunities.
>
> Mann said he also was undecided. He was indeed contemplating taking out American citizenship, and since he did have that in mind he was unclear whether he had a right to take a position purporting to represent internal German forces.
>
> As you are aware, he finally decided not to enter the movement.[49]

Berle hat also Thomas Mann nur aus persönlichen Gründen abgeraten. Dies wird durch ein weiteres Zeugnis bestätigt, das Günter Hartung aus dem Brecht-Archiv beigebracht hat. In den Protokollen der Sitzungen des Council for a Democratic Germany, der 1944 gegründet wurde und die Stelle des gescheiterten Free Germany Committee einnahm, findet sich ein Bericht über ein Gespräch Adolf Berles mit dem Exil-Sozialdemokraten Paul Hagen, nach dem Berle bestritt, Mann gesagt zu haben, er solle dem Free

48 Eine Kopie des Briefes von Thomas Mann an Mr. Berle und eine Kopie des „Memorandum of Conversation" verdanke ich Dr. G. Bernard Noble, Director, Historical Office, Bureau of Public Affairs, Dept. of State, Washington.

49 Brief von Adolf A. Berle an den Verfasser vom 6. Juli 1961, zitiert mit freundlicher Genehmigung von Mr. Peter A. A. Berle.

Germany Committee nicht beitreten, „man habe Mann nur davor gewarnt, vorzeitig seinen Namen abzunutzen“[50]. Abgesehen von kleinen Variationen ist das Bild klar. Berle vermied eine offizielle Stellungnahme zu dem Free Germany Committee, indem er sich auf Thomas Manns Person und Namen bezog. Thomas Mann verstand dies als diplomatischen Ausdruck einer ablehnenden Haltung der Regierung, berichtete das dem Gründungsausschuß und nahm diese Haltung zum willkommenen Anlaß, sich zurückzuziehen. Zwar hatte er Berle selbst das Stichwort geliefert, er wollte jedoch Berles Haltung als Test ansehen, ob er als Präsident des Komitees mit irgendwelcher Regierungsunterstützung rechnen könne. Dieser Test hatte ein eindeutig negatives Resultat.

Die Sitzung, in der er das negative Ergebnis mitteilte, muß sehr unerfreulich gewesen sein. In einem sehr bald danach geschriebenen Brief an Agnes Meyer (Kansas City, Missouri, 5. Dezember 1943)[51] berichtet er von dem Gespräch „mit der Corona in New York“. Paul Tillich (der später Präsident des Council for a Democratic Germany wurde) habe gesagt, er, Thomas Mann, habe „Deutschland das Todesurteil gesprochen“. Auch erinnert er sich an Bert Brechts „höhnisch verbittertes Gesicht“. Er nennt ihn bei dieser Gelegenheit einen „party liner“ und fügt die Befürchtung hinzu, daß Brecht Mann „alles Böse antun wird ... wenn die Russen ihm in Deutschland zur Macht verhelfen“.

Für uns, die wir Einblick in den Nachlaß haben, ist die Ansicht, daß Brecht „zur Macht“ hätte kommen können, absurd. Brechts Individualismus machte ihn zu einem für die Funktionäre unsicheren Parteigänger des Kommunismus. Aber da seine Ideologie ihn zwang, seinen Individualismus zu verstecken, kann man sich auch wieder nicht über Thomas Manns Apprehension wundern.

Ein Nachspiel zu diesen Ereignissen war der zwar überraschend höfliche, aber notwendigerweise gänzlich ergebnislose schriftliche Austausch zwischen den beiden. Brecht schrieb selten Briefe, entschloß sich aber zu einer Ausnahme wenige Tage nach der Absage Thomas Manns an den Gründungsausschuß. Der Brief ist New York, 1. Dezember 1943 datiert, also kurz nach dem zweiten Treffen und Thomas Manns Absage an das Free Germany Committee geschrieben. Brecht bezieht sich auf Manns Zweifel „an einem starken Gegensatz zwischen dem Hitlerregime und seinem Gefolge und den demokratischen Kräften in Deutschland“. Er macht auf den seiner Ansicht nach starken Widerstand und dessen Opfer innerhalb Deutschlands aufmerksam, wobei er natürlich vor allem an die Kommunisten denkt. Paul Tillich, die Vertreter der früheren deutschen Arbeiterparteien und Brecht hielten es weder für ihr Recht, noch für ihre Pflicht, „sich dem deutschen Volk gegenüber an den Richtertisch zu setzen, ihr Platz scheint ihnen auf der Bank der Verteidigung“. Es gebe eine echte Furcht bei seinen Freunden, daß Manns Zweifel an der Existenz demokratischer Kräfte in Deutschland sich übertrage, da Mann „mehr als irgendein anderer von uns das Ohr Amerikas“ habe[52].

50 Hartung (siehe Anm. 10), S. 431, Anm. 65.

51 Unveröffentlicht, siehe Anm. 7.

52 BB XIX, S. 478-480. Mit Thomas Manns Antwort auch in *Sinn und Form*, XVI (1964), S. 691 bis 692. Thomas Manns Antwort allein in *Briefe* II, S. 339-341.

Nun war Thomas Mann zwar der Meinung, daß der Nationalsozialismus eng mit dem deutschen Wesen zusammenhänge nicht aber, daß es keinen Widerstand gäbe. In „Schicksal und Aufgabe" hatte er den deutschen Widerstand erwähnt, nannte, wie Brecht in seinem Brief, die Ziffer von 200.000 deutschen Konzentrationslager-Insassen und erwähnte besonders die Studenten und Professoren in München (die freilich aus bürgerlichen Motiven gehandelt hatten). Deshalb drückte er in seiner Antwort an Brecht zunächst sein Erstaunen über dessen Unkenntnis aus, denn er hatte ja in New York einen Vortrag gehalten, in dem diese Dinge zur Sprache kamen. „Tausend Menschen haben mir zugehört, aber, grundsonderbar und wohl echt deutsch, nicht ein einziger der Herren, mit denen ich damals versuchsweise über die Einigung der deutschen Hitlergegner im Exil zu beraten hatte, war darunter. Man hätte meinen sollen, daß wenigstens der Eine oder der Andere von ihnen sich für die öffentlich vorgetragenen politischen Gedanken eines Mannes interessieren würde, den sie für berufen halten, sogar für allein berufen halten, jene Einigung zustande zu bringen. Keiner war neugierig genug gewesen[53]."

Die Ironie in diesen Sätzen weist auf den Grund hin, warum eine Einigung zwischen Brecht und Mann nicht möglich war. Brecht war „nicht neugierig" auf das, was Mann zu sagen hatte, seine Ideologie hatte ihn schon darüber informiert, daß Mann nichts als unaufgeklärte, schöngeistige Tui-Reden äußern würde. Mann fühlte das, und es erbitterte ihn, weil er doch gerade in „Schicksal und Aufgabe", glaubte, den Sozialisten entgegengekommen zu sein. Darauf macht er in seinem Brief aufmerksam und begründet dann, unabhängig von der Meinung des State Department, seine Abneigung gegen das Free Germany Committee mit der Rücksicht auf die anderen europäischen Völker und der Tatsache, daß das Deutschland Hitlers ja noch mächtig und zu Verbrechen fähig sei. Es sei verfrüht, jetzt schon „Bürgschaft zu übernehmen für einen Sieg des Besseren und Höheren" das im deutschen Volk liege. Mit dieser Formulierung dürfte Thomas Mann den Nerv von Brechts Abneigung wieder getroffen haben. Was er meinte, ist im Sinne Nietzsches zu verstehen; das „Höhere" im deutschen Volk ist seine Fähigkeit, Grenzen des Denkens zu durchstoßen, sich nicht auf gegebene Formeln festzulegen, eine Fähigkeit, die Thomas Mann schon in *Betrachtungen* dem Deutschen zugeschrieben hatte.

Im Frühjahr 1944 wurde unter der Führung von Paul Tillich und unter Beteiligung von Exilpolitikern sehr verschiedener Gruppen das Council for a Democratic Germany gegründet. Das Gründungsmanifest wurde von deutschen Emigranten und amerikanischen Bürgern unterzeichnet, jedoch nicht von Thomas Mann. Von dem Schriftsteller und Journalisten Clifton Fadiman aufgefordert, sich öffentlich gegen die Gründung zu erklären, lehnte er ebenfalls ab. Die Erklärung seiner Haltung finden wir in zwei bedeutenden Briefen. Gegenüber Ernst Reuter (29. April 1944) begründet er seine Weigerung, an dem Council teilzunehmen, gegenüber Clifton Fadiman seine Weigerung, die Gründung des Council öffentlich zu verurteilen. In dem Brief an Ernst Reuter wiederholt er das Argument, daß man Rücksicht auf die von Deutschland vergewaltigten Völker nehmen müsse. Auf Weitsicht der Sieger könne man nur hoffen, „aber einen ungerechten

53 *Briefe* II, S. 339.

Frieden für Deutschland gibt es nach allem, was geschehen, überhaupt nicht". Dies sei sein Gefühl und seine Überzeugung, nach der er handeln müsse, ohne Rücksicht auf mögliche Anfeindungen. Andererseits bleibe er, auch als amerikanischer Bürger „ein Deutscher, welche problematische Ehre und welch sublimes Mißgeschick das nun immer bedeuten möge". Er sehnt sich nach dem Augenblick, „wo ich mit denjenigen meiner Landsleute, die noch etwas von mir wissen und wissen wollen, wieder in geistigen Kontakt treten kann"[54]. Man kann das nicht als Sehnsucht nach einem zahlkräftigen Publikum abtun, ebensowenig wie seine Ansicht über einen möglicherweise harten Frieden für Deutschland frei von Selbstquälerei war. Er glaubte sich nicht mit den bald besiegten Deutschen identifizieren zu sollen, obwohl er ihrer Sprache und Kultur treu blieb. Aber auch mit den Siegern identifizierte er sich nicht. An Fadiman schreibt er, er empfände es als „unschön und selbstzerstörerisch ..., wenn ein Deutscher meiner Art, der auch als amerikanischer Bürger der deutschen Sprache treu zu bleiben, sein Lebenswerk in ihr zu beenden gedenkt, sich heute zum Ankläger seines verirrten und schuldbeladenen Landes vor dem Welt-Tribunal aufwirft und durch sein möglicherweise nicht einflußloses Zeugnis die äußersten, vernichtendsten Beschlüsse gegen das Land seiner Herkunft herausfordert"[55].

Weder kannte Brecht diesen Brief, als er seinen Haß formulierte, noch ist der Brief eine Antwort auf Brechts Haß-Gedicht, das Thomas Mann nicht kannte. Brechts Gedicht ist in der Werkausgabe 1944 datiert. Es beruht auf den Ereignissen des 1. und 2. August 1943. Wörtliche Übereinstimmungen mit dem Wortlaut des Gedichtes finden sich auch in der Eintragung vom 9. August im *Arbeitsjournal*. Es ist eigentlich wahrscheinlich, daß das Gedicht oder eine Vorform damals entstand, es ist aber auch möglich, daß es erst nach dem Nichteintritt Thomas Manns in das Council for a Democratic Germany im Frühjahr oder zur Zeit des Bekanntwerdens des Morgenthau-Planes im September 1944 geschrieben wurde und daß Brecht seinen Eindurck von damals mit Hilfe des *Arbeitsjournals* auffrischte. Wie dem auch sei, erst auf dem Hintergrund des hier Dargestellten wird das Gedicht lebendig in seiner genialen Ungerechtigkeit.

54 Ebda., S. 365 f.

55 Ebda., S. 367. — Tatsächlich war der Effekt des Council for a Democratic Germany bescheiden. Das *Bulletin of the Council for a Democratic Germany*, das vom 1. September 1944 bis zum Mai 1945 erschien, bemühte sich darum, die Unterscheidung zwischen Hitler und Deutschland aufrechtzuerhalten, indem es Nachrichten über den deutschen Widerstand brachte. Es wollte keinen „weichen", sondern einen „konstruktiven" Frieden. Brecht wird nur gelegentlich als Mitglied und als Unterzeichner des „Program for a Democratic Germany" erwähnt. Dieses Programm plädierte gegen Entindustrialisierung und für Entnazifizierung in deutschen Händen. Vgl. auch Radkau (siehe Anm. 6), S. 193-213.

ALS DER NOBELPREISTRÄGER THOMAS MANN DEN AMERIKANERN UND ENGLÄNDERN DAS RECHT ZUSPRACH, DAS DEUTSCHE VOLK FÜR DIE VERBRECHEN DES HITLERREGIMES ZEHN JAHRE LANG ZU ZÜCHTIGEN

I

Züchtigt den Gezüchtigten nur weiter!
Züchtigt ihn im Namen des Ungeists!
Züchtigt ihn im Namen des Geists!

Die Hände im dürren Schoß
Verlangt der Geflüchtete den Tod einer halben Million Menschen.
Für ihre Opfer verlangt er
Zehn Jahre Bestrafung. Die Dulder
Sollen gezüchtigt werden.

Der Preisträger hat den Kreuzträger aufgefordert
Seine bewaffneten Peiniger mit bloßen Händen anzufallen.
Die Presse brachte keine Antwort. Jetzt
Fordert der Beleidigte die Züchtigung
Des Gekreuzigten.

II

Einen Hunderttausenddollarnamen zu gewinnen
Für die Sache des gepeinigten Volkes
Zog der Schreiber seinen guten Anzug an
Mit Bücklingen
Nahte er sich dem Besitzer.

Ihn zu verführen mit glatten Worten
Zu einer gnädigen Äußerung über das Volk
Ihn zu bestechen mit Schmeichelei
Zu einer guten Tat
Ihm listig vorzuspiegeln
Daß die Ehrlichkeit sich bezahlt macht.

Mißtrauisch horchte der Gefeierte.
Für einen Augenblick
Erwog er, auch hier gefeiert zu werden, die Möglichkeit.
Schreib auf, mein Freund, ich halte es für meine Pflicht
Etwas für das Volk zu tun. Eilig
Schrieb der Schreiber die kostbaren Worte auf, gierig
Nach weiterem hochblickend, sah er nur noch den Rücken
Des Gefeierten im Türrahmen. Der Anschlag
War mißglückt.

III

Und für einen Augenblick auch
Stand der Bittsteller verwirrt
Denn die Knechtseligkeit
Machte ihm Kummer, wo er immer sie traf.

Aber dann, eingedenk
Daß dieser verkommene Mensch
Lebte von seiner Verkommenheit, das Volk aber
Nur den Tod gewinnt, wenn es verkommt
Ging er ruhiger weg.[56]

Nach dem hier Dargestellten kann kein Zweifel darüber sein, daß das historische Faktum, das hinter diesem Gedicht steht, Brechts Haß auf Mann ist, nicht aber dessen komplexe Persönlichkeit. Man kann jedoch das Geschick bewundern, mit dem Brecht die Wortwahl und die Bilder der Szene zusammenwirken läßt, um die Moral der Ehrlichkeit in ein Zwielicht von Klassenunterschied und Täuschung zu rücken. In den Teilen I und III arbeitet Brecht mit eindringlichen Wortwiederholungen, um seine Urteile zu suggerieren. Die erste Strophe von Teil I zwingt durch die Wiederholung von „züchtigt" den „Ungeist" des Nationalsozialismus mit dem „Geist" der bürgerlichen Ideologie zusammen. In der dritten Strophe dieses Teils finden wir einen biblischen Anklang. In der oben zitierten biblischen Anspielung in dem Gedicht „An die deutschen Soldaten im Osten" verfällt der gegen die Sowjetunion kämpfende Soldat der Verdammung, hier stellt Brecht Thomas Manns Aufforderung zur Selbstbefreiung der Deutschen in seiner Rundfunkrede vom 27. Juli 1943 als absurd hin, indem er diese Aufforderung metaphorisch als Eingriff in die Passion Christi darstellt. Die Absurdität wird gesteigert durch den folgenden Satz „die Presse brachte keine Antwort", der auf die Hauptschwäche jeder Exilspolitik aufmerksam macht, die mangelnde Kommunikation. Auch die Wendung „verlangt der Geflüchtete" erinnert an die immanente Absurdität von Exilantenpolitik, ohne Rücksicht darauf, daß sie auch auf den „Schreiber" zurückfällt, der die Sache des „Volkes" führt. Dem gepeinigten, aber dennoch lebenskräftigen Volke stellt das Gedicht einen Dekadenten gegenüber, der „die Hände im dürren Schoß" dasitzt, sich feiern läßt und zum Schluß als „verkommen" verurteilt wird, während für das starke Volk „verkommen" nur im Sinne von „umkommen" verstanden werden kann (Teil III).

Der Vorwurf unfruchtbarer Dekadenz gegen Mann war bei den Nationalsozialisten beliebt. Daß Brecht ihn hier bedenkenlos benutzt, ist durch eine geheime Polemik gegen Lukács motiviert. Diesem warf er vor, modernistische linke Schriftsteller wie ihn selber zum Verfall zu rechnen, bürgerliche Realisten wie Thomas Mann dagegen zu rechtfertigen. Brecht kehrte in einer Aufzeichnung von 1938 den Spieß herum. Daß Lukács vom ideologischen Verfall angezogen würde, sei „sua res"[57]. Fünf Jahre später, in

56 BB X, S. 871-873.
57 *Arbeitsjournal*, S. 13 f.

unserem Gedicht, entlud sich Brechts Wut nicht nur auf Mann, über den er sich sonst eher ironisch zu äußern liebte, sondern auch auf den Typus des kulturbewahrenden Tui-Linken wie Lukács und die Frankfurter, die ihm ungerechterweise immer wieder mit Autorität oder Geld versehen in den Weg traten. Mann war nicht nur einer von ihnen, sondern auch ihr nobelpreistragendes Idol. Brecht mußte das als Atavismus empfinden, denn er und seine Schriften verkörperten doch das Neue.

Die Sprache des Gedichtes ist effektvoll, sie ist ein erstaunliches Beispiel dafür, wie noch eine vom Haß diktierte Sprache spielen kann. Wie wir uns von der Sprache des Gedichtes nicht voreilig überreden lassen dürfen, daß Thomas Mann ein vom Volke gelöster Kapitalistenknecht gewesen sei, so dürfen wir uns von der Kenntnis der historischen Hintergründe nicht unser Urteil über das Gedicht vorschreiben lassen. Denn Brechts Position ist wie die Thomas Manns diktiert von der frustrierten Liebe zum deutschen Volk, das auch sein eigentliches Publikum ist. Das Spiel mit der Sprache, das religiösen Ernst nicht ausschließt, die zugleich verschmitzt heitere und dennoch urteilend-engagierte Rolle des hier sprechenden „Schreibers" steht dessen verhaßtem Objekt näher als dem Autor lieb gewesen sein dürfte. Der Haß und das Mißverstehen sind dennoch lehrreich, weil sie uns zwingen, ihre weltanschauliche Grundlage zu verstehen.

Thomas Manns Weltanschauung ist vornehmlich durch Nietzsche, Goethe, romantische Tendenzen und Schopenhauer bedingt. Neben Nietzsches Entlarvungspsychologie mit naturwissenschaftlich materialistischen Tendenzen tritt eine romantische Mythisierung von geistigen Wesenheiten. Alle diese Richtungen haben eine antiideologische Tendenz in dem Sinne, daß sie sich nicht auf berechenbare Festlegungen einlassen wollen. Die marxistische Ideologie fällt unter solche feste Positionen. Obwohl Thomas Mann wohl wenig von ihr gekannt hat, war ihm die Festlegung ihrer Anhänger unangenehm. Andererseits war er selbst nicht ideologiefrei. Die Frage der Gerechtigkeit des Friedens stellte sich ihm in dem Sinne der Individualethik. Deutschland war schuldig und eine Bestrafung gerecht. Daß Deutschland dabei mythisch personalisiert und eine Schein-Gerechtigkeit erzeugt wurde, kam ihm nicht zum Bewußtsein.

Aus Brechts Sicht läßt sich leichter erkennen, daß Schuld und Strafe ungleichmäßig verteilt sind. Wenn ein ganzes Volk bestraft wird, bleibt die Strafe hauptsächlich an den Arbeitern hängen, die am wenigsten an der Schuld beteiligt waren. Die bei Thomas Mann immer wieder sich durchsetzende Neigung, mit „geistigen" Begriffen (wie Universalismus) zu arbeiten, muß verhüllen, daß die Politik es letzten Endes mit den Freuden und Leiden einzelner Menschen zu tun hat, eine Tatsache, auf die Brechts Gedicht den Finger legt. Jedoch tut er das um der sozialistischen Hoffnung willen, die er für Deutschland hatte, nicht aus Sorge um das Individuum. Thomas Mann hatte deshalb durchaus ein Recht, auf alle Opfer, auch die der von den Deutschen unterworfenen Völker und die der Amerikaner aufmerksam zu machen, wobei auch sein Blick den einzelnen erreichen konnte[58].

58 In einem unveröffentlichten Brief an Agnes Meyer vom 11. Juni 1944 (siehe Anm. 7) antwortet Thomas Mann auf ihre Mitteilung, daß ein junger gemeinsamer Bekannter gefallen sei: „Ich gestehe, daß sich in das Erbarmen, das ich nachgerade für die unglückseligen Menschen

Es ist hier nicht der Ort, die Grenzen von Brechts Ideologie im einzelnen zu diskutieren. Man könnte die Unterschätzung der Rassenlehre in *Die Rundköpfe und die Spitzköpfe* als frühen Fehler in seiner Faschismustheorie auf sich beruhen lassen und sich an die Mühe halten, mit der er die nationalsozialistische Staatskontrolle der Wirtschaft mit seiner späteren, komplexeren Faschismustheorie zu vereinigen suchte. Man käme da auf charakteristische Parallelen mit Thomas Manns *Bruder Hitler*: verhunzter Sozialismus hier, verhunztes artistisches Bohème-Bürgertum dort.

Für den Blickwinkel dieser Untersuchung ist es wichtig, auf die Gefahr einer ideologischen Sperre bei Brecht hinzuweisen, die ihn hinderte, die Komplexität einer Person zu erfassen, wenn sie zu einer Gruppe gehörte, die zum Feindbild geworden war. Diese Gefahr zeigt sich in unserem Beispiel, aber auch in Brechts Reaktion auf die Ereignisse des 20. Juli 1944.

> 21.7.44
> als etwas über die blutigen vorgänge zwischen hitler und den junkergenerälen durchsickerte, hielt ich für den augenblick hitler den daumen; denn wer, wenn nicht er, wird uns schon diese verbrecherbande austilgen? zuerst hat er dem herrnklub seine SA geopfert, jetzt opfert er den herrnklub, und was ist mit der „plutokratie"? die deutsche bourgeoisie mit ihrem junkergehirn erleidet einen gehirnschlag. (die russen marschieren auf ostpreußen.)[59]

Deutlich genug ist, wie eine solche Sicht die Erkenntnis der Komplexität etwa der Angehörigen des Kreisauer Kreises ebenso erschwert, wie Brechts Feindbild es ihm unmöglich machte, Thomas Manns Komplexität auch nur in den Blick zu bekommen. Brechts Feindbilder haben die gleiche Wirkung wie Manns vage romantische Kategorien (etwa Deutschtum): sie bringen beide vorübergehend in die Nähe ihrer nationalsozialistischen Todfeinde. Es nützt gar nichts, diese Nähe nur der einen Seite vorzuwerfen.

Obwohl Brechts Thomas-Mann-Gedicht den expressionistischen Impetus des symbolischen Vatermordes aus Brechts Frühzeit fortsetzt, wäre doch zu erwägen, ob ihr Verhältnis von uns aus gesehen nicht das feindlicher Brüder ist. Ihr Leiden an Deutschland war ideologisch verschieden, aber subjektiv ähnlich. Ähnlichkeiten gibt es auch im Werk. Brechts *Leben des Galilei* ist die komplexe Darstellung eines Bürgers, zu der Brecht sehr wohl fähig war, wenn kein Feindbild im Wege stand. Wie Manns Adrian Leverkühn klagt sich der bürgerliche Intellektuelle Galilei am Schluß selbst an. Wie im Falle Leverkühn soll der Leser (oder Zuschauer) Kritik und zugleich Sympathie üben. Leverkühn und Galilei erhielten autobiographische Züge ihrer Schöpfer. Leverkühn ist der Rückzug des Kulturbürgers in den Ästhetizismus, Galilei die Weigerung des Modernisten, zum Märtyrer zu werden.

Die berühmte Äußerung Brechts an Karl Korsch: „Thomas Mann treffe ich höch-

in Deutschland empfinde, viel persönliche Erbitterung über solche Verluste mischt." Er fährt fort, indem er über den Tod von Schriftstellerfreunden in Holland und der Tschechoslowakei als Folge der deutschen Besetzung klagt.

59 *Arbeitsjournal*, s. 666.

stens zufällig und dann schauen 3000 Jahre auf mich herab"[60], bezieht sich nicht nur auf den Unterschied zwischen dem marxistischen Modernisten und dem Kulturbürger, sondern auch auf Ägypten und Thomas Manns Arbeit an den Josephsromanen. Brecht spielt auf einen Ausspruch an, den Napoleon vor den Pyramiden getan haben sollte. War Brecht die ganze Rolle deutlich, die Napeleon in seiner ägyptischen Unternehmung spielte? Wollte er den Individualisten treffen, weil auch er ins Privatleben geflüchtet war?

Später wurde Brecht konzilianter. Als Therese Giehse ihm in seiner Berliner Zeit von einem Ausspruch Thomas Manns nach der Lektüre der *Mutter Courage* berichtete: „das Scheusal hat Talent", soll er geschmeichelt gelächelt und geantwortet haben: „seine Kurzgeschichten fand ich eigentlich immer ganz gut"[61], wobei zu beachten ist, daß er die meisten der Romane wahrscheinlich nie gelesen hatte. Als er der DEFA vorschlug, eine Reihe von Zeitromanen zu verfilmen, nannte er auch *Die Buddenbrooks*[62]. Die Strophe aus Brechts Exil-Gedicht „An die Nachgeborenen" (1938) steht auch Manns Altersstimmung nahe:

> Ihr aber, wenn es so weit sein wird
> Daß der Mensch dem Menschen ein Helfer ist
> Gedenkt unser
> Mit Nachsicht.[63]

Zusatz 1984

Seit dem ersten Erscheinen meines Aufsatzes sind *Briefe* von Bertolt Brecht erschienen, hg. von Günter Glaeser, Frankfurt/M.: Suhrkamp, 1981. Dort ist der Brief an Karl Korsch (vgl. Anmerkung 60) S. 437 gedruckt, ermitteltes Briefdatum August 1941. Aus einem Brief vom Juni 1939, S. 398, geht hervor, daß *Maß und Wert*, die Exilzeitschrift, die von Thomas Mann herausgegeben, aber nicht redigiert wurde, ein Gedicht von Bert Brecht abgelehnt hatte. Im gleichen Band befindet sich ein Brief Brechts an Thomas Mann vom März 1933, in dem er seinen „Respekt" ausdrückt für Thomas Manns Botschaft an Kultusminister Grimme, die dieser noch im Februar 1933 verlas und die auch in der *Frankfurter Zeitung* abgedruckt wurde. Vgl. die Anmerkungen zu diesem Brief (Nr. 165), S. 931. Thomas Manns Botschaft ist gedruckt in *Gesammelte Werke*, Frankfurt/M.: S. Fischer, 1965 und 1974 Band 12, S. 678-684. Thomas Mann reagierte auf Brechts Brief mit einer Tagebucheintragung, *Tagebücher 1933-1934*, hg. von Peter de Mendelssohn, Frankfurt/M.: S. Fischer, 1977, S. 28. Dasselbe Tagebuch S. 61 berichtet, daß er einem Gespräch mit Brecht während seines Aufenthaltes im Tessin auswich. In den *Tagebüchern 1937-1939*, Frankfurt/M.: S. Fischer, 1980, werden zwei Begegnungen mit Brecht in Schweden Anfang Sep-

60 Zitiert bei: Wolfdietrich Rasch, „Bertolt Brechts marxistischer Lehrer", in *Zur deutschen Literatur der Jahrhundertwende* (Stuttgart: Metzler, 1967), S. 250 f.

61 Bunge, S. 63.

62 Wolfgang Gersch und Werner Hecht in den Anmerkungen zu Brecht, *Texte für Filme* (Frankfurt/M.: Suhrkamp, 1969), I, S. 302.

63 BB IX, S. 725.

tember 1939 nur eben registriert, S. 463, 465. Vorher berichtet Mann davon, daß er Stücke von Brecht lese, „der zunehmend mißfällt". (S. 243) Die *Tagebücher 1940-1943*, Frankfurt/M.: S. Fischer 1982 verzeichnen unter dem 18. August 1943, daß Thomas Mann „wegen der Gruppe in Mexiko, Katz, B.Brecht" von zwei FBI Agenten befragt worden sei. (S. 614) Das geschah also nach den Ereignissen vom 1. und 2. August 1943, die oben geschildert wurden. in Thomas Manns Tagebuch werden sie nur ganz kurz erwähnt, S. 608, allerdings so, daß seine mangelnde Begeisterung gleich deutlich wird: „Das Ganze muß wohl sein". Dann, anläßlich der Zurücknahme, nach telefonischer Besprechung mit Bruno Frank: „Irritation und Verdruß". — Aus den ebenfalls knappen Eintragungen anläßlich seiner Unterredung mit Berle in Washington Ende November 1943 geht hervor, daß Agnes und Eugene Meyer ihm offenbar abgeraten haben, sich für das Komitee Freies Deutschland zu engagieren: „Abends allein mit dem Ehepaar. Über die politischen Pläne, negativ." (S. 650) Auch bezeichnet er den Ausgang des Gespräches mit Berle als „glücklich" negativ. Bert Brechts Brief an Thomas Mann vom 1. Dezember 1943 ist jetzt am leichtesten in *Briefe* S. 484-486 zugänglich. Dessen Eingang registriert Thomas Mann im Tagebuch (8. Dezember 1943, S. 655) so: „‚Strenger' Brief von B. Brecht wegen meines Unglaubens an die deutsche Demokratie." Im ganzen ändert sich das Bild durch diese neuen Quellen nicht. Eine gegenseitige Irritation wurde durch die Gemeinsamkeit der Emigration und der Feindschaft gegen Hitler nur ganz vorübergehend in den Hintergrund gedrängt. Sie blieb dominant. Etwas deutlicher wird durch die neue Quellenlage, daß Thomas Mann wohl fürchten mußte, seine Stellung in seinem Gastland durch Übernahme einer führenden Position im Free Germany Comittee und, vor allem, durch die Assoziation mit Bert Brecht zu gefährden. Er konnte den Rat des Ehepaars Meyer nicht einfach in den Wind schlagen, ohne seinen Lebensstil (übrigens auch die Unterstützung seines Bruders Heinrich) zu gefährden. Stärker war vermutlich das Gefühl, daß sein Name gebraucht werden sollte. Daß das so war, wird durch das Wort „Hunderttausenddollarname" in Brechts Gedicht belegt. Deutlich wird auch, daß Thomas Manns bürgerliche Freiheit in Amerika nicht unbeschränkt war. Das Wort „Knechtsseligkeit" übertreibt diesen Sachverhalt freilich in ein Bild, das nur lyrisch gerechtfertigt werden kann.

Hans Wysling

Wer ist Professor Kuckuck?

Zu einem der letzten „großen Gespräche“ Thomas Manns

Krulls Gespräch mit Kuckuck ist, wie so vieles, was Thomas Mann gemacht hat, dem Tonfallzauber Fontanes verpflichtet. Ich meine das nicht vage und allgemein, sondern sehr genau. Kuckuck, so gelehrt er ist, unterhält sich mit seinem Gegenüber, wie es Stechlin mit seinen Frühstücksgästen tut. Liebenswürdige *causerie*, die, wohin sie sich auch versteigt, immer wieder auf Menschenmaß zurückgeholt wird — auf den gebackenen Schinken bei Fontane[1], auf das Horsd'œuvre bei Thomas Mann. Beide nehmen solche Fallhöhen mit einem Augenzwinkern wahr. Sie wollen damit die Grenzen, die dem Menschen gesetzt sind, lächelnd anzeigen und gleichzeitig anerkennen.

Thomas Mann leitet das nächtliche Gespräch im Eisenbahnwagen mit einem recht banalen Satze ein (VII, 529): „Der Zug hatte Paris um sechs Uhr verlassen.“ Valéry soll einmal zu Breton gesagt haben, er könnte es nie verwinden, wenn ihm je ein Satz entschlüpfte wie: „Die Marquise verließ das Haus um fünf Uhr.“ Das sei bloße Information, bar jeder Poesie. Thomas Mann eröffnet sein „Kuckucksgespräch“ mit einem wenn möglich noch banaleren Satz — aber er kann es sich leisten. Denn der Satz bedeutet mehr, als was er sagt. Er führt ein zentrales Motiv von Thoms Manns Werk ein: das Reisemotiv, das Motiv des Aufbruchs, genauer. Immer wieder brechen ja Thomas Manns Helden ins Abenteuerliche und Unwegsame auf[2]. Abenteurer sein: Das heißt die Grenzen überschreiten, möge es sich um Grenzen des Landes und des Standes, des Wissens oder der Moral handeln. Und tatsächlich: Wir sehen Krull in den Spuren Casanovas, des „Beau Alman“ Simplicissimus[3], aber auch Fausts. *Novarum rerum cupidus* —

Der vorliegende Vortrag wurde am 31.5.1975 im Zürcher Schauspielhaus und am 9.8.1975 an der Université de Genève gehalten, beide Male in stark gekürzter Fassung.

1 Vgl. Theodor Fontane: **Der Stechlin.* München: Nymphenburger Verlagsbuchhandlung 1954, 5. Kapitel, S. 49: „„Übrigens... Aber darf ich Ihnen nicht noch von diesem gebackenen Schinken vorlegen?“ “

2 Vgl. Hans Wysling: *Zum Abenteurer-Motiv bei Wedekind, Heinrich und Thomas Mann.* In: *Heinrich Mann 1871/1971.* Hrsg. von Klaus Matthias. München: Fink-Verlag 1973, S. 37—68.

3 „Simplex, Beau Alman geheißen, der wird / Ganz wider Willen in Venusberg geführt“, las Thomas Mann in der Inhaltsangabe zum IV. Kapitel des Vierten Buchs in seiner *Simplicissimus*-Ausgabe (**Des Hans Jakob Christoph von Grimmelshausen Abenteuerlicher Simplicius Simplicissimus.* Neu an Tag geben und in unser Schriftdeutsch übersetzt von Engelbert Hegaur. Verlegts Albert Langen, München 1909).

Reisen sei ja ein erotisches Phänomen, sagen uns die Psychologen[4] —, tritt er seine Weltenfahrt an. Die Grenzen des Standes hat er schon überschritten, denn er heißt jetzt hochstaplerisch Marquis de Venosta. Bald wird er in mythischer Hochstapelei auch die Grenzen seiner Person transzendieren und mit der Hermes-Rolle ein amphitryonisches Spiel treiben.

Sein Aufbruch ins Unerhörte zeigt ihn aber auch auf den Spuren so vieler Thomas-Mannscher Helden. Natürlich denken wir zuerst an Hans Castorps Aufbruch in den „Zauberberg", eine Fahrt, die ins Weglose hinaufführt und gleichzeitig hinab in die dunklen Regionen von Eros und Thanatos. Oder wir denken an Gustav von Aschenbachs Reise ins „Fremdartige und Bezuglose" (VIII, 457), die zur Fahrt über den Acheron wird, an seinen Sturz aus apollinischen Höhen in die Niederungen und Entwürdigungen des Dionysischen. Oder wir denken an Albrecht van der Qualens charontische Fahrt ins Dämmer einer unbekannten Stadt, ins Dämmer auch der eigenen Seele und ihrer Erinnerungen an Licht und Tod. Wir denken an jene späte Fahrt der Rosalie von Tümmler an den schwarzen Schwänen vorbei ins Totenreich des Schlosses Holterhof — eine Liebesfahrt, die zur Todesfahrt wird. Wir denken aber auch, abseits der Rauchschwaden von Schiffen und Lokomotiven, an Josephs Reise durch die „Dünenkulissen"[5] ins Totenland Ägypten, wo er nach vielen Prüfungen schließlich seine märchenhafte Erhöhung erlebt. Und wir denken an Leverkühns verwegene Reise hinunter in die Tiefsee und seine ebenso verwegene Traumfahrt in die Weiten des Himmels, an seine faustische Höllenfahrt, seine Ecce-homo-Umnachtung, in der schließlich doch das Licht der Gnade aufleuchtet. Kurz, wir denken an alle jene Himmel- und Höllenfahrten, an das heilige Grundmuster von *ascensus* und *descensus,* Anabasis und Katabasis, das das Raum-Zeitliche sprengt und die unermeßlichen Höhen und Tiefen menschlichen Ahnens und Erinnerns zum „Roman der Seele" (V, 1286) erschließt.

„Die Dämmerung sank", beginnt der nächste Satz, und mit ihm beginnt eine Fahrt, die auch Krull zum Olymp und zum Hades führen wird, hinauf in kosmische Weiten, hinab „ins Dunkel der Vorzeit oder in die Nacht des Unbewußten" (XIII, 164). Wer meint, wir hätten damit die Komik der Kuckuck-Kapitel allzusehr belastet, sei dran erinnert, daß sich Thomas Mann genau zu der Zeit, da er sie niederschrieb, in Briefen darüber beklagt hat, sein Roman gerate oder mißrate wieder einmal ins Faustische[6]. Tatsächlich ist Krulls Fahrt nach Lissabon eine Fahrt zur olympischen Familie und gleichzeitig eine Fahrt zu den Müttern, in die Tiefen der Urgeschichte, die er im Souterrain des Lissaboner naturwissenschaftlichen Museums gespenstisch verkörpert findet. Das Gefühl „bedeutsamer Weitläufigkeit" (VII, 531), das ihn schon im Gespräch mit Kuckuck überkommt, läßt ihn des Gefühls für Zeit und Raum verlustig gehen, er verliert den Sinn für die Geschlossenheit seiner Persönlichkeit (mag es auch eine scheinhaf-

4 Vgl. Alfred von Winterstein: *Zur Psychoanalyse des Reisens.* „Imago", Jg. 1, Bd. 1, H. 5. Leipzig und Wien 1912, S. 489—506.

5 Vgl. Thomas Manns Brief vom 10.10.1951 an Oskar Seidlin (Br. III, 223).

6 Vgl. Thomas Manns Briefe vom 11.3.1952 an Emil Preetorius und vom 20.3.1952 an Karl Kerényi (TMS I, 253).

te Geschlossenheit sein), und er erfährt die Vergänglichkeit nicht nur seines Lebens, sondern des Lebens überhaupt.

I

Wer aber ist Kuckuck, der dieses Gefühl der Weitläufigkeit und des Raum-Zeit-Verlusts in ihm weckt? Nun, Kuckuck ist eins und vieles. Seinen Namen, um damit zu beginnen, hat er von dem Biologen Martin Kuckuck, auf dessen Buch *Die Lösung des Problems der Urzeugung* (1907) Thomas Mann in einem der Quellenwerke zum Kuckuck-Gespräch gestoßen ist. Es handelt sich um Paul Kammerers *Allgemeine Biologie* (1915), die er schon beigezogen hatte, als er die osmotischen Versuche von Leverkühns Vater beschrieb. Bei Kammerer finden wir nicht nur jene Seelilie, die sich vom Stengel löst und als „Neuling der Beweglichkeit" (VII, 534) auf Reisen geht wie einige Äonen später Felix Krull[7]; auch die Seetange und Algen sind hier, die einzelligen Urtiere, die Würmer und Gliederfüßler, schließlich die Wirbeltiere, von denen der Urvogel Archeopteryx, an den Krull bei Gelegenheit gern zurückzudenken verspricht, nur ein Exemplar ist.

Mit seinen Theorien zur Entstehung des Lebens aus dem Unorganischen und zur stammesgeschichtlichen Entwicklung schließt Kammerer an den Naturforscher und -philosophen Ernst Haeckel an, dessen *Welträtsel* sich Thomas Mann schon 1903 in einem Notizbuch zum Ankauf vormerkt[8] — Haeckels Abhandlungen dürften übrigens auch auf den *Zauberberg* eingewirkt haben, wo ja von Urzeugung schon die Rede ist (III, 398). Wenn Kuckuck das Leben auf Erden „eine verhältnismäßig rasch vorübergehende Episode" (VII, 542) nennt, könnte das eine Erinnerung an Haeckel sein[9]. Für diesen ist die Geschichte des Menschen „eine verschwindend kurze Episode in dem langen Verlaufe der organischen Erdgeschichte unseres Planeten-Systems; und wie unsere Mutter Erde ein vergängliches Sonnenstäubchen im unendlichen Weltall, so ist der einzelne Mensch ein winziges Plasma-Körnchen in der vergänglichen organischen Natur". Nehme der Betrachter diese „kosmologische Perspektive" ein, dann werde er, glaubt Haeckel, von seinem „anthropistischen Größenwahnsinn" geheilt, der ihn annehmen lasse, er sei das Maß aller Dinge.

7 Vgl. Thomas Manns Brief vom 23.4.1916 an Paul Amann: „Obgleich ich oft einen heftigen Welthunger verspüre, bin ich im Ganzen doch ein Pilz der festsitzt, mit Schopenhauer zu reden [...]." Am 10.1.1855 hatte Schopenhauer an Adam Ludwig von Doß geschrieben: „Ich bin ein Pilz der fest sitzt: ohne Noth reise ich nicht." (Thomas Mann: *Briefe an Paul Amann 1915—1952.* Hrsg. von Herbert Wegener. Lübeck 1959, Veröffentlichungen der Stadtbibliothek Lübeck, Neue Reihe, Bd. 3, S. 43, 100) — Ähnlich schreibt Thomas Mann im Brief vom 4.1.1938 an Félix Bertaux (Br. II, 42): „Aber ich bin, um mit Schopenhauer zu reden, ‚ein Pilz, der festsitzt' und wenn ich nicht auf Regelmäßigkeit hielte, sondern viel ausflöge, so würde ich es bei der Langsamkeit meines angeborenen Tempos zu garnichts bringen."

8 Notizbuch 6, S. 33 (etwa Oktober 1903).

9 Ernst Haeckel: *Die Welträthsel. Gemeinverständliche Studien über monistische Philosophie.* Bonn: Emil Strauß 1899, S. 17. Auch bei Haeckel spielt der Begriff der Urzeugung eine Rolle (vgl. *Zauberberg,* III, 384, 394 bis 398). Er beschränkt ihn „auf die erste Entstehung von lebendem Plasma aus anorganischen Kohlenstoff-Verbindungen" (*Die Welträthsel,* S. 298).

In die Evolutionstheorie hatte sich Thomas Mann übrigens auch vertieft, als er zur *Joseph*-Zeit ein Buch des spekulativen Paläozoologen Edgar Dacqué las, *Urwelt, Sage und Menschheit*[10] (1924) — Dacqué, so vermutet man, tritt als Dr. Egon Unruhe im *Doktor Faustus* wieder auf[11]. Kammerer, Haeckel, Dacqué, sie alle werden von Thomas Mann zusammengeklittert mit der Person eben jenes Urzeugungs-Kuckuck, dessen Name zum Sammelnamen für sie alle wird. Kuckuck ist ein vexatòrisches Gelehrtenkonglomerat.

Zu Krulls kosmologischer Perspektive haben aber noch verschiedene andere Naturwissenschaftler und Populärphilosophen beigetragen. Lincoln Barnett zum Beispiel mit seinem Buch über *The Universe and Dr. Einstein*[12] (1948) oder James Jeans and Maurice Maeterlinck, deren Bücher Thomas Mann schon zur Zeit von Leverkühns „Symphonia cosmologica" (VI, 365) gelesen hat[13]. Nehmen wir diese Physiker mit den Biologen zusammen, dann ergeben sich, quellenkundlich gesehen, schon sieben Namen, die in die Kuckuck-Gestalt eingegangen sind. Wir wollen aber bescheiden sein und diese sieben einfach eins bleiben lassen. Denn Krulls gelehrter Gesprächspartner ist ohnehin noch vielfältig und vielspältig genug.

Kuckuck ist nicht bloß ein Konglomerat von Naturwissenschaftlern. Er ist wesentlich mehr. In dieser Gestalt hat Thomas Mann zu einem letzten Male alle seine Kirchenväter gefeiert. Das Kuckuck-Gespräch ist eine Huldigung an die Väter, ein Ausdruck jener Bewunderung, von der Thomas Mann in einem Brief vom 21.11.1953 an R.J. Humm geschrieben hat (Br. III, 315): „Ich habe mein Leben hingebracht in der Bewunderung des Großen und Meisterhaften, — meine ganze Essayistik, neben dem Werk, *besteht* ja aus lauter Bewunderung; und dieses Werk selbst ist im Angesicht der Größe, unter ihren Augen und in stetem Aufblick zu ihr getan, — einem Aufblick, der auch Einblick war und dem zuweilen eine waghalsige Zutraulichkeit eignete. An Ehrfurcht gebrach es ihm nie."

Gleichzeitig ist das Kapitel eine Rekapitulation fast aller Hauptthemen und -motive von Thomas Manns Lebenswerk. So wie in der Kantate „Dr. Fausti Weheklag der *Doktor Faustus* zu sich selbst kommt, werden hier die Motive des ganzen Werks in einer Art

10 Zu Edgar Dacqués **Urwelt, Sage und Menschheit. Eine naturhistorisch-metaphysische Studie* (München: R. Oldenbourg 1924) vgl. TMS II, 62—67, 81—89.

11 *Doktor Faustus*, Kap. XXXIV (VI, 482).

12 Klaus Mann legt im *Wendepunkt* (Frankfurt: S. Fischer 1953, S. 413) die Vermutung nahe, daß Einstein auch auf Kuckucks Äußeres eingewirkt habe: „[...] Albert Einstein mit schöner Silbermähne. Kuppelstirn und schalkhaft tiefem Blick [...] Die Augen, sternenhaft, zeugten für seine Größe."

13 Maurice Maeterlinck: **Geheimnisse des Weltalls.* Stuttgart 1930. — James Jeans: *Sterne, Welten und Atome.* (The Universe Around Us.) Aus dem Englischen übersetzt von Rudolf Nutt. Stuttgart/Berlin: Deutsche Verlags-Anstalt 1931. — *Der Weltraum und seine Rätsel.* (The Mysterious Universe) Aus dem Englischen übersetzt von Rudolf Nutt. Stuttgart/Berlin: Deutsche Verlags-Anstalt o.J. [1937]. — Zur Zeit der *Lotte in Weimar* dürfte Thomas Mann Otto J. Hartmanns **Erde und Kosmos. Eine philosophische Kosmologie* (Frankfurt: Klostermann 1938) gelesen haben. — Vgl. ferner Homer W. Smith: **From Fish to Philosopher.* Boston 1953.

Engführung zusammengezogen. Zitat und Selbstzitat bewirken jenen „Beziehungszauber" (IX, 520), den Thomas Mann in seinen Kompositionen immer wieder zu verwirklichen versucht hat: „Es ist im Ganzen etwas wunderbar Reiz- und Geheimnisvolles um die Welt der ‚Beziehungen'", schreibt er am 24.3.1934 an Karl Kerényi. „Das Wort übt seit langem einen wunderbaren Zauber auf mich aus, und was es besagt, spielt eine hervorragende Rolle in meinem ganzen Denken und künstlerischen Tun." Thomas Mann war bereit, das Beziehungsreiche mit dem Bedeutenden gleichzusetzen (vgl. *Lebensabriß*, X, 123 f.). Das entspricht den Gesetzen und Möglichkeiten seiner *ars combinatoria*, die nicht, wie Goethes Symbolkunst, das Bedeutende dort erkennt, wo im Besonderen ein Allgemeines aufleuchtet, sondern die Bedeutungskraft eines Motivs aus dessen Relationsreichtum erschließt. Die Bedeutungskraft eines Motivs entsteht einerseits durch leitmotivische Wiederholung, andererseits durch das Herbeizitieren und Einströmenlassen fremder Bedeutungsgehalte in das eigene Werk: durch Stimmenbündelung.

II

Kuckuck doziert im wesentlichen Schopenhauers *Naturphilosophie*[14]. In seinem Hauptwerk, *Die Welt als Wille und Vorstellung*, unterscheidet Schopenhauer in der Reihe der Wesen vier Abstufungen[15]: Mineralreich, Pflanzenreich, Tierreich und den Menschen. Kuckucks Evolutionstheorie, seine „Stufenleiter der Wesen", entspricht Schopenhauers „Gradation des Bewußtseyns, vom Polypen bis zum Menschen"[16]. „Die Idee des Menschen", schreibt Schopenhauer[17] „[...] mußte begleitet seyn von der Stufenfolge abwärts durch alle Gestaltungen der Thiere, durch das Pflanzenreich, bis zum Unorganischen: sie alle erst ergänzen sich zur vollständigen Objektivation des Willens; *sie werden von der Idee des Menschen so vorausgesetzt*, wie die Blüthen des Baumes Blätter, Äste, Stamm und Wurzel voraussetzen: sie bilden eine Pyramide, deren Spitze der Mensch ist."

Kuckucks Theorien erinnern bis ins Einzelne an Schopenhauers Ausführungen über die „Objektivation des Willens" im zweiten Buch der *Welt als Wille und Vorstellung*[18]. Auf der untersten Stufe seiner Objektivation, der unorganischen Natur, ist der Wille nach Schopenhauer nur ein blinder Drang, „ein finsteres, dumpfes Treiben"[19]. Auch im Pflanzenreich und im vegetativen Teil der tierischen Erscheinung wirkt er noch als völlig erkenntnislose Kraft. Immerhin ist diese Kraft hier schon als Reiz[20] zu spüren. Und dieser Reiz kann auf noch höherer Stufe dazu führen, daß das Tier seiner Nahrung, also dem Reiz, recht eigentlich nachgeht. In seiner Begierde ist es schon dem Schein, der Täuschung ausgesetzt — jenem schönen Schein, dem dann der Mensch in seiner eroti-

14 Vgl. Schopenhauer, IV, 9—14, insbesondere die Kapitel „Physiologie und Pathologie", „Vergleichende Anatomie", „Pflanzenphysiologie und physische Astronomie". Von den „Bewegungen auf Reize" handelt Schopenhauer auf S. 26.

15 Vgl. Schopenhauer, III, 335, 511.

16 Schopenhauer, III, 555.

17 Schopenhauer, II, 182. Thomas Mann hat die hervorgehobene Stelle unterstrichen.

18 Vgl. insbesondere Schopenhauer, II, 152 ff., 178 ff.

19 Schopenhauer, II, 178.

20 Vgl. Schopenhauer, IV, 70.

schen „Neubegierde“ (VII, 532) anheimfallen kann, nicht nur beim Essen und Stehlen, auch beim Lieben und Reisen. Erst wer in Schlaf und Tod von den Grenzen der Individuation befreit ist[21], ist auch von den Begierden und damit von der „Lust und Last“ (VII, 547 f.) des Daseins erlöst[22] — ihm ist so wohl wie dem bemoosten Stein.

Kuckuck teilt mit Schopenhauer die Ansicht, daß die Natur der eigentliche Lebensträger sei, daß alle Individualität nur verstanden werden könne als eine Verselbstung, ein Herausragen aus der Natur, das Sterben aber als eine Rückkehr in die Natur. Jede einzelne Erscheinung ist nach Schopenhauer nur „das Werk einer allgemeinen, in tausend gleichen Erscheinungen thätigen Kraft“, eben des Willens, der sich im einzelnen individuiert[23]. Jede Individuation aber ist vergänglich: Sie weilt, sagt Schopenhauer, und Kuckuck spricht es ihm nach[24], „nur einen Augenblick und eilt dem Tode zu“. Wenn Kuckuck doziert, „nicht nur das Leben auf Erden sei eine verhältnismäßig rasch vorübergehende Episode, *das Sein sei selbst eine solche* — zwischen Nichts und Nichts“ (VII, 542), dann wiederholt er auch Schopenhauer. Und Schopenhauer spricht aus ihm, wenn er erläutert, Raum- und Zeitlosigkeit sei die Bestimmung des Nichts (VII, 543): „Dieses sei ausdehnungslos in jedem Sinn, stehende Ewigkeit, und nur vorübergehend sei es unterbrochen worden durch das raum-zeitliche Sein.“ Stehende Ewigkeit — das ist eine genaue Übersetzung des Schopenhauerischen *nunc stans*[25], das Thomas Manns Zeit- und Mythosvorstellung so grundlegend bestimmt hat.

Daß der Künstler die trügerischen Erscheinungsformen, das Blendwerk der Maja[26], zu durchschauen habe, um hinter den Individuationen das *semper idem* zu erkennen, das hat Thomas Mann als Aufgabe von Schopenhauer übernommen. Die Kunst selbst aber hat Schopenhauer die „Blüthe des Lebens“[27] genannt: Sie verdeutlicht die „Sicht-

21 Schopenhauer, II, 174 ff.

22 Schopenhauer, II, 230 ff., 366 ff., 370, und IV, 42, wo von „Leiden und Wohlseyn“ oder „Weh und Wollust“ die Rede ist. Vgl. auch Thomas Manns Essay *Schopenhauer* (IX, 540 f.).

23 Schopenhauer, III, 538.

24 VII, 545. Schopenhauer, III, 547.

25 Schopenhauer, II, 207: „Wir würden in der That, wenn es erlaubt ist, aus einer unmöglichen Voraussetzung zu folgern, gar nicht mehr einzelne Dinge, noch Begebenheiten, noch Wechsel, noch Vielheit erkennen, sondern nur Ideen, nur die Stufenleiter der Objektivation jenes einen Willens, des wahren Dinges an sich, in reiner ungetrübter Erkenntniß auffassen, und folglich würde unsere Welt ein *Nunc stans* seyn; wenn wir nicht, als Subjekt des Erkennens, zugleich Individuen wären, d.h. unsere Anschauung nicht vermittelt wäre durch einen Leib, von dessen Affektionen sie ausgeht, und welcher selbst nur konkretes Wollen, Objektität des Willens, also Objekt unter Objekten ist und als solches, so wie er in das erkennende Bewußtseyn kommt, dieses nur in den Formen des Satzes vom Grunde kann, folglich die Zeit und alle anderen Formen, die jener Satz ausdrückt, schon voraussetzt und dadurch einführt. Die Zeit ist bloß die vertheilte und zerstückelte Ansicht, welche ein individuelles Wesen von den Ideen hat, die außer der Zeit, mithin ewig sind: daher sagt Platon, die Zeit sei das bewegte Bild der Ewigkeit: αιωνος εικων κινητη ὁ χρονος.“ Vgl. dazu auch *Die Welt als Wille und Vorstellung* II, Kap. 27, und Thomas Manns Essay *Schopenhauer* (IX, 539).

26 Schopenhauer, II, 299. Vgl. IX, 662 f.

27 Schopenhauer, II, 315.

barkeit des Willens", ist also die „höhere Steigerung, die vollkommenere Entwicklung von allem Diesem" — wen verwundert's, daß Krull, der sich selbst zum schönen Schein macht[28], seine eigene artifizielle Existenz als „wohlgeraten-vornehme, das Gemüt durch bloße Anschauung reinigende Blüte" (VII, 529) bezeichnet?

Wer nun immer noch nicht glaubt, daß Kuckuck ein Schopenhauerianer[29], daß er — unter anderem — der leibhaftige Schopenhauer ist, der möge sich durch zwei positivistische Beweise überzeugen lassen. Vorgestellt wird uns Kuckuck als „ein älterer Herr, zierlich von Figur, etwas altmodisch gekleidet (mir schwebt ein vatermörderähnlicher Kragen vor, den er trägt) und mit grauem Bärtchen", der „mit Sternenaugen" zu Krull aufblickt (VII, 519 f.). Das ist ohne Zweifel eine Deskription des Schopenhauer-Porträts, das Thomas Mann in Wilhelm Gwinners *Schopenhauer*-Buch gefunden hat[30]. Mit Schopenhauer hat Kuckuck aber auch den „kaustischen" Witz (VII, 546) gemeinsam. „Neigung zu boshaftem Witz über das Leben", hat sich Thomas Mann zu einer Stelle in der *Welt als Wille und Vorstellung* an den Rand geschrieben. Auf der folgenden Seite kritzelt er hin: „Wilder, kaustischer Hohn auf das Leben, funkelnden Blicks und mit verkniffenen Lippen"[31] — er nimmt den Ausdruck „kaustischer Hohn" auch in seinen *Schopenhauer*-Essay von 1938 auf[32].

III

Wenn Kuckuck von der Faszination alles Lebendigen durch Eros und Thanatos spricht, wenn er beschreibt, wie alles Lebendige in seiner „Neubegierde" (VII, 532, 537) von Reiz zu Reiz getrieben werde und wie es gleichzeitig, „beseelt von Vergänglichkeit" (VII, 547), nach Schlaf, Traum und Tod, nach der Rückkehr ins Unbewußte sich sehne, dann blickt ihm noch ein anderer über die Schulter. Es ist Sigmund Freud, der in seiner Abhandlung *Jenseits des Lustprinzips* (1920) die ihn selbst überraschende Entdeckung von der „konservativen Natur der Triebe" gemacht hat[33]. Freud glaubt annehmen zu können, daß der Trieb „ein dem belebten Organischen innewohnender Drang zur Wiederherstellung eines früheren Zustandes"[34], also des Zustandes vor dem Leben, sei. Freud spricht von der Sehnsucht alles Lebenden, „ins Anorganische" zurückzukehren,

28 Vgl. XI, 704.

29 Über sein Verhältnis zu Schopenhauer hat sich Thomas Mann zur Zeit des späten *Krull* verschiedentlich ausgelassen. Die aufschlußreichsten Äußerungen stehen in den Briefen vom 13.3.1952 an Ferdinand Lion und vom 17.4.1954 an Ludwig Marcuse (Br. III, 248, 335).

30 Wilhelm Gwinner: **Arthur Schopenhauer aus persönlichem Umgange dargestellt.* Leipzig: Brockhaus 1862. Titelbild: Porträt von M. Lämmel.

31 In: Schopenhauer, II, 370, 371.

32 *Schopenhauer* (IX, 541). Im gleichen Essay spricht Thomas Mann von Schopenhauers „Kaustik gegen das Leben" (IX, 543) und nennt ihn eine Mischung von Voltaire und Jakob Böhme (IX, 579).

33 Freud, VI, 228.

34 Freud, VI, 226.

und kommt zum lapidaren Satz[35]: „Das Ziel alles Lebens ist der Tod [...].“ Er expliziert wie folgt:

> Irgend einmal wurden in unbelebter Materie durch eine noch ganz unvorstellbare Krafteinwirkung die Eigenschaften des Lebenden erweckt. Vielleicht war es ein Vorgang, vorbildlich ähnlich jenem anderen, der in einer gewissen Schicht der lebenden Materie später das Bewußtsein entstehen ließ. Die damals entstandene Spannung in dem vorhin unbelebten Stoff trachtete darnach sich abzugleichen; es war *der erste Trieb* gegeben, der, zum Leblosen zurückzukehren. Die damals lebende Substanz hatte das Sterben noch leicht, es war wahrscheinlich nur ein kurzer Lebensweg zu durchlaufen, dessen Richtung durch die chemische Struktur des jungen Lebens bestimmt war. Eine lange Zeit hindurch mag so die lebende Substanz immer wieder neu geschaffen worden und leicht gestorben sein, bis sich maßgebende äußere Einflüsse so änderten, daß sie die noch überlebende Substanz zu immer größeren Ablenkungen vom ursprünglichen Lebensweg und zu immer komplizierteren Umwegen bis zur Erreichung des Todeszieles nötigten. *Diese Umwege zum Tode, von den konservativen Trieben getreulich festgehalten,* böten uns heute das Bild der Lebenserscheinungen. Wenn man *an der ausschließlich konservativen Natur der Triebe* festhält, kann man zu anderen Vermutungen über Herkunft und Ziel des Lebens nicht gelangen.

Thomas Mann hat an den Rand dieses Abschnittes geschrieben: „Zbg [Zauberberg] ohne Vorkenntnis.“ Er dürfte Freuds Abhandlung Anfang 1926, bei seinen Vorstudien zum *Joseph*, gelesen haben. Die Lektüre dürfte ihn in zweierlei Hinsicht angesprochen haben. Einmal fühlte er sich an jenes Kapitel im *Zauberberg* erinnert, in dem er Hans Castorp seine physiologischen „Forschungen“ (III, 373) anstellen läßt, die unmittelbar zum „Totentanz“ (III, 399) überleiten. Sodann zeigte ihm die Abhandlung, daß sich Freud seiner Nähe zu Schopenhauer selbst bewußt geworden ist. Bei seiner Unterscheidung zwischen Lebens- und Todestrieb kann sich Freud nämlich nicht verhehlen, daß er „unversehens in den Hafen der Philosophie *Schopenhauers* eingelaufen“ ist, „für den ja der Tod das eigentliche Resultat und insofern der Zweck des Lebens ist, der Sexualtrieb aber die Verkörperung des Willens zum Leben“[36] Thomas Mann hat von da an, das läßt sich aus dem *Joseph* ablesen, Schopenhauers Willen mit dem Freudschen Es, Schopenhauers Intellekt mit dem Freudschen Ich identifiziert, so wie er früher schon die Identifikation von Willen und Intellekt mit Nietzsches Leben-und-Geist-Begriff vollzogen hatte. In Kuckucks Ausführungen gehen also Schopenhauers Willensphilosophie und Freuds Traumpsychologie Hand in Hand, Krulls „große Freude“ (VII, 315, 547) und seine „Allsympathie“ (VII, 548; vgl. III, 842), seine ganze Eros-und-Thanatos-Faszination ist mit Hilfe von Freuds Psychologie besser zu verstehen.

35 Freud, VI, 228. Die im folgenden in Kursiv gesetzten Stellen hat Thomas Mann in seiner Freud-Ausgabe unterstrichen.

36 Freud, VI, 241.

IV

Sind wir am Ende? Noch lange nicht. Die Art, wie Krulls Reisegefährte sich vorstellt, dieses unvermittelt und mit mythischer Stimme gesprochene „Kuckuck" läßt uns ahnen, daß es mit ihm noch mancherlei spaßige und ungeheuerliche Bewandtnis hat[37]. Der Kuckuck nämlich gehört, wie auch der Auerhahn, zum Geschlecht der Teufelsvögel. Auerhahn, auf englisch *capercailzie*, hat ja schon jener zwielichtige Forscher geheißen, mit dem Leverkühn die Tiefseegondel besteigt, um die Welt des Unerforschlichen auszuleuchten[38]. Beide Vögel aber sind dem Mephisto pflichtig. Und mit Mephisto nun hat Kuckuck allerdings einiges zu tun, nicht nur seiner „luziferischen Sardonik" (VI, 366) wegen.

So wie im *Zauberberg* die Walpurgisnacht- und die Valentin-Szene als Zitathintergrund gedient haben, so werden hier im *Krull* die klassische Walpurgisnacht, aber auch die Bakkalaureus- und die Laboratoriumszene als Projektionshintergrund herangezogen, um dem Gespräch faustische Tiefe zu geben. Im *Zauberberg* wie im *Krull* führt Thomas Mann dabei das Teufelsmotiv ganz beiläufig ein[39]. Gleich bei der ersten Begegnung mit Settembrini anwortet Hans Castorp auf dessen Bemerkung, alle Arbeit sei schwer, mit der gedankenlos hingeworfenen Redensart (III, 86): „Ja, das weiß der Teufel." Settembrini spielt mit der Mephisto-Rolle. „Zum Kuckuck!" ruft auch Krull ganz unvermittelt. Der *faux-pas*, um dessentwillen er sich entschuldigt, ist gleichzeitig eine Enthüllung: Krull braucht den Tabunamen des Teufels. Und tatsächlich hat Kuckuck ja einiges vom Blocksbergteufel mitbekommen. Er macht kein Hehl daraus, daß er „aus dem Gothaischen" (VII, 535) stamme; und wenn er dann feststellt, daß der Marquis überall „Vettern und Nahverwandte" (VII, 534) habe, dann spricht er mit Mephisto/Phorkyas bereits aus der „Zweiten Walpurgisnacht" (v. 7740 ff.):

> Hier dacht ich lauter Unbekannte
> Und finde leider Nahverwandte;
> Es ist ein altes Buch zu blättern:
> Vom Harz bis Hellas immer Vettern!

Krull, das wird langsam deutlicher, sitzt vor seinem Reisegefährten wie einst Hans Castorp vor Settembrini oder Behrens: als ein „Neophyt" (XI, 616) vor dem „Mystagogen"[40]. „Sie müssen verzeihen", sagt Kuckuck zu ihm (VII, 533/535), „[...] daß ich Sie

37 Es ist nicht damit getan, daß man daran erinnert, daß Kuckuck, wie es das französische *cocu* will, der Hahnrei heißt — auch wenn Kuckuck von Krull ja bald zum gehörnten Ehemann gemacht wird. Vgl. *Kleists Amphitryon* (IX, 202).

38 Vgl. Thomas Manns Brief vom 7.11.1947 an Helen Lowe-Porter (Br. II, 565): „Auerhahn oder, nach der älteren Orthographie Awerhan ist eine beliebte Bezeichnung von Teufeln und Dämonen. Der mit dem Teufel redet, sagt ‚mein Geist und Auerhahn'. Capercailzie ist ja der entsprechende Name des balzenden Vogels und, meinem Lexicon zufolge, ein gälisches Wort. Aber vielleicht ist Ackercocke noch besser." — Vgl. *Doktor Faustus* (VI, 355 ff.), wo Mr. Capercailzie als „Mentor und Cicerone" bezeichnet wird. Vgl. auch VI, 608.

39 Vgl. Herman Meyer: *Das Zitat in der Erzählkunst. Zur Geschichte und Poetik des europäischen Romans.* Stuttgart: Metzler 1961, S. 216 ff.

40 Vgl. *Faust*, v. 6249 f. Ferner *Einführung in den Zauberberg* (XI, 616). — Vgl. Walter Rillas Brief

auf diese Weise mit Direktiven versehe und Ihre Schritte zu lenken suche [...]. Man ist versucht, den Neuling der Beweglichkeit ein wenig zu beraten." Er spielt also wie Mephisto die Rolle des „versierten, weltkundigen Reisegefährten oder Reisemarschalls" (XI, 606). Als „erfahrener Gouverneur"[41] und Mentor (VII, 602) führt er seinen Zögling auf neue Wege „leidenschaftlicher Lebenserkundung" (IX, 613).

Aber Krull sitzt nicht nur vor Mephisto, er sitzt auch vor Goethe selbst. Als „Sternäugiger" war Goethe schon im *Lotte*-Roman eingeführt worden[42], und was Kuckuck über die Entwicklung der Natur und über die Allsympathie vorträgt, das ist in Goethes Monolog im siebenten Kapitel der *Lotte* schon vorweggenommen (II, 679 f.):

> Die classische Walpurgisnacht, um denn an Freudiges, höchst Hoffnungsvolles zu denken, — ah, das soll mir ein grandioser Spaß werden, der denn doch den höfischen Mummenschanz gewaltig überbieten soll, — ein Spiel, schwer von Idee, von Lebensgeheimnis und witzig-träumerischer, ovidischer Erläuterung der Menschwerdung, — ohne alle Feierlichkeit, stilistisch aufs Allerleichteste und -lustigste geschürzt, menippeische Satire — ist ein Lukian im Hause? ja, nebenan, weiß wo er steht, Subsidium, ich will ihn wieder lesen. Wies in der Magengrube zieht bei dem Gedanken, wozu mir, ganz unvorhergesehenerweise, durch träumerischste Erfindung der Homunculus noch gut geworden, — wer hätte denken können, daß er zu ihr, der Schönsten, in unbändig-lebensmystische Beziehung treten, gut werden würde zu neckisch-scientifischer, neptunisch-thaletischer Begründung und Motivierung des Erscheinens sinnlich höchster Menschenschönheit! „Das letzte Product der sich immer steigernden Natur ist der schöne Mensch." Der Winckelmann verstand was von Schönheit und sinnlichem Humanismus. Hätte seine Freude gehabt an diesem Übermut, die biologische Vorgeschichte des Schönen in seine Erscheinung aufzunehmen; an der Imagination, daß Liebeskraft der Monade zur Entelechie verhilft, und daß sie, als Klümpchen organischen Schleims im Ocean beginnend, durch namenlose Zeiten des Lebens holden Metamorphosen-Lauf durchmißt hinaus zum edel-liebenswürdigsten Gebilde.

Vorher schon, beim Anblick des Badeschwammes aus „thaletischer Urfeuchte", haben Goethes Gedanken das Liebesfest in der Ägäis umkreist (II, 640):

> Den Badeschwamm hab ich lange schon —, handsames Exemplar festsitzender Tief-Tierheit in thaletischer Urfeuchte. Bis zum Menschen hat das Zeit. In welchem Grun-

vom 17.12.1954 an Thomas Mann (unveröffentlicht, TMA): „Felix Krull, dem Prof. Kuckuck von Paläontologie, vom Makrokosmos des Weltalls, diesem ‚sterblichen Kind im ewigen Nichts', erzählt, ist ein naher Verwandter des von leichtem Fieber illuminierten Hans Castorp, der sich vom Hofrat Behrens über den Mikrokosmos des menschlichen Leibes belehren läßt, und das ‚Bild des Lebens', das den erhitzten Träumer in der Winternacht in der Gestalt Clawdias umgaukelt, hat viel ahnungsvolle Beziehung zu dem ‚Leben, dieser Blüte des Seins', von dem durch Kuckuck zu hören den jungen Felix so außerordentlich erregt."

41 *Über Goethe's „Faust"* (IX, 606). Thomas Mann übernahm das Goethe-Zitat aus einem Paralipomenon, das im *12. Band der Welt-Goethe-Ausgabe abgedruckt ist (Mainzer Presse 1932, S. 370).

42 II, 591. Als Sternäugiger wird im *Zauberberg* auch schon Naphtas Vater charakterisiert (III, 609 f.).

> de bildetest du und deuchtest dich groß, sonderbar Lebensgerüst, dem man das wache Seelchen nahm? Im Ägäischen Meere gar? Hattest du wohl ein Plätzchen an Kypris' irisierendem Muschel-Thron? Mit Augen, blind überschwemmt von der Flut, die ich aus deinen Poren drücke, seh ich den neptunischen Trionfo, das triefende Getümmel von Hippokampen und Waserdrachen, von Grazien des Meeres, Nereiden und hornstoßenden Tritonen um Galatea's farbenstreuenden Wagen hinziehen durchs Wellenreich...

Im nächtlichen Gespräch nun erzählt Kuckuck seinem Schüler von der Seelilie, die sich langsam zum Menschen emporsteigern müsse. „Bis zum Menschen hat es sich Zeit genommen", versichert auch Kuckuck (VII, 537). Beide zitieren Thales, den Mentor des Homunculus (v. 8321 ff.):

> Gib nach dem löblichen Verlangen,
> Von vorn die Schöpfung anzufangen!
> Zu raschem Wirken sei bereit!
> Da regst du dich nach ewigen Normen,
> Durch tausend, abertausend Formen,
> Und bis zum Menschen hast du Zeit.

Krull, der sich als „wohlgeraten-vornehme, das Gemüt durch bloße Anschauung reinigende Blüte" empfindet (VII, 529), tritt der Entwicklungsgeschichte gegenüber wie Helena zu Beginn des dritten Aktes dem Geschehen der klassischen Walpurgisnacht. Spielerisch wirft er den Namen des wohlgestalteten Hermes ins Gespräch und nimmt selbstverständlich-naiv den Standpunkt des schönen Menschen ein, der sich nach Goethes Winckelmann-Aufsatz als „das letzte Produkt der sich immer steigernden Natur"[43] empfinden darf.

Die Geburt des schönen Menschen aus dem Element: Was der Mythos in *einen* festlichen Augenblick zusammendrängt, verteilt thaletische Geduld über Jahrmillionen. Wenn Goethe im *Lotte*-Roman von der Feier der Elemente spricht, strömen Gedanken aus Kerényis Schrift *Vom Wesen des Festes*[44] mit ein (II, 639): „Wasser, es fließe nur! Erde sie steht so fest! Ströme du, Luft und Licht! Feuer nun flammts heran — Feier des Elements auch in der ‚Pandora' schon, darum hieß ichs ein Festspiel. Wollen bestimmt das Fest gesteigert erneuern in der zweiten ‚Walpurgisnacht' — Leben ist Steigerung, das Gelebte ist schwach, geistverstärkt muß mans noch einmal leben." Kerényis Schrift über *Das ägäische Fest* kannte Thomas Mann damals noch nicht[45]. Er erhielt sie erst ein

43 Vgl. Goethe: **Winckelmann* (Kapitel „Schönheit"). Propyläen-Ausgabe. Berlin o.J., XVI, 102. Bei der Arbeit am Goethe-Monolog in der *Lotte* hat Thomas Mann Konrat Zieglers **Gedanken über Faust II* (Stuttgart 1919) beigezogen, wo auf S. 56 von der Entwicklung „vom Urtier zur vollendeten Menschenschönheit" die Rede ist.

44 Karl Kerényi: **Vom Wesen des Festes.* Antike Religion und ethnologische Religionsforschung. „Paideuma", Mitteilungen zur Kulturkunde, Bd. 1, H. 2. Leipzig: Harrassowitz 1938, S. 59—74. — Vgl. Thomas Manns Dankbrief an Kerényi: *Gespräch in Briefen.* Zürich: Rhein-Verlag 1960, S. 86 ff.).

45 Karl Kerényi: **Das ägäische Fest. Erläuterungen zur Szene „Felsbuchten des ägäischen Meeres" in Goethes Faust II.* 3., erweiterte Auflage. Wiesbaden: Limes-Verlag 1950. (Die 1. Auflage er-

Jahr später zugesandt, und sogleich erregte ihn wieder der Mythos von der Entstehung des Menschen[46]: „Besonders gefreut hat mich, daß auch Sie die Homunculus-Galatea-Hochzeit, nämlich den Mythos der Menschwerdung, gewissermaßen als eine Exposition zum Helena-Akt auffassen, als eine großartig-weitläufige naturwissenschaftlich-dichterisch-mystische Vorbereitung auf das Erscheinen der Schönheit.“ Als sich Thomas Mann im *Krull* nun dazu anschickte, die „Geburt der Venus‘ einmal aus dem Mythischen ins Kosmologische zu übersetzen“ – so heißt es in einem Brief vom 19.1.1952 an A.M. Frey[47], hat er möglicherweise auf Kerényis Schrift zurückgegriffen und darin von den Tritonen und Nereiden nachgelesen, die „bei der Geburt der Aphrodite dabei“ sind und „das große Urereignis dem Weltall“ zeigen[48].

Der Hymnus auf die „Allsympathie“ (VII, 548), mit dem Professor Kuckuck endet, geht aus dem „Glanz und Geschaukel“ der zeugungsfrohen Zaubernacht hervor. Er entspricht dem Hymnus auf Eros und die Elemente, den im *Faust* die Sirenen und dann „all-alle“ zum Beschluß der klassischen Walpurgisnacht anstimmen. So beschwört auch Kuckuck den „Riesenschauplatz dieses Festes“ (VII, 543), das jauchzende Getümmel des Weltalls mit seinen „Meteoren, Monden, Kometen, Nebeln, Abermillionen von Sternen, die aufeinander bezogen, zueinander geordnet waren durch die Wirksamkeit ihrer Gravitationsfelder zu Haufen, Wolken, Milchstraßen“ (VII, 543), „dies Ineinander- und Umeinanderkreisen und Wirbeln, dieses Sichballen von Nebeln zu Körpern, dies Brennen, Flammen, Erkalten, Zerplatzen, Zerstäuben, Stürzen und Jagen“ (VII, 545), mit dem „das Sein sein tumultuöses Fest“ (VII, 543), seine kosmische Walpurgisnacht feiert.

V

Es läßt sich nicht überhören: In die letzten Teile des Hymnus mischen sich in die Hexameterrhythmen immer deutlicher wagnerische Klänge mit ihrer stabenden „Lust und Last“ (VII, 547). Es wiederholt sich die „musikalische Kosmogonie [...], das tönende Schaugedicht von der Welt Anfang und Ende“, wie Thomas Mann den *Ring des Nibelungen* genannt hat (IX, 512); es wiederholt sich aber auch, ins Kosmisch-Tosende gesteigert, der Wagnerische Mythos von Liebe und Tod (vgl. IX, 424):

> In des Wonnemeeres
> wogendem Schwall,
> in der Duftwellen
> tönendem Schall,
> in des Weltatems

schien 1941.) Vgl. Thomas Manns Brief vom 2.8.1939 an Kerényi (*Gespräch in Briefen*, S. 91): „Auf ihre Studie über die neptunischen Szenen der Walpurgisnacht aber bin ich gewaltig neugierig, und es ist schade, daß ich sie noch nicht kannte, als ich in einem inneren Monolog Goethe an dies Vorhaben denken ließ.“

46 Thomas Manns Brief vom 25.10.1940 an Karl Kerényi (*Gespräch in Briefen*, S. 93).

47 Ungedruckt (TMA).

48 Karl Kerényi: **Das ägäische Fest*, S. 54.

wehendem All —
ertrinken —
versinken
unbewußt
höchste Lust!

Das ist die Musik, die Thomas Mann in seiner *Tristan*-Novelle beschrieben hat (VIII, 245), das „Wunderreich der Nacht"[49] beschwörend. Von der Heimkehr in den Schoß der Nacht, von der Liebe zum Meer und zum Schlaf, vom Absinken in Traum und Tod hat aber auch jenes Prosastück mit dem *Egmont*-Titel *Süßer Schlaf* gekündet, das 1909 als Einstimmung in den *Krull* entstanden ist. Es schließt mit den programmatischen Sätzen (XI, 339): „Der ist gewiß der Größte, welcher der Nacht die Treue und Sehnsucht wahrt und dennoch die gewaltigsten Werke des Tages tut. Darum liebe ich das Werk am meisten, das aus der ‚Sehnsucht hin zur heiligen Nacht' geboren wurde und gleichsam trotz seiner selbst dasteht in seiner Willens- und Schlummerherrlichkeit, — ich meine den ‚Tristan' von Richard Wagner."

So führt uns Kuckucks Hymnus auf das Weltall auch zu Richard Wagner und zur „welterotischen Konzeption" (XI, 498) seines Werks zurück, zurück sodann zu Novalis, in dessen *Ofterdingen* erzählt wird, *„wie durch wundervolle Sympathie die Welt* entstanden sei und die Gestirne zu melodischem Reigen sich vereinigt hätten"[50], und zurück zu Schlegels *Lucinde* mit ihrem „Enthusiasmus der Wollust" (IX, 400) und ihrem Preis der „großen Liebesnacht"[51].

Krull erlebt, was vor ihm so viele Helden Thomas Manns erlebt haben, jene eigenartige Entrückung und Entgrenzung in Schlaf und Traum. „Er fühlte", heißt es, beispielsweise, von Thomas Buddenbrook (I, 655), „sein ganzes Wesen auf eine ungeheuerliche Art geweitet und von einer schweren, dunklen Trunkenheit erfüllt; seinen Sinn umnebelt und vollständig berauscht von irgend etwas unsäglich Neuem, Lockendem und Verheißungsvollem, das an erste, hoffende Liebessehnsucht gemahnte." Wie schon bei früheren Entrückungen und Entgrenzungen führt Thomas Mann auch im Kuckuck-Gespräch das Intoxikations- und Rauschmotiv ein: Krull versichert, er habe, während Kuckuck sprach, seine sechste, nein, seine achte *demi-tasse* gezuckerten Mokkas zum Munde geführt (VII, 546, 549) — daß es märchenhafterweise wohl genau sieben Tassen gewesen sind, will er nicht sagen. So hat sich schon Hans Castorp in die abgründigen Gefilde seiner Walpurgisnacht und in die mythischen Tiefen seines Schneetraums hinein getrunken. Thomas Buddenbrook hat seine russischen Zigaretten geraucht, Albrecht van der Qualen nächtlicherweile seinen Kognak zu sich genommen. Leverkühn

49 *Tristan und Isolde*, II. Akt, Liebesduett. Vgl. Thomas Manns Brief vom 7.3.1901 an seinen Bruder Heinrich (Br. I, 27).

50 Von Thomas Mann unterstrichen im 3. Kapitel des *Ofterdingen* (in: **Traum und Welt. Eine Auswahl aus Novalis' Dichtungen, Briefen Tagebüchern, Fragmenten.* Hrsg. von Philipp Witkop. Deutsche Bibliothek in Berlin o.J. [1913], S. 115).

51 Vgl. TMS I, 99.

aber, der Verwegenste von allen, hat sich willentlich mit Syphilis intoxikiert, um die Enthemmung seines Innern zu erzwingen[52] und sich Genialität zu erkaufen.

VI

Bevor nun Kuckuck seinen Schützling in den Schlaf entläßt, kommt er auf die Vergänglichkeit von Sein und Leben zu sprechen. Er liebt das Leben, obwohl es vergänglich, *weil* es vergänglich ist[53]. Dieses *Lob der Vergänglichkeit* (X, 583) wird nur scheinbar zurückgenommen, wenn er kurz darauf wieder aus der Sicht des „kosmischen Nihilisten“ (IX, 608) spricht und mephistophelische Weisheiten sich mit schopenhauerischen verbinden läßt[54].

52 Daß Kuckuck selbst nur Vichy-Wasser trinkt, ist möglicherweise auch eine Anspielung auf Wagner. In den **Fünfzehn Briefen Richard Wagners* (3., vermehrte Ausgabe. München und Berlin: Oldenbourg; Zürich: Corona1935, S. 67) berichtet Eliza Wille-Sloman von Wagner: „Er trank Vichy-Wasser und hatte schlaflose Nächte. — Wenn er in seinem Zimmer ruhte, hatte er einen Band von Schopenhauer in den Händen.“

53 Am 23.12.1951 schreibt Thomas Mann an Paul Amann (*Briefe an Paul Amann 1915-1952.* Hrsg. von Herbert Wegener. Lübeck: Schmidt-Römhild 1959, S. 74): „Ich habe allerlei Weiteres an den Krull-Memoiren geschrieben, laufe aber immer Gefahr, ins ‚Faustische‘ zu geraten und die Form zu verlieren. So bringe ich den Helden, der ein Erotiker ist, in Kontakt mit der Idee des *Seins* selbst, das vielleicht nur eine Episode ist zwischen Nichts und Nichts, wie das Leben auf Erden nur ein Zwischenfall mit Anfang und Ende, da die Bewohnbarkeit eines Sterns limitiert ist. Dabei geht alles ohne genaue Grenze in einander über: Der Mensch ins Tierische, dieses ins Pflanzielle, das Organische ins unorganische Sein, das Materielle ins Immaterielle, ins Kaum-noch-Sein und ins Nichtsein, das ohne Raum und Zeit. Urzeugung: Wie und wann trat im Nichts die erste Schwingung (elektro-magnetische oder wie immer) des Seins auf? Dies ist die eigentliche Urzeugung, das erste Neue. Das zweite ist das Plus zum Anorganischen, das man Leben nennt, ein Hinzukommendes ohne ein Neues an Stoff. Etwas drittes Hinzukommendes im Tierisch-Organischen ist das Menschliche. Das Übergängliche ist gewahrt, aber ein Unbestimmbares, wie bei der Wendung zum ‚Leben‘ tritt hinzu. — Die Liebe, verstanden als sinnliche Rührung durch das Episodische des *Seins,* nicht nur des Lebens, nicht nur des Menschen. Und das Sein also doch vielleicht ein Hervorruf der Liebe aus dem Nichts? — Unsinn, Sie verstehen kein Wort. Ein kleiner Enkel von mir hat gesagt, als er aus der Kirche kam: ‚Wenn man anfängt über Gott nachzudenken, kriegt man *Gehirnverschüttung.*‘ Ein neues Wort und kein schlechtes.“

54 Vgl. dazu Thomas Manns Brief vom 13.1.1952 an Claus Unruh (DüD I, 334):
„Lieber Herr Unruh,
Sie sind ein unruhiger Gast. Gleich wollen Sie meine Weltanschauung auf einem Briefblatt haben. Das geht aber nicht so einfach, und ich kann nur erwidern, daß das Wesentliche meiner Existenz und meines Verhältnisses zur Welt aus meinen Büchern zu schöpfen ist — für den, der zu schöpfen Lust hat. Manche, wie Sie andeuten, halten mich für einen Nihilisten. Ich gelte ungern dafür. Ein Nihilist bin ich nur insofern, als ich stark zu der Vermutung neige (sie ist wissenschaftlich gestützt), daß nicht nur das Leben auf Erden, den Maßstab der Äonen angelegt, eine rasch vorübergehende Episode ist, sondern daß auch das materielle Sein im Raum und in der Zeit, der Kosmos selbst, eine solche Episode ist, ein turbulentes Zwischenspiel zwischen Nichts und Nichts. Es hat das Sein, sich selbst eine Lust und eine Last, nicht immer ge-

Goethe hat im *Faust* „Allbejahung“ und „Allverneinung“ zwischen Faust und Mephisto aufgeteilt[55] und im Laufe seiner Dichtung den Widerstreit zwischen beiden zu einer Entscheidung geführt.

> Denn alles was entsteht,
> Ist wert, daß es zugrunde geht;
> Drum besser wär's, daß nichts entstände,

läßt er Mephisto sagen (v. 1339).

> In deinem Nichts hoff ich das All zu finden,

hält Faust ihm entgegen, bevor er zu den Müttern hinabsteigt.

Was Goethe auf zwei Antagonisten aufteilt und im Laufe seiner Dichtung sich entscheiden läßt, das bleibt in Kuckucks Munde untrennbar vereint. Die „Einerleiheit von All und Nichts, von Allumfassung und Nihilismus, von Gott und Teufel“ (II, 442), die Formel, mit der Riemer im *Lotte*-Roman Goethes Wesen zu fassen versucht hat, trifft auch auf ihn zu. Kuckucks Hymnus auf das Weltall ist ein Zeugnis jener Ja-Nein- und

geben, und es wird es nicht immer geben, sondern raum- und zeitloses Nichts wird wieder sein. Noch weniger war immer das Leben, das hier vor bloßen 550 Millionen Jahren (schlecht gerechnet) aus dem Unorganischen erwachte und seinen Entwicklungsweg antrat bis zum Menschen, und noch weniger wird es das Leben immer geben. Das Episodische aber ist es gerade, was dem Sein und dessen Blüte, dem Leben, Wert und Gewicht verleiht. Daß sie einen Anfang hatten und also ein Ende haben werden (man kann die Logik auch umkehren) das erweckt Sympathie. Und als mein Grundverhältnis zum Sein und zum Leben mit seiner Lust und Last möchte ich die Sympathie bezeichnen. Ich kann nicht zweifeln, daß meine Bücher sie ausdrücken. Ich müßte mich ganz verschrieben haben, wenn man sie ihnen nicht anmerkte. Sie, in Ihrem Brief, sprechen vom Bösen und Guten. In meinem spätesten Buch habe ich sagen lassen: ‚Gott ist voller Wunder. Sehr wohl kann aus dem Schlimmen das Liebe kommen und aus der Unordnung etwas sehr Ordentliches!‘ Ich habe auch gesagt: ‚Gebt acht auf den Sünder! Vielleicht ist er der Erwählte.‘ Und zu dem Sünder: ‚Mach' dir die Sündhaftigkeit fruchtbar, sodaß sie dich zu hohen Flügen trägt!‘ Kurzum, ich habe die Menschen zu trösten gesucht — und zu erheitern. Erheiterung tut ihnen gut, sie löst den Haß und die Dummheit, so bringe ich sie gern zum Lachen. Das ist kein nihilistisches Lachen, das ich bringe, kein Hohngelächter. Man braucht nicht sehr hoch von mir zu denken. Aber man darf von mir denken, daß ich es gut meinte mit dem Leben und mit den Menschen.“
In seinem Brief vom 9.2.1948 an Heinz-Winfried Sabais schreibt Thomas Mann (Br. III, 20): „Und auch die von Ihnen citierte Bestimmung des Optimismus nehme ich willig an, obgleich ich kein großer Bewunderer der ‚Werke‘ bin, im explodierenden Weltall eher einen Teufelsjux als einen Anlaß zum Hosianna! sehe und mich einer gewissen Mystiker-Neigung zum Nichts und zur Erlösung bezichtigen muß. Aber ich lebe und bin im Grunde durchdrungen von der Einerleiheit von Leben, Optimismus und Ethik. Lassen Sie uns ein wärmeres, zusammenfassendes Wort dafür einsetzen: Sympathie. Aus ihr kommt all mein Tun, das unterhaltende und das ratende.“ — Vgl. IX 694 f. Als „Teufelsjux“ werden die „Horrendheiten der physikalischen Schöpfung“ übrigens auch im *Doktor Faustus* bezeichnet (VI, 363). Vgl. auch *Dostojewski – mit Maßen* (XI, 665).

55 Vgl. Thomas Mann: *Über Goethe's Faust* (IX, 601)

Einerseits-Anderseits-Haltung, die vielen Schriftstellern aus der Generation Thomas Manns bei aller Unmöglichkeit als die einzig mögliche Haltung galt.

Auch hier ist Thomas Manns Text vielschichtig. Unter seinen Worten scheinen palimpsestartig auch Texte von Schopenhauer und Nietzsche durch. Kuckuck wiederholt gleichzeitig den Beschluß von Schopenhauers Buch über die „Bejahung und Verneinung des Willens“[56]:

> Vor uns bleibt allerdings nur das Nichts. Aber Das, was sich gegen dieses Zerfließen ins Nichts sträubt, unsere Natur, ist ja eben nur der Wille zum Leben, der wir selbst sind, wie er unsere Welt ist. Daß wir so sehr das Nichts verabscheuen, ist nichts weiter, als ein anderer Ausdruck davon, daß wir so sehr das Leben wollen, und nichts sind, als dieser Wille, und nichts kennen, als eben ihn. [...] was nach gänzlicher Aufhebung des Willens übrig bleibt, ist für alle Die, welche noch des Willens voll sind, allerdings Nichts. Aber auch umgekehrt ist Denen, in welchen der Wille sich gewendet und verneint hat, diese unsere so sehr reale Welt mit allen ihren Sonnen und Milchstraßen — Nichts.

Aber Kuckuck wiederholt auch jene „dionysische Darstellung des Kosmos am Ende des

56 Schopenhauer, II, 486. Vgl. auch Schopenhauer, II, 176 f.: „Denn da jeder Körper als Erscheinung eines Willens angesehen werden muß, Wille aber nothwendig als ein Streben sich darstellt: so kann der ursprüngliche Zustand jedes zur Kugel geballten Weltkörpers nicht Ruhe seyn, sondern Bewegung, Streben vorwärts in den unendlichen Raum, ohne Rast und Ziel. Diesem steht weder das Gesetz der Trägheit, noch das der Kausalität entgegen: denn da, nach jenem, die Materie als solche gegen Ruhe und Beweglichkeit gleichgültig ist, so kann Bewegung, so gut wie Ruhe, ihr ursprünglicher Zustand seyn; daher, wenn wir sie in Bewegung vorfinden, wir ebenso wenig berechtigt sind vorauszusetzen, daß derselben ein Zusand der Ruhe vorhergegangen sei, und nach der Ursache des Eintritts der Bewegung zu fragen, als umgekehrt, wenn wir sie in Ruhe fänden, wir eine dieser vorhergegangene Bewegung vorauszusetzen und nach der Ursach ihrer Aufhebung zu fragen hätten. Daher ist kein erster Anstoß für die Centrifugalkraft zu suchen, sondern sie ist, bei den Planeten, nach Kants und Laplaces Hypothese, Überbleibsel der ursprünglichen Rotation des Centralkörpers, von welchem jene sich, bei dessen Zusammenziehung, getrennt haben. Diesem selbst aber ist Bewegung wesentlich: er rotirt noch immer und fliegt zugleich dahin im endlosen Raum, oder cirkulirt vielleicht um einen größern, uns unsichtbaren Centralkörper. Diese Ansicht stimmt gänzlich überein mit der Muthmaaßung der Astronomen von einer Centralsonne, wie auch mit dem wahrgenommenen Fortrücken unseres ganzen Sonnensystems, vielleicht auch des ganzen Sternhaufens, dem unsere Sonne angehört, daraus endlich auf ein allgemeines Fortrücken aller Fixsterne, mit sammt der Centralsonne, zu schließen ist, welches freilich im unendlichen Raum alle Bedeutung verliert (da Bewegung im absoluten Raum von der Ruhe sich nicht unterscheidet) und eben hierdurch, wie schon unmittelbar durch das Streben und Fliegen ohne Ziel, zum Ausdruck jener Nichtigkeit, jener Ermangelung eines letzten Zweckes wird, welche wir, am Schlusse dieses Buches, dem Streben des Willens in allen seinen Erscheinungen werden zuerkennen müssen; daher eben auch wieder endloser Raum und endlose Zeit die allgemeinsten und wesentlichsten Formen seiner gesammten Erscheinung seyn mußten, als welche sein ganzes Wesen auszudrücken da ist.“ Thomas Mann hat sich die in Klammern eingeschlossene Bemerkung „da Bewegung im absoluten Raum von der Ruhe sich nicht unterscheidet“ am Rande angestrichen. Zum Ganzen vgl. ferner Schopenhauer, III, 366 ff.; V, 228.

‚Willens zur Macht'" (XI, 681 f.), wo Nietzsche, seinem Lehrer Schopenhauer entgegen, ja sagt zu dieser Welt, diesem

> Ungeheuer von Kraft [...], als Spiel von Kräften und Kraftwellen zugleich Eins und Vieles, sich hier häufend und zugleich dort sich mindernd, ein Meer in sich selber stürmender und fluthender Kräfte, ewig sich wandelnd, ewig zurücklaufend, mit ungeheuren Jahren der Wiederkehr, mit einer Ebbe und Fluth seiner Gestaltungen, aus den einfachsten in die vielfältigsten hinaustreibend, aus dem Stillsten, Starrsten, Kältesten hinaus in das Glühendste, Wildeste, Sich-selber-Widersprechendste, und dann wieder aus der Fülle heimkehrend zum Einfachen, aus dem Spiel der Widersprüche zurück bis zur Lust des Einklangs, sich selber bejahend noch in dieser Gleichheit seiner Bahnen und Jahre, sich selber segnend als Das, was ewig wiederkommen muß, als ein Werden, das kein Sattwerden, keinen Überdruß, keine Müdigkeit kennt [...].

„Wollt ihr einen *Namen* für diese Welt?" fragt Nietzsche zum Schluß[57]: „Eine *Lösung* für alle ihre Räthsel? Ein Licht auch für euch, ihr Verborgensten, Stärksten, Unerschrockensten, Mitternächtlichsten? — *Diese Welt ist der Wille zur Macht — und Nichts außerdem!*" Schopenhauers und Nietzsches Schlußkadenz: Beides wollte Thomas Mann zum Beschluß seines Lebenswerks noch einmal erklingen lassen.

VII

Stehen wir damit am Ende? Das „Dreigestirn" (XII, 72) von Thomas Manns Jugend ist genannt: Schopenhauer, Nietzsche, Wagner. Auch Freud und Goethe sind heraufbeschworen. Sie alle sind in Kuckuck zusammengefaßt und sprechen durch ihn.

Aber wir sind nicht am Ende. Krulls Gespräch mit Kuckuck greift über die literarische Tradition ins Vorhistorische, ins Mythische zurück. Nicht umsonst überkommt Krull ein „Gefühl von bedeutsamer Weitläufigkeit" (VII, 531, 533), als Kuckuck seine Sternenaugen auf ihn richtet und die Reise nach Lissabon kurzerhand als „Inspektion dieses Sternes und seiner gegenwärtigen Bewohnerschaft" (VII, 531, 534) bezeichnet[58]. Er kommt sich Kuckuck gegenüber nicht nur wie ein Schüler vor, sondern wie ein Kind. Es ist ein Gespräch zwischen Vater und Sohn, zwischen Gott und Gotteskind, das sich hier anbahnt. Nur beiläufig kommt die Rede auf Hermes — Madame Houpflé hat wesentlich konkretere Gründe dafür gehabt. Zu einem eigentlichen Erkennen und Sich-Erinnern führt das Gespräch nicht. Aber trotzdem, die Gottheit ist nun einmal eingeführt, und was Krull im folgenden mit Kuckuck und dessen Familie erlebt, das ist nichts anderes als Amphitryon-Zauber und mythologisches Maskenspiel. Krulls Aufnahme in die Kuckuck-Familie bedeutet die Aufnahme in die olympische Familie und führt beinahe zur Wiederholung des Kore-Raubes, statt dessen aber, in der überraschenden Schlußwendung, zum ἱερὸς γάμος mit der göttlichen Mutter.

Er „verkehre gerne in der hohen, etwas lockeren Familie", hat Thomas Mann am 9.3.1951 an Kerényi geschrieben, als er dessen Schrift über *Die olympische Götterfamilie*

57 Nietzsche, XVI, 401 f.

58 Den Ausdruck „Inspektionsreise" braucht Thomas Mann auch in *Unterwegs* (XI, 358) und in einem Brief vom 2.3.1930 an Ida Herz (ungedruckt, TMA).

in Händen hielt[59]. Im Herbst des gleichen Jahres begann er die Lissaboner Szenen zu schreiben. In der unmittelbar vorausgehenden Schrift *Zeus und Hera. Der Kern der olympischen Götterfamilie*[60] hatte Kerényi von einem Hochzeitsberg in Argos berichtet, der „Kuckucksberg" genannt wurde, „nachdem Zeus die sich dorthin zurückziehende Hera *in der Gestalt eines Kuckucks verführt hatte*"[61]. Thomas Mann hat sich die Stelle mit Bleistift angestrichen. Wir haben also allen Grund, anzunehmen, daß wir den Namen Kuckuck nicht nur mit dem Biologen Kuckuck, dem Teufelsvogel, sondern auch mit Zeus zu assoziieren gebeten sind.

Kuckuck ist, wendet man Kerényis Erkenntnisse auf den *Krull* an, Zeus/Hades gleichzusetzen. Als Herr des Himmels begleitet er den staunenden Sohn auf eine kosmische Entdeckungsreise; als Schatten-Zeus nimmt er ihn im Museum auf eine Hadesfahrt mit, die in die Abgründe der Zeit zurückführt. „Bald uranisch bald chthonisch"[62], führt er seinen Sohn hinauf in die Unendlichkeit des Himmels und hinab in das Dunkel des Ursprungs.

Krull seinerseits rutscht im dritten Buch der Memoiren zusehends in die Rolle des Hermes hinein. Er wird, wie Joseph, ein mythischer Hochstapler[63], ein göttlicher Schelm[64]. Wie jedes Gotteskind nimmt er die ἄθλα auf sich, die ihm beschieden sind. Unter fremdem Namen dient er im Pariser Hotel als Liftboy und Kellner. Dann steigt er „über die Leiche" des Oberkellners Hector in eine gehobenere Position. Das Erhöhungsmotiv ist angedeutet im Bild des Lifts, aber auch im Namen der Straße, an der er zu erstem Reichtum gelangt: Rue de l'Echelle au Ciel. Die Himmelsleiter führt ihn auf die Terasse des „Hôtel des Ambassadeurs", wo er als Dandy dinierend die sozialen Grenzen trügerisch überspielt und schließlich mit dem Marquis des Venosta die Rolle tauscht. Mit diesem sozialen Aufstieg geht der mythische Hand in Hand. Was Joseph

59 Karl Kerényi: *Die olympische Götterfamilie.* „Paideuma", Mitteilungen zur Kulturkunde. Hrsg. für die Deutsche Gesellschaft für Kulturmorphologie vom Frobenius-Institut an der Johann-Wolfgang-Goethe-Universität, Frankfurt am Main, Bd. 4. Bamberg: Bamberger Verlagshaus Meisenbach & Co. 1950, S. 127—128. Vgl. Thomas Manns Brief an Kerényi vom 9.3.1951 (*Gespräch in Briefen*, S. 171).

60 Karl Kerényi: **Zeus und Hera. Der Kern der olympischen Götterfamilie.* „Saeculum", Bd. I. Freiburg i. Br. 1950, S. 228—257. Vgl. Thomas Manns Brief an Kerényi vom 5.7.1950 (*Gespräch in Briefen*, S. 170).

61 **Zeus und Hera. Der Kern der olympischen Götterfamilie*, S. 252 (Unterstreichung von Thomas Mann).

62 Oskar Goldberg: *Die Götter der Griechen.* „Maß und Wert", Jg. I, H. 2. Zürich: Verlag Oprecht, November/Dezember 1937, S. 170.

63 Vgl. Brief vom 28.12.1926 an Ernst Bertram (*Thomas Mann an Ernst Bertram. Briefe aus den Jahren 1910—1955.* Hrsg. von Inge Jens. Pfullingen: Neske 1960, S. 155).

64 Vgl. Karl Kerényi: **Hermes der Seelenführer. Das Mythologem vom männlichen Lebensursprung.* Zürich: Rhein-Verlag 1942, S. 9—107. — Dasselbe. Zürich: Rhein-Verlag 1944 (= Albae Vigiliae, N.F., H. I). — **Der Erzschelm und der Himmelsstürmer. Ein Kapitel aus der Heroenmythologie der Griechen.* Frankfurt: Fischer 1955 (= „Die Neue Rundschau", H. 3. Frankfurt: Fischer 1955, S. 312—323).

erlebt hat, wiederholt sich jetzt bei Krull. Bei der Begegnung mit Madame Houpflé sieht sich Felix in die Hermes-Rolle versetzt. Der Pakt mit dem Marquis, besiegelt durch den Ringwechsel, wiederholt das mythische Sei-wie-ich!, das zwischen Joseph und Pharao die Gleichheit herstellt. Schließlich steht Krull vor dem portugiesischen König und erheitert ihn, wie Joseph/Hermes seinen Sonnengott, von gleich zu gleich.

Kuckuck wird während der Lissaboner Szenen zum Allvater, seine Frau, Maria Pia, zur „Magna mater und Himmelskönigin" (X, 754). Sie zeigt Hera/Demeter-Aspekte. Ihre Tochter, immer mit ihr zusammen auftretend, übernimmt die Kore-Rolle. Krull/Hermes spielt in diesem parodistischen Pantheon den Sohn. Die Taurobolie und die heilige Hochzeit führen die Handlung vollends auf jenes *semper idem* zurück, das sich seit Urzeiten im Menschenleben vollzieht. Daß sich die Grenzen zwischen Mutter und Tochter, aber auch jene zwischen Vater, Gemahl und Bräutigam verwischen, war für Thomas Mann auf jene Schopenhauerische Erkenntnis zurückzuführen[65]: „daß es eigentlich *nur ein Wesen* giebt: die aus den Formen der äußeren, objektiven Auffassung herrührende Illusion der Vielheit (Maja) konnte nicht in das innere, einfache Bewußtsein dringen: daher diese immer nur ein Wesen vorfindet". Es ist diese Erkenntnis von der letztlichen Identität aller Wesen, die, so schien es Thomas Mann, im Mythos immer aufs neue demonstriert wird.

Was das Traktament des Mythos angeht, so berührte es Thomas Mann sonderbar, daß seine Faszination für die „Zaubernacht in des Mondes Hochverehrung" mit Wagners „Altersneigung für Goethe's griechische ‚Phantasmagorie'" (IX, 507; vgl. IX, 534, 677) mythisch übereinstimmte. Er sah sich hier in voller Übereinstimmung mit Goethe und Wagner. „Ein Zufall ist es natürlich nicht, daß gerade der *Mythus* den Boden abgibt für die Begegnung", schreibt er in *Richard Wagner und der „Ring des Nibelungen"*. „Der alte Mythenbildner und -deuter, der schon nach dem ‚Fliegenden Holländer' erklärte, fortan nur noch Märchen erzählen zu wollen, ist entzückt, seinen hochurbanen Gegenspieler in diesem Urbereich, seinem eigensten Bezirke anzutreffen und kann sich nicht genug freuen und wundern über die leichte und überlegen geistvolle Anmut, mit der dieser sich darin bewegt." Goethe, fährt er fort (und auch hier meint er sich selbst), „zelebriert den Mythus nicht, er scherzt mit ihm, er behandelt ihn mit liebevoll-vertraulicher Neckerei, er beherrscht ihn bis ins Kleinste und Entlegenste und macht

65 Schopenhauer, II, 366. Vgl. auch Schopenhauer, II, 259: „Dieser Erkenntnis der Ideen höherer Stufen, welche wir in der Malerei durch fremde Vermittlung empfangen, können wir auch unmittelbar theilhaft werden, durch rein kontemplative Anschauung der Pflanzen und Beobachtung der Thiere, und zwar letzterer in ihrem freien, natürlichen und behaglichen Zustande. Die objektive Betrachtung ihrer mannigfaltigen, wundersamen Gestalten und ihres Thuns und Treibens ist eine lehrreiche Lektion aus dem großen Buche der Natur, ist eine Entzifferung der wahren *Signatura rerum*: wir sehen in ihr die vielfachen Grade und Weisen der Manifestation des Willens, welcher, in allen Wesen der Eine und selbe, überall das Selbe will, was eben als Leben, als Daseyn, sich objektivirt, in so endloser Abwechselung, so verschiedenen Gestalten, die alle Akkommodationen zu den verschiedenen äußeren Bedingungen sind, vielen Variationen desselben Themas zu vergleichen." — Thomas Mann hat die Stelle am Rande angestrichen.

ihn im heiteren, witzigen Wort mit einer Genauigkeit sichtbar, die mehr von Komik, ja von zärtlicher Parodie als von Erhabenheit hat. Es ist eine mythische Belustigung, dem Welt-Revue-Charakter der Faustdichtung ganz gemäß" (IX, 507 f.).

Der *Krull*, das ist der Kernpunkt der späteren Konzeption, ist als humoristisches Götterspiel gedacht. Ein Satz, der im *Joseph* fällt (IV, 201), läßt sich auch auf Krulls Gespräch mit Kuckuck anwenden: „Euer Gottesgespräch war ein Göttergespräch wohl auch." Dadurch, daß im späten *Krull* alle Figuren teils „real", teils als Verkörperung eines Mythos zu nehmen sind, wird jenes Spiel zwischen den Sphären möglich, das den spezifisch Mannschen Humor zeitigt: Er stellt die Diskrepanz zwischen dem Götterbild und seiner unzulänglichen Repräsentation heraus und führt versöhnlich alle Hochstapelei auf Anlehnungsbedürfnis und Spiellust zurück.

Alles Leben, alles Erzählen ist Nachspiel, vergnüglich-läßliches, oft schon nachlässiges Mischen von Mythen und „realen" Begebenheiten. Was es zeigen will, ist die Wiederkehr des immer Gleichen. Was es nehmen will, ist die Angst vor dem Unerhörten, denn das Unerhörte entpuppt sich schließlich als Reminiszenz. Was es geben will, ist die Freude an der Variation, denn sie macht das immer Gleiche immer aufs neue erlebenswert. Dasein wird zum Fest.

Sollen wir uns damit zufriedengeben? Unsere Darstellung wäre unvollständig, wenn wir als umfassendes Vorbild von Professor Kuckuck zum Schluß nicht Thomas Mann selbst nennten. Nicht nur, daß ihn Max Oppenheimer (Mopp) in seiner Thomas-Mann-Lithographie als Sternäugigen dargestellt hat. Das Kuckuck-Kapitel, das ist das Wesentliche, hat durchaus den Charakter einer Selbstparodie und einer Schlußbilanz. Thomas Mann parodiert das Weitausholende, Wissensfreudig-Weitausladende seines eigenen Stils. Er wiederholt eine ganze Reihe von Hauptthemen und -motiven seines eigenen Werks. Was Professor Kuckuck über die Vergänglichkeit sagt, konnte Thomas Mann im Brief vom 13.1.1951 an Claus Unruh[66] und im *Lob der Vergänglichkeit* (1952) auch im eigenen Namen sagen.

So wie Kuckuck hat auch er Schopenhauer, Nietzsche, Wagner, Freud und Goethe im hermetischen Beziehungszauber seines Werks zusammengefaßt. Er war, wie Kuckuck, eins und vieles. Da er nicht allein die Rolle Kuckucks spielt, sondern gleichzeitig auch durch Felix-Hermes spricht, ist das nächtliche Gespräch im Speisewagen ein Selbstgespräch. Vater und Sohn werden im narzißtischen Vexierspiel identisch.

66 Vgl. Anm. 54.

Hermann Kurzke

Auswahlbibliographie 1976—1983

Die Bibliographie beschränkt sich auf Editionen und Forschungsarbeiten im engeren Sinne, verzichtet also auf mehr oder minder essayistische Beiträge und auf Artikel rezensierenden Charakters. Die im vorliegenden Band abgedruckten Beiträge sind nicht verzeichnet.

1. Editionen, Tagebücher, Briefwechsel, Interviews, Dokumentationen

Thomas Mann: *Gesammelte Werke in Einzelbänden.* Frankfurter Ausgabe der Werke Thomas Manns. Herausgegeben von Peter de Mendelssohn. 20 Bände, Frankfurt 1980 ff.

Thomas Mann: *Aufsätze. Reden. Essays.* 8 Bände, Berlin/Weimar 1983 ff.

Thomas Mann: *Essays I—III.* Ausgewählt, eingeleitet und kommentiert von Michael Mann (Band I) und Hermann Kurzke (Band II/III). Frankfurt 1977/78, 2. Auflage 1982/83.

Terence J. Reed (Hrg.): *Thomas Mann: der Tod in Venedig. Text, Materialien, Kommentar.* München/Wien 1983.

James F. White (Hrg.): *The Yale „Zauberberg"-Manuscript. Rejected Sheets.* Bern 1980.

Thomas Mann: *Tagebücher.* Herausgegeben von Peter de Mendelssohn. 1918—1921, Frankfurt 1979. 1933—1934, Frankfurt 1977, 2. Auflage 1978. 1935—1936, Frankfurt 1978. 1937—1939, Frankfurt 1980. 1940—1943, Frankfurt 1982.

Hans Bürgin / Hans-Otto Mayer: *Die Briefe Thomas Manns. Regesten und Register.* Band I: 1889—1933, Frankfurt 1976. Band II: 1934—1943, Frankfurt 1980. Band III: 1944—1950, Frankfurt 1982.

Thomas Mann — Alfred Neumann: *Briefwechsel.* Herausgegeben von Peter de Mendelssohn. Heidelberg 1977.

Thomas Mann — Agnes E. Meyer: *Briefwechsel.* Herausgegeben von Hans Rudolf Vaget. Ca. 1986.

Thomas Mann: „...eine sehr ernste und tiefgehende Korrespondenz mit meinem Bruder...". Zwei neuaufgefundene Briefe an seinen Bruder Heinrich. Hrg. v. Hans Wysling. In: *Deutsche Vierteljahrsschrift für Literaturwissenschaft und Geistesgeschichte* 55, 1981, 645—664. /Zwei bedeutende Briefe von 1903 und 1904./

Volkmar Hansen / Gert Heine (Hrg.): *Frage und Antwort. Interviews mit Thomas Mann 1909—1955.* Hamburg 1983.

Hans Wysling / Marianne Fischer (Hrg.): Dichter über ihre Dichtungen. Thomas Mann. 3 Bände, Zürich / München / Frankfurt 1975—1981.

2. Bibliographien

Klaus W. Jonas: *Die Thomas-Mann-Literatur.* Band I: Bibliographie der Kritik 1896—1955, Berlin 1972. Band II: 1956—1975, Berlin 1980.

3. Einführungen

Helmut Jendreiek: *Thomas Mann. Der demokratische Roman.* Düsseldorf 1977.

Hans Rudolf Vaget: *Thomas-Mann-Kommentar zu sämtlichen Erzählungen.* München 1984 (Winkler).

Volkmar Hansen: *Thomas Mann.* Stuttgart 1984 (Realienbücher der Sammlung Metzler).

Hermann Kurzke: *Thomas Mann. Epoche — Werk — Wirkung.* München 1985 (Arbeitsbücher für den literaturwissenschaftlichen Unterricht).

4. Monographien und Aufsätze

4.1. Grundsätzliche und übergreifende Darstellungen. Sammelbände.

Hans Mayer: *Thomas Mann.* Frankfurt 1980.

Helmut Koopmann: *Die Entwicklung des „intellektualen Romans" bei Thomas Mann.* 3. Auflage Bonn 1980.

Antal Mádl: *Thomas Manns Humanismus. Werden und Wandel einer Welt- und Menschenauffassung.* Berlin / DDR 1980.

Gert Sautermeister: *Thomas Mann: Volksverführer, Künstler-Politiker, Weltbürger. Führerfiguren zwischen Ästhetik, Dämonie, Politik.* In: *Exilforschung.* Ein internationales Jahrbuch. 1, 1983, 302—321.

Eckhart Heftrich: *Vom Verfall zur Apokalypse.* Frankfurt 1982.

Beatrix Bludau / Eckhard Heftrich / Helmut Koopmann (Hrg.): *Thomas Mann 1875—1975.* Vorträge in München — Zürich — Lübeck. Frankfurt 1977.

Helmut Brandt / Hans Kaufmann (Hrg.): *Werk und Wirkung Thomas Manns in unserer Epoche.* Berlin / Weimar 1978.

4.2. Ästhetik. Arbeitstechnik. Themen und Motive.

Manfred Dierks: *Zur Bedeutung philosophischer Konzepte für einen Autor und für die Beschaffenheit seiner Texte.* In: Bjørn Ekmann / Børge Kristiansen / Friedrich Schmöe (Hrg.): *Literatur und Philosophie.* Kopenhagen 1983, 9—39.

Heinz J. Dill: *Der Spielbegriff bei Thomas Mann: die Kunst als Synthese von Erkenntnis und Naivität.* In: *Orbis Litterarum* 37, 1982, 134—150.

Eva Schiffer: *Zwischen den Zeilen. Manuskriptänderungen bei Thomas Mann. Transkriptionen und Deutungsversuche.* Berlin 1982.

Erwin Koppen: *Schönheit, Tod und Teufel. Italienische Schauplätze im erzählenden Werk Thomas Manns.* In: *arcadia* 16, 1981, 151—167.

4.3. Politik

Paul Egon Hübinger: *Thomas Mann und Reinhard Heydrich in den Akten des Reichsstatthalters v. Epp.* In: *Vierteljahrshefte für Zeitgeschichte* 28, 1980, Heft 1, 111—143.

Gert Sautermeister: *Widersprüchlicher Antifaschismus. Thomas Manns politische Schriften (1914—1945).* In: Lutz Winckler (Hrg.): *Antifaschistische Literatur.* Band I. Kronberg 1977, 142—222.

Hermann Kurzke: *Auf der Suche nach der verlorenen Irrationalität. Thomas Mann und der Konservatismus.* Würzburg 1980.

Hendrik Balonier: *Schriftsteller in der konservativen Tradition: Thomas Mann 1914—1924.* Frankfurt / Bern / New York 1983.

Keith Bullivant: *Thomas Mann: unpolitischer oder Vernunftrepublikaner?* In: K.B. (Hrg.): *Das literarische Leben in der Weimarer Republik.* Königstein 1978, 11—27.

Peter Paul Schneider: *„Es waren schwere Tage, die hinter uns liegen..." — zu Heinrich Manns politischer Rolle von November 1918 — Mai 1919 im Tagebuch Thomas Manns.* In: *Arbeitskreis Heinrich Mann.* Mitteilungsblatt. Sonderheft 1981, 265—288.

Dietrich Aigner: *Zum politischen Debüt der Familie Mann in den USA: das „Peace and democracy rally" im New Yorker Madison Square Garden vom 15. März 1937.* In: *Arbeitskreis Heinrich Mann.* Mitteilungsblatt. Sonderheft 1981, 29—42.

4.4. Erotik, Psychologie, Psychoanalyse

Hans Wysling: *Thomas Manns Rezeption der Psychoanalyse.* In: Benjamin Bennett u.a. (Hrg.): *Probleme der Moderne. Studien zur deutschen Literatur von Nietzsche bis Brecht.* Festschrift für Walter Sokel. Tübingen 1983, 201—222.

Claus Sommerhage: *Eros und Poesis. Über das Erotische bei Thomas Mann.* Bonn 1982.

Mechthild Curtius: *Erotische Utopien bei Thomas Mann.* Königstein 1984.

Ignace Feuerlicht: *Thomas Mann and homoeroticism.* In: *The Germanic Review* 57, 1982, 89—97.

4.5. Einflüsse, Beziehungen, Zeitgenossenschaften

Werner Frizen: *Zaubertrank der Metaphysik. Quellenkritische Überlegungen im Umkreis der Schopenhauer-Rezeption Thomas Manns.* Frankfurt 1980.

Hinrich Siefken: *Thomas Mann. Goethe — „Ideal der Deutschheit". Wiederholte Spiegelungen 1893—1949.* München 1981.

Hans Rudolf Vaget: *Goethe. Der Mann von sechzig Jahren.* Mit einem Anhang über Thomas Mann. Königstein 1982.

Dagmar von Gersdorff: *Thomas Mann und E.T.A. Hoffmann. Die Funktion des Künstlers und der Kunst in den Romanen „Doktor Faustus" und „Lebensansichten des Katers Murr".* Frankfurt / Bern / Cirencester 1979.

Gabriele Kucher: *Thomas Mann und Heimito von Doderer: Mythos und Geschichte. Auflösung als Zusammenfassung im modernen Roman.* Nürnberg 1981.

Judith Marcus-Tar: *Thomas Mann und Georg Lukács.* Köln / Wien 1982.

4.6. Frühe Erzählungen, Fiorenza

Burghard Dedner: *Kultur und Wahrheit. Zur thematischen Dialektik von Thomas Manns Frühwerk.* In: *Jahrbuch der deutschen Schillergesellschaft* 27, 1983, 345—380.

Hans Robert Vaget: *Intertextualität im Frühwerk Thomas Manns. „Der Wille zum Glück" und Heinrich Manns „Das Wunderbare".* In: *Zeitschrift für deutsche Philologie* 101, 1982, 193—216.

Wolfgang Frühwald: *„Der christliche Jüngling im Kunstladen". Milieu- und Stilparodie in Thomas Manns Erzählung „Gladius Dei".* In: Günter Schnitzler (Hrg.): *Bild und Gedanke. Festschrift für Gerhart Baumann.* München 1980, 324—342.

Peter Pütz: *Thomas Manns „Fiorenza" (1905): ein Drama des 20. Jahrhunderts?* In: Hans Dietrich Irmscher / Werner Keller (Hrg.): *Drama und Theater im 20. Jahrhundert. Festschrift für Walter Hinck.* Göttingen 1983, 41—49.

4.7. Buddenbrooks

Hans Rudolf Vaget: *Der Asket und der Komödiant: die Brüder Buddenbrook.* In: *Modern Language Notes* 97, 1982, 656—670.

Herbert Lehnert: *Thomas Mann: „Buddenbrooks" (1901).* In: Paul Michael Lützeler (Hrg.): *Deutsche Romane des 20. Jahrhunderts: neue Interpretationen.* Königstein 1983, 31—49.

Hans R. Vaget: *Auf dem Weg zur Repräsentanz. Thomas Mann in Briefen an Otto Grautoff (1894—1901).* In: Neue Rundschau 91, 1980, H. 2, 58—82.

Ernest M. Wolf: *Scheidung und Mischung: Sprache und Gesellschaft in Thomas Manns „Buddenbrooks".* In: *Orbis Litterarum* 38, 1983, 235—253.

4.8. Königliche Hoheit

Dieter Borchmeyer: *Repräsentation und ästhetische Existenz. „Königliche Hoheit" und „Wilhelm Meister". Thomas Manns Kritik der formalen Existenz.* In: *Recherches Germaniques* 13, 1983, 105—136.

4.9. Der Zauberberg

Børge Kristiansen: *Unform — Form — Überform. Thomas Manns Zauberberg und Schopenhauers Metaphysik.* Kopenhagen 1978, 2. Auflage Bonn 1985.

Helmut Koopmann: *Der klassisch-moderne Roman in Deutschland.* Stuttgart 1983, 26—76.

Helmut Koopmann: *Über den asiatischen Umgang mit der Zeit in Thomas Manns „Zauberberg".* In: *Arbeitskreis Heinrich Mann.* Mitteilungsblatt. Sonderheft 1981, 161—172.

Helmut Koopmann: *Philosophischer Roman oder romanhafte Philosophie? Zu Thomas Manns lebensphilosophischer Orientierung in den 20er Jahren.* In: Bjørn Ekmann / Børge Kristiansen / Friedrich Schmöe (Hrg.): *Literatur und Philosophie.* Kopenhagen 1983, 101—124.

Horst Fritz: *Instrumentelle Vernunft als Gegenstand von Literatur. Studien zu Jean Pauls „Dr. Katzenberger", E.T.A. Hoffmanns „Klein Zaches", Goethes „Novelle" und Thomas Manns „Zauberberg".* München 1982.

Roy Pascal: *„The magic mountain" and Adorno's critique of the traditional novel.* In: Keith Bullivant (Hrg.): *Culture and society in the Weimar Republic.* Manchester 1977, 1—23.

Werner Frizen: *Die „bräunliche Schöne". Über Zigarren und Verwandtes in Thomas Manns Zauberberg.* In: *Deutsche Vierteljahrsschrift für Literaturwissenschaft und Geistesgeschichte* 55, 1981, 107—118.

Herbert Lehnert: *Leo Naphta und sein Autor.* In: *Orbis Litterarum* 37, 1982, 47—69.

4.10. Mario und der Zauberer

Karl Pörnbacher: *Thomas Mann. Mario und der Zauberer. Erläuterungen und Dokumente.* Stuttgart 1980.

Dieter Wuckel: *„Mario und der Zauberer" in der zeitgenössischen Presseresonanz.* In: Helmut Brandt / Hans Kaufmann (Hrg.): *Werk und Wirkung Thomas Manns in unserer Epoche.* Berlin / Weimar 1978, 346—356.

Wolfgang Freese: *Zum Verhältnis von Antifaschismus und Leseerwartung in „Mario und der Zauberer".* In: *Deutsche Vierteljahrsschrift für Literaturwissenschaft und Geistesgeschichte 51, 1977, 659—675.*

Gert Sautermeister: Thomas Mann: „Mario und der Zauberer“. München 1981.

Klaus Müller-Salget: *Der Tod in Torre di Venere. Spiegelung und Deutung des italienischen Faschismus in Thomas Manns „Mario und der Zauberer“.* In: arcadia 18, 1983, S. 50—65.

4.11. Joseph und seine Brüder

Dietmar Mieth: *Epik und Ethik. Eine theologisch-ethische Interpretation der Josephromane Thomas Manns.* Tübingen 1976.

Klaus Borchers: *Mythos und Gnosis im Werk Thomas Manns.* Freiburg 1980.

Käte Hamburger: *Thomas Manns biblisches Werk.* München 1981.

4.12. Lotte in Weimar

Barbara Molinelli-Stein: *Größe als Gewissensfrage. Versuch einer psycho-existenziellen Strukturanalyse zu Thomas Manns Roman „Lotte in Weimar“.* In: Goethe-Jahrbuch 98, 1981, 182—224.

4.13. Doktor Faustus

Uwe Wolff: *Thomas Mann, „Der erste Kreis der Hölle“. Der Mythos im „Doktor Faustus“.* Stuttgart 1979.

Rudolf Wolff (Hrg.): *Thomas Manns Dr. Faustus und die Wirkung.* Bonn 1983.

Rosemarie Puschmann: *Magisches Quadrat und Melancholie in Thomas Manns „Doktor Faustus“.* Bielefeld 1983.

4.14. Der Erwählte

Deborah Lund et al.: *Mittelalterliche Legende im 20. Jahrhundert von Aue und Thomas Manns Gregorius.* In: James F. Poog / Gerhild Scholz-Williams (Hrg.): *Das Weiterleben des Mittelalters in der deutschen Literatur.* Königstein 1983, S. 168—181.

4.15. Bekenntnisse des Hochstaplers Felix Krull

Hans Wysling: *Narzißmus und illusionäre Existenzform. Zu den Bekenntnissen des Hochstaplers Felix Krull.* Bern / München 1982.

Werner Frizen: *Allsympathie. Zum Kuckuck-Gespräch in Thomas Manns Krull.* In: *Literatur in Wissenschaft und Unterricht* 14, 1981, 139—155.

4.16. Essayistik

Clayton Koelb: *The genesis of Thomas Mann's „Goethe und Tolstoi".* In: Monatshefte 75, 1983, 55—68.

Hinrich Siefken: *Thomas Mann's essay „Bruder Hitler".* In: *German Life and Letters* 35, 1981/82, 165—181.

Hinrich Siefken: *Der Essayist Thomas Mann.* In: *Text und Kritik.* Sonderband Thomas Mann. 2., erweiterte Auflage München 1982, S. 132—147.

4.17. Tagebücher

Herbert Lehnert: *Thomas Manns Tagebücher der Emigration 1933—1934.* In: Orbis Litterarum 34, 1979, 124—129 (Fortsetzungen in OL 1980—1984).

Ronald Speirs: *Aus dem Leben eines Taugenichts.* In: *Text und Kritik.* Sonderband Thomas Mann. Herausgegeben von Heinz Ludwig Arnold. 2., erweiterte Auflage 1982, 148—163.

Friedrich Dieckmann: *Thomas Mann nach Hitlers Machtantritt. Die Tagebücher 1933/34.* In: Sinn und Form 1980, 163—196 und 457—483.

4.18. Rezeption

Hans Waldmüller: *Thomas Mann. Zahlen, Fakten, Daten seiner Rezeption.* In: *Aus dem Antiquariat* H. 3, 1980, 97—111.

Hubert Orlowski: *Die größere Kontroverse. Zur deutschen „nichtakademischen" Rezeption des „Doktor Faustus" von Thomas Mann.* In: Rolf Kloepfer / Gisela Janetzke-Dillner (Hrg.): *Erzählung und Erzählforschung im 20. Jahrhundert.* Stuttgart 1981, 245—255.

Gabriele Seitz: *Film als Rezeptionsform von Literatur. Zum Problem der Verfilmung von Thomas Manns Erzählungen „Tonio Kröger", „Wälsungenblut" und „Der Tod in Venedig".* München 1979.

Silvio Vietta: *Die „Buddenbrooks" im Fernsehen. Eine Mannheimer Studie zur Rezeption der Verfilmung des Romans von Thomas Manns.* In: Helmut Kreuzer / Reinhold Viehoff (Hrg.): *Literaturwissenschaft und empirische Methoden.* Göttingen 1981, 244—263.

Rudi Kost: *Dr. Fäustchen oder die (De)Montage der Attraktion. Gedanken zur „Doktor Faustus"-Verfilmung von Franz Seitz und zu Literaturverfilmungen überhaupt.* In: Rudolf Wolff (Hrsg.): *Thomas Manns Dr. Faustus und die Wirkung.* Bonn 1983, Band 2, S. 27—46.

Antal Mádl / Judit Györi (Hrg.): *Thomas Mann und Ungarn.* Köln / Wien 1977.

Register der Werke Thomas Manns

Namenregister

Nachweise

Hermann Kurzke: Tendenzen der Forschung seit 1976. Originalbeitrag.

Peter Pütz: Die Stufen des Bewußtseins bei Schopenhauer und den Buddenbrooks. In: B. Allemann / E. Koppen (Hrg.): Teilnahme und Spiegelung. Festschrift für Horst Rüdiger. Berlin / New York 1975, S. 443-452.

Frithjof Trapp: Artistische Verklärung der Wirklichkeit. Thomas Manns Roman „Königliche Hoheit“ vor dem Hintergrund der zeitgenössischen Presserezeption. In: H. Arntzen (Hrg.). Literaturwissenschaft und Geschichtsphilosophie. Festschrift für Wilhelm Emrich. Berlin / New York 1975, S. 453-469.

Hans R. Vaget: Thomas Mann und die Neuklassik. In: Schiller-Jahrbuch 17, 1973, S. 432-454.

Lothar Pikulik: Die Politisierung des Ästheten im Ersten Weltkrieg. In: Bludau / Heftrich / Koopmann (Hrg.): Thomas Mann 1875-1975. Vorträge. Frankfurt 1977, S. 61-74.

Hans-Joachim Sandberg: Thomas Mann und Georg Brandes. Quellenkritische Beobachtungen zur Rezeption (un-)politischer Einsichten und zu deren Integration in Essay und Erzählkunst. In: Bludau et al. 1977, S. 285-306.

Terence J. Reed: „Der Zauberberg“. Zeitenwandel und Bedeutungswandel 1912-1924. In: Heinz Sauereßig (Hrg.): Besichtigung des Zauberbergs. Biberach 1974, S. 81-139.

Børge Kristiansen: Der Zauberberg: Schopenhauer-Kritik oder Schopenhauer-Affirmation. In: B.K.: Unform-Formüberform. Thomas Manns Zauberberg und Schopenhauers Metaphysik. Bonn 1985.

Karl Werner Böhm: Die homosexuellen Elemente im „Zauberberg“. Originalbeitrag.

Hartmut Böhme: Thomas Mann: Mario und der Zauberer. Position des Erzählers und Psychologie der Herrschaft. In: Orbis Litterarum 30, 1975, S. 286-316.

Manfred Dierks: Die Aktualität der positivistischen Methode — am Beispiel Thomas Mann. In: Orbis Litterarum 33, 1978, S. 158-182.

Hermann Kurzke: Ästhetizistisches Wirkungsbewußtsein und narrative Ethik bei Thomas Mann. In: Orbis Litterarum 35, 1980, S. 163-184.

Erwin Koppen: Vom Décadent zum Proto-Hitler. Wagner-Bilder Thomas Manns. In: Peter Pütz (Hrg.): Thomas Mann und die Tradition. Frankfurt 1971, S. 201-224.

Herbert Lehnert: Bert Brecht und Thomas Mann im Streit über Deutschland. In: Spalek / Strelka (Hrg.): Deutsche Exilliteratur seit 1933. Kalifornien. Bern / München 1976. Band I, S. 62-88.

Hans Wysling: Wer ist Professor Kuckuck? In: H.W.: Thomas Mann heute. Sieben Vorträge. Bern / München 1976, S. 44-63.

Hermann Kurzke: Kommentierte Auswahlbibliographie 1976-1983. Originalbeitrag.